D1082730

Un bonheur si fragile

DU MÊME AUTEUR

Saga LE PETIT MONDE DE SAINT-ANSELME :

Tome I, *Le petit monde de Saint-Anselme, chronique des années 30*, roman, Montréal, Guérin, 2003.

Tome II, *L'enracinement, chronique des années 50*, roman, Montréal, Guérin, 2004.

Tome III, *Le temps des épreuves, chronique des années 80*, roman, Montréal, Guérin, 2005.

Tome IV, *Les héritiers, chronique de l'an 2000*, roman, Montréal, Guérin, 2006.

Saga LA POUSSIÈRE DU TEMPS :

Tome I, *Rue de la Glacière, roman*, Montréal, Hurtubise HMH, 2005, format compact, 2008.

Tome II, *Rue Notre-Dame*, roman, Montréal, Hurtubise HMH, 2005, format compact, 2008.

Tome III, *Sur le boulevard*, roman, Montréal, Hurtubise HMH, 2006, format compact, 2008.

Tome IV, *Au bout de la route*, roman, Montréal, Hurtubise HMH, 2006, format compact, 2008.

Saga À L'OMBRE DU CLOCHER :

Tome I, *Les années folles*, roman, Montréal, Hurtubise HMH, 2006, format compact, 2010.

Tome II, *Le fils de Gabrielle*, roman, Montréal, Hurtubise HMH, 2007, format compact, 2010.

Tome III, *Les amours interdites*, roman, Montréal, Hurtubise HMH, 2007, format compact, 2010.

Tome IV, *Au rythme des saisons*, roman, Montréal, Hurtubise HMH, 2008, format compact, 2010.

Saga CHÈRE LAURETTE :

Tome I, *Des rêves plein la tête*, roman, Montréal, Hurtubise HMH, 2008.

Tome II, *À l'écoute du temps*, roman, Montréal, Hurtubise HMH, 2008.

Tome III, *Le retour*, roman, Montréal, Hurtubise HMH, 2009.

Tome IV, *La fuite du temps*, roman, Montréal, Éditions Hurtubise, 2009.

Saga UN BONHEUR SI FRAGILE :

Tome I, *L'engagement*, roman, Montréal, Éditions Hurtubise, 2009.

Michel David

Un bonheur si fragile

tome 2

Le drame

Roman historique

Hurtubise

Catalogage avant publication de Bibliothèque et Archives nationales du Québec et Bibliothèque et Archives Canada

David, Michel, 1944-

    Un bonheur si fragile : roman historique

    L'ouvrage complet comprendra 4 v.

    Sommaire : t. 1. L'engagement – t. 2. Le drame.

    ISBN 978-2-89647-209-3 (v. 1)

    ISBN 978-2-89647-260-4 (v. 2)

    I. Titre. II. Titre : L'engagement. III. Titre : Le drame.

PS8557.A797B66 2009   C843'.6   C2009-941606-9
PS9557.A797B66 2009

Les Éditions Hurtubise bénéficient du soutien financier des institutions suivantes pour leurs activités d'édition :

– Conseil des Arts du Canada ;
– Gouvernement du Canada par l'entremise du Programme d'aide au développement de l'industrie de l'édition (PADIÉ) ;
– Société de développement des entreprises culturelles du Québec (SODEC) ;
– Gouvernement du Québec par l'entremise du programme de crédit d'impôt pour l'édition de livres.

Conception graphique de la page couverture : René St-Amand
Illustration de la couverture : Jean-Louis Tripp et Régis Loisel
Couleurs : François Lapierre
Maquette intérieure et mise en page : Andréa Joseph [pagexpress@videotron.ca]

Copyright © 2010, Éditions Hurtubise inc.
ISBN 978-2-89647-260-4

Dépôt légal : 1er trimestre 2010
Bibliothèque et Archives nationales du Québec
Bibliothèque et Archives du Canada

Diffusion-distribution au Canada :
Distribution HMH
1815, avenue De Lorimier
Montréal (Québec) H2K 3W6
Téléphone : 514 523-1523
Télécopieur : 514 523-9969
www.distributionhmh.com

Diffusion-distribution en Europe :
Librairie du Québec/DNM
30, rue Gay-Lussac
75005 Paris FRANCE
www.librairieduquebec.fr

Imprimé au Canada
www.editionshurtubise.com

L'espoir est sur mon cœur
Comme un oiseau blessé
Je le tuerai demain…

L'Espoir, Georgette Lacroix

Les principaux personnages

La famille Joyal

Napoléon : cultivateur, âgé de 51 ans
Lucienne : épouse de Napoléon, âgée de 49 ans et mère
d'Anatole (28 ans), Blanche (26 ans), Bastien (24 ans),
Germaine (23 ans), Corinne (19 ans) et Simon (16 ans)

La famille Boisvert

Gonzague : cultivateur veuf, âgé de 61 ans
Henri : l'aîné de la famille, âgé de 37 ans
Annette : épouse d'Henri, âgée de 36 ans et mère de deux
enfants
Juliette Marcil : fille de Gonzague, âgée de 34 ans et veuve
sans enfant
Aimé : fils de Gonzague, âgé de 31 ans
Raymond : fils de Gonzague, âgé de 29 ans
Laurent : fils de Gonzague, âgé de 22 ans
Wilfrid Boucher : grand-père maternel, beau-père
de Gonzague

Le village de Saint-Paul-des-Prés

Le presbytère

Rose Bellavance : servante
Charles Bilodeau : curé de la paroisse
Pierre-Paul Langevin : vieux bedeau
Géraldine Lemieux : servante du curé
Jérôme Nadon : vicaire
Camil Racicot : cultivateur, président du conseil
    de la fabrique
Paul-André Rajotte : cultivateur, membre du conseil
    de la fabrique

Le village

Alexina et Alcide Duquette : propriétaires du magasin
    général
Honorine Gariépy : présidente des dames de Sainte-Anne
    et mère de Catherine
Baptiste Melançon : forgeron
Aristide Ménard : notaire
Gustave Parenteau : avocat
Adrien Précourt : médecin
Mance Proulx : institutrice
Ange-Albert Vigneault : boucher

Le rang Saint-Joseph

Amanda Brisebois : voisine de Corinne et Laurent

Maurice Courchesne : voisin de Corinne et Laurent,
    père d'une famille nombreuse de la paroisse

Jocelyn Jutras : voisin de Corinne et Laurent

Marie-Claire et Conrad Rocheleau : voisins de Corinne
    et Laurent

Rosaire Gagné : orphelin en pension chez Corinne
    et Laurent

Bertrand Gagnon : maire

Autres

Bernard Provencher : entrepreneur

Germain Leroux et Armand Rochette : agents de la Police
    provinciale

Chapitre 1

La crise

Le boghei tourna dans la cour de la ferme du rang de la rivière et son jeune conducteur poursuivit son chemin jusqu'à l'écurie. Bastien Joyal descendit de voiture et entreprit de dételer sa bête avant de la faire pénétrer dans l'enclos où un autre cheval broutait paisiblement.

En ce début de la deuxième semaine de mai, on se serait cru au cœur de l'été tant la chaleur était accablante. Pas un souffle de vent pour venir rafraîchir l'air. Les arbres portaient déjà leur feuillage estival et tous les champs environnants exhibaient un vert soutenu des plus agréables à l'œil des cultivateurs de la région.

Lucienne, penchée au-dessus de l'une de ses plates-bandes, se redressa péniblement et s'essuya les mains sur son tablier. La mère de famille de quarante-neuf ans avait un visage rond et possédait un tour de taille assez imposant. Ses cheveux poivre et sel coiffés en un strict chignon étaient dissimulés sous un large chapeau de paille. Sa robe grise dotée de manches longues et soigneusement boutonnée près du cou accentuait son air sévère. En massant ses reins endoloris, elle attendit que son fils vienne à sa rencontre.

— Puis, comment va ta sœur? demanda-t-elle au jeune homme aux larges épaules.

— Elle a l'air pas mal, m'man.

— Et Laurent?

— Lui, je l'ai pas vu, répondit Bastien en tirant sa blague à tabac de l'une de ses poches.

— Où est-ce qu'il était?

Le jeune homme de vingt-quatre ans aux yeux noisette prit subitement un air embarrassé avant d'avouer à sa mère :

— Corinne m'a dit qu'il était pas encore revenu du chantier.

— Ben voyons donc! s'exclama Lucienne Joyal. Pas revenu du chantier la deuxième semaine de mai! C'est une farce, j'espère? Ça fait presque trois semaines que ton frère et toi, vous êtes revenus…

— C'est pas une farce pantoute, m'man.

— Ça a pas d'allure, une affaire comme ça. Pour moi, il a eu un accident… Il est peut-être mort…

— Pas d'après ce que Corinne m'a raconté, finit par dire le jeune homme. Il paraît qu'un gars qui était au chantier avec lui l'hiver passé est venu pour le voir il y a deux semaines. Il a dit à Corinne que Laurent avait lâché le chantier à la fin de février avec un autre bûcheron.

— Ah ben! J'aurai tout entendu. Il a lâché il y a deux mois et demi et il est pas encore arrivé! Où est-ce qu'il est encore allé courir, lui, pendant que sa femme attend un petit?

Sur ces mots, Lucienne Joyal, hors d'elle, planta là son fils et rentra dans la maison en laissant claquer derrière elle la porte moustiquaire. Au moment où elle pénétrait dans sa cuisine d'été, son mari poussa la porte communiquant avec la remise voisine.

— Que je le savais donc! Que je le savais donc! s'écria-t-elle en le voyant.

— Bon, encore un drame! fit Napoléon, un petit homme de cinquante et un ans à l'air débonnaire, en passant une main sur sa tête où il ne restait qu'une mince couronne de cheveux gris.

— Oui, c'est un drame! fit sa femme avec force. On n'aurait jamais dû laisser ce mariage-là se faire.

— De quoi tu parles, torrieu? demanda son mari en se dirigeant vers le comptoir dans l'intention de se servir un verre d'eau.

— Je parle du mariage de Corinne. Je le savais que ce grand maudit sans-cœur-là était pas fiable pour deux cennes.

— Qu'est-ce qu'il a encore fait? demanda Napoléon, excédé.

— Il a rien fait, justement. Pendant que sa femme approche de sa date, lui, il court les chemins. Bastien vient d'arriver de Saint-Paul pour aller inviter sa sœur à ses fiançailles la semaine prochaine. Tu me croiras si tu veux, mais ton gendre est pas encore revenu du chantier.

— Hein!

— Je te le dis! En plus, il paraît qu'il a *jumpé* à la fin de février. Où est-ce qu'il est encore passé, ce grand maudit fanal? Veux-tu bien me le dire, toi?

— Chez son père, ils doivent le savoir, suggéra Napoléon d'une voix hésitante.

— Tu sais bien que s'ils l'avaient su, ils seraient allés avertir Corinne. Ça a beau être une belle bande d'airs bêtes, quelqu'un de la famille serait allé le dire à Corinne. Elle doit être heureuse encore, notre fille! Elle a presque neuf mois faits et elle est poignée toute seule avec le grand-père et un petit gars de douze ans en plein dans le temps où il y a le plus à faire sur une terre. Pendant ce temps-là, son grand flanc mou se promène quelque part, on sait pas où, et il doit gaspiller dans les hôtels le peu d'argent qu'il a gagné cet hiver.

— On le sait pas, dit Napoléon. Là, tu parles sans savoir.

— Comment ça, on le sait pas, bondance! s'emporta Lucienne, le visage rouge de fureur. Où est-ce que tu veux qu'il soit passé, cet insignifiant-là ? Il est tout de même pas à genoux dans une église en train de faire ses dévotions depuis deux mois et demi… Lui, quand je vais lui voir la face, il va avoir affaire à moi, je t'en passe un papier. S'il a pas de plomb dans la tête, je vais lui en mettre, moi ! promit-elle, les dents serrées.

Cette sortie de sa femme sembla avoir semé l'inquiétude chez Napoléon Joyal qui s'attarda dans la cuisine, incapable de prendre la décision d'aller rejoindre ses fils Anatole et Simon, avec qui il travaillait à remplacer les planches pourries de l'un des murs de l'étable.

— Il va falloir faire quelque chose pour Corinne, finit-il par dire d'une voix incertaine.

— Oui, et ça presse, fit Lucienne sur un ton déterminé. Si tu peux te passer de Bastien ou d'Anatole une couple de jours, on pourrait l'envoyer lui donner un coup de main à Saint-Paul. C'est le temps de vérifier les clôtures pour pouvoir sortir les bêtes et il va falloir ramasser les pierres dans ses champs. C'est pas de l'ouvrage à faire pour une femme en famille ou pour un vieux qui a passé quatre-vingts ans. Rosaire peut aider, mais il a pas l'âge pour faire ça tout seul.

— Je vais demander à Bastien d'y aller demain, décida Napoléon avant de pousser la porte moustiquaire pour sortir.

Demeurée seule dans la pièce, Lucienne se dirigea vers le garde-manger d'où elle revint avec un plat rempli de pommes de terre. L'air préoccupé, la mère de famille s'assit à table et se mit à les éplucher.

— Seigneur, que les enfants nous en font voir de toutes les couleurs ! dit-elle à mi-voix.

Les sujets de préoccupation ne manquaient pas en ce mois de mai 1902. Blanche, sa fille aînée, avait perdu son petit Germain au mois de décembre précédent et n'avait pas encore surmonté son deuil, malgré l'aide d'Amédée.

Lucienne priait tous les jours pour que les soins exigés par ses deux autres enfants la tirent de sa dépression.

Par ailleurs, Anatole et Bastien avaient décidé de faire une fin, comme elle disait. À vingt-huit et vingt-quatre ans, c'était normal qu'ils se marient. Ils allaient épouser tous les deux des filles de la paroisse durant l'été. Bastien ne la préoccupait pas trop avec sa Rosalie. Ils formaient un bon couple et le père Cadieux était tout à fait heureux d'accueillir son gendre chez lui. Il n'avait pas de fils et Bastien allait l'aider sur sa terre de Saint-François-du-Lac.

Par contre, la Thérèse Rochon l'inquiétait passablement. Cette grande fille peu aimable allait venir vivre chez elle au début du mois de septembre. Son cœur de mère lui disait que son Anatole se faisait forcer la main pour épouser cette jeune femme sans grâce qui craignait par-dessus tout de coiffer sainte Catherine.

Germaine, institutrice à Saint-Bonaventure, ne lui causait pas de souci. Pourtant elle aurait aimé la voir fréquentée par un garçon sérieux de la paroisse. Mais la jeune fille de vingt-trois ans aimait sa profession et ne semblait pas envier ses deux sœurs mariées.

Enfin, Simon, le cadet de la famille, ne représentait pas un bien gros problème. C'était un adolescent qui «tirait parfois un peu trop sur les cordeaux», comme elle disait, mais il était facile de le remettre à sa place et de le faire marcher droit.

Il restait Corinne. À cette évocation, des rides d'inquiétude apparurent sur le front de la mère de famille. Sa fille de dix-neuf ans la préoccupait d'autant plus qu'elle vivait loin des siens et qu'elle ne pouvait lui venir en aide comme elle l'aurait désiré.

— Ce mariage-là aurait jamais dû se faire! répéta-t-elle à haute voix. J'aurais donc dû mettre le holà quand il en a été question!

Ils avaient donné leur cadette à Laurent Boisvert dix mois auparavant et elle le regrettait amèrement. Sa Corinne attendait un enfant d'un bien drôle de numéro, un garçon en qui elle n'avait jamais eu grande confiance. Le pire était qu'elle vivait à dix milles de Saint-François-du-Lac, au fond du rang Saint-Joseph, à Saint-Paul-des-Prés. Si encore la jeune femme avait pu compter sur l'aide de sa belle-famille. Mais non! Les Boisvert avaient l'air d'une bande de sans-cœur incapables de générosité les uns envers les autres. Puis voilà que Bastien venait de lui apprendre que sa fille, parvenue presque au terme de sa grossesse, attendait encore son mari parti du chantier depuis deux mois et demi.

— Où est-ce qu'il est encore allé courir, ce maudit agrès-là? jura-t-elle à mi-voix.

Si Corinne avait été seule chez elle, Lucienne n'aurait fait ni une ni deux. Elle aurait ordonné à son mari d'aller la chercher avec armes et bagages pour la ramener à la maison de manière à pouvoir lui venir en aide lorsque l'heure de sa délivrance serait venue. Mais là, c'était impossible. Elle avait recueilli grand-père Boucher et le jeune Rosaire chez elle...

Quand arriva l'heure du souper, la mère de famille dressa le couvert sur la table de la cuisine d'été dans laquelle elle avait emménagé quelques jours plus tôt. Elle attendit patiemment de voir sortir ses trois fils et son mari de l'étable avant de déposer sur la table une soupière remplie d'une bonne soupe aux légumes.

— Oubliez pas de laisser vos bottes dehors, cria-t-elle aux hommes lorsqu'elle les entendit monter sur la galerie.

Napoléon, Anatole, Bastien et Simon pénétrèrent dans la pièce, se lavèrent les mains et allèrent prendre place à table. Le père de famille récita le bénédicité. Pendant que Lucienne découpait d'épaisses tranches de pain dans une miche cuite par ses soins la veille, chacun se servit un bol de soupe. On mangea en silence durant quelques minutes.

— T'as parlé à Bastien ? demanda la maîtresse de maison à son mari.

— Oui, c'est correct, m'man, répondit le jeune homme à la place de son père. Je vais partir après le train, demain matin.

— Je peux même me passer aussi de Simon pendant une couple de jours, dit Napoléon. On est assez avancés dans notre besogne. Je peux me débrouiller avec Anatole.

— Moi, ça a tout l'air que personne me demande mon avis, laissa tomber Simon. Je suis juste un coton, moi ! ajouta l'adolescent, l'air boudeur.

— C'est en plein ça, répliqua sa mère, l'air sévère. Tu fais ce qu'on te dit de faire et t'as rien à dire.

Napoléon fit signe à son fils de ne pas s'entêter.

— Je vais faire un peu à manger à soir, reprit Lucienne. Vous en apporterez à votre sœur demain… Ça empêche pas, Napoléon, qu'il va falloir que tu parles à ton gendre, reprit-elle après un instant de silence.

— Ben oui, ben oui, fit son mari, agacé. Mais pour lui parler, il va d'abord falloir qu'il revienne.

— Si vous le voulez, je peux ben lui parler, moi, proposa Bastien.

— Toi, mêle-toi pas de ça, lui dit sèchement sa mère.

Simon, assis à ses côtés, eut un gloussement qui lui attira un regard furieux de sa mère.

—◆—

Cet après-midi-là, après le départ de Bastien, Corinne s'en était voulu d'avoir révélé à son frère le fait que son mari n'était pas encore rentré du chantier. Mais comment le lui cacher ? Comment lui expliquer autrement l'absence étonnante de Laurent ? C'était maintenant certain que ses parents allaient s'inquiéter pour elle et pour le bébé qu'elle portait.

Corinne se regarda un bref moment dans le miroir fixé au mur, au-dessus de sa table de toilette, dans sa chambre à coucher. La petite femme blonde aux yeux couleur myosotis avait les traits tirés et des cernes sous les yeux. Quand elle se déplaça pour ranger des vêtements fraîchement repassés, elle avait la démarche un peu pataude d'une future mère qui approche de sa libération.

Après avoir terminé son rangement dans les tiroirs, la jeune femme s'empara de son vieux chapeau de paille et sortit de la maison. Elle aurait préféré demeurer à l'ombre en cette chaude journée de printemps, mais il fallait qu'elle s'occupe de son jardin. Il n'y avait plus de temps à perdre. Même si elle avait dépassé le huitième mois de sa grossesse, il n'était pas question qu'elle revive ce qu'elle venait de vivre, soit une année sans légumes de son jardin parce qu'elle s'était mariée trop tard dans la saison. Depuis plusieurs semaines, elle avait accordé un soin maniaque à ses serres chaudes et il était largement temps de les transférer dans le potager.

La veille, Rosaire avait transporté plusieurs brouettées de fumier dans le jardin, à son retour de l'école, après que grand-père Boucher eut labouré. L'orphelin, qu'elle avait « emprunté » à son beau-père l'automne précédent, se révélait une véritable bénédiction. Même s'il n'avait que douze ans, il trouvait mille façons de se rendre utile et de lui faciliter la vie.

Au moment où elle poussait la porte du jardin, un bruit en provenance de l'arrière de l'étable la poussa à aller voir ce qui se passait là. Un peu essoufflée, elle aperçut grand-père Boucher en train de déposer des piquets de cèdre dans l'unique voiture des Boisvert.

— Voulez-vous bien me dire ce que vous faites-là, grand-père ? demanda-t-elle, la voix remplie de reproches. C'est pas un ouvrage pour un homme de votre âge.

— Voyons donc, protesta l'homme de quatre-vingt-un ans. C'est pas forçant pantoute ; je suis encore capable de faire ça.

— Je vous connais, grand-père. Après ça, vous allez me dire que vous êtes capable de remplacer les piquets de clôture qui ont pourri cet hiver. Il en est pas question, vous m'entendez ?

— On est rendus à la mi-mai, dit Wilfrid Boucher. Ça fait au moins un mois que les animaux devraient être dehors. On n'est pas pour les garder en dedans tout l'été, calvince ! On n'a presque plus de foin pour les vaches...

— Ça fait rien, grand-père. Amusez-vous à mettre les piquets sur la voiture si vous voulez, mais je veux pas vous voir toucher à la masse, ni à la tarière.

— C'est ça, mais toi, même si t'es en famille jusqu'aux yeux, tu peux aller piocher dans le jardin comme tu veux, rétorqua le vieil homme.

— C'est pas mal moins essoufflant, se contenta de répliquer sa petite-fille par alliance, avant de tourner les talons et après lui avoir adressé un regard plein d'affection.

Corinne n'avait pas regretté un seul instant d'être allée chercher le grand-père de son mari à l'hospice de Sorel l'hiver précédent quand elle avait appris qu'aucun membre de la famille Boisvert n'était prêt à lui donner asile. Il avait apporté chez elle sa bonne humeur et sa sagesse.

Elle travailla dans le jardin durant deux longues heures, soit jusqu'au moment où Rosaire revint de l'école du rang en affichant un large sourire. Lorsque Corinne le vit s'approcher de la clôture ceinturant le jardin situé à l'arrière de la maison, elle se releva péniblement autant pour s'essuyer la figure que pour masser ses reins douloureux.

Au fil des mois, l'orphelin avait grandi et pris du poids. Il avait surtout perdu cet air de chien battu qu'il avait à l'époque où il était le souffre-douleur des Boisvert, dans le rang Saint-André. Il n'était pas nécessaire d'être grand clerc pour se rendre compte qu'il était heureux dans son nouveau foyer d'accueil où Corinne le traitait beaucoup plus en frère cadet qu'en étranger.

— Pour avoir cet air-là, toi, t'as une bonne nouvelle à m'annoncer, lui dit-elle en lui décochant un sourire qui cachait mal son épuisement.

— Ben…

— Envoye ! Dis-moi ça, lui ordonna-t-elle, pleine de tendresse.

— J'ai réussi mes examens, tous mes examens, lui annonça-t-il fièrement. Madame Proulx m'a même félicité.

— Là, je suis fière de toi, déclara Corinne, qui avait eu passablement de mal à convaincre le garçon de rester sur les bancs de l'école après que son beau-père, président de la commission scolaire, l'eut remerciée de ses services comme institutrice intérimaire l'hiver précédent. Je te l'avais bien dit que t'étais capable d'apprendre à lire et à écrire, lui rappela-t-elle… Va te changer et va apprendre la bonne nouvelle à grand-père. Il est encore dans l'étable. Laisse-le pas faire le train tout seul.

Rosaire pénétra dans la maison et Corinne demeura un long moment debout, les yeux dans le vague, à se demander ce qu'elle allait bien pouvoir servir à souper à ses deux invités permanents. Elle n'avait guère le choix. Il y aurait de la soupe et de la galette de sarrasin.

La mort dans l'âme, elle avait dû se résigner à ouvrir un compte au magasin général et à la boucherie Vigneault deux semaines auparavant parce qu'elle n'avait plus un sou. Le garde-manger était vide et il ne restait dans la cave que des pommes de terre germées. Elle avait acheté un morceau de bœuf, de la mélasse, de la farine de sarrasin et de la farine de blé dans l'espoir que ces pauvres provisions dureraient jusqu'au retour de Laurent...

Une contraction douloureuse la prévint qu'elle devait cesser son travail dans le jardin. Elle appuya sa binette et son râteau contre la clôture et prit lentement la direction de la maison.

— Où est-ce qu'il peut bien être? murmura-t-elle pour elle-même, le cœur serré, en montant sur la galerie.

Cette question, elle se la posait cent fois par jour depuis trois semaines, depuis qu'un nommé Lapierre était venu lui apprendre que son mari avait quitté le chantier à la fin du mois de février. Depuis, elle résistait à son envie d'aller voir Gonzague Boisvert, son beau-père, pour lui demander s'il avait reçu des nouvelles de son fils... Mais pourquoi Laurent aurait-il fait écrire à son père plutôt qu'à sa femme, qu'il avait quittée depuis le début du mois de novembre? L'avait-il oubliée? Avait-il décidé d'aller refaire sa vie ailleurs? Était-il tombé malade quelque part? Était-il mort?

— Il sait pourtant que le petit s'en vient... Pour moi, il est à la veille d'arriver, se dit-elle pour s'encourager. Il peut pas faire autrement, c'est notre premier. Jamais je croirai qu'il a pas hâte de le voir. Je suis sûre qu'il va arriver cette semaine.

La jeune femme cherchait surtout à se persuader que son mari ne pouvait les avoir abandonnés, elle et son enfant à naître. Il ne pouvait être aussi sans-cœur...

— J'ai toujours été une bonne femme pour lui. Il a jamais rien eu à me reprocher. Il peut pas être parti comme ça, sans une bonne raison, se dit-elle en se lavant le visage à l'eau froide.

Puis, une pensée soudaine la fit pâlir et légèrement vaciller.

— Mon Dieu ! Il manquerait plus qu'il lui soit arrivé quelque chose et qu'il soit mort tout seul, comme un chien, loin de chez nous.

En entendant Rosaire dévaler l'escalier qui conduisait aux chambres à l'étage supérieur, elle secoua la tête pour chasser les idées noires qui l'envahissaient si souvent depuis plusieurs jours.

Rosaire, vêtu de ses plus vieux vêtements, sortit précipitamment de la maison en laissant claquer la porte moustiquaire derrière lui.

Lorsque le garçon revint une heure plus tard en compagnie de grand-père Boucher, il poussait une brouette sur laquelle il avait déposé un bidon de lait cabossé. Il attacha ce dernier à un câble et le descendit dans le puits pour garder le lait au frais.

— J'ai fait le tour des clôtures, annonça Wilfrid Boucher à la jeune maîtresse de maison en s'assoyant sur la chaise berçante placée sur la galerie, près de la porte moustiquaire. C'est pas trop mal. Il va y avoir juste cinq ou six piquets à changer. Le reste est encore solide. Pour les pierres, par exemple, c'est une autre paire de manches. J'ai marché dans les labours que ton mari a faits l'automne passé. Il y a de la pierre en masse qui est remontée en surface. Il va y avoir pas mal d'ouvrage à faire pour les ramasser.

Corinne, demeurée à l'intérieur, se contenta de secouer la tête, dépassée par les tâches à venir. Si Laurent n'arrivait pas bientôt, ils allaient prendre un retard pratiquement insurmontable.

—⟡—

Le lendemain matin, Corinne eut l'agréable surprise de voir arriver ses frères Bastien et Simon.

— Viens pas me dire que tu viens m'annoncer que tu te fiances plus ? dit-elle sur un ton plaisant au plus âgé de ses deux frères au moment où il immobilisait son cheval près de la galerie.

— T'es pas malade, toi! s'exclama le jeune homme. Des plans pour que le père Cadieux fasse une crise de cœur. Il est tellement content de se débarrasser de sa fille qu'il me le pardonnerait pas si je changeais d'idée. En plus, je suis sûr que Rosalie m'arracherait les yeux. Non, p'pa pense qu'il a pas besoin de moi et de Simon pendant une couple de jours et il nous a envoyés te donner un coup de main.

— Ça a pas d'allure, fit Corinne, gênée. C'est rendu que vous allez travailler autant sur notre terre qu'à Saint-François.

— Ben non, intervint Simon. Je pense que p'pa et m'man sont surtout contents de se débarrasser de nous autres une couple de jours. On t'apporte aussi des affaires, ajouta-t-il en s'emparant de l'une des deux boîtes déposées à l'arrière de la voiture.

— Qu'est-ce que c'est?

— Je le sais pas. Nous autres, on fait juste la livraison, répondit Bastien en prenant l'autre boîte.

Pendant que leur sœur commençait à inventorier le contenu des deux boîtes, les deux garçons saluèrent grand-père Boucher, qui offrit de les accompagner à l'extérieur pour dételer leur bête.

— Mon Dieu que c'est gênant! murmura Corinne pour elle-même pendant qu'elle tirait à elle un à un les paquets contenus dans les boîtes. Mais elle a bien dû vider le garde-manger! ajouta-t-elle en éprouvant une sincère reconnaissance pour sa mère. Comment elle a fait pour deviner qu'il me restait presque plus rien à servir à manger?

Elle aligna sur la table un jambon, de la saucisse, du boudin, un rôti de porc et un beau morceau de bœuf. À cela, sa mère avait ajouté quatre miches de pain et des sacs de farine et de sucre ainsi que trois pots de confiture de fraises et deux pintes de sirop d'érable. Elle avait même pensé à ajouter une livre de thé. La jeune femme savait à quel point la viande devenait rare à la maison à la fin du printemps. Elle était certaine que sa mère allait se priver après lui avoir donné autant. Devant tant de générosité, les larmes lui montèrent aux yeux.

Pendant un bref moment, elle songea même à retourner le tout chez ses parents.

— Je suis devenue une vraie quêteuse, se dit-elle, gênée d'avoir à accepter. Je vis de la charité des autres, à cette heure. Si je me souviens bien, m'man a jamais été obligée d'envoyer du manger chez Blanche, à Sorel, depuis qu'elle est mariée.

Par conséquent, elle en voulut à son mari de l'avoir laissée aussi dépourvue. Puis, pilant sur son orgueil, elle mit le jambon au four et alla porter le reste de la viande dans la chaudière suspendue dans le puits pour la garder au frais.

Quelques minutes plus tard, la jeune femme vit revenir grand-père Boucher seul à la maison.

— Tes deux frères disent qu'ils ont le temps d'aller s'occuper des clôtures avant le dîner. Ils ont attelé Satan et je m'en vais avec eux autres faire le tour. Après le dîner, on va enfin être capables de sortir les vaches de l'étable, je crois ben.

Bastien et Simon demeurèrent trois jours chez leur sœur. Lors de leur départ, les clôtures avaient été redressées et les pierres ramassées. Ils avaient même eu le temps d'étendre du fumier sur les champs labourés à l'automne et de retourner la terre. Certes, il restait encore beaucoup à faire dans la ferme de Laurent Boisvert, mais on avait paré au plus pressé.

— Ah! J'allais oublier de te le dire, fit Bastien avant de partir. M'man te fait dire qu'elle veut pas prendre de chance et qu'elle va venir rester avec toi dès la fin de la semaine prochaine.

— Mais j'attends du nouveau juste la deuxième semaine de juin, protesta sa sœur. Elle est pas pour vous laisser tout seuls pendant trois semaines pour venir s'occuper de moi.

— Aïe ! Laisse-la faire, intervint Simon. Nous autres, ça va nous faire des vacances. Pas de *boss* pour nous dire quoi faire du matin au soir et, surtout, pas de prière à en plus finir chaque soir…

— Tiens ! J'ai bien envie de lui dire ce que tu viens de me raconter, le menaça sa sœur, à demi sérieuse.

— Si tu fais ça, je reviendrai plus jamais te donner un coup de main, répliqua l'adolescent avant d'allumer sa pipe et de prendre place dans la voiture où son frère l'attendait déjà.

Chapitre 2

Le chien jaune

— Vous verrez, l'abbé, à ce que l'enseignement du catéchisme se relâche pas, dit sèchement le curé Bilodeau à son vicaire à la fin de leur déjeuner pris en commun dans la salle à manger du presbytère. Les maîtresses d'école ont tendance à tourner les coins ronds après que les enfants ont fait leur première communion. Ça, je l'endurerai pas dans ma paroisse.

— Oui, monsieur le curé, fit l'abbé Nadon, en se levant, presque prêt à partir pour l'école du village. Je vais le dire à mademoiselle Perron.

— C'est important, conclut Charles Bilodeau en quittant la table à son tour.

Le nouveau curé de Saint-Paul-des-Prés prit son bréviaire laissé sur une petite table et sortit sur la large galerie du presbytère. Il entreprit alors d'y faire les cent pas autant pour lire son bréviaire au frais que pour faciliter sa digestion. Lorsque son vicaire sortit quelques minutes plus tard, il ne se donna pas la peine de le saluer. Il se contenta de s'immobiliser un bref instant pour regarder son subordonné se diriger d'un pas vif vers l'école du village.

De taille moyenne, Charles Bilodeau se tenait toujours exagérément droit, comme s'il désirait à tout prix paraître plus grand que la nature ne l'avait fait.

— On dirait qu'il a avalé un manche à balai, avait chuchoté Rose Bellavance, la vieille servante du presbytère, à son amie Alexina Duquette, la femme du propriétaire du magasin général.

Ses paroissiens remarquaient moins la raie impeccable qui séparait en deux sa mince chevelure poivre et sel que son visage en lame de couteau pourvu d'un très long nez sur lequel étaient habituellement perchées des lunettes à fine monture métallique. De plus, Dieu avait doté son serviteur de petits yeux noirs semblables à des boutons de bottine et surtout d'un caractère pour le moins autoritaire.

Les gens de Saint-Paul-des-Prés avaient été passablement secoués en apprenant le départ précipité du curé Béliveau, le 1er avril précédent. Monseigneur Elphège Gravel, le premier évêque du diocèse de Nicolet, avait subitement décidé de déplacer celui qui avait occupé la cure de leur paroisse durant les quinze dernières années. La mort dans l'âme, le curé Béliveau avait dû aller remplacer Charles Bilodeau à la tête de la petite paroisse de Saint-Elphège, près de Pierreville.

Certains s'étaient alors demandé s'ils n'étaient pas en partie responsables de ce départ pour ne pas avoir suffisamment appuyé leur curé dans sa lutte pour faire construire la nouvelle église sur le site de l'ancienne église incendiée. D'autres accusèrent carrément l'ancien président de la fabrique, Gonzague Boisvert, d'avoir manœuvré de manière à faire chasser leur curé de la paroisse. Mais les uns comme les autres n'avaient jamais imaginé à quel point ils allaient regretter l'autorité pleine de bonhomie de leur bon vieux curé.

Quand une vieille amie de Saint-Elphège rencontra par hasard Alexina Duquette, à Pierreville, deux jours après le transfert des curés, elle prit un air apitoyé pour lui dire :

— Pauvres vous autres ! Il paraît que vous avez hérité de notre curé Bilodeau ?

— Oui, qu'est-ce qu'il a ? avait demandé, intriguée, la femme du propriétaire du magasin général de Saint-Paul-des-Prés.

— Je vais te le laisser trouver toute seule, avait répondu l'amie avec un air narquois. Tout ce que je peux te dire, c'est qu'il y a personne à Saint-Elphège qui a pleuré quand il est parti. On lui a même pas organisé de fête pour son départ. Je connais pas votre ancien curé qui vient d'arriver chez nous, mais je suis certaine qu'il peut pas être pire que celui qu'on vous a envoyé.

La scène datait déjà de six semaines et les habitants de Saint-Paul-des-Prés commençaient à avoir une petite idée de la personnalité de Charles Bilodeau.

À peine arrivé, le prêtre n'avait pas tardé à prendre la mesure des membres de son conseil de fabrique. Dès le premier dimanche, il avait nommé marguillier le forgeron Baptiste Melançon et, sur sa lancée, avait désigné Camil Racicot président du conseil, sans avoir consulté les membres de la fabrique. Évidemment, Bertrand Gagnon, le maire de Saint-Paul-des-Prés et le plus ancien marguillier, avait été ulcéré de ne pas être nommé à ce poste qu'il lorgnait depuis longtemps.

— D'où est-ce qu'il sort, ce curé-là, pour tout régenter comme ça quand il vient à peine de mettre les pieds au presbytère ? avait demandé le gros homme à son ami, le notaire Aristide Ménard.

— J'ai pas une bonne impression, s'était contenté de répondre le secrétaire du conseil.

Au presbytère même, la vieille servante réagissait très mal aux manières brusques du nouveau pasteur. Le plus étonnant était que ce dernier ne donnait nullement l'impression de se rendre compte de l'atmosphère un peu hostile qui l'entourait. Il avait mené tambour battant les cérémonies religieuses de la semaine sainte et avait tonné du haut de la chaire contre ceux et celles qui tardaient trop à faire leurs pâques.

Deux semaines auparavant, au début du mois de mai, il avait ouvertement reproché aux mères de famille de ne pas entraîner leur mari et leurs enfants à l'église chaque soir pour la récitation du chapelet durant le mois de Marie. Il avait fait planer le danger de mauvaises récoltes et des pires fléaux si on ne faisait pas preuve de plus de ferveur religieuse. Les résultats avaient été étonnants. Le réfectoire et la chapelle du couvent où avaient lieu les cérémonies religieuses depuis que l'église avait passé au feu s'étaient remplis chaque soir.

Quand le vicaire fit remarquer à son supérieur qu'il n'avait jamais vu tant de paroissiens à la récitation du chapelet depuis qu'il était dans la paroisse, Charles Bilodeau, triomphant, avait répliqué :

— C'est comme ça qu'il faut s'y prendre pour réveiller les paresseux, l'abbé.

—–∞–—

En ce lundi matin, la journée promettait d'être chargée pour le nouveau curé de Saint-Paul-des-Prés. Il avait l'intention d'aller dire deux mots à sœur Sainte-Flavie, la supérieure du couvent voisin, avant de rencontrer Georges-Étienne Casgrain, l'architecte et maître d'œuvre de la construction de la nouvelle église, au début de l'après-midi.

Après avoir lu son bréviaire durant quelques minutes, le prêtre tira sa montre de gousset et consulta l'heure. Neuf heures. Il déposa son livre de prières sur l'une des deux chaises installées sur la galerie et entreprit de descendre la dizaine de marches qui conduisait à l'allée. D'un pas vif, il rejoignit la route et parcourut les quelques centaines de pieds qui le séparaient du couvent voisin dont il monta l'escalier.

Le couvent des sœurs de l'Assomption accueillait depuis plus de vingt ans les jeunes filles de Saint-Paul-des-Prés et des villages voisins désireuses de poursuivre leurs études après leur septième année. En cette année 1902, il hébergeait une quinzaine de pensionnaires et autant d'élèves externes. Après l'incendie de l'église paroissiale en février 1898, la communauté religieuse avait gracieusement accepté que son grand réfectoire ainsi que la chapelle communicante soient transformés en église temporaire pourvu que la fabrique fournisse le bois nécessaire au chauffage de l'immeuble et que Pierre-Paul Langevin, le vieux bedeau, entretienne correctement les deux locaux prêtés. Sœur Sainte-Flavie, la supérieure, s'était toujours montrée des plus accommodantes en laissant les paroissiens libres d'accéder au réfectoire à toute heure du jour. Elle avait cependant vu à ce que les visiteurs ne se baladent pas à leur gré dans son couvent en tenant verrouillées toutes les autres portes.

Charles Bilodeau frappa à la porte de la sœur tourière et demanda à parler à la supérieure.

— Tout de suite, monsieur le curé, fit la petite religieuse. Si vous voulez bien me suivre.

La religieuse lui ouvrit la porte et le précéda dans un long couloir sentant la pâte à cirer. Elle frappa à une porte, dit quelques mots à voix basse et invita le prêtre à entrer.

Assise derrière un petit bureau en érable, sœur Sainte-Flavie se leva pour accueillir le prêtre.

— Assoyez-vous, monsieur le curé, l'invita la religieuse en lui adressant un sourire de bienvenue.

— Merci, ma sœur, mais j'ai pas le temps, dit abruptement Charles Bilodeau.

La religieuse aux joues rebondies perdit immédiatement son sourire et attendit, les mains croisées sur son ventre, que son visiteur en vienne au but de sa visite.

— Je voulais vous le dire ce matin, après ma messe, mais je vous ai pas vue, reprit le prêtre. J'aimerais que vos sœurs fleurissent avec plus de soin l'autel de la Vierge, au moins durant le mois de mai. Il me semble que c'est fait un peu n'importe comment et que ça manque de fleurs.

Sous l'insulte, le visage de sœur Sainte-Flavie blêmit.

— Monsieur le curé, est-ce que je dois vous rappeler que la chapelle du couvent est prêtée gratuitement à la paroisse depuis quatre ans?

— Oui, mais s'il avait été possible de faire autrement, je suis certain que la fabrique se serait organisée d'une autre manière.

— C'est moi-même qui fleuris l'autel de la Vierge, monsieur le curé, reprit la supérieure avec une certaine hauteur, comme s'il n'avait rien dit. J'y dépose les plus belles fleurs du couvent trois fois par semaine depuis le début du mois. Je peux pas faire plus, ajouta-t-elle sèchement.

— Je comprends, mais…

— En plus, monsieur le curé, pourriez-vous rappeler à vos marguilliers que j'attends encore le remboursement de la réparation de mon harmonium que votre maître-chantre ivrogne a brisé à la messe de Noël?

— Première nouvelle, parvint à dire le prêtre un peu désarçonné par cette sortie.

— Demandez-lui, monsieur le curé. Vous l'avez nommé marguillier le mois passé, si je me trompe pas, répliqua la supérieure, les lèvres pincées.

— Je vais y voir, dit-il sur un ton sec.

Là-dessus, la religieuse, peu impressionnée, s'avança et lui ouvrit la porte pour lui signifier que l'entrevue était terminée. Pour un prêtre aussi orgueilleux, il s'agissait là d'une offense qu'il n'était pas près d'oublier. Rouge de colère, le curé Bilodeau quitta le couvent en claquant la porte d'entrée derrière lui. Il descendit les marches et se mit en devoir de rejoindre la route d'un pas rageur.

Il n'aperçut pas le chien qui s'élançait dans sa direction en traversant la route en diagonale, en provenance du terrain situé à l'arrière de la maison de l'avocat Parenteau.

La bête, haute sur pattes, était un animal énorme au pelage beige, produit d'un croisement entre un dogue et un labrador.

Lorsque le curé Bilodeau vit le chien, il était trop tard. L'animal, menaçant, lui coupait le chemin. Pour on ne sait quelle raison, il grondait en montrant les dents, comme si la vue d'une soutane noire le rendait fou de rage. Le prêtre s'arrêta brusquement, incapable de faire un pas de plus vers le presbytère, distant d'un peu plus d'une centaine de pieds.

Figé au bord de la route, il avait pâli au point que tout son sang semblait s'être brusquement retiré de son visage. Il était soudainement la proie de tremblements incontrôlables.

Le curé de Saint-Paul-des-Prés avait une crainte maladive des chiens, de tous les chiens, quelle que soit leur taille. Mordu par l'un d'eux dans son enfance, il avait développé au fil des années une véritable phobie à l'égard de ces bêtes. D'ailleurs, c'est cette peur qui rendait sa visite pastorale annuelle si pénible parce que la plupart des cultivateurs possédaient un ou plusieurs chiens qu'ils n'attachaient pratiquement jamais.

L'animal gronda, les oreilles pointées vers lui, comme s'il s'apprêtait à bondir.

— Va-t'en ! Va te coucher ! lui cria Charles Bilodeau, dont le front s'était couvert de sueur.

Sa voix sembla exciter davantage encore la bête qui s'avança vers lui en montrant les crocs.

— Va te coucher ! hurla alors le prêtre en jetant des regards éperdus autour de lui, à la recherche d'une aide quelconque.

Évidemment, il n'y avait personne à proximité. Alors, le cœur battant, il voulut contourner le chien en courant pour rejoindre au plus vite l'escalier conduisant à la galerie du presbytère. Mal lui en prit. Le chien bondit sur lui et planta ses crocs dans le bas de sa soutane noire. Fou de terreur, le curé continua à courir en traînant le chien derrière lui, bien accroché à sa soutane.

Soudain, le curé de Saint-Paul-des-Prés faillit basculer vers l'avant dans sa course éperdue. Le chien avait lâché le bas de sa soutane. Au moment où il allait pousser un soupir de soulagement, il sentit des crocs se planter dans son mollet gauche. Il tomba à genoux sur la route en poussant un cri d'agonie. Tout se mit alors à tourner autour de lui.

Il reprit conscience en entendant brusquement le chien japper puis pousser un hurlement de douleur. Gustave Parenteau, le jeune avocat dont la demeure faisait face au presbytère, venait de voir le prêtre attaqué par le chien. Armé d'une lourde canne plombée, il s'était précipité de l'autre côté de la route pour se porter à son secours. Le jeune homme avait dû en assener plusieurs coups à l'animal pour lui faire lâcher prise.

Lorsque le chien consentit finalement à s'éloigner en glapissant, l'avocat aida le prêtre à se relever et à retrouver ses lunettes tombées un peu plus loin.

— Ah! le maudit animal! s'écria Charles Bilodeau en secouant rageusement la poussière qui maculait sa soutane noire. Il m'a mordu! Il a même déchiré ma soutane!

Le prêtre était tellement fou de rage qu'il ne sentit vraiment sa blessure qu'au moment où il fit un pas.

— Ayoye! se plaignit-il, les larmes aux yeux.

— Je vais vous aider à retourner au presbytère, monsieur le curé, offrit aimablement l'avocat.

Au lieu de remercier son bon Samaritain, le curé Bilodeau s'immobilisa et braqua sur lui ses petits yeux noirs soupçonneux.

— C'est à vous, ce chien jaune là ? demanda-t-il sur un ton accusateur.

— Non, monsieur le curé. Je n'ai pas de chien, se défendit le jeune homme.

— À qui est-ce d'abord ?

— Je n'en ai pas la moindre idée, répondit Gustave Parenteau avec sa diction toujours aussi exagérément soignée. Je ne l'ai jamais vu dans le village. J'ai l'impression que c'est un chien errant.

— Je comprends pas pourquoi il m'a sauté dessus comme ça, fit le curé toujours aussi bouleversé par sa mésaventure.

— Il avait peut-être la rage, suggéra l'avocat sans trop y croire.

— Mais ça peut être mortel ! fit le prêtre, horrifié.

— À votre place, monsieur le curé, je ne prendrais pas de chance. Je ferais venir le docteur, ajouta l'avocat.

— C'est ce que je vais faire. Après, je vais m'occuper de celui à qui ce chien dangereux là appartient, déclara le prêtre sur un ton plein de rancune. Son propriétaire s'en tirera pas comme ça. Un peu plus, il me dévorait, dit-il, en boitillant péniblement.

— Il ne faut pas exagérer, monsieur le curé, reprit l'avocat avec une pointe d'humour. Il en aurait sûrement laissé assez pour qu'on reconnaisse vos restes.

Charles Bilodeau, exaspéré, repoussa la main charitable que l'autre avait posée sur son bras pour l'aider à marcher. Il lui tourna carrément le dos et entreprit de rentrer sans aide au presbytère. Gustave Parenteau se contenta de hausser les épaules et retourna chez lui.

Le curé de Saint-Paul-des-Prés appela Rose Bellavance d'une voix mourante dès qu'il eut franchi la porte du presbytère. Cette dernière le trouva le visage blême et le dos appuyé contre le mur dans le couloir.

— Bonne sainte Anne, voulez-vous bien me dire ce qui vous arrive ? lui demanda-t-elle.

— Laissez faire vos questions, répondit-il sur un ton cassant. Apportez-moi de l'alcool à friction ou du mercurochrome, lui ordonna-t-il. Je suis blessé, je saigne.

Pendant que la vieille dame rentrait dans sa cuisine pour aller chercher les produits demandés, le prêtre se traîna jusqu'au salon où il se laissa tomber dans un fauteuil.

— Un vrai village de fous ! Il y a même pas moyen de faire un pas dehors sans qu'un chien vous saute dessus ! s'exclama-t-il en voyant revenir la vieille servante portant une bouteille d'alcool et un rouleau de bandages.

— Est-ce que vous avez été mordu par un chien ? lui demanda Rose.

— Laissez faire vos questions niaiseuses et soignez-moi, lui commanda-t-il sèchement.

La sollicitude disparut instantanément du visage de la servante. Elle jeta un regard furieux au prêtre qui avait retroussé sa soutane et roulé le bas de son pantalon pour examiner sa jambe blessée.

— Je suis pas garde-malade, rétorqua-t-elle sur le même ton. Soignez-vous tout seul, ajouta-t-elle en déposant avec brusquerie la bouteille d'alcool et les bandages sur la table placée près du fauteuil.

— C'est correct. Je vais le faire, déclara Charles Bilodeau, le regard mauvais. Vous vous contenterez de réparer ma soutane. Le chien a déchiré le bas.

— Je suis pas non plus votre couturière. Moi, je suis votre cuisinière et je fais le ménage. La couture, ça regarde les sœurs du couvent, à côté.

Le visage du prêtre devint tout rouge et sa voix se fit sifflante pour demander à sa servante :

— Est-ce que c'est trop vous demander que de prévenir le bedeau que je veux le voir tout de suite ?

— Non, ça, je peux le faire pour vous rendre service, affirma la dame au chignon blanc d'une voix acerbe avant de tourner les talons pour retourner dans sa cuisine.

Quelques minutes plus tard, Pierre-Paul Langevin frappa à la porte du salon. Le curé Bilodeau avait eu le temps de bander sa jambe blessée et de changer de soutane.

— Monsieur Langevin, allez donc porter ma soutane chez les sœurs pour la faire réparer et, après ça, attelez la voiture et allez me chercher le maire. Dites-lui que je veux le voir tout de suite.

— Il y a pas de problème pour la soutane, monsieur le curé, répondit le vieux bedeau, mais j'ai ben peur que Bertrand Gagnon soit pas mal dur à rejoindre.

— Comment ça ?

— Ben, le Bertrand est un homme pas mal occupé. Il peut être à son moulin, sur le bord de la rivière, comme il peut être à sa terre du rang Saint-Joseph ou à son autre terre du rang Notre-Dame. À mon idée, si c'est pas trop urgent, vous seriez peut-être mieux d'attendre à soir, avant ou après le chapelet, pour lui parler. Il vient au couvent tous les soirs avec sa femme pour la récitation.

Charles Bilodeau réfléchit un bref moment avant d'accepter d'attendre.

— Bon, quand vous le verrez entrer au couvent, à soir, vous me l'amènerez dans la sacristie. Après être allé au couvent, essayez donc de me trouver une canne quelque part.

───∞───

Au début de l'après-midi, deux hommes se présentèrent à la porte du presbytère de Saint-Paul-des-Prés. L'un était vêtu avec recherche et arborait une moustache grise dont les pointes étaient élégamment retroussées. Son compagnon, un jeune homme au début de la trentaine, était passablement plus grand et plus large d'épaules. Son visage, taillé à coups de serpe, était buriné et éclairé par de vifs yeux bruns.

Rose Bellavance invita les deux visiteurs à passer dans la salle d'attente où le curé Bilodeau vint à leur rencontre quelques instants plus tard.

— Georges-Étienne Casgrain, se présenta l'aîné des deux hommes. Je suis l'architecte dont votre conseil de fabrique a retenu les plans il y a deux ans pour la reconstruction de votre église, monsieur le curé.

— Parfait.

— Je vous présente Bernard Provencher. Il va diriger les travaux, poursuivit l'homme. C'est l'un des fils d'Alphonse Provencher, le gros entrepreneur de Nicolet.

— On va aller s'installer dans la petite salle à côté de mon bureau, dit le curé. Vous savez que je viens d'être nommé à cette cure et que, moi, j'ai encore rien accepté.

L'architecte lança un regard au jeune constructeur, qui se contenta de secouer discrètement la tête.

— Vous allez pouvoir m'expliquer les plans que vous avez faits pour mon prédécesseur. Je les ai retrouvés, mais je n'ai pas eu le temps de les étudier, déclara Charles Bilodeau en prenant place au bout de la table.

Durant l'heure suivante, Georges-Étienne Casgrain dut faire preuve d'une patience angélique pour expliquer ses plans dans les moindres détails. Bernard Provencher se tut la plupart du temps, se contentant d'apporter certaines précisions quand la situation l'exigeait.

— Je trouve l'église que vous proposez pas mal petite, déclara Charles Bilodeau.

— Elle a pourtant exactement les mêmes dimensions que l'ancienne. Je m'en suis tenu aux spécifications données par votre conseil de fabrique, répondit l'architecte en roulant les plans.

— Pourquoi une église en brique plutôt qu'en pierre ?

— C'est une question de prix, monsieur le curé. À moins que vos finances aient beaucoup changé, c'est tout ce que votre paroisse pouvait se payer. Pensez-y un peu. Prendre de la pierre signifierait qu'il faudrait la faire venir d'assez loin et, surtout, engager des tailleurs. Les coûts augmenteraient vite. La brique va coûter pas mal moins cher.

— On a tout de même cinq mille dollars pour commencer les travaux, fit remarquer le prêtre.

— C'est bien peu, laissa tomber l'architecte. Ce n'est qu'une petite fraction de ce que va vous coûter votre nouvelle église, même si on coupe le plus possible. Il va falloir que votre conseil aille négocier un prêt dans une banque avec la garantie du diocèse.

— La garantie du diocèse ?

— Voyons, monsieur le curé, le reprit l'architecte un peu excédé. Une banque prête pas comme ça, sans garantie.

— Je m'en doute, fit Charles Bilodeau d'une voix cassante en s'apercevant qu'on lui faisait la leçon. Et quand commencerez-vous ?

— La semaine prochaine, si vous êtes prêt, déclara Bernard Provencher avec autorité, en prenant la parole après plusieurs minutes de silence. Vous dites que vous avez déjà cinq mille piastres. Ça devrait nous permettre de faire un bon bout de chemin. Vous allez avoir amplement le temps d'obtenir un prêt pour le reste. Mais oubliez pas, monsieur le curé, que je dois payer tout mon matériel et, surtout, que j'ai douze ouvriers à payer chaque semaine. Je peux pas payer tout ça avec des prières. Il me faut de l'argent régulièrement.

— C'est correct. Le président de la fabrique va voir à vous donner de l'argent régulièrement. Vous pouvez commencer lundi prochain. Ça fait assez longtemps que mes paroissiens attendent leur église. Quand espérez-vous finir ?

— Je pense qu'à la fin de l'automne le plus gros devrait être fait, affirma l'entrepreneur. Évidemment, si vous demandez des modifications aux plans en cours de route, ça va retarder les travaux et augmenter les prix.

Le curé Bilodeau demeura un court moment silencieux avant de reprendre la parole.

— Si certains de mes paroissiens désirent participer à une corvée pour accélérer les choses...

L'architecte tourna la tête vers l'entrepreneur.

— J'aimerais autant pas, dit franchement le jeune entrepreneur Provencher. Construire une église, c'est un ben gros chantier, monsieur le curé. Ça peut être dangereux avec du monde pas habitué. J'ai peur qu'il arrive un accident à un de vos paroissiens. En plus, ce serait pas nécessairement plus d'avance.

— Bon, je pense qu'on a fait le tour, déclara Georges-Étienne Casgrain en se levant. Il reste juste un petit détail à régler. À qui pourra-t-on s'adresser quand on aura un problème ? Il y a deux ans, j'ai eu affaire avec un nommé Boisvert pour les plans. Est-ce qu'il est encore le président de votre conseil de fabrique ?

— Non, on m'a dit qu'il a démissionné l'hiver passé, répondit Charles Bilodeau. C'est moi que vous viendrez voir.

— C'est plutôt inhabituel, monsieur le curé, fit l'architecte, apparemment surpris. Habituellement, c'est au président de la fabrique que j'ai affaire.

— Pas ici, fit sèchement le prêtre en reconduisant ses visiteurs à la porte.

Ce soir-là, un peu avant sept heures, les abords du couvent furent obstrués par les boghéis des paroissiens venus assister en famille à la récitation du chapelet. Si les mères entraînèrent rapidement leurs enfants les plus jeunes à l'intérieur du bâtiment, les pères de famille et les jeunes gens s'attardèrent encore quelques instants sur la large galerie du bâtiment pour jouir de la fraîcheur du soir qui tombait doucement.

Planté en haut des marches, le bedeau attendait le maire de la municipalité pour lui transmettre l'invitation du curé. Comme Bertrand Gagnon n'apparut qu'une ou deux minutes avant la prière, Pierre-Paul Langevin lui demanda de passer à la sacristie après la récitation du chapelet.

— Veux-tu bien me dire ce qu'il te veut ? lui demanda sa femme à voix basse.

— J'en ai pas la moindre idée, répondit le gros homme sans montrer grand intérêt.

Au ton de sa voix, il était bien évident que le maire de Saint-Paul-des-Prés n'appréciait pas particulièrement le nouveau curé de la paroisse.

— Je me serais fait couper en quatre pour le curé Béliveau, avait-il dit la veille au notaire Aristide Ménard, mais lui, il me tombe sur les nerfs en pas pour rire.

L'homme de loi avait deviné depuis longtemps que Bertrand Gagnon ne pardonnait pas au nouveau venu de lui avoir préféré le pâle Camil Racicot comme président du conseil de fabrique. De plus, il avait senti que l'homme d'affaires avait considéré comme une insulte personnelle le fait que le nouveau curé ait confié le dossier des finances paroissiales à Baptiste Melançon, qui avait de la peine à compter jusqu'à dix. La semaine précédente, le maire, incapable de cacher plus longtemps sa frustration, lui avait avoué ne pas pardonner à l'ex-curé de Saint-Elphège d'ignorer complètement le rôle majeur qu'il avait joué dans l'affaire de la reconstruction de l'église et ses talents d'homme d'affaires averti.

La récitation du chapelet terminée, Bertrand Gagnon se dirigea sans se presser vers la minuscule sacristie après avoir demandé à sa femme de l'attendre près de la voiture.

— Vous voulez me voir, monsieur le curé ? demanda-t-il sans grand enthousiasme à Charles Bilodeau en train de retirer son surplis.

— Oui, monsieur le maire. J'ai à vous parler d'une affaire qui concerne la municipalité et non la fabrique.

— Ah bon ! fit Bertrand, surpris. De quoi s'agit-il ?

— Avez-vous entendu parler de ce qui m'est arrivé à matin, en revenant au presbytère ?

— Non.

— Je me suis fait attaquer par un énorme chien jaune, monsieur.

— Ah ! Première nouvelle, fit le maire sans manifester aucune compassion.

— C'est tout ce que vous trouvez à dire ? demanda le curé, ulcéré.

— Qu'est-ce que vous voulez que je vous dise ? répliqua le premier magistrat de Saint-Paul-des-Prés.

— Je vous demande de faire appliquer le règlement qui oblige les propriétaires de ces bêtes-là à les attacher, répliqua sèchement le prêtre.

— Mais on n'a jamais voté ce genre de règlement-là à Saint-Paul. Ça, c'est un règlement qu'ils ont dans les villes, pas chez nous.

— Qu'est-ce que vous attendez pour le faire voter ? demanda Charles Bilodeau sur un ton vindicatif.

— C'est qu'on n'en a pas besoin. Les chiens qu'on a à Saint-Paul sont sur des terres et ils servent souvent à aller chercher les vaches dans le champ et, surtout, à faire peur aux rôdeurs. Attaché, un chien, ça sert plus à rien.

— Comme ça, il y a rien qui va empêcher un chien de se jeter encore sur moi ? répliqua le prêtre en haussant le ton.

— D'abord, monsieur le curé, de quoi il avait l'air ce chien-là ? Avez-vous vu d'où est-ce qu'il sortait ?

— Je viens de vous le dire, c'était un gros chien jaune et j'ai jamais vu d'où il sortait.

— Moi, en tout cas, j'ai jamais vu un chien comme vous dites dans la paroisse, affirma Bertrand Gagnon avec assurance. Pour moi, c'est un chien errant. Si je savais à qui il appartient, j'irais voir son propriétaire pour qu'il attache son chien s'il est pas capable de le garder chez eux. Mais là…

— Si j'ai bien compris, vous voulez rien faire, dit le prêtre sur un ton cassant.

— Parce qu'il y a rien à faire, monsieur le curé, répliqua le maire sur le même ton. Bon, si ça vous fait rien, ma femme m'attend à la porte. Bonsoir, monsieur le curé.

À compter de ce soir-là, on vit rarement Charles Bilodeau se déplacer dans Saint-Paul-des-Prés sans une lourde canne qu'il était prêt à utiliser pour se défendre.

Pendant quelques jours, il se déplaça en boitillant pour susciter la pitié de ses fidèles, mais rares furent ceux qui firent montre d'un peu de sympathie pour l'incident dont il avait été victime.

— Pour moi, on va retrouver ce chien-là mort empoisonné quelque part, avait déclaré un loustic au magasin général.

— Pourquoi tu dis ça ? avait demandé Alcide Duquette.

— Mordre ce curé-là, c'est assez pour l'avoir empoisonné.

— Tu ferais mieux de faire attention à ce que tu dis, toi, l'avait réprimandé le marchand en vérifiant du coin de l'œil si on avait entendu les paroles de son client. Si jamais monsieur le curé apprend ça, t'es pas sorti du bois.

Chapitre 3

Un peu d'aide

Le soir du départ de ses deux frères, Corinne en avait fini avec la préparation de son jardin, un potager tel que sa mère ne l'aurait pas renié, pensa-t-elle en admirant son travail avant de retourner dans la maison.

Quelques heures plus tard, elle surmonta la fatigue d'une longue journée de travail au soleil pour écrire une lettre à sa belle-sœur, Juliette Marcil. Depuis la visite de cette dernière à Saint-Paul-des-Prés, lors des fêtes de fin d'année, Corinne entretenait une relation épistolaire régulière avec l'unique sœur de Laurent. Les liens entre les deux femmes s'étaient considérablement resserrés depuis qu'elle avait accueilli chez elle grand-père Boucher. Elles s'écrivaient toutes les semaines et Corinne ne dissimulait pas grand-chose à la jeune veuve dynamique, restauratrice de Montréal. Ainsi, elle n'avait pu lui cacher à quel point elle était morte d'inquiétude à cause du retard de Laurent à revenir à la maison.

— Comment ça se fait que t'as de la copie à faire? demanda-t-elle à Rosaire, en se penchant au-dessus de lui.

L'orphelin, assis à la table, n'avait pas été assez vif pour cacher ce qu'il était en train d'écrire.

— Est-ce parce que t'as fait le malcommode à l'école? fit-elle, sans trop y croire.

— Non, madame Proulx m'a donné cette copie-là parce que je suis pas encore allé au couvent, le soir, pour le chapelet. Elle m'a dit que c'était pas normal que tu m'emmènes pas. Tous les autres y vont.

— V'là autre chose! s'exclama Corinne, exaspérée, en posant une main sur son ventre proéminent.

— C'est pas grave, voulut la rassurer l'orphelin.

— Je suppose que t'aimerais ça y aller comme les autres?

— Ben non, on le dit quand même le chapelet tous les soirs.

Corinne tourna la tête vers grand-père Boucher qui prit le temps de secouer sa pipe dans le cendrier placé près de lui avant de dire à Rosaire:

— Arrête cette niaiserie-là, mon garçon. Mets tes cahiers dans ton sac d'école. Demain matin, je vais aller lui parler, moi, à ta maîtresse.

Pendant que le garçon de douze ans rangeait ses effets scolaires, le vieil homme à la figure rougeaude dit à Corinne de ne pas s'en faire avec ça; qu'il expliquerait la situation à l'enseignante. Ensuite, d'un commun accord, les trois habitants de la maison allèrent s'asseoir sur la galerie pour profiter durant quelques minutes de l'air doux de cette belle soirée de mai.

L'air embaumait le lilas et n'était troublé, de temps à autre, que par les cris excités de l'un ou l'autre des nombreux enfants de la famille Rocheleau dont la ferme était située de l'autre côté de la route, à quelques centaines de pieds.

— Mon Dieu, que Marie-Claire couche ses enfants tard, ne put s'empêcher de dire la future maman en se berçant doucement.

— Attends, toi, répliqua en ricanant grand-père Boucher. On verra ben ce que tu feras avec le tien.

Le lendemain avant-midi, Corinne était occupée à faire du rangement dans la remise attenante à la maison et avait laissé la porte communicante ouverte. Soudain, une voix féminine la fit violemment sursauter.

— Il y a quelqu'un ?

La future mère crut être l'objet d'une illusion, car elle n'avait pas entendu de voiture entrer dans la cour.

— Il y a quelqu'un ? demanda encore une fois la visiteuse d'une voix plus forte en frappant à la porte moustiquaire.

— Une minute, j'arrive, fit Corinne en essuyant la sueur qui lui coulait dans les yeux.

La jeune femme revint dans la cuisine d'été et aperçut alors Juliette Marcil, debout sur la galerie, devant sa porte.

— Ah bien ! Si je m'attendais à de la belle visite comme ça ! s'exclama-t-elle, ravie, en se précipitant pour aller ouvrir à sa belle-sœur. Entre, reste pas dehors, lui dit-elle, follement heureuse de revoir la sœur aînée de son mari.

Juliette Marcil était une femme de haute taille et bien en chair dont les gestes vifs trahissaient une énergie peu commune. La veuve pénétra dans la cuisine et s'empressa de serrer Corinne contre elle. Ensuite, elle la repoussa à bout de bras pour l'examiner soigneusement.

— Ouais ! On dirait presque que t'es en famille, toi, dit-elle pour plaisanter.

— On le dirait bien, répliqua en riant sa belle-sœur en posant ses mains sur son ventre.

— C'est toujours pour bientôt ?

— Si le docteur s'est pas trompé, ça devrait être dans les deux ou trois prochaines semaines.

— On peut pas dire que t'as l'air bien brillante, fit Juliette, l'air sévère. T'as même l'air au bout de ton rouleau. Je suppose que t'étais en train de travailler au lieu de te reposer.

— Chicane-moi pas, fit Corinne, d'une voix un peu suppliante.

— Je te chicanerai pas, mais je pense que j'arrive à temps pour te surveiller.

— Dis-moi pas que tu vas passer une couple de jours avec moi ? fit Corinne, heureuse.

— Pire que ça, ma fille, répliqua Juliette en feignant la sévérité. Tu vas m'avoir sur les bras jusqu'à ce que t'aies accouché.

— Et ton restaurant ?

— Tu te souviens que je t'ai écrit que je voulais l'agrandir et trouver une associée qui mettrait un peu d'argent dans mon affaire. J'en ai trouvé une. C'est une veuve qui est bonne cuisinière, à part ça. On s'entend bien. Le restaurant s'appelle *Aux deux veuves* depuis deux semaines, et au mois de juillet, on va faire des rénovations. J'ai dit à Yvonne que je voulais me reposer un peu à la campagne et elle est bien capable de s'en occuper sans moi.

— Ton père dira rien en s'apercevant que t'es pas allée rester chez lui ?

— T'es pas sérieuse. Je pense qu'il va être aussi content qu'Annette et Henri de ne pas avoir à m'endurer.

Il y eut des pas dans la cuisine d'hiver et la porte communicante s'ouvrit sur un Wilfrid Boucher aux yeux boursouflés de sommeil.

— Ah ben, petit péché ! s'exclama le grand-père en reconnaissant sa petite-fille. T'es venue te décrasser les poumons avec le bon air de la campagne ?

— En plein ça, grand-père, répondit Juliette en allant l'embrasser avec affection. À ce que je vois, Corinne vous fait pas trop la vie dure. Dormir comme ça à onze heures du matin, si c'est pas de la paresse, je me demande ce que c'est.

— Tu sauras, ma fille, que je dormais pas ; je réfléchissais, rétorqua le vieil homme avec humour.

— D'après moi, vous devez réfléchir les yeux pas mal fermés, fit Juliette en éclatant de rire. Bon, est-ce que tu me gardes ou tu me sacres dehors? demanda-t-elle à Corinne en se tournant vers elle.

— Je te garde avec plaisir.

— Dans ce cas-là, je vais aller chercher ma valise sur la galerie et tu vas me dire où je vais coucher.

— Si ça fait ton affaire, tu vas coucher avec moi, en bas, et laisser le haut à grand-père et à Rosaire.

Juliette entreprit d'aider son hôtesse à préparer le dîner. Lorsque Rosaire revint de l'école pour le repas du midi, il retrouva Juliette avec un plaisir évident. Il n'avait pas oublié que la veuve lui avait donné deux dollars pour ses étrennes au jour de l'An.

Durant le repas, la sœur de Laurent mentionna ses démêlés avec l'administration du nouveau maire de Montréal, James Cochrane. Lectrice assidue du journal *Le Canada*, elle parla de toute la publicité qui avait entouré l'exécution récente de Vincent Lacroix, condamné pour avoir tué sa femme et un vieillard à Hull en 1900, et qui venait d'être pendu. Cependant, comme il fallait s'y attendre, il fut surtout question de l'éruption de la montagne Pelée, en Martinique, dix jours auparavant. Le curé Bilodeau en avait fait longuement état dans son sermon du dimanche précédent. Il avait surtout évoqué l'ampleur de cette catastrophe naturelle et les vingt-huit mille morts qu'elle avait causées.

— J'ai un cadeau pour toi, déclara Juliette à Rosaire au moment où il se levait pour aider à desservir la table.

L'orphelin attendit de voir ce qu'elle allait tirer de sa grande bourse déposée près de l'une des chaises berçantes. La veuve lui tendit un petit paquet. Sous les yeux attentifs de Corinne et de Wilfrid Boucher, Rosaire développa un coffre à crayons en bois vernis dont le couvercle était décoré d'une scène de chasse.

— Whow! s'écria le garçon. C'est ben trop beau.

— Ouvre-le, lui ordonna Juliette.

Le garçon tira le couvercle à glissière et découvrit qu'il s'agissait d'un coffre à deux étages. Le premier étage contenait des crayons à mine de plomb, une gomme à effacer rose et un aiguisoir alors que le second recelait deux porte-plumes et quelques plumes. Rosaire resta immobile, ébahi par la beauté du cadeau.

— Est-ce qu'il fait ton affaire ? lui demanda la veuve.

— Ah oui, c'est le plus beau que j'aie vu.

Juliette, heureuse de voir son présent si apprécié, se pencha et embrassa le garçon sur une joue, ce qui eut pour effet de le faire rougir instantanément.

Après le départ de Rosaire pour l'école, Juliette Marcil prit les choses en main. Elle obligea Corinne à aller faire une sieste pendant qu'elle remettait de l'ordre dans la cuisine.

———

Ce soir-là, la restauratrice finissait de replacer la vaisselle dans les armoires de la cuisine d'été quand grand-père Boucher héla sa petite-fille à travers la porte moustiquaire.

— Je pense qu'on va avoir de la visite, lui annonça-t-il. Le voisin s'en vient sur le chemin.

— Est-ce que c'est Jocelyn ? lui demanda-t-elle.

— Tu le connais ? s'étonna Wilfrid Boucher.

— Oui, je l'ai rencontré durant les fêtes. Il a réveillonné avec nous autres, expliqua-t-elle. C'est un homme bien fin.

Le vieillard dut déceler quelque chose dans la voix de la veuve qui l'incita à s'esquiver et à entraîner Rosaire avec lui.

— Ben, si tu le connais, tu peux ben le recevoir. J'ai envie d'aller voir la Rousse dans le champ avec Rosaire. Je sais pas ce qu'elle a depuis hier, mais cette vache-là est pas normale pantoute.

Sur ces mots, il cria à Jocelyn Jutras qu'il revenait dans cinq minutes.

— Corinne dort, mais ma petite-fille Juliette est là, tint-il à préciser avant de s'éloigner en compagnie de l'orphelin.

Le vieil homme n'avait pas besoin de le dire. Le célibataire avait vu arriver la visiteuse. Il avait d'abord cru que Laurent revenait enfin chez lui, mais à la vue de la femme à la haute stature descendant d'un boghei, il avait reconnu sans mal celle qu'il avait tant appréciée l'hiver précédent et à qui il avait écrit à quelques reprises.

Jocelyn s'était retenu durant toute la journée de ne pas se précipiter chez la voisine. Après le souper, il avait pris le temps de faire sa toilette avant de se présenter chez Corinne Boisvert.

Pour sa part, Juliette s'était approchée d'une fenêtre dès que son grand-père l'avait prévenue. Elle regarda le célibataire venir vers la maison. Il n'avait pas changé depuis l'hiver précédent. Le fermier, âgé d'une trentaine d'années, était de taille moyenne et possédait de larges épaules. Il avait un visage agréable encadré d'épais favoris bruns qui mettaient en valeur sa mâchoire énergique.

Du bout des doigts, elle vérifia l'ordonnance de ses cheveux coiffés en bandeaux avant de se diriger vers la porte moustiquaire qu'elle ouvrit pour s'avancer sur la galerie.

— Est-ce que c'est moi ou Corinne que tu viens voir ? demanda-t-elle au jeune cultivateur au moment où il posait le pied sur la première marche.

— Je venais voir si Corinne avait besoin de quelque chose, mais je savais pas pantoute que t'étais à Saint-Paul, mentit-il assez maladroitement.

Le sourire qui éclaira le visage de Juliette lui apprit qu'elle n'était pas dupe et qu'elle éprouvait au moins autant de plaisir que lui à le revoir.

— J'ai envoyé Corinne dormir un peu, lui dit-elle. Mais si t'as pas trop peur de t'ennuyer, tu peux toujours veiller un bout de temps avec moi, ajouta-t-elle en lui désignant l'une des chaises sur la galerie.

— Il y a pas de risque que je m'ennuie, répliqua-t-il en rougissant légèrement.

— Dans ce cas-là, approche. Je te mangerai pas, dit-elle avec bonne humeur.

Durant une heure, ils eurent l'occasion d'échanger des nouvelles tout en déplorant l'absence de Laurent. Grand-père Boucher et Rosaire vinrent les rejoindre sur la galerie au moment où Corinne, les yeux lourds de sommeil, apparut derrière la porte moustiquaire.

— Mon Dieu! Vous allez bien tous me prendre pour une paresseuse, fit-elle. J'ai l'impression d'avoir passé la moitié de la journée couchée.

— Viens prendre l'air avec nous autres, l'invita sa belle-sœur. Jocelyn est venu prendre de tes nouvelles.

Ce dernier ne quitta la maison de Laurent Boisvert qu'un peu avant dix heures. Même si le soleil était couché depuis longtemps, on n'avait pas osé allumer de fanal sur la galerie pour ne pas attirer les moustiques.

Après le départ du visiteur, Wilfrid Boucher dit sur un ton mystérieux:

— J'ai ben peur d'être obligé de faire encore des grosses dépenses cet été.

— Pourquoi? Qu'est-ce que vous voulez acheter, grand-père? lui demanda Corinne.

— Un habit neuf.

— Mais celui que vous avez peut encore faire pas mal l'affaire, rétorqua la jeune femme.

— Peut-être, mais pas pour des noces.

— Quelles noces? s'enquit Juliette, intriguée.

— Mais les tiennes, dit en riant le vieil homme.

— Allez pas dire ça nulle part, grand-père, le mit en garde la restauratrice en feignant d'être fâchée. J'ai pas pantoute l'intention de me marier.

— Le voisin va être ben déçu quand il va apprendre ça, se moqua Wilfrid Boucher.

— Ça, c'est vous qui le dites, rétorqua Juliette Marcil.

Un peu plus tard, la fille de Gonzague Boisvert dut se fâcher pour empêcher Corinne de réciter le chapelet à genoux avec grand-père Boucher et Rosaire.

— Il y a tout de même des limites, s'emporta-t-elle à la vue de la jeune femme enceinte s'agenouillant péniblement au centre de la pièce, son chapelet à la main. Tu penses tout de même pas que tu vas avoir des indulgences de plus en faisant ça. Assois-toi au moins sur une chaise si tu tiens absolument à réciter ton chapelet.

— C'est ce que je lui dis depuis au moins un mois, intervint Wilfrid Boucher.

Corinne dut obtempérer en espérant que ses prières seraient aussi bien entendues de là-haut. Chaque soir, elle suppliait la Vierge de faire arriver son Laurent. Plus l'heure de sa délivrance approchait, plus son angoisse augmentait. S'il ne revenait pas, qu'allait-il advenir du petit être qu'elle portait ? Que lui arriverait-il à elle ? Elle ne pourrait jamais garder la ferme. Elle connaissait suffisamment son beau-père pour savoir qu'il se dépêcherait de la reprendre parce qu'elle n'aurait pas l'argent nécessaire pour rembourser son prêt. Tant d'incertitudes la minaient plus que tout le travail qu'elle devait abattre quotidiennement.

⸺෴⸺

Le surlendemain, Corinne se réveilla à l'aube, oppressée par la chaleur humide qui régnait dans sa chambre. Elle avait connu une nuit très inconfortable parce que l'enfant qu'elle portait n'avait pas cessé de bouger. Elle se leva doucement pour ne pas réveiller Juliette et quitta la chambre sur la pointe des pieds. Après s'être lavé le visage avec une serviette trempée dans l'eau froide, elle se sentit mieux et entreprit d'allumer le poêle pour réchauffer le contenu de la théière.

— La journée va être collante en pas pour rire, fit la voix de Juliette qu'elle n'avait pas entendue entrer dans la cuisine d'été.

La grande femme sortit sur la galerie pour examiner le ciel et rentra presque aussitôt.

— Ça me surprendrait pas qu'il finisse par mouiller, dit-elle. Le ciel est gris foncé. Je m'habille et je vais aller faire le train.

— Attends, je vais y aller avec toi, offrit Corinne.

— Il en est pas question, trancha la visiteuse sur un ton sans appel. Je te l'ai dit avant-hier que l'étable est pas une place pour toi dans ton état. Fais le déjeuner pendant que je m'en occupe avec Rosaire et grand-père.

Lorsque tout le monde revint à la maison pour déjeuner, Corinne avait eu le temps de préparer le déjeuner et de mettre sur le feu un plein chaudron de fèves au lard qu'elle avait l'intention de servir en ce troisième vendredi de mai.

Après le repas, Rosaire partit pour l'école et grand-père Boucher s'installa sur la galerie, se plaignant de la chaleur que répandait le poêle allumé. Pendant que Juliette allait faire un peu de ménage à l'étage, Corinne décida d'aller chercher des œufs au poulailler dans l'intention de confectionner un gâteau pour le dimanche suivant. Wilfrid Boucher la vit sortir de la maison et se rendre dans le petit bâtiment situé au fond de la cour, à côté de l'écurie.

Quelques minutes plus tard, Juliette Marcil sortit sur la galerie, à la recherche de Corinne.

— Avez-vous vu Corinne, grand-père? demanda-t-elle au vieillard qui somnolait dans sa chaise berçante.

— Ben, je l'ai vue tout à l'heure qui s'en allait au poulailler. Je pense qu'après, je me suis mis à cogner des clous et je l'ai pas vue revenir, avoua-t-il.

Poussée par une sorte de prémonition, Juliette se précipita vers le poulailler. Lorsqu'elle ouvrit la porte, ce qu'elle vit confirma ses craintes. Elle aperçut Corinne, le visage d'une pâleur inquiétante, à demi étendue sur une pile de poches de jute. La fille de Gonzague Boisvert se précipita vers sa belle-sœur.

— Seigneur ! Veux-tu bien me dire ce que t'as ? lui demanda-t-elle.

Corinne secoua la tête, comme si elle reprenait brusquement conscience.

— Je pense que j'ai perdu un peu connaissance, dit-elle d'une voix mal assurée en se passant une main sur le front.

Puis, elle eut une grimace comme si elle était en proie à une violente douleur.

À l'instant même, Juliette aperçut une large tache humide aux pieds de la jeune femme.

— Mais t'as perdu tes eaux ! s'exclama-t-elle. As-tu des contractions ?

— Oui, admit Corinne d'une voix un peu haletante. Elles viennent de commencer.

— Le travail a commencé. Viens-t'en à la maison, lui ordonna Juliette en l'aidant à se relever.

— Le docteur arrivera jamais à temps, fit Corinne, angoissée.

— Inquiète-toi pas, la rassura sa belle-sœur. Tu m'as dit que ta voisine avait une grosse famille. On va lui demander de venir t'aider. Grand-père ! cria-t-elle à Wilfrid Boucher en train de se bercer sur la galerie, allez vite chercher madame Rocheleau. Ça presse. Le petit s'en vient.

Sans plus d'explications, la grande et forte femme aida Corinne à traverser la cour et à monter les quelques marches conduisant à la galerie. Elle la fit pénétrer dans la maison et l'installa sur son lit, dans sa chambre à coucher.

— Tout va bien aller, dit-elle à la future mère en proie à d'autres violentes contractions.

Elle s'approcha de la fenêtre de la chambre et aperçut Marie-Claire Rocheleau marchant d'un pas précipité sur la route en direction de la maison. Elle précédait de plusieurs pieds grand-père Boucher. Lorsque la voisine entra dans la petite maison grise au toit pentu de Laurent Boisvert, Juliette se porta immédiatement à sa rencontre.

— Je pense que le petit s'en vient, même s'il était pas prévu avant encore deux ou trois semaines d'après le docteur, annonça-t-elle à la mère d'une famille nombreuse.

— Ça arrive souvent quand c'est le premier, la rassura Marie-Claire.

— Je connais pas grand-chose aux accouchements, admit Juliette Marcil, mais je peux vous donner un coup de main, si c'est nécessaire. J'ai déjà aidé une cousine à avoir son petit.

— C'est correct. On va faire bouillir de l'eau. Envoye donc monsieur Boucher chercher le docteur Poirier à Yamaska. Le docteur va peut-être arriver trop tard, mais il va au moins pouvoir dire si la mère et le petit sont corrects.

Un cri de douleur en provenance de la pièce voisine incita Marie-Claire Rocheleau à entrer dans la chambre. Pendant que Wilfrid attelait Satan, Juliette alla chercher de l'eau au puits pour la faire bouillir et étala sur la table tout ce dont elle aurait besoin pour laver et emmailloter le nouveau-né. Au moment où elle terminait ces préparatifs, elle entendit le boghei conduit par son grand-père prendre la route.

— Apporte-moi un plat d'eau froide et une serviette, lui demanda Marie-Claire du fond de la chambre où la future mère geignait doucement.

Lorsqu'elle pénétra dans la chambre à coucher, il y faisait une chaleur infernale. Corinne, les cheveux trempés par la sueur, semblait avoir du mal à respirer.

— Pourquoi vous ouvrez pas la fenêtre? demanda la veuve à la voisine qui venait de s'emparer de la serviette qu'elle avait apportée pour la tremper dans l'eau froide.

— Parce que l'air du dehors, c'est pas bon pour une femme qui accouche, déclara Marie-Claire Rocheleau sur un ton péremptoire.

Elle déposa la serviette mouillée sur le front de Corinne dont le teint était d'une pâleur mortelle. Soudain, les contractions reprirent et sa figure se tordit de douleur. Elle se mordit les lèvres, mais ne put s'empêcher de geindre de plus en plus fort.

— Les douleurs reviennent de plus en plus vite, précisa Marie-Claire. Ça s'en vient. Garde tes forces, lui conseilla-t-elle d'une voix apaisante.

La jeune femme hocha la tête pour signifier qu'elle avait compris.

— Fais-moi bouillir une paire de ciseaux, demanda Marie-Claire à Juliette en se tournant vers elle. On va en avoir besoin pour couper le cordon.

Malgré tout, l'accouchement ne fut pas aussi rapide que prévu. Durant de longues minutes, les contractions cessèrent, ce qui présenta l'avantage de permettre à la future mère de reprendre son souffle. Cependant, un peu après dix heures, elles reprirent de plus en plus fortes et rapprochées.

— Pousse, ma belle! Pousse! Pousse encore plus fort! l'exhortait la voisine.

Finalement, après de longues minutes de souffrances, Corinne poussa un grand cri de délivrance et l'enfant quitta le sein maternel. Marie-Claire s'empressa de couper le cordon ombilical. Elle prit ensuite le bébé par les pieds et lui administra une légère tape sur les fesses pour le faire pleurer et dégager ses voies respiratoires. Enfin, elle le tendit à une Juliette un peu tremblante avant de se tourner vers la jeune mère pour lui donner les premiers soins. Cette dernière semblait avoir perdu conscience.

— Nettoie-le comme il faut, conseilla la voisine à Juliette au moment où elle quittait la chambre avec le nouveau-né dans les bras.

À l'instant où la veuve finissait d'emmailloter le bébé après avoir fait sa toilette, le boghei conduit par Wilfrid Boucher entrait dans la cour de la ferme, suivi de près par celui du docteur Poirier. Le médecin confia les rênes de sa voiture au vieillard et s'empressa de pénétrer dans la maison où il fut accueilli par les deux femmes.

— À ce que je vois, j'arrive un peu trop tard, déclara l'homme aux tempes grises en s'approchant du bébé que tenait contre elle Juliette. Bon, montrez-moi d'abord cet enfant-là pour voir s'il a tous ses morceaux à la bonne place.

L'enfant fut déposé sur une serviette sur la table et le médecin l'examina rapidement avant de déclarer :

— On a là un beau petit garçon bien constitué. À cette heure, on va aller jeter un coup d'œil à la mère, ajouta-t-il avec bonne humeur en s'emparant de sa trousse déposée sur la table.

Marie-Claire Rocheleau conduisit le médecin jusqu'à la porte de la chambre à coucher où reposait Corinne. Ce dernier pénétra dans la pièce et referma la porte derrière lui.

Donatien Poirier ne demeura dans la chambre que quelques minutes. Lorsqu'il rouvrit la porte, Corinne avait les yeux ouverts et un pauvre sourire illuminait son visage.

— Est-ce que je peux le voir ? demanda-t-elle d'une voix affaiblie à sa belle-sœur qui s'était approchée de la porte en portant toujours le bébé.

Juliette s'approcha du lit et déposa l'enfant dans ses bras.

— Je vous félicite, mesdames, dit le médecin à Marie-Claire et Juliette. Tout a été bien fait. La nouvelle mère a même pas besoin d'un point de suture. Je repasserai dans une semaine pour voir si tout est correct.

Les deux femmes raccompagnèrent Donatien Poirier jusqu'à la galerie où elles retrouvèrent Wilfrid Boucher, assis sereinement dans sa chaise berçante en train de fumer sa pipe.

— On dirait bien que ça vous énerve pas trop, une affaire comme ça, se moqua le médecin en l'apercevant.

— Ben, pour la bonne raison que je suis pas le père, déclara le vieillard avec un brin de malice dans l'œil. Ensuite, je suis assez vieux pour savoir qu'un homme a rien à faire dans la maison quand une affaire comme ça arrive. Il est mieux de rester dehors et d'attendre en dérangeant pas personne.

Après le départ du docteur Poirier et de Marie-Claire Rocheleau, Wilfrid suivit Juliette dans la chambre de Corinne pour admirer le nouveau-né.

— Une autre génération de Boisvert, déclara le vieil homme, les yeux pétillants de joie. J'espère que t'es fière de toi! dit-il à la mère au visage rayonnant d'orgueil.

— Est-ce qu'on peut savoir comment il va s'appeler, ce petit bout d'homme là? demanda-t-il.

— Philippe. Je sais pas si Laurent va aimer ce nom-là, ajouta la jeune mère, dans les yeux de laquelle un nuage de tristesse passa, mais comme il va falloir le faire baptiser vite, j'ai choisi ce nom-là.

— Qui as-tu choisi pour parrain et marraine? demanda Juliette. Je suppose que si ça avait été une fille, ça aurait été ton père et ta mère, comme de coutume.

— Oui.

— Donc, tu vas prendre mon père comme parrain du petit.

— J'y ai pensé, mais j'aime mieux pas, déclara Corinne après un bref moment d'hésitation.

— Ah non ?

— Non, si vous le voulez, j'aimerais mieux que grand-père soit le parrain du petit et que tu sois la marraine.

Wilfrid jeta un regard ravi à Juliette avant de dire :

— Moi, je trouve que c'est un honneur.

— Rien peut me faire un plus grand plaisir, renchérit sa belle-sœur, apparemment très heureuse d'avoir été choisie. Ce sera mon premier filleul.

Au moment où elle prononçait ces mots, on entendit la porte moustiquaire claquer dans la cuisine d'été.

— Mon Dieu ! Mais on a complètement oublié Rosaire avec tout ça, s'exclama Juliette. Rosaire, viens voir ! lui cria-t-elle, debout sur le pas de la porte de la chambre.

L'orphelin, intrigué, traversa la cuisine d'hiver et s'arrêta sur le seuil de la chambre de Corinne.

— Entre, viens voir le bébé, l'invita cette dernière. Les sauvages sont passés.

Un peu intimidé, Rosaire entra dans la pièce sur la pointe des pieds et regarda la petite figure rougie et chiffonnée. Il adressa ensuite un grand sourire à la jeune mère.

— Prends-le, lui offrit-elle.

Habitué à s'occuper des enfants chez Henri et Annette Boisvert, le garçon prit adroitement le bébé.

— On vient de trouver le porteur au baptême, déclara Corinne, heureuse.

— Aïe ! Tout un honneur ! fit remarquer Wilfrid au garçon.

— Tu peux déposer le petit dans son berceau, suggéra Juliette. On va laisser la mère se reposer, mais je vais d'abord entrouvrir un peu la fenêtre avant qu'elle crève de chaleur.

Chapitre 4

Les réactions

Après le dîner, grand-père Boucher se proposa pour aller faire enregistrer le petit sur les registres paroissiaux au presbytère.

— Pensez-vous être capable d'aller avertir mon père en passant et même, d'aller prévenir les parents de Corinne à Saint-François-du-Lac ? lui demanda sa petite-fille.

— Je peux toujours essayer s'il se met pas à mouiller à boire debout, accepta Wilfrid en jetant un coup d'œil au ciel nuageux. Viens m'aider à atteler, Rosaire, dit-il à l'orphelin. Je vais te laisser à l'école en passant.

— Oubliez pas d'inviter tout le monde au baptême, grand-père, lui recommanda Juliette au moment où il quittait la maison.

Peu après, Juliette vit le boghei passer près de la maison et prendre la direction du village distant de plus d'un mille. Après un bref arrêt pour déposer Rosaire devant la petite école située au centre du rang Saint-Joseph, le vieil homme poursuivit sa route sans se presser. Son attelage soulevait un petit nuage de poussière derrière lui.

Le vieillard de quatre-vingt-un ans eut la chance de rencontrer l'abbé Nadon qui s'apprêtait à lire son bréviaire sur la galerie du presbytère. Le petit vicaire, que certains paroissiens surnommaient affectueusement Tom Pouce, le fit entrer dans le bureau et inscrivit dans le registre paroissial le nom de Philippe Boisvert, fils de Corinne Joyal et de Laurent Boisvert, né le 23 mai 1902.

— Je suppose que les parents veulent faire baptiser l'enfant demain ?

— Un peu plus tard, si ça dérange pas, monsieur l'abbé, suggéra le vieil homme.

— Pourquoi donc ? s'étonna le jeune prêtre. Vous savez comme moi que, si le bébé meurt sans être baptisé, il va passer l'éternité dans les limbes.

— Oui, je le sais, monsieur l'abbé, mais on attend le père qui est en voyage, mentit le grand-père.

— Et il revient quand ?

— Peut-être demain soir, mentit encore le vieil homme.

— En tout cas, le baptême pourra pas se faire plus tard que dimanche après-midi. Monsieur le curé voudra pas qu'on attende plus longtemps.

— Bon, c'est correct pour dimanche après-midi, consentit Wilfrid.

— À deux heures, au couvent, précisa l'abbé en le reconduisant à la porte.

— On va être là, promit grand-père Boucher.

Le vieil homme reprit les rênes en direction de la grosse maison en pierre de Gonzague Boisvert, dans le rang Saint-André, le rang du village. La ferme de son gendre était située à environ un demi-mille du cœur du village. Lorsqu'il immobilisa sa voiture dans la cour, il jeta un regard à la maison et aux bâtiments soigneusement entretenus. Il constatait, encore une fois, que son gendre était très à l'aise financièrement, et il n'ignorait pas pourquoi.

La vue de cette maison habitée par sa fille pendant plus de trente ans lui rappelait une foule de souvenirs pénibles. Il était persuadé que sa Jeanne-Mance n'y avait pas été très heureuse avec un mari si avare qu'il économisait le moindre sou. Comment cette femme pleine de vie avait-elle pu supporter un tel homme? Pour lui, il s'agissait là d'un mystère inexplicable.

Gonzague Boisvert avait trouvé le moyen de bannir de sa maison toutes les célébrations et toutes les fêtes sous le prétexte qu'il s'agissait de dépenses frivoles et injustifiées. Il n'avait laissé aux siens que le travail éreintant et les privations. Henri semblait le seul de ses cinq enfants à lui être attaché... et encore! Probablement parce qu'il était aussi âpre au gain que son père et qu'il espérait hériter de sa terre.

— Elle a dû se sentir libérée en partant, dit à mi-voix le vieillard en songeant à la mort de sa fille, survenue une dizaine d'années plus tôt.

Annette, la femme d'Henri Boisvert, sortit sur la galerie au moment où Wilfrid Boucher s'apprêtait à y monter pour frapper à la porte.

— Bonjour, grand-père, le salua-t-elle sans grande chaleur en le reconnaissant.

Le grand-père de son mari vivait chez Corinne depuis cinq mois, mais Henri et elle ne s'étaient pas déplacés une seule fois pour aller lui rendre visite. La petite femme au visage étroit et au maigre chignon noir était aussi peu chaleureuse que son mari. L'un et l'autre le voyaient presque tous les dimanches matin, à la grand-messe, mais ils se contentaient de le saluer et de demander des nouvelles de sa santé du bout des lèvres.

— Voulez-vous entrer? offrit Annette, comme à contre-cœur.

— Sais-tu que ce serait pas une mauvaise idée, se moqua gentiment Wilfrid. Je prendrais même un verre d'eau, si c'est pas trop te demander.

— On parlera pas trop fort, les enfants dorment en haut, dit-elle en précédant son visiteur dans la cuisine d'été.

— Où sont passés ton beau-père et ton mari? demanda Wilfrid.

Elle allait répondre quand des bruits de pas se firent entendre sur la galerie. La porte s'ouvrit sur Henri et son père. Les deux hommes étaient aussi grands l'un que l'autre. Si le fils était lourdement charpenté, le père, par contre, était maigre comme un clou et légèrement voûté. Chez ce dernier, on remarquait moins les longs favoris poivre et sel de l'homme de soixante et un ans que ses petits yeux vifs et calculateurs dissimulés par d'épais sourcils.

Le visage de l'hôte ne montra aucun signe de plaisir de voir son beau-père chez lui. Les deux hommes ne s'étaient jamais aimés et ne l'avaient jamais caché. Gonzague Boisvert n'avait jamais compris le besoin des Boucher de fêter à la moindre occasion et de dépenser ainsi de l'argent difficilement gagné. À ses yeux, tous les parents de sa femme décédée n'étaient que des fainéants tout juste bons à boire et à manger. Pour sa part, Wilfrid Boucher n'avait jamais éprouvé la moindre sympathie envers celui dont la pingrerie avait rendu sa fille malheureuse comme les pierres toute sa vie. « S'il pouvait couper une cenne en quatre, il le ferait », répétait-il souvent à Corinne, qui s'étonnait encore de la dureté du cœur de son beau-père.

— Voulez-vous vous asseoir un peu, grand-père, offrit finalement Annette, gênée de voir que tous les quatre se regardaient sans poser un geste.

— Ce serait pas de refus.

Elle alla remplir un verre d'eau à même une cruche de grès déposée sur le comptoir et le lui tendit.

— Qu'est-ce qui vous amène, monsieur Boucher ? finit par demander Gonzague. J'espère que vous vous êtes pas déplacé juste pour nous dire que Laurent est revenu du chantier.

— Il est pas encore revenu. Non, je suis juste passé vous dire que Corinne a eu son petit à matin.

— Un gars ou une fille ? demanda Annette avec un semblant d'intérêt.

— C'est un beau petit gars.

— Donc, beau-père, vous allez être encore dans les honneurs, conclut sa bru avec un mince sourire en lui rappelant ainsi qu'il avait d'abord été parrain de son fils quelques années auparavant.

En entendant ces paroles, Gonzague Boisvert ne manifesta aucune joie particulière.

— C'est pas obligatoire, laissa tomber Wilfrid avec un certain plaisir.

— Comment ça ? demanda Henri, ouvrant la bouche pour la première fois. Si c'est un garçon, le parrain doit être mon père.

— Ben non, le contredit son grand-père. Corinne m'a choisi comme parrain et elle a pris ta sœur Juliette comme marraine.

— Juliette pourra jamais venir à temps pour le baptême, fit remarquer sèchement Annette.

— Pourquoi tu dis ça ? demanda Wilfrid avec une naïveté feinte. Juliette est déjà chez Corinne depuis trois jours. Elle va même rester à la maison pour la relever avant de retourner à son restaurant.

— Ah ben là, j'aurai tout entendu ! s'exclama Henri, stupéfait. Elle est à Saint-Paul depuis trois jours et on le savait même pas.

— Peut-être parce que vous avez oublié de l'inviter, suggéra Wilfrid sur un ton sarcastique. J'ai fait la commission qu'on m'avait donné à faire. Si ça vous tente de venir au baptême, ça va se faire dimanche, à deux heures.

Gonzague, qui s'était tu durant tout l'échange, se décida enfin à parler :

— Il est plus que temps que Laurent revienne à la maison pour mettre de l'ordre dans la cabane, dit-il, l'air mauvais.

Je trouve que sa femme en mène pas mal large depuis qu'il est pas là. Des affaires comme le baptême du petit se seraient pas passées comme ça s'il avait été là…

— C'est ça, le problème, quand on n'est pas là pour s'occuper de ses affaires, fit remarquer, non sans humour, grand-père Boucher. Quand le chat est pas là, les souris dansent, c'est connu. Bon, il faut que j'y aille. Corinne m'a demandé d'aller prévenir ses parents à Saint-François.

Wilfrid Boucher tendit son verre vide à Annette et se leva. Personne n'esquissa le moindre geste pour le retenir davantage. Il salua ses hôtes et sortit sans qu'aucun d'entre eux se donne la peine de l'accompagner jusqu'à sa voiture. En reprenant la route, le vieil homme ne put s'empêcher de sourire. Il détenait la preuve que son gendre avait été blessé de ne pas avoir été choisi comme parrain par Corinne, et cela le réjouissait.

— Ben bon pour lui, dit-il à mi-voix. Il est pas tout seul à être capable d'être dur.

Le vieillard se souvenait trop bien qu'à aucun moment, l'hiver précédent, son gendre n'avait proposé son aide à sa bru, laissée seule, sans ressources, dans sa petite maison au bout du rang Saint-Joseph. Pire. Il avait même tenté de lui arracher le peu d'argent qu'elle conservait pour se nourrir sous le prétexte que le remboursement annuel de l'argent prêté à Laurent pour acheter la ferme était dû à la fin décembre. Il avait fallu qu'il puise lui-même dans ses maigres économies pour s'en débarrasser.

Wilfrid Boucher avait vu le demi-sourire esquissé par Annette quand elle avait appris que sa belle-sœur Juliette habitait chez Corinne plutôt que dans la maison paternelle. Il savait depuis longtemps que les deux femmes ne pouvaient se souffrir. Par contre, cette préférence évidente de sa fille unique pour la maison de Corinne semblait avoir fait mal à son père.

— Il récolte que ce qu'il a semé, le maudit, dit à mi-voix Wilfrid avec une certaine satisfaction. Il est pas dit nulle part qu'il doit toujours gagner.

Une heure plus tard, la voiture du vieil homme entra dans la cour des Joyal, rang de la rivière, à Saint-François-du-Lac. Il se souvenait encore de l'endroit pour y être venu l'été précédent à l'occasion des noces de Corinne et Laurent.

Napoléon, en train de réparer un harnais devant la porte de l'écurie, fut le premier à voir arriver le visiteur. Il abandonna immédiatement sa tâche pour s'avancer vers lui.

— Ah ben, ça, c'est de la visite rare ! s'écria-t-il avec un large sourire.

La porte moustiquaire s'ouvrit immédiatement pour livrer passage à une Lucienne rongée d'inquiétude.

— Bonjour, monsieur Boucher. J'espère que c'est pas une mauvaise nouvelle qui vous amène à Saint-François, dit-elle en s'approchant à son tour. Est-ce qu'il est arrivé quelque chose à Corinne ?

— Rien de mauvais, madame Joyal, la rassura le vieil homme. Elle a eu son petit à matin.

— Oh, mon Dieu ! s'exclama Lucienne en portant une main à sa bouche. Mais elle l'attendait pour pas mal plus tard… Je m'étais promis d'être là pour ses relevailles…

— Inquiétez-vous pas, tout s'est ben passé, ajouta le grand-père d'une voix apaisante.

— Qu'est-ce qu'elle a eu ? intervint Napoléon.

— Un beau garçon en pleine santé.

— Venez vous asseoir en-dedans, l'invita Lucienne en précédant le visiteur et son mari. J'ai du thé sur le poêle.

— Laisse faire ton thé, fit Napoléon de bonne humeur. Pour fêter ça, il y a un meilleur petit boire. Qu'est-ce que vous en dites, monsieur Boucher ?

— Je dirais pas non, répondit en souriant le vieillard qui suivit ses hôtes à l'intérieur après avoir entravé sa bête.

— Est-ce que le docteur est arrivé à temps ? reprit Lucienne un peu plus tard alors que Napoléon tendait un verre de caribou au visiteur.

— Non, mais la voisine et Juliette étaient là pour l'aider. Le docteur est arrivé trop tard, mais il a dit que tout était parfait.

— Juliette était là ? s'étonna Lucienne.

— Elle est arrivée il y a trois jours pour aider Corinne à se relever.

— C'est une bien bonne nouvelle, reprit l'hôtesse. Moi, je l'aime bien, votre petite-fille. C'est toute une femme.

— En parlant de femme, je me suis demandé si vous en aviez pas une petite jeune dans le genre de Corinne pour moi, plaisanta le vieillard.

— Sauf votre respect, monsieur Boucher, une petite jeune, comme vous dites, voudrait pas d'un vieux comme vous, répondit Lucienne, l'air sévère. Je pense qu'à votre âge, vous seriez mieux de vous chercher une vieille veuve.

— Vous êtes pas sérieuse, fit Wilfrid, en feignant d'être offusqué. Je tiens ben trop à la vie. J'irais jamais marier une femme qui a eu la peau d'un premier mari.

— Dans ce cas-là, j'ai ben peur que vous soyez obligé de rester veuf, conclut Napoléon en riant.

— Ah ! J'allais l'oublier. Corinne fait baptiser dimanche après-midi. Elle aimerait ça que vous veniez avec toute votre famille, si vous en êtes capables.

— C'est sûr qu'on va y aller, déclara Lucienne sans l'ombre d'une hésitation.

Évidemment, celle-ci s'opposa à ce que leur visiteur prenne la route sans souper avec la famille Joyal. Au moment du départ du vieil homme, son hôtesse lui demanda de prévenir Corinne et Juliette qu'elle apporterait des gâteaux pour les invités au baptême deux jours plus tard.

Après le départ du visiteur, Bastien informa ses parents qu'il emprunterait la voiture du père Cadieux, son futur beau-père, pour assister au baptême avec Rosalie.

— Ça va être le lendemain de nos fiançailles, expliqua-t-il. Jamais je croirai qu'il va refuser ce service-là à son futur gendre, plaisanta-t-il.

— C'est vrai, reconnut sa mère. Avec tout ce qui arrive à ta sœur, j'étais en train d'oublier que tu te fiances demain soir et qu'on était invités à souper chez les Cadieux.

— J'aurais aimé que le père et la mère de Rosalie fassent ça dimanche soir pour que Blanche et Amédée puissent venir souper, dit Bastien, mais ils aimaient mieux que ce soit le samedi. Au fond, ça va être une bonne affaire parce qu'il y a le baptême du petit de Corinne le dimanche.

— On dirait ben que je vais être poigné tout seul pour faire le train, déclara Anatole.

— Ben non, fit son frère. T'as juste à monter dans notre voiture avec Thérèse. On s'arrangera pour revenir à temps pour le train.

— En tout cas, c'est de valeur qu'on puisse pas avertir Blanche à temps, regretta Lucienne.

— J'ai trop besoin des deux chevaux demain pour commencer à labourer. On peut pas en atteler un au boghei pour aller l'avertir à Sorel, expliqua Napoléon, apparemment aussi désolé que sa femme.

— À soir, j'ai au moins le temps d'aller chercher Germaine à Saint-Bonaventure, suggéra Anatole.

— C'est correct, accepta son père. En plus, ça va lui faire plaisir de sortir de son école.

— Est-ce que vous allez rester chez Corinne, dimanche après-midi, après le baptême ? demanda Simon à sa mère.

Depuis quelques minutes, l'adolescent était demeuré étrangement silencieux.

— C'est vrai, ça, renchérit Napoléon. Si la sœur de Laurent est là, Corinne aura peut-être pas besoin de toi pour ses relevailles.

— J'en parlerai avec Juliette après-demain, déclara sa femme. Ce serait bien plus à moi qu'à une belle-sœur d'aller aider notre fille à se relever. En plus, cette femme-là a un restaurant à faire marcher. Je vais offrir de rester, mais j'ai bien l'impression que Corinne aura pas besoin de moi. Si Juliette est arrivée depuis une couple de jours, c'est qu'elle était bien décidée à rester pour relever Corinne.

En entendant ces mots, Simon ne put cacher son dépit et sa mère le remarqua.

— Qu'est-ce que t'as à faire un visage long comme ça, toi ? lui demanda-t-elle, l'air soupçonneux.

— Rien, m'man, répondit l'adolescent.

Il y eut un bref silence avant que Lucienne reprenne la parole.

— Tiens ! J'y pense tout à coup. Ce serait pas parce que tu t'étais imaginé que tu pourrais faire à peu près ce que tu voudrais pendant que je serais chez ta sœur ?

— Ben non, m'man, protesta mollement Simon, sous le regard goguenard de ses deux frères aînés.

— Si tu pensais profiter de l'occasion pour te coucher à n'importe quelle heure et courir au village quand t'aurais voulu, t'es mieux d'en faire ton deuil, mon garçon. Parce que si je vais relever ta sœur, tu vas descendre à Saint-Paul avec moi et tu vas voir ce que c'est que travailler.

Avant de quitter la maison pour aller chercher sa sœur Germaine à Saint-Bonaventure, Anatole ne put cacher à son frère Bastien à quel point il était déçu du comportement du père de Thérèse Rochon à laquelle il devait se fiancer le second dimanche de juin.

— Le vieux verrat ! Il veut rien savoir d'inviter la famille pour un souper de fiançailles. Il dit qu'il va avoir ben assez de payer pour les noces au mois de septembre. Ça a tout pris pour qu'il invite p'pa et m'man à souper…

— Il y a pas à dire, se moqua Bastien, il est pas mal gratteux, le bonhomme. Une chance que tu vivras pas chez eux après ton mariage, comme moi chez le père Cadieux.

— Il manquerait plus que ça !

⸺

Ce soir-là, à son retour à la maison de son petit-fils Laurent, grand-père Boucher trouva Juliette et Rosaire paisiblement assis sur la galerie. Rosaire s'empressa de suivre la voiture jusqu'à l'écurie pour aider le vieil homme à dételer Satan et à le mener à son enclos. Au moment où ils posaient le pied sur la galerie, une petite pluie fine se mit à tomber.

— Je vous ai gardé à souper, grand-père, annonça Juliette en esquissant le geste de se lever.

— Reste assise, j'ai déjà mangé, lui ordonna grand-père Boucher avec bonne humeur. Les Joyal, c'est du monde ben recevant.

— Il commence à mouiller, constata sa petite-fille en poussant un soupir de soulagement. On va peut-être pouvoir mieux respirer après ça. En-dedans, c'est étouffant.

Rosaire, apparemment fatigué, souhaita une bonne nuit aux deux adultes et rentra se mettre au lit. Grand-père Boucher s'assit près de Juliette.

— Comment vont Corinne et le petit ? lui demanda-t-il.

— Je pense qu'ils dorment tous les deux. J'ai fait manger un bol de soupe à Corinne et j'ai changé le petit. Vous avez eu le temps de faire toutes les commissions ?

— Ouais, fit le vieil homme. On aurait dit que ça a pas trop fait plaisir à ton père de savoir que je serai le parrain du petit. En tout cas, je les ai tout de même invités, lui, Henri et sa femme, à venir au baptême, dimanche après-midi.

— Ils vont venir ? demanda-t-elle, curieuse.

— Ils ont rien promis.

— Et chez les parents de Corinne?

— Naturellement, ils étaient ben contents pour elle. Sa mère était ben inquiète de savoir sa fille toute seule et voulait venir pour ses relevailles, mais quand elle a su que t'étais déjà là, elle a paru pas mal rassurée. Elle a l'air de t'apprécier. Pour moi, t'as dû lui faire un sacrifice de gros cadeau pour qu'elle te porte sur la main comme ça, se moqua doucement le vieil homme.

— Grand-père, cherchez pas à m'étriver à soir, le prévint la restauratrice en feignant la colère.

— Là, il reste juste que ton frère Laurent se décide de rentrer, laissa tomber Wilfrid Boucher, en redevenant sérieux après un court silence.

— Lui, le sans-génie, je vais avoir deux mots à lui dire quand il va remettre les pieds ici dedans. Le maudit sans-cœur!

— Je comprends pas trop ce qu'il peut bretter à gauche et à droite pendant que sa femme en arrache toute seule, reconnut grand-père Boucher en allumant sa pipe. Veux-tu ben me dire à quoi il pense?

— Ça, je le sais pas, admit Juliette d'une voix rageuse. On dirait qu'il est resté un enfant de dix ans qui pense juste à s'amuser, ajouta-t-elle, dépitée. Après la mort de m'man, j'ai passé mon temps à essayer de lui mettre du plomb dans la tête. On dirait bien que j'ai perdu mon temps. Une vraie tête folle!

— C'est ben de valeur pour Corinne, fit Wilfrid d'un air pénétré. Il pouvait pas tomber sur une meilleure femme que ça.

— C'est certain, l'approuva sa petite-fille. Si vous saviez tous les mauvais coups qu'il a fait quand il était plus jeune, vous en reviendriez pas, poursuivit-elle en parlant de son jeune frère. Je passais mon temps à demander à p'pa de le corriger, mais il me répondait la plupart du temps que ça lui passerait en vieillissant. Ben là, on dirait bien que c'est pas vrai pantoute.

— Là, il reste juste à prier qu'il se rappelle qu'il a une femme qui attend un petit et qu'il rentre au plus coupant à la maison, conclut le vieillard.

Le silence retomba sur la galerie. Le grand-père et sa petite-fille continuèrent à se bercer pendant que la pluie se faisait de plus en plus forte et commençait à former des flaques au milieu de la cour de la ferme.

Dans l'unique chambre du rez-de-chaussée, le bruit de la pluie frappant la fenêtre avait tiré Corinne du léger sommeil dans lequel elle avait plongé après le souper. Elle se souleva doucement sur un coude pour regarder son bébé dormant paisiblement dans son berceau près de son lit. Elle se laissa retomber sur ses oreillers, les yeux grands ouverts dans le noir.

Immédiatement, ses pensées retournèrent vers son mari. Où était-il? Qu'est-ce qui pouvait bien le retenir si longtemps loin des siens? Son angoisse revint la hanter, encore plus forte depuis qu'une nouvelle vie dépendait d'elle.

Chapitre 5

Le retour

Le samedi matin, Corinne fut éveillée tôt par les vagissements de son nouveau-né couché dans le berceau placé près de son lit. Elle avait le front moite tant il faisait chaud dans la pièce. Le jour se levait à peine et la chambre était sombre. Le tic-tac de l'horloge était l'unique autre bruit qu'elle perçut dans la maison.

La jeune mère s'assit dans son lit et se pencha pour prendre dans ses bras son bébé qui cessa immédiatement de pleurer. Elle changea ses langes mouillés et entreprit de le nourrir. Ce geste maternel lui procura un sentiment de plénitude qu'elle n'avait jamais connu auparavant. Quand l'enfant eut bu à satiété, elle le coucha près d'elle et se rendormit.

Une heure plus tard, Juliette entrouvrit la porte et jeta un coup d'œil dans la chambre. Elle entra discrètement, prit le nouveau-né et le déposa dans son berceau avant de se retirer sur la pointe des pieds. En passant devant l'escalier pour se rendre dans la cuisine d'été où elle venait d'allumer le poêle afin de préparer le déjeuner, elle entendit des pas à l'étage. Elle avait réveillé Rosaire, qui avait dormi dans la chambre voisine de la sienne.

— Grand-père s'en vient, annonça l'orphelin en pénétrant dans la pièce, les cheveux hirsutes et les yeux gonflés de sommeil. Je l'ai entendu bouger dans sa chambre.

— Parfait, va chercher les vaches. On va faire le train avant que Corinne se réveille. Mets-toi quelque chose sur le dos, je pense qu'il mouille encore, ajouta-t-elle en entendant les gouttes de pluie tomber sur l'avant-toit, au-dessus de la galerie.

Le garçon prit le petit manteau en toile suspendu au crochet derrière la porte et sortit sur la galerie. Il rentra immédiatement dans la cuisine, énervé.

— Qu'est-ce que tu fais? lui demanda Juliette, surprise de le découvrir encore dans la pièce. Je t'ai demandé d'aller chercher les vaches dans le champ.

— Monsieur Boisvert est dehors, dit l'orphelin, la voix changée.

Sur le coup, Juliette crut qu'il parlait de Gonzague Boisvert, son père, et elle se demanda ce qu'il faisait dehors au lieu de venir frapper à la porte. Puis, elle réalisa que ce ne pouvait être lui. Qu'est-ce qu'il serait venu faire chez Corinne aussi tôt le matin?

— Quel monsieur Boisvert? demanda-t-elle en s'essuyant les mains sur son tablier avant de s'avancer vers la porte moustiquaire.

— Laurent, le mari de Corinne.

Juliette Marcil poussa la porte et découvrit son jeune frère couché en chien de fusil sur la galerie, la tête appuyée sur son baluchon.

— Va chercher les vaches, dit-elle à mi-voix à Rosaire. Je m'occupe de lui.

Le garçon s'éclipsa rapidement pendant que Juliette poussait Laurent du bout du pied pour tenter de le tirer du sommeil profond dans lequel il était plongé.

— Si ça a de l'allure de se mettre dans des états pareils, murmura-t-elle.

Le jeune homme de vingt-deux ans était dans un état lamentable. Solidement charpenté et haut de plus de six pieds, Laurent Boisvert avait l'air d'un véritable clochard avec ses vêtements sales, ses cheveux longs et sa barbe de plusieurs jours. Elle se pencha sur lui dans l'intention de le secouer par une épaule quand elle découvrit qu'il puait l'alcool.

— Ah bien non, par exemple! fit-elle, indignée.

La maîtresse-femme descendit de la galerie et se dirigea vers le puits pour remplir un seau d'eau glacée. Elle revint près de son frère au moment où Wilfrid Boucher sortait de la maison. Le vieillard allait dire quelque chose quand sa petite-fille lui fit signe de se taire. Elle recula de quelques pas et lança le contenu du seau à la volée à la figure du dormeur.

Laurent Boisvert s'assit en jurant, à demi suffoqué. Il chercha du regard le responsable de cette agression tout en portant une main à sa tête, comme s'il était la proie d'une affreuse migraine. Juliette prit les devants en feignant d'ignorer l'identité de celui qui tentait péniblement de se remettre sur ses pieds.

— Qu'est-ce que tu fais là, toi? lui demanda-t-elle, l'air menaçant. Envoye! Débarrasse-moi le plancher! ordonna-t-elle. On n'a pas le temps de s'occuper d'un quêteux aujourd'hui!

— Calvaire! Es-tu devenue folle, toi? jura son frère en parvenant enfin à se mettre debout. Je suis chez nous, tu sauras!

— Quoi? C'est toi, Laurent? Je t'ai pas reconnu pantoute, s'écria-t-elle en simulant la stupéfaction la plus complète. T'as l'air d'un vrai guenillou! Qu'est-ce que tu faisais à dormir dehors comme un quêteux? lui demanda-t-elle sur un ton sarcastique.

— Je suis arrivé tard, hier soir, et j'ai pas voulu réveiller Corinne, prétexta-t-il.

— T'as pas voulu réveiller ta femme, tout en sachant, maudit sans-cœur, qu'elle t'attend depuis des semaines? fit sa sœur, la voix soudainement durcie.

Le changement de ton de sa sœur n'avait pas échappé au jeune père de famille.

— Whow! Crie-moi pas après! ordonna-t-il à la grande et forte femme qui lui faisait face, l'air révolté.

— Elle est pas pire, celle-là! poursuivit Juliette Boisvert sans tenir compte de ce qu'il venait de dire. Monsieur arrive deux mois et demi après avoir lâché le chantier, sale comme un cochon et puant la boisson à plein nez, et il faudrait pas lui poser de questions?

— Mais ça te regarde pas pantoute! fit Laurent qui sursauta en apercevant soudain son grand-père, debout derrière la porte moustiquaire... Mais qu'est-ce qui se passe ici dedans, sacrement? Qu'est-ce qu'il y a?

— Il y a, maudit grand sans-dessein, que ta femme a accouché hier matin et que t'étais même pas là, reprit Juliette, l'air mauvais. Pendant que tout le monde se démenait pour prendre soin de ta femme et de ton petit, toi, tu te promenais et tu buvais. Je suppose que tu te souvenais plus que t'étais marié... Au cas où ça t'intéresserait, Corinne et le petit sont en bonne santé.

Laurent secoua la tête, incapable d'assimiler tout ce qui lui arrivait en même temps. Il fit quelques pas dans l'intention évidente de pénétrer dans sa maison, mais sa sœur le retint par un bras.

— T'as tout de même pas l'intention d'aller réveiller Corinne et le petit, sale à leur donner mal au cœur.

— Ben, je mangerais d'abord quelque chose pour me remettre l'estomac d'aplomb.

— Tu mangeras quand t'auras arrêté de sentir le putois, déclara sa sœur sur un ton sans appel. Prends de l'eau chaude dans le *boiler* et du savon, et va d'abord te raser et te décrotter.

T'iras voir Corinne et ton petit après. Pendant ce temps-là, on va s'occuper de ton train, ajouta-t-elle avec une lueur mauvaise dans les yeux.

Dompté par celle qui avait longtemps joué le rôle de sa mère après le décès de cette dernière, Laurent prit son baluchon, donna une poignée de main à son grand-père, qui n'avait pas ouvert la bouche une seule fois, et entra dans la cuisine d'été.

Quelques minutes plus tard, le jeune père de famille était passablement plus présentable, même s'il n'avait pu trouver de vêtements propres dans son baluchon. Il profita du fait que Wilfrid, Juliette et Rosaire étaient encore aux bâtiments pour se glisser sans bruit dans la cuisine d'hiver et s'approcher de la chambre à coucher. Quand il ouvrit la porte de la pièce, il vit sa femme dormant paisiblement ainsi qu'un vieux berceau installé près du lit. En étirant le cou, il aperçut son fils endormi en train de sourire aux anges.

Au moment où il s'apprêtait à refermer la porte, Corinne ouvrit les yeux et le reconnut debout dans l'embrasure de la porte. Sous le choc, elle émit un cri de surprise qui réveilla l'enfant.

— C'est toi ? demanda-t-elle en le fixant de ses yeux bleu myosotis.

— Comme tu peux voir, répondit-il sur un ton désinvolte en pénétrant dans la chambre pour se pencher sur le berceau.

— Donne-moi le petit, lui ordonna-t-elle en s'assoyant dans le lit.

Laurent prit maladroitement le bébé et le déposa dans ses bras avant de s'asseoir sur le bord du lit.

— C'est ton garçon, lui dit-elle sèchement. Il est venu au monde hier matin.

— Ouais, il est pas mal beau, se contenta-t-il de dire en examinant le nourrisson sans grand enthousiasme.

— C'est tout ce que tu trouves à dire ?

— Ben, qu'est-ce que tu veux que je dise de plus ? rétorqua-t-il avec humeur. Juliette vient de me dire qu'il est en santé et que toi aussi, t'es en santé. Tout est correct.

— À cette heure que t'es là, je vais peut-être finir par savoir où t'étais passé, fit-elle, la voix pleine de reproches.

— C'est une histoire pas mal longue.

— Ça t'est pas venu à l'idée que j'étais en train de mourir d'inquiétude, surtout après qu'un nommé Lapierre soit passé te voir au mois d'avril et qu'il m'ait appris que t'avais lâché le chantier au mois de février.

— Ça s'est fait pas mal vite.

— T'aurais pas pu me donner des nouvelles en demandant à quelqu'un de m'écrire un mot ?

— Ça s'est pas présenté.

— Où est-ce que t'étais ?

— Au mois de février, je suis parti avec Bernier parce qu'on était écœurés tous les deux de se faire mener comme des chiens par le *foreman*. On est partis dans le traîneau du fournisseur du chantier. Une fois rendus à Trois-Rivières, on s'est dit que c'était pas ben intelligent de revenir à la maison avec juste une moitié de paye pour venir bûcher sur notre terre. Ça fait qu'on a décidé de prendre le train et de monter à Lowell aux États pour voir si on pouvait pas se trouver une *job* dans une filature, comme Jutras en a parlé l'été passé.

— T'as pas pensé que je pouvais m'inquiéter ou manquer de quelque chose pendant ce temps-là ? lui demanda sa femme en se levant et en déposant avec précaution le bébé rendormi dans son berceau.

Le mari et la femme sortirent de la chambre à coucher, fermèrent la porte et demeurèrent debout, l'un en face de l'autre, dans la cuisine d'hiver. Ils entendirent les autres rentrer dans la cuisine d'été et s'arrêtèrent là pour poursuivre leurs explications hors de leur présence.

— Ben non, j'ai pas pensé que tu pouvais manquer de quelque chose, reprit Laurent à qui la moutarde commençait à monter au nez. Pourquoi t'aurais manqué de quelque chose ? Mon père reste tout près…

— Bien oui, fit-elle, amère. Tu sais à quel point il est de service et pas mal généreux.

— Sans parler que ton père et ta mère restent pas au bout du monde, poursuivit-il, comme s'il n'avait pas perçu le sarcasme dans la voix de sa jeune femme.

— Je t'ai déjà dit que j'avais pas l'intention de passer ma vie à quêter l'aide de mes parents. Mais inquiète-toi pas. Ils ont pas arrêté de me donner du manger durant tout l'hiver et le printemps.

— Comment ça, calvaire ? Je t'avais ouvert des comptes chez Duquette et Vigneault, au village.

— Je m'en suis servie juste deux ou trois fois quand j'ai été bien mal prise et que j'ai pas pu faire autrement, lui expliqua-t-elle. Des comptes, il faut finir par les payer, tu sauras.

— En plus, t'avais ton salaire de maîtresse d'école.

— Ton père m'a trouvé une remplaçante au commencement de décembre. Je te l'ai écrit dans ma lettre, tu t'en souviens pas ? Avant de partir, tu le savais déjà que j'aurais pas cet ouvrage-là bien longtemps. Je l'avais juste en attendant qu'il trouve une vraie maîtresse d'école, pas mariée.

— Ouais, reconnut-il.

— En plus, t'es parti avec au moins la moitié de l'argent qu'on avait ramassé dans le pot vert, dans l'armoire.

— Aïe ! Je vis pas de l'air du temps, moi ! protesta Laurent Boisvert. Avec quoi tu pensais que j'étais pour payer mon billet de train pour monter au chantier et mon tabac pour l'hiver ?

— C'est correct, mais t'aurais pu m'en parler avant de partir. J'ai même pensé que Rosaire m'avait volé cet argent-là.

— Tiens! En v'là une bonne idée que t'as eue. T'as été obligée de nourrir pour rien cet orphelin-là qui aurait dû rester chez mon père. T'as l'air d'avoir oublié que c'est lui qui l'a pris en élève.

— Dis pas un mot contre Rosaire et, surtout, viens pas faire comme ton père en lui reprochant la nourriture qu'il mange. Il a pas arrêté de m'aider depuis qu'il a mis les pieds ici dedans.

— Et mon grand-père, lui? Il est en visite chez nous depuis combien de temps?

— Il est pas en visite. Je suis allée le chercher moi-même à l'hospice de Sorel parce que personne dans ta famille en voulait.

— Ah ben là, c'est le boutte! s'écria son mari, outré. Tu te plains qu'on n'arrive pas, mais tu vas chercher un vieux à l'hospice.

— C'est pas un vieux, c'est ton grand-père, Laurent Boisvert. Il est ici depuis le mois de janvier et il m'a été bien utile, lui aussi.

— J'en reviens pas. T'as fait tout ça par-dessus ma tête, sans que je le sache.

— Là, tu le sais! Si tu veux être au courant de ce qui se passe chez vous, t'as juste à être là, lui dit sa femme d'une voix cinglante.

— Crois-moi que ça prendra pas une éternité qu'il va retourner à son hospice, fit son mari, les dents serrées. On n'est pas plus fous que mon père et Henri. Ils l'ont pas pris, eux autres, je vois pas pourquoi on s'encombrerait avec lui.

— Il y a une bien bonne raison, reprit la petite femme blonde d'une voix furieuse. C'est lui qui a payé les soixante-trois piastres que tu devais payer à ton père à la fin de décembre. Il faut la payer cette terre-là, au cas où tu l'aurais oublié. En tout cas, ton père avait l'air d'être prêt à me mettre dehors si je payais pas. C'est grand-père qui a payé. Tu lui dois cet argent-là. C'est vrai qu'à cette heure que t'es revenu avec ta paye de l'hiver, on va pouvoir payer tout ce qu'on doit et avoir assez d'argent pour acheter ce qu'il nous faut pour l'été.

Laurent eut l'air subitement un peu mal à l'aise et sa femme perçut le changement.

— T'as pas oublié que c'est moi qui tiens les comptes de la maison, j'espère ?

— Ben non.

— Combien tu rapportes ? Après six mois et demi d'ouvrage, tu dois pas manquer d'argent.

— Ben, j'en ai pas tant que ça, fit-il.

— Combien ? répéta sa femme, soudain inquiète.

— Je pense que j'ai à peu près quinze piastres dans mes poches, avoua-t-il, l'air un peu honteux.

— Quinze piastres ! s'écria-t-elle. Est-ce que tu ris de moi, Laurent Boisvert ?

— Ben non, sacrement ! Toi, t'es jamais sortie de la maison. Tu sais pas combien ça coûte cher pour aller travailler au-dehors.

— Voyons donc ! Ça a pas d'allure que tu rapportes seulement ça. Qu'est-ce que t'as fait de ta paye de chantier et de tout l'argent que t'as gagné aux États ?

— Est-ce que je le sais, moi ? L'argent du chantier a passé à payer le voyage jusqu'à Lowell et à me trouver un logement. Et là-bas, il a fallu que je me cherche de l'ouvrage pendant une couple de semaines et, pendant ce temps-là, il fallait ben que je mange et que je paye ma pension. Puis, après, il a fallu que je paye le train pour revenir.

— Ah ! Il y a pas à dire, fit Corinne, sarcastique. C'est pas mal payant d'aller travailler au-dehors. T'es parti avec une quinzaine de piastres et tu reviens avec le même montant. C'est vrai que ça valait la peine de pas bûcher sur notre terre pour aller gagner de l'argent ailleurs, ajouta-t-elle en se mettant à pleurer à chaudes larmes.

— Énerve-toi pas avec ça, voulut la rassurer son mari. Je suis là et on manquera pas de rien.

Corinne fit un effort surhumain pour s'arrêter de pleurer. Se pouvait-il qu'elle ait épousé un bon à rien ? Elle ne pouvait s'être trompée à ce point-là.

Le mari et la femme entendirent des bruits de vaisselle heurtée dans la pièce voisine ainsi que la voix impérative de Juliette s'adressant à Rosaire.

— En passant, on fait baptiser dimanche après-midi, déclara Corinne. Comme t'étais pas là, c'est grand-père qui est allé au presbytère pour faire enregistrer le petit.

— Est-ce que je peux savoir au moins comment il va s'appeler ?

— Qu'est-ce que tu dirais de Philippe ? dit sa femme d'une voix radoucie.

— C'est correct. Est-ce que t'as fait avertir mon père qu'il allait être parrain ?

— Non.

— À ce moment-là, comment veux-tu qu'il sache qu'il est dans les honneurs demain après-midi ?

— Il le sera pas, déclara Corinne d'une voix décidée. J'ai demandé à ton grand-père d'être le parrain et Juliette va être sa marraine.

— Ah ben là, c'est toute une insulte que tu fais à mon père, fit-il, estomaqué par la nouvelle.

— Pantoute, se défendit Corinne. J'ai envoyé ton grand-père le prévenir et l'inviter au baptême. Ton grand-père m'a dit que ton père avait même l'air soulagé de pas être parrain.

— Laisse faire, je le connais. Il est pas près de te pardonner cet affront-là, je te le garantis.

— Ça m'empêchera pas de dormir, répliqua Corinne d'une voix coupante.

— Et ma sœur ?

— Quoi, ta sœur ?

— Qu'est-ce qu'elle fait ici dedans ?

— Elle est venue m'aider et me relever.

— C'est pas vrai ! Dis-moi pas que je vais être poigné pour l'endurer trois ou quatre jours, fit-il, l'air catastrophé.

— Aurais-tu mieux aimé que ce soit ma mère ? lui demanda Corinne. Elle était supposée venir s'occuper de moi.

— Laisse faire.

Au même moment, la porte de la cuisine d'été s'ouvrit et Juliette apparut.

— Es-tu assez forte pour venir manger à table ou bien je te sers dans ta chambre ? demanda-t-elle à Corinne.

— Il ne manquerait plus que tu viennes me servir au lit, dit Corinne en feignant une bonne humeur qu'elle était bien loin d'éprouver.

Elle se dirigea vers la pièce voisine, suivie de près par Laurent.

Juliette jeta un regard critique à son frère avant de laisser tomber :

— Tiens ! À cette heure, je te reconnais. T'as presque figure humaine après t'être décrotté.

Wilfrid Boucher avait discrètement pris place aux côtés de Rosaire, laissant au maître de maison la chaise qu'il occupait au bout de la table depuis plusieurs mois. Laurent s'assit après avoir jeté un regard peu amène à l'orphelin.

— Mes frères sont venus redresser nos clôtures et ramasser les pierres, dit Corinne après avoir remercié Juliette qui venait de lui servir un bonne portion d'omelette.

— Ils sont ben de service, se contenta de dire son mari en étalant du beurre sur une tranche de pain.

Juliette vit les rides profondes de son front et ses sourcils froncés, et elle en déduisit que sa migraine ne l'avait pas quitté.

— Aurais-tu mal à la tête, par hasard ? demanda-t-elle sans avoir l'air d'y toucher.

— Ouais.

— C'est ce qui arrive quand on sait pas s'arrêter de boire, dit-elle sèchement.

Il n'osa pas l'affronter. Il se versa une tasse de thé bouillant et souffla dessus.

— J'espère que t'as pas oublié de remercier ta femme pour le beau bébé qu'elle t'a donné.

— Ouais, fit-il d'une voix agacée.

— Parfait. Les frères de Corinne ont même été assez bons pour étendre du fumier dans deux de tes champs. La pluie est arrêtée. Je pense qu'après le déjeuner tu vas pouvoir continuer. Rosaire va te donner un coup de main.

— Aïe ! J'arrive, protesta-t-il.

— Bien, c'est ça. T'es arrivé et il est temps que tu fasses quelque chose d'utile de tes dix doigts pendant que je vais faire le lavage et préparer quelque chose à manger pour après le baptême.

— Maudit calvaire ! jura Laurent.

— Fais attention à ta langue sale, le reprit sa sœur sur un ton menaçant. Ici dedans, c'est une maison correcte, même si le père de famille est un ivrogne. Ici, c'est ta terre, et il est temps que tu t'en occupes.

Laurent jeta un regard autour de lui et s'aperçut que sa femme et son grand-père approuvaient sa sœur. La mine renfrognée, il termina son repas avant d'ordonner sèchement à l'orphelin de le suivre.

— On dirait bien que j'ai pas réussi à le dresser comme du monde, celui-là, fit Juliette en regardant son frère s'éloigner avec Rosaire en direction de l'écurie. Ma pauvre fille, t'as encore pas mal d'ouvrage à faire pour en faire un homme fiable.

Corinne lui adressa un pauvre sourire avant de se lever pour aller voir si son bébé dormait toujours dans la chambre à coucher. Wilfrid quitta la table et se planta devant la porte moustiquaire pour allumer sa pipe sans se presser.

— J'ai comme l'idée que son mari aura pas à travailler ben longtemps aujourd'hui, dit-il à Juliette en regardant la petite pluie qui s'était remise à tomber.

— Laissez faire, grand-père. S'il mouille trop fort, je vais lui trouver de l'ouvrage en-dedans, affirma cette dernière. Ça fait assez longtemps qu'il traîne à rien faire. Il est temps qu'il se réveille.

Ce soir-là, Juliette attendit que grand-père et Rosaire soient montés se coucher et que Corinne se retire dans l'intention d'allaiter le petit pour demander à son frère :

— Où est-ce que t'as l'intention de coucher ?

— Ben, avec ma femme, cette affaire !

— Es-tu sûr que ce soit une bonne idée ? lui demanda-t-elle, l'air sévère. Oublie pas que tu dois pas la toucher avant une quarantaine de jours.

— Comment ça ? fit-il surpris.

— Aïe ! Réveille-toi un peu ! s'exclama Juliette. Elle vient d'accoucher. Il faut que tout se remette en place. Il me semble que t'es assez vieux pour comprendre ça !

De toute évidence, Laurent n'avait pas pensé à cela et il en fut passablement dépité.

— Si c'est comme ça, je vais coucher dans une des chambres en haut, déclara-t-il avec mauvaise humeur.

— Parfait, j'ai mis ton linge lavé et repassé dans la chambre verte. Tu coucheras là. J'ai fait le lit avant le souper.

Sur ces mots, Juliette quitta la cuisine d'été pour aller voir si Corinne avait besoin d'aide. Elle en profita pour l'informer que son mari coucherait à l'étage le temps nécessaire. Corinne ne dit rien, mais sa reconnaissance était visible.

—⟩⟩⟩—

Le lendemain matin, le ciel avait été lavé de tous ses nuages. Une légère brise parfumait l'air et tout laissait présager une merveilleuse journée printanière.

Après le train, Juliette vit à ce que les hommes de la maison fassent leur toilette et partent à temps pour la grand-messe.

— Tu viens à la messe ? s'étonna grand-père Boucher.

— C'est certain, lui répondit-elle en épinglant son petit chapeau doté d'une légère voilette, debout devant l'unique miroir de la cuisine. Je vois pas pourquoi j'irais pas. Corinne est pas mourante à ce que je sache.

Assis dans sa chaise berçante et mal à l'aise dans ses vêtements du dimanche, Laurent faisait la tête.

— À te regarder, toi, j'ai bien l'impression que t'as pas dû user ton fond de culotte sur les bancs d'église le dimanche pendant que t'étais parti, lui fit remarquer Juliette.

Son frère ne se donna pas la peine de la démentir.

— En tout cas, t'aurais pu aller donner un coup de main à Rosaire pour atteler.

— À son âge, il est capable de faire ça. Il faut ben qu'il gagne un peu ce qu'il mange.

— Il y a pas à dire, t'es rendu aussi pire que le père, fit-elle sur un ton méprisant.

La veuve tourna la tête vers la porte communicante qui venait de s'ouvrir, juste à temps pour voir Corinne entrer dans la pièce avec son bébé.

— Toi, tu touches à rien pendant qu'on est partis, lui dit-elle. Le dîner est sur le feu. Repose-toi et occupe-toi de mon filleul, ajouta-t-elle avec une nuance d'affection dans la voix.

Ils arrivèrent au couvent parmi les derniers fidèles et ils ne trouvèrent des chaises libres que près de la chorale où officiait une Honorine Gariépy en apparence toujours aussi imbue de son importance. Pendant que Juliette jetait un coup d'œil aux silhouettes imposantes de son père et de son frère Henri, Laurent adressait son sourire le plus enjôleur à la fille de la présidente de la chorale paroissiale. Cette dernière rougit légèrement et détourna la tête. Sa mère, qui s'était aperçue de son trouble, regarda autour pour en identifier la cause. Lorsqu'elle vit Laurent Boisvert, elle lui jeta un regard si furieux qu'il dut mettre fin à son manège.

Honorine Gariépy n'était pas prête à oublier que le fils de Gonzague Boisvert avait fait perdre deux années de sa vie à sa fille unique. Il l'avait fréquentée jusqu'à la veille de ses fiançailles avec cette Corinne Joyal de Saint-François-du-Lac. Sa fille commençait à peine à surmonter sa peine d'amour et il avait le culot, lui, un homme marié, de venir lui faire de l'œil en pleine messe. « Il est mieux de se tenir loin d'elle, lui, sinon je l'étripe ! » se dit-elle.

Avant de prononcer le *Ite missa est*, le curé Bilodeau tint à faire remarquer à ses ouailles que monsieur Bernard Provencher, l'entrepreneur responsable du chantier de la nouvelle église ouvert la semaine précédente, lui avait fait savoir qu'il avait besoin d'une grande quantité de pierres pour construire le solage du nouvel édifice. Tous les cultivateurs étaient donc invités à transporter sur le chantier les pierres qu'ils avaient ramassées dans leurs champs.

— Torrieu, il s'imagine peut-être qu'on a juste ça à faire, murmura Gonzague à son fils Henri. On a déjà transporté tout ce qu'on avait l'automne passé pour asseoir la côte chez Duquette et Melançon.

Après la grand-messe, Juliette et Laurent tinrent à aller saluer leur père, leur frère et leur belle-sœur pendant que grand-père et Rosaire s'esquivaient pour aller se réfugier sur le siège arrière du boghei.

— Tiens, t'es revenu, toi ! s'exclama Gonzague en serrant la main de son fils, aussi grand que lui. Depuis quand ?

— Hier, p'pa.

— Et toi, il a fallu que j'apprenne par ton grand-père que t'étais à Saint-Paul depuis une couple de jours, dit-il à sa fille en lui faisant grise mine.

— J'ai pas voulu vous déranger en vous demandant de venir me chercher à la gare, s'excusa Juliette sur un ton peu convaincant. Je venais à Saint-Paul pour relever Corinne que je savais toute seule.

Juliette embrassa sa belle-sœur et son frère Henri du bout des lèvres avant de s'informer de leur santé. Aucun des trois membres de la famille Boisvert ne demanda à la restauratrice si elle allait trouver le temps de venir leur rendre visite avant de retourner à Montréal. Juliette en prit bonne note, mais ne s'en étonna pas.

— Content d'être revenu chez vous? demanda Gonzague à son fils.

— Pas fâché, p'pa.

— Il était peut-être temps que tu reviennes mettre un peu d'ordre chez vous, laissa tomber le cultivateur. Il me semble que les femmes en mènent pas mal large dans ta maison, ajouta-t-il d'une voix perfide. Elles ont l'air de décider pour tout.

— Elles auraient peut-être moins à décider s'il était là quand il le faut, rétorqua sèchement Juliette sur un ton agressif. En plus, quand on veut faire la loi quelque part, il faut s'organiser pour donner l'exemple, pas vrai, p'pa?

Laurent eut soudainement l'air mal à l'aise.

— Vous êtes tous invités au baptême de mon petit cet après-midi, finit-il par dire. Là, il faut qu'on y aille. Il fait pas mal chaud et grand-père doit commencer à trouver le temps long, en plein soleil, assis dans le boghei.

— On va essayer d'y aller, dit Henri, sans trop s'engager.

Juliette et Laurent se dirigèrent vers la voiture et montèrent à bord pendant que leur père, en compagnie de plusieurs hommes, se rendait à pied vers le nouveau chantier de l'église pour examiner ce qui avait été fait durant la semaine.

— Le moins qu'on puisse dire, c'est qu'ils se sont pas donné une extinction de voix pour demander des nouvelles du petit et de sa mère, fit remarquer Juliette d'une voix acide.

— Ben...

— Ils t'ont pas trop félicité aussi, ajouta-t-elle. Pour moi, on n'en verra pas un au baptême cet après-midi.

— Je le comprendrais après l'insulte que leur a faite Corinne, dit Laurent sans sentir le besoin d'expliquer le sens de ses paroles.

—⚬⚬—

Après le dîner, Juliette s'enferma dans la chambre avec Corinne pour faire la toilette du bébé et le revêtir de ses plus beaux atours. Vers une heure, elle donna le signal du départ, laissant derrière elle la jeune mère. Comme le voulait la coutume, cette dernière allait demeurer à la maison pendant la cérémonie du baptême parce qu'elle n'était pas encore suffisamment remise de son accouchement.

Lorsqu'elle arriva à la voiture stationnée près de la galerie, Juliette tendit l'enfant à Rosaire, assis sur la banquette arrière du boghei avant de se hisser à côté de lui.

— C'est toi le porteur, dit-elle au garçon. C'est à toi de le tenir.

Cette déclaration incita Laurent à tourner la tête vers l'orphelin et à lui décocher un regard haineux. Il était évident qu'il le détestait et qu'il ne tarderait pas à chercher à s'en débarrasser. Heureusement, Rosaire ne s'en rendit pas compte, attentif à jouer son rôle de porteur.

Tout fier de sa mission, l'orphelin serra l'enfant contre lui et la voiture se mit en route.

À leur arrivée au couvent, ils trouvèrent deux voitures garées devant l'édifice. Juliette reconnut tout de suite les

Joyal en train de discuter au pied de l'escalier. Germaine, la sœur de Corinne, fut la première à se précipiter vers leur boghei pour voir son nouveau neveu.

Âgée de vingt-trois ans, l'institutrice de Saint-Bonaventure était aussi brune que ses sœurs Blanche et Corinne étaient blondes. Elle avait un visage rond assez agréable et des yeux bruns pétillants de vie.

— Mon Dieu ! Mais t'as bien maigri ! s'exclama Juliette qui avait fraternisé avec elle lors des noces de l'été précédent.

— Les enfants me font la vie dure à Saint-Bonaventure, plaisanta la jeune fille. C'est vrai que j'ai perdu quelques livres, mais j'ai gardé mes fossettes.

— Passe-lui le bébé, dit-elle à Rosaire au moment où Lucienne, Napoléon, Bastien, Rosalie, Anatole, Thérèse et Simon s'approchaient à leur tour pour admirer le nouveau-né.

Juliette les embrassa tous et prit de leurs nouvelles, visiblement heureuse de retrouver ces personnes qu'elle avait appréciées durant les noces de son frère. Tous se pressèrent autour de Germaine pour admirer le bébé et lui chercher une ressemblance.

— Mes félicitations, mon garçon, fit Napoléon en serrant la main de son gendre sans trop d'effusion.

Son beau-père se comportait comme s'il l'avait vu la veille et ne fit aucune allusion au fait qu'on l'attendait depuis des mois.

— Merci, monsieur Joyal. On en est ben fiers.

— C'est un beau bonhomme, confirma Lucienne. Qu'est-ce que t'attends pour embrasser ta belle-mère ?

— Bonjour, madame Joyal, la salua le jeune père en s'exécutant sans entrain.

— Est-ce que ta parenté va venir au baptême ? lui demanda-t-elle.

Au même moment, la voiture de Gonzague Boisvert vint s'arrêter derrière celles des autres personnes présentes. Gonzague, Henri et Annette en descendirent et s'approchèrent sans se presser.

— Vous êtes pas mal fins d'être venus, dit Juliette à voix basse à sa belle-sœur Annette, pendant que les Joyal saluaient les nouveaux arrivés.

— Le beau-père y tenait, se contenta de dire cette dernière d'une voix neutre.

La veuve comprit que son père avait obligé Henri et sa femme à venir au baptême, probablement pour ne pas laisser place à des ragots dans la paroisse.

— Il serait temps qu'on y aille, fit remarquer grand-père Boucher en consultant sa montre de gousset.

— Qui est la porteuse ? demanda Germaine qui avait encore l'enfant dans les bras.

— C'est Rosaire, répondit le grand-père.

— Tiens, Rosaire, je veux pas te voler ta besogne, lui dit-elle avec un large sourire, en lui remettant le bébé.

Tous les membres de la famille pénétrèrent dans le couvent et se dirigèrent vers le réfectoire à l'entrée duquel le bedeau avait placé la vasque servant de fonts baptismaux. L'abbé Nadon, tout sourire, les attendait, revêtu de son surplis et de son étole. Le vicaire aligna devant lui grand-père Boucher et Juliette après avoir fait signe à Rosaire de s'approcher de la vasque avec l'enfant.

— Que demandez-vous à l'Église de Dieu ? demanda-t-il au parrain et à la marraine.

— La foi.

— Que vous procure la foi ?

— La vie éternelle.

Après avoir ordonné à Satan de sortir du corps de l'enfant, le prêtre lui fit le signe de la croix sur le front et sur le cœur. Il pria ensuite, bénit le sel avant d'en mettre quelques grains dans la bouche du bébé. Il récita quelques exorcismes, plaça un bout de son étole sur la tête du nouveau-né pour signifier que l'Église en prenait possession et l'oignit avec le saint chrême. Enfin, le célébrant versa trois fois de l'eau sur le front du baptisé en récitant *Ego te baptizo* et il termina en remettant au parrain et à la marraine un cierge allumé, symbole de la foi et de la fidélité. La cérémonie prit fin sur une courte prière.

— Il a bien fait ça, dit Juliette en parlant de son filleul qui n'avait pas pleuré une seule fois durant la cérémonie. Fais ton invitation, ajouta-t-elle un ton plus bas, en s'adressant à Laurent.

Ce dernier se tourna vers les invités.

— Juliette a préparé quelque chose à manger à la maison. Si ça vous dit, on vous attend. Vous êtes tous invités.

Son père s'approcha de lui.

— Tu vas nous excuser, mais on pourra pas y aller, lui dit-il. On a une vache prête à vêler. J'ai demandé à Lemieux d'y jeter un coup d'œil pendant qu'on était partis, mais je voudrais pas perdre le veau.

Sur ces mots, les Boisvert saluèrent assez froidement la famille de Corinne et quittèrent les lieux.

— T'es pas chanceux avec nous autres, le beau-frère, dit Bastien, qui tenait la main de sa Rosalie. Nous autres, on va y aller chez vous.

— C'est certain, renchérit Lucienne. Je veux voir ma fille et j'ai pas préparé deux gros gâteaux et deux tartes pour rien.

Quelques minutes plus tard, Corinne accueillit avec joie sa famille. Lucienne s'avança avec empressement pour embrasser sa fille.

— Comment tu te sens ? lui demanda-t-elle en l'examinant avec soin.

— Je suis bien, m'man.

— Si tu veux ben nous laisser un peu de place, on pourrait peut-être l'embrasser, nous autres aussi, fit Napoléon en repoussant doucement sa femme.

Tous les autres invités s'empressèrent de l'imiter en n'oubliant pas de dire à quel point ils trouvaient le petit Philippe superbe. Rosalie, une petite brune pétillante, tendit un paquet contenant une petite couverture blanche qu'elle avait elle-même crochetée pour le bébé. Germaine remit un bonnet et des chaussons jaunes à sa sœur. Thérèse, la future fiancée d'Anatole, offrit un petit mantelet blanc rehaussé de rubans. Enfin, Lucienne donna des couches et des brassières.

— Je sais que t'as eu le temps d'en coudre, dit-elle à la jeune mère, mais je t'en ai fait d'autres. On n'en a jamais assez.

En aparté, Wilfrid Boucher murmura quelques mots à l'oreille de Laurent qui alla chercher dans la pièce voisine un cruchon de caribou pour en offrir aux invités. Pendant ce temps, Juliette, aidée par les femmes présentes dans la pièce, déposa sur la table la nourriture préparée la veille pendant que Corinne allait coucher son bébé endormi dans son berceau, dans sa chambre. Lorsqu'elle revint, on lui fit une place autour de la table et chacun goûta aux tartes et aux gâteaux confectionnés par Lucienne et Juliette.

Germaine ne déposa dans son assiette qu'un tout petit morceau de gâteau. Ce comportement était si étonnant que Corinne lui demanda :

— Es-tu malade, Germaine ?

— Non, répondit sa sœur, surprise. Pourquoi tu me demandes ça ?

— D'habitude, t'as bien meilleur appétit que ça.

Puis, la jeune mère remarqua subitement à quel point sa sœur avait perdu du poids depuis la dernière fois qu'elle l'avait vue.

— Mais t'as maigri, toi ! reprit-elle, en l'examinant. Est-ce que ça veut dire que t'essaies de te trouver un cavalier ?

— Bien non, fit Germaine sur un ton peu convaincant.

— J'espère bien que c'est pas pour ça que tu te fais maigrir, intervint sa mère, l'air sévère. Tu sauras, ma fille, qu'une femme grasse, ça a l'air riche.

— Oui, on le sait, fit Napoléon en levant les bras au ciel.

Son geste déclencha un rire général.

Quelques minutes plus tard, Lucienne profita du fait que Laurent venait de sortir de la maison avec Bastien, Anatole, Rosaire, Simon et grand-père Boucher pour chuchoter à son mari :

— Oublie pas que tu m'as promis de lui dire deux mots, lui rappela-t-elle. Si tu le fais pas, c'est moi qui vais le faire.

Napoléon lui adressa un regard excédé avant de secouer la tête pour signifier qu'il avait compris. Il sortit à son tour et Lucienne l'entendit demander à Laurent de venir lui montrer sa charrue dont il venait de se plaindre. Quand Bastien esquissa un geste pour les suivre, son père se tourna vers lui et se contenta de lui dire :

— Je pense que t'es mieux de rester avec Rosalie. Elle va s'ennuyer toute seule.

Bastien sembla comprendre et retraita vers la galerie où les autres hommes venaient de s'asseoir pour prendre le frais.

Les femmes demeurèrent assises à table. Lucienne en profita pour se rapprocher de la sœur de Laurent et discuter avec elle. Elle mentionna qu'elle avait prévu de venir passer la semaine pour relever sa fille.

— Si vous y tenez, madame Joyal, je peux bien vous laisser la place, dit Juliette. Mais là, j'ai une associée à mon restaurant et je lui ai dit que je reviendrais pas avant vendredi prochain, au plus tôt.

— Dans ce cas-là, je te laisse t'occuper de Corinne, consentit Lucienne. Vous avez l'air de bien vous entendre toutes les deux et ça m'évitera de retrouver toute ma maison à l'envers en revenant. C'est ce qui est arrivé chaque fois que je suis allée relever ma fille Blanche. Les hommes avaient tout sali et j'en ai eu pour une semaine à tout remettre d'aplomb.

— Vous êtes bien fine, madame Joyal. J'aurais été inquiète de retourner à Montréal sans avoir eu le temps de brasser mon frère, dit la veuve tout bas pour ne pas être entendue par les hommes assis à l'extérieur.

— C'est vrai qu'il a besoin de se faire parler entre quat'z'yeux, l'approuva chaudement Lucienne. C'est pour ça que je viens de demander à mon mari de lui dire deux mots. Ça a pas d'allure de disparaître comme ça pendant des mois, comme s'il était encore garçon. Quand on est marié, on se conduit pas de même.

— Ce sera pas de trop que votre mari lui parle, lui aussi, fit Juliette. Il va bien finir par comprendre le bon sens, ajouta-t-elle. C'est moi qui l'ai élevé après la mort de ma mère. J'ai pourtant toujours été pas mal sévère avec lui. J'aurais jamais cru qu'il deviendrait comme ça en vieillissant.

— Ma pauvre fille! fit Lucienne, pleine de commisération. Tu devrais bien savoir qu'on fait jamais ce qu'on veut de nos enfants.

Au même moment, Napoléon entra dans la remise avec son gendre et examina la charrue. Il détecta rapidement que son soc avait un urgent besoin d'être affilé et il le mentionna au jeune cultivateur. Au moment où ce dernier allait l'entraîner à l'extérieur du bâtiment, Napoléon le retint.

— Attends avant de sortir, Laurent. J'ai deux mots à te dire et j'aime autant que les autres m'entendent pas.

— Oui, monsieur Joyal? fit le jeune homme, intrigué.

Le petit homme bedonnant passa une main sur sa large calvitie, l'air assez embarrassé. Après un court silence, il se décida à parler.

— Je dois te dire que ma femme et moi, on n'est pas tellement contents de ta façon de traiter Corinne.

— Comment ça, beau-père ? demanda Laurent en prenant un air surpris.

— Ben, on n'a pas trouvé ça normal pantoute que tu disparaisses pendant des mois sans que personne sache où t'étais passé.

— Mais je vous l'ai dit tout à l'heure. Je suis allé aux États pour voir si je trouverais pas de l'ouvrage plus payant…

— Oui, je le sais, reconnut Napoléon. Mais t'as une femme et tu peux pas la laisser comme ça, sans nouvelles et toute seule, aussi longtemps. Quand on te l'a donnée, t'as promis d'en prendre soin. C'est pas ce que tu fais pantoute. Là, t'as un petit, c'est encore plus important qu'avant. Ta *job*, c'est d'en prendre soin.

— C'est vrai, monsieur Joyal, reconnut le jeune homme en adoptant un air repentant.

— C'est ça que je voulais te dire. Ma femme et moi, on t'en veut pas, mais on aimerait que tu maganes pas trop notre fille.

— C'est promis, monsieur Joyal.

Quelques minutes plus tard, les invités remercièrent leurs hôtes. Bastien devait ramener Anatole et Thérèse chez les Rochon puis reconduire Rosalie chez elle. Son père allait suivre sa voiture pour le ramener ensuite à la maison. On fit promettre à Laurent et Corinne de venir faire une visite à Saint-François-du-Lac dès qu'elle serait suffisamment rétablie.

Après le départ des invités, Juliette exigea que Corinne aille se reposer quelques minutes et elle se mit à ranger la cuisine avec l'aide de Rosaire. Laurent suivit Corinne dans la cuisine d'hiver et il referma la porte derrière lui pour ne pas être entendu.

— Qu'est-ce qui se passe? lui demanda sa femme, fatiguée par la petite fête qui venait de prendre fin.

— Il y a que ton père se prend pour un curé, calvaire! jura-t-il avec rage.

— Qu'est-ce qu'il a fait?

— Tu devineras jamais ce qu'il a eu le front de me dire! Il est venu me dire que lui et ta mère trouvaient que je te maganais et que j'avais pas le droit de rester aussi longtemps parti. Veux-tu ben me dire de quoi ils se mêlent tous les deux? Est-ce que je vais leur dire, moi, comment faire chez eux?

— Mon père t'a dit ça parce que lui et m'man s'inquiètent pour moi.

— Ça les regarde pas pantoute! Ils oublient, tous les deux, que t'es ma femme et que j'ai le droit de faire ce que je veux chez nous. Je te le dis tout de suite. Si jamais ils se mêlent encore une fois de mes affaires, je vais leur montrer la porte.

— Calme-toi donc un peu, fit Corinne, excédée par sa colère. Tu ferais peut-être mieux de te changer pour aller faire le train.

— Puis toi, arrête de me donner des ordres, comme si j'étais un enfant! s'écria-t-il avant de monter à l'étage se changer.

Corinne secoua la tête et entra dans sa chambre à coucher. Le cœur triste, elle se laissa tomber sur le lit et s'endormit presque immédiatement.

—⟫⟫⟫—

Durant la semaine suivante, Laurent Boisvert dut se mettre sérieusement au travail et il se plaignit à plusieurs reprises du fait que Rosaire continuait à fréquenter l'école au lieu de travailler toute la journée pour mériter la nourriture qu'il mangeait. Il était évident qu'il aurait exigé que l'orphelin travaille avec lui s'il n'avait pas autant craint la réaction de sa sœur.

— Il est pas question qu'il lâche l'école, il est presque rendu à la fin de l'année, finit-elle par lui dire, les mains plantées sur les hanches alors qu'il venait encore de se plaindre de l'absence de l'adolescent. Il a pas étudié toute l'année pour rien. Il a encore des examens à passer. Il lui reste juste deux semaines d'école.

En cette dernière semaine de mai, la température était idéale. Le soleil était au rendez-vous et l'humidité, inexistante. En quelques jours, le jeune cultivateur finit ses labours de printemps et eut même le temps d'entreprendre quelques réparations dans la porcherie. Cependant, il donnait l'impression d'attendre avec une impatience croissante que sa sœur annonce son départ.

Le vendredi avant-midi, Juliette annonça à sa belle-sœur qu'elle avait décidé de rentrer à Montréal le lendemain matin. Corinne semblait remise de son accouchement et prête à reprendre le contrôle de sa maisonnée.

Vers dix heures ce matin-là, Jocelyn Jutras, le voisin, s'arrêta chez les Boisvert. Il savait que Laurent était de retour depuis le samedi précédent. Durant la semaine écoulée, il avait aperçu Juliette à plusieurs reprises, mais toujours aussi timide avec les femmes, il s'était limité à la saluer de la main de loin. Il aurait beaucoup aimé lui parler, mais elle semblait si occupée qu'il avait craint de la déranger.

Ce matin-là, il vint proposer les services de son taureau à son voisin, offre que Laurent accepta avec reconnaissance. Quand celui-ci parla de dédommagement, le célibataire refusa tout net en disant que ce n'était qu'un maigre remerciement pour tout le pain que Corinne lui avait cuit depuis l'automne précédent. Cette dernière apparut sur la galerie en compagnie de Juliette. Il s'informa de la santé des deux femmes et prit plaisir à parler enfin avec la restauratrice montréalaise après avoir admiré le petit Philippe. Il apprit alors que le départ de Juliette était prévu pour le lendemain.

— Il faut que j'y aille, déclara finalement le jeune voisin, à court d'excuses pour prolonger sa visite. C'est ben de valeur que vous partiez déjà demain, déclara-t-il à Juliette. J'aurai même pas le plaisir de vous battre aux cartes, comme au réveillon.

— On va se reprendre, lui promit la sœur de Laurent. Demain, je dois prendre le train de bonne heure.

Il y eut un bref silence avant que le jeune homme ne propose :

— Écoutez, demain matin, j'ai affaire à Yamaska. Si vous le voulez, je peux ben vous emmener à la gare.

— Je voudrais pas vous déranger, minauda Juliette.

— Ça va me faire plaisir, insista Jocelyn, un peu rouge.

— C'est correct. Je dois être à la gare pour dix heures. Êtes-vous sûr que ça vous dérange pas trop ?

— Pantoute, je vais venir vous prendre vers neuf heures moins quart.

Après le départ du célibataire, Laurent et Corinne ne se gênèrent pas pour la taquiner.

— Ah ben, j'aurai tout vu ! s'exclama Laurent, faussement scandalisé. V'là que tu viens débaucher le pauvre monde de la campagne.

— Fais attention à ce que tu dis, toi ! le mit en garde sa sœur.

— En tout cas, on dirait bien que notre Jocelyn a un petit faible pour toi, lui fit remarquer Corinne avec un sourire entendu.

— Exagère pas. Il a proposé de m'emmener à la gare, pas de me traîner au pied de l'autel. À part ça, j'aime autant vous dire à tous les deux que j'ai pas envie pantoute de finir ma vie dans la peau d'une femme de cultivateur.

Le lendemain matin, Juliette attendit que son frère et Rosaire aient quitté la maison pour faire le train avant de dire à sa jeune belle-sœur :

— J'ai mis dans le berceau de Philippe un petit cadeau pour son baptême. Avant de descendre à Saint-Paul, j'ai pas voulu rien acheter parce que je savais pas trop ce que t'avais déjà. Tu prendras cet argent-là pour lui acheter quelque chose.

— Voyons donc ! protesta Corinne. T'as travaillé comme une esclave dans la maison depuis une dizaine de jours. T'as pas besoin de donner un cadeau en plus.

Sur ces mots, la jeune femme blonde se dirigea vers le berceau et trouva une petite enveloppe blanche dissimulée sous la mince couverture de laine. Elle l'ouvrit et découvrit vingt-cinq dollars.

— Juliette, ça a pas de bon sens ! C'est bien trop, protesta Corinne.

— Non, c'est juste correct, s'entêta sa belle-sœur. C'est mon filleul et j'ai le droit de lui donner ce que je veux.

— Je sais pas comment te remercier, fit sa belle-sœur, gênée par tant de générosité.

— C'est facile. Tu vas mettre cet argent-là ailleurs que dans ton pot vert, dans l'armoire. Je voudrais pas que mon frère s'en serve pour aller boire.

Corinne ouvrit la bouche pour protester, mais Juliette l'en empêcha.

— Laisse faire, poursuivit-elle, je commence à le connaître. À ta place, je prendrais l'habitude de cacher un peu d'argent ailleurs au cas où.

— C'est correct. C'est ce que je vais faire, consentit Corinne, un peu honteuse d'avoir un tel mari.

— Bon, je te laisse finir de préparer le déjeuner. Je veux pouvoir aller dire deux mots à mon cher frère avant de partir.

La nouvelle maman lui jeta un regard inquiet.

— Rassure-toi, prit-elle la peine d'ajouter. J'ai juste une ou deux petites mises au point à faire et j'aime mieux que t'entendes pas ce que j'ai à lui dire pour pas lui faire honte.

Sur ces mots, Corinne vit la maîtresse-femme quitter la cuisine d'été et prendre la direction de l'étable où Laurent avait pénétré quelques minutes plus tôt. Elle entra dans le bâtiment au moment où son frère s'assoyait sur un petit banc pour traire l'une de ses vaches. Rosaire distribuait déjà du foin dans les mangeoires.

— Rosaire, va donc donner à manger aux poules pendant que je parle à mon frère, lui ordonna-t-elle.

L'orphelin appuya sa fourche contre le mur et sortit sans demander la permission à Laurent.

— Qu'est-ce qu'il y a encore ? lui demanda Laurent, tout de suite sur la défensive.

— Je voulais juste te dire quelques mots avant de partir. Je dois admettre que je suis pas bien fière de toi.

— Ah non, tu vas pas me faire un sermon comme le père Joyal, toi aussi ! s'insurgea-t-il en se levant.

— Si on te parle comme ça, c'est peut-être parce que tu le mérites, Laurent Boisvert, reprit sèchement sa sœur. J'ai eu honte pour toi quand j'ai vu ta petite femme toute seule comme un chien qui se rongeait les sangs à t'attendre, en famille jusqu'aux yeux. Comprends-tu ça ? C'est pas une façon de traiter le monde !

— Ben oui, ben oui ! fit Laurent, excédé.

— Avant de partir, je veux être bien sûre que tu vas te conduire comme un mari et un père de famille normal. Lâche-moi tes maudits *chums* et la taverne de l'hôtel de Yamaska, et occupe-toi d'abord de mettre du pain sur ta table. Ta femme te l'a peut-être pas dit, mais elle a pas arrêté d'avoir honte de compter sur la charité de sa famille l'hiver passé. Un vrai homme se conduit pas comme ça ! Aie un peu de cœur et prends soin de ta femme et de ton petit.

— Est-ce que t'as fini, là ? lui demanda son frère, l'air mauvais.

— Oui, je t'ai dit tout ce que j'avais à te dire. Si m'man vivait encore, elle t'aurait déjà sacré la paire de claques que tu mérites. Compte-toi chanceux, mon petit frère !

Sur ce, Juliette tourna les talons, quitta l'étable et rentra à la maison.

Deux heures plus tard, Jocelyn Jutras immobilisa son attelage près de la maison. Il alla saluer les Boisvert avant de s'emparer de la valise de Juliette Marcil qu'il plaça à l'arrière de la voiture. Juliette alla déposer un baiser sur le front de son filleul, qui dormait dans son berceau. Elle embrassa Rosaire et son grand-père avant de sortir sur la galerie en compagnie de sa belle-sœur et de son frère. Wilfrid fit signe à Rosaire de demeurer à l'intérieur pour laisser la chance au couple de remercier la visiteuse.

Au moment du départ, la veuve serra Corinne contre elle en exigeant qu'elle lui écrive régulièrement pour lui donner de ses nouvelles et elle embrassa rapidement son frère, qui faisait grise mine, avant de monter à bord du boghei du voisin.

— Oublie pas que t'as promis de revenir avant la fin de l'été, lui rappela Corinne, attristée de la voir partir.

— Je l'oublierai pas, dit Juliette en la saluant de la main au moment où la voiture s'engageait sur la route, en direction du village.

Sortis de la maison, grand-père Boucher et Rosaire la saluèrent de la main à leur tour.

— Ouf ! Bon débarras, s'exclama Laurent, apparemment soulagé de voir sa grande sœur partie.

— Tu devrais pas dire ça, lui reprocha sa femme. Elle a pas arrêté d'aider depuis qu'elle a mis les pieds ici dedans.

— Peut-être, reconnut son mari, mais j'ai enfin compris pourquoi Annette pouvait pas la sentir. Aussitôt qu'elle arrive quelque part, elle mène tout le monde par le bout du nez. C'est pas pour rien qu'elle reste veuve à trente-quatre ans. Il y a pas un chrétien qui serait capable de l'endurer.

Corinne préféra ne rien dire. Elle rentra dans la maison pour se consacrer à la préparation du dîner. Son mari prit la direction des bâtiments en houspillant Rosaire.

Ce soir-là, Laurent fit sa toilette après le souper et demanda à Rosaire d'aller atteler Satan. Corinne n'osa pas lui demander où il allait. Tout endimanché, il monta dans la voiture et ne revint que très tard. Sa femme, occupée à nourrir le bébé, l'entendit rentrer aux petites heures du matin.

Elle pleura, seule dans sa chambre, en pensant que rien n'avait changé.

Chapitre 6

Le reposoir

Juin 1902 tenait ses promesses. De mémoire d'habitant de Saint-Paul-des-Prés, on n'avait jamais connu un temps aussi beau en cette période de l'année. À la veille des vacances scolaires, il n'y avait eu que deux ou trois petites averses qui, de surcroît, avaient eu le bon goût de tomber durant la nuit. Par conséquent, le chantier de la nouvelle église progressait avec une belle régularité qui réjouissait autant le curé Bilodeau que Bernard Provencher, l'entrepreneur de Nicolet. En dépit des récriminations de Gonzague Boisvert, les cultivateurs de la paroisse avaient trouvé et transporté suffisamment de pierres pour que les ouvriers soient en mesure de couler le solage du nouvel édifice.

Si la présence quotidienne du prêtre incommodait Provencher, l'homme le dissimulait bien. La plupart du temps, il faisait en sorte de se retrouver à l'autre extrémité du chantier quand il voyait le prêtre se déplacer parmi ses ouvriers.

— Faites tout de même attention de pas vous faire blesser, monsieur le curé, lui avait-il répété à plusieurs occasions. Mes hommes transportent des grosses charges et ils peuvent pas vous voir tout le temps.

Avec son entêtement habituel, le pasteur faisait la sourde oreille et continuait à hanter les lieux. Malgré cette présence encombrante, il n'en restait pas moins que le chantier était devenu, au fil des semaines, un centre d'attraction extra-ordinaire. À toute heure du jour, les coups de marteau et le bruit des scies avaient le don d'attirer quatre ou cinq badauds, regroupés prudemment de l'autre côté de la route. Ces derniers discutaient à perte de vue de chaque manœuvre des employés de Bernard Provencher et ne se gênaient pas pour donner des avis que personne ne leur demandait.

Chez les Boisvert, Corinne était ravie. Le docteur Poirier était passé quelques jours auparavant et avait déclaré que la mère et l'enfant se portaient à merveille. La jeune femme avait donc repris ses tâches ménagères et, n'eût été les sorties bien arrosées de Laurent chaque vendredi ou samedi soir, elle aurait été parfaitement heureuse.

Cette semaine-là, la bonne nouvelle fut apportée à la maison par Rosaire. Mance Proulx, l'institutrice grincheuse, lui avait remis un bulletin scolaire dans lequel il était spécifié que l'orphelin avait réussi son année, ce qui avait rempli le jeune Rosaire de fierté.

— Je te l'avais bien dit que t'étais capable ! s'exclama Corinne en l'embrassant sur les deux joues.

Pour elle, ce succès scolaire représentait une victoire autant sur son beau-père que sur Henri et sa femme. Quand elle leur avait appris qu'elle allait l'inscrire à l'école du rang, ils lui avaient affirmé, pleins de suffisance, que l'adolescent était un « niaiseux » incapable d'apprendre à lire et à écrire. Elle avait eu raison de s'entêter et de forcer son jeune compagnon à poursuivre sa fréquentation de l'école après son licenciement au mois de décembre précédent.

Pendant qu'elle félicitait Rosaire, Laurent n'avait pas dit un mot.

— Qu'est-ce que t'en penses, Laurent ? lui demanda-t-elle, toute fière. Il est devenu bon, notre Rosaire, non ?

— Ben oui ! Ben oui ! répondit-il d'une voix indifférente. À cette heure que cette maudite école-là est finie, je suppose qu'il va enfin pouvoir m'aider. Savoir lire et écrire, c'est pas la fin du monde, sacrement!

Au moment où sa femme allait rétorquer que s'il avait appris à lire et à écrire, il serait souvent moins mal pris, Maurice Courchesne, un voisin, entra dans leur cour.

— Bon, qu'est-ce qu'il veut, lui? ronchonna Laurent avant de s'avancer vers le cultivateur âgé d'une quarantaine d'années, père de l'une des familles les plus nombreuses de la paroisse. S'il vient pour me faire un sermon, lui, il va sortir d'ici cul par-dessus tête, je te le garantis.

Corinne demeura debout sur la galerie et salua l'homme avec politesse. Elle le connaissait mal, même si elle avait enseigné à trois de ses enfants l'automne précédent. Si elle se fiait à ce que lui avait rapporté Marie-Claire Rocheleau, Maurice Courchesne avait la réputation d'être un homme extrêmement pieux. Il était président du cercle de tempérance de la paroisse et prenait son rôle extrêmement au sérieux.

Le cultivateur descendit de voiture, souleva sa casquette pour passer une main dans son épaisse chevelure noire et tendit la main à Laurent qui affichait un air un peu méfiant.

— Qu'est-ce que je peux faire pour vous, monsieur Courchesne?

— Je sais pas si t'as entendu parler de la croix que j'ai faite l'hiver passé quand il faisait trop mauvais pour aller bûcher. J'ai fini de la peinturer hier et j'ai même eu le temps de finir la petite clôture que je veux mettre autour.

— Ah oui? fit Laurent qui, manifestement, ignorait de quoi l'homme parlait.

— Ça fait que je suis prêt à aller la planter sur le bord du chemin. Je voulais savoir si t'es intéressé à venir nous donner un coup de main à l'installer. Rocheleau, Lanteigne et Dumas sont prêts à faire ça cet après-midi.

— C'est sûr que je vais y aller, affirma Laurent, soulagé de constater que l'autre ne venait pas lui faire un sermon sur son ivrognerie.

— Parfait comme ça, dit Courchesne en remontant dans son boghei. Ça veut dire que monsieur le curé va pouvoir venir bénir notre croix de chemin dimanche après-midi, après la procession de la Fête-Dieu, au village. Une croix comme ça dans notre rang, ça pourra juste nous apporter de la chance.

Cet après-midi-là, les cinq hommes fauchèrent un carré d'une quinzaine de pieds de côté sur le bord de la route, dans l'un des champs de Maurice Courchesne. La croix de chemin allait être installée à faible distance de l'école du rang. Ils creusèrent un trou dans lequel ils plantèrent la croix haute d'une vingtaine de pieds peinte en blanc et ornée en son centre d'un cœur rouge couronné, d'un effet saisissant. Lorsque la croix fut bien solidifiée avec des pierres, les hommes l'entourèrent d'une petite clôture en bois du plus bel effet.

Ils venaient à peine de terminer leur travail que la femme du maire Gagnon et Jeanne-d'Arc Brisebois arrivèrent sur les lieux avec une brassée de fleurs pour décorer l'endroit.

— C'est certain que c'est pas aussi beau que le reposoir d'Alexina Duquette, dit Armande Gagnon en se gourmant, mais ça a bien de l'allure quand même.

— Cette année, est-ce que c'est pas le tour d'Honorine Gariépy de faire le reposoir? s'étonna sa compagne.

— Je penserais pas, rétorqua la femme du maire. Honorine l'a fait l'année passée.

— En tout cas, quand je l'ai rencontrée avant-hier, il me semble bien qu'elle m'a dit avoir commencé à sortir tout son matériel pour décorer.

—⁓—

Depuis de nombreuses années, il existait une lutte sourde entre Honorine Gariépy, présidente des dames de Sainte-Anne et directrice de la chorale paroissiale, et Alexina Duquette, femme du propriétaire du magasin général du village. C'était à qui tiendrait le haut du pavé, et la Fête-Dieu avait toujours représenté pour ces deux femmes un peu prétentieuses une merveilleuse occasion de se mettre en valeur.

Le regretté curé Béliveau avait partiellement réglé le problème huit ans auparavant en décidant que chacune allait être responsable de l'édification du reposoir de la Fête-Dieu une année sur deux. Évidemment, l'une et l'autre n'avaient pas été particulièrement enchantées de l'arrangement, mais elles en avaient profité sournoisement pour faire assaut d'ornements de plus en plus élaborés chaque année, moins pour mieux honorer Dieu que pour jeter de la poudre aux yeux des habitants de Saint-Paul-des-Prés.

Bref, la semaine précédant la procession de la Fête-Dieu, l'heureuse élue travaillait avec acharnement plusieurs heures chaque jour pour offrir un reposoir sur sa galerie qui remplirait les fidèles d'admiration pour sa conceptrice.

— Il y a rien de trop beau pour exposer l'ostensoir, affirmait avec fierté Alexina Duquette quand on lui faisait remarquer que ses petits anges, ses drapeaux jaune et blanc ainsi que les énormes bouquets de pivoines et de lilas qui ornaient l'autel temporaire étaient une réussite extraordinaire.

Or, le jour choisi par Maurice Courchesne pour planter sa croix de chemin dans le rang Saint-Joseph fut celui choisi par Rose Bellavance, la servante du curé, pour apprendre une bien mauvaise nouvelle à Alexina Duquette. La ménagère lui avait révélé que le reposoir de la procession de la Fête-Dieu allait être dressé chez Honorine Gariépy.

— Vous devez vous tromper, madame Bellavance, avait rétorqué la femme du propriétaire du magasin général. C'est mon tour d'avoir le reposoir, cette année. Ça fait déjà deux mois que je prépare ça.

La femme à la figure chevaline, âgée d'une quarantaine d'années, secouait la tête comme si elle ne pouvait croire à une telle iniquité. Depuis quelques années, elle estimait appartenir à la crème de Saint-Paul-des-Prés de par la position sociale de son mari, propriétaire du commerce le plus important de la paroisse. À son avis, elle occupait même une position supérieure à celle d'Armande Gagnon, l'épouse du maire, parce qu'elle possédait l'unique téléphone de la municipalité, ce qui n'était pas rien.

— Puisque je vous le dis, madame Duquette, insista la servante du curé Bilodeau. J'ai même entendu monsieur le curé le dire encore à matin.

— Eh bien! Je peux vous dire que ça se passera pas comme ça, fit Alexina sur un ton rageur. Je vais aller le voir, moi, monsieur le curé.

Après le dîner, Alcide Duquette vit sa femme sortir endimanchée de leur chambre à coucher. Elle posa un chapeau à aigrette sur sa tête avant de s'emparer de sa bourse et de quitter le magasin d'un pas décidé.

— Je m'en vais au presbytère, lui annonça-t-elle. C'est pas vrai que l'Honorine Gariépy va venir me rire en pleine face.

Elle traversa la moitié du village tellement prise par ce qu'elle allait dire à Charles Bilodeau qu'elle répondit à peine aux saluts que quelques ménagères lui adressèrent au passage. Elle sonna à la porte du presbytère et Rose Bellavance lui demanda de patienter quelques instants dans la salle d'attente.

Le curé Bilodeau, agacé de ne pouvoir «aller faire son tour», comme il le disait, sur le chantier voisin, fit pénétrer sa paroissienne dans son bureau. Dès que la porte se referma, Rose Bellavance s'avança sur la pointe des pieds dans le couloir pour entendre ce qui se disait dans la pièce.

— Qu'est-ce que je peux faire pour vous? demanda abruptement le prêtre en demeurant debout pour bien faire comprendre à sa paroissienne qu'il n'avait pas l'intention de lui accorder une longue entrevue.

Insensible au comportement peu hospitalier de Charles Bilodeau, Alexina prit le temps de s'asseoir sur l'une des deux chaises placées devant le bureau avant de parler.

— Je viens vous voir à propos du reposoir, monsieur le curé, dit-elle en adoptant un air pincé.

— Oui, qu'est-ce qu'il y a avec le reposoir? demanda le prêtre en la regardant par-dessus ses lunettes, qui avaient légèrement glissé sur son nez.

— Il y a, monsieur le curé, qu'à Saint-Paul, on a toujours fait le reposoir une année chez Honorine Gariépy et une année chez nous, sur la galerie du magasin général. Le curé Béliveau a toujours fait ça, et tout le monde en était content. Au cas où vous le sauriez pas, l'année passée, le reposoir était chez madame Gariépy.

— Oui, je le sais, fit le curé, apparemment insensible à l'explication.

— Vous comprendrez que, cette année, il devrait être chez nous. Ça fait déjà deux mois que je prépare ce qu'il faut pour le décorer...

Charles Bilodeau tira sa montre de gousset et lui jeta un regard agacé.

— Pourquoi vous venez me raconter tout ça? demanda-t-il à la femme d'Alcide Duquette.

— Il me semble que c'est assez clair, dit sèchement Alexina. J'aimerais que le reposoir soit chez nous, comme ça devrait être. C'est une question de justice, monsieur le curé.

— Là, vous allez m'écouter, madame Duquette, fit-il, sévère. La tradition instituée par le curé Béliveau me concerne pas. J'ai décidé que, cette année, ce serait chez madame Gariépy, l'année prochaine, ça pourra être au couvent, à côté, ou chez le notaire Ménard, ou ailleurs dans la paroisse. Installer le reposoir chez soi, c'est pas un droit, c'est un privilège et un honneur. Si madame Gariépy a besoin de décorations supplémentaires pour son reposoir, je pourrai toujours lui dire qu'elle peut vous emprunter les vôtres puisque vous dites que les vôtres sont prêtes.

— Très bien, monsieur le curé, rétorqua Alexina en se levant brusquement, le visage fermé. J'ai compris. Excusez-moi de vous avoir fait perdre votre temps.

La commerçante rentra chez elle folle de rage en se promettant bien de ne pas participer à la procession de la Fête-Dieu le dimanche suivant.

— En tout cas, s'il pense que je vais passer quoi que ce soit à la Gariépy, dit-elle à son mari, il peut continuer à rêver. Elle, elle peut se lécher la patte si elle a besoin de quelque chose. Tu me feras jamais croire qu'elle a pas tout manigancé dans mon dos pour avoir ce passe-droit-là. Mais je te garantis qu'elle l'emportera pas au paradis.

Sur ces mots, Alcide Duquette vit sa femme, hors d'elle, s'engouffrer dans l'appartement attenant à leur commerce en faisant claquer la porte commune derrière elle.

—◦◦◦—

Le dimanche suivant, il faisait un temps magnifique quand les paroissiens de Saint-Paul-des-Prés sortirent du couvent à la fin de la grand-messe, après le *Ite missa est* du curé Bilodeau. Les paroissiens se massèrent sur la route, devant le couvent, l'estomac tiraillé par la faim, mais trop craintifs pour oser s'esquiver et rentrer à la maison avant la procession.

L'abbé Nadon apparut au pied de l'escalier et invita les Enfants de Marie et les dames de Sainte-Anne à former les rangs et à déployer leurs bannières derrière le dais que tenaient quatre des six marguilliers de la paroisse. Les deux autres membres de la fabrique, le notaire Ménard et le maire Gagnon, l'air affairé, incitaient les gens à prendre place dans la procession.

Précédé par une douzaine d'enfants de chœur vêtus d'une soutane rouge et d'un surplis blanc, le curé Bilodeau apparut en haut des marches, les épaules couvertes d'une lourde chape dorée, brandissant l'ostensoir à bout de bras. Il descendit lentement les marches et vint prendre place sous le dais.

Quand le prêtre entonna le premier cantique d'une voix de stentor, un paroissien, porteur de la croix, prit la tête de la procession et se mit en marche. Tous les fidèles lui emboîtèrent le pas.

Rythmée par les cantiques et les prières, la procession se déplaça lentement dans le rang Saint-André jusqu'à l'autre extrémité du village. La foule soulevait un léger nuage de poussière sur son passage. Le soleil, près de son zénith, était si chaud que plusieurs ne se gênaient pas pour essuyer leur visage ruisselant de sueur. Les fidèles finirent par dépasser la boulangerie et la boucherie d'Ange-Albert Vigneault et s'arrêtèrent devant la maison d'Honorine Gariépy.

La petite maison blanche de la veuve était d'une propreté irréprochable. La galerie et les fenêtres de la façade avaient été lavées et décorées de bandes de tissu blanc et jaune. Honorine et sa fille Catherine avaient vu à fleurir abondamment l'autel improvisé dressé contre la porte d'entrée. Elles avaient même ajouté des angelots découpés dans du carton recouvert de papier crépon.

L'officiant quitta la protection du dais, gravit les marches de la galerie et alla déposer, avec une lenteur étudiée, l'ostensoir sur l'autel improvisé avant de se tourner vers les fidèles. Il attendit patiemment que tous les gens se soient massés devant la maison pour leur adresser une courte homélie.

Les Duquette s'étaient tenus parmi les derniers fidèles durant toute la procession. Alcide avait d'ailleurs eu beaucoup de mal à persuader sa femme d'oublier sa rancœur et de participer à l'événement en donnant comme argument qu'il serait très mal vu par leur clientèle qu'elle se retranche chez elle durant une manifestation religieuse aussi importante.

Alexina s'enflamma en apercevant Honorine Gariépy, fièrement campée aux côtés de sa fille Catherine, près de la galerie de sa maison. La femme à la stature imposante laissait planer un regard impérial sur les gens de la paroisse, intimement persuadée qu'on l'admirait, elle et son œuvre.

— Regarde la Gariépy, dit-elle à voix basse à son mari debout près d'elle. Si elle continue à s'enfler, elle va éclater, la grosse vache! Elle a pourtant pas de raison de faire la fière. Son reposoir est exactement le même que celui de l'année passée, ajouta-t-elle d'une voix acide. En plus, elle aurait pu repasser la nappe de l'autel.

Alcide se borna à hocher la tête.

— Comparé au mien, il fait chenu, son reposoir et…

Soudain, il y eut un « crac! » violent et l'une des pattes de l'autel céda sans aucune raison apparente. Le curé Bilodeau n'eut que le temps de pivoter pour voir ce qui se passait dans son dos. Il se retourna suffisamment vite pour apercevoir Honorine Gariépy debout près de l'autel s'avancer précipitamment pour rattraper l'ostensoir déséquilibré.

— Touchez pas à ça! lui ordonna sèchement le prêtre d'une voix forte en la devançant de justesse.

Il attrapa *in extremis* l'ostensoir qui allait suivre le même chemin que le pot de fleurs qui venait de s'écraser par terre aux pieds de la directrice de la chorale, figée par la catastrophe qui venait de s'abattre sur elle.

Tout ça fut accompagné par un « oh ! » de surprise dans la foule. L'abbé Nadon, debout à gauche de son supérieur, se précipita pour se porter à son aide. Malheureusement, il mit le pied sur l'une des longues bandes de tissu qui pendaient près de l'autel, ce qui eut pour effet de provoquer une importante déchirure et de déséquilibrer légèrement le vicaire.

— Bondance ! C'est bien pas solide, cette affaire-là ! ne put s'empêcher de s'exclamer le curé Bilodeau en jetant un regard furieux à la directrice de la chorale et à sa fille.

Pâle comme un linge, Honorine Gariépy vacilla un peu sur ses jambes, comme si elle allait perdre conscience. Sa fille dut la soutenir.

— On repart, dit abruptement Charles Bilodeau en s'avançant vers le dais, portant toujours l'ostensoir.

L'abbé Nadon fit signe aux enfants de chœur d'emboîter le pas aux porteurs du dais et il prit place derrière eux. Alors, le curé de Saint-Paul-des-Prés entonna un cantique d'une voix forte et la foule chanta en se remettant en marche.

Alexina Duquette avait adopté un air faussement recueilli, mais il était évident qu'elle se retenait pour ne pas laisser exploser sa joie devant la déconfiture complète de son adversaire.

— Bien bon pour elle ! murmura-t-elle à son mari avec une joie mauvaise. Ça lui apprendra.

La procession avait repris la route, mais comme on retournait vers le couvent, l'impatience d'en finir était presque palpable chez les fidèles affamés qui n'avaient rien mangé, pour la plupart, depuis la veille.

Avant de disparaître à l'intérieur du couvent, le curé Bilodeau invita ses paroissiens à assister à la bénédiction de la nouvelle croix de chemin du rang Saint-Joseph à trois heures, l'après-midi même.

Lorsque les rangs se rompirent, les hommes s'empressèrent d'allumer leur pipe avant de monter dans leur boghei pour rentrer à la maison avec leur famille.

Deux jours plus tard, les Duquette virent entrer Honorine Gariépy dans leur magasin. Alexina, tout sourire, fit signe à son mari qu'elle s'occupait de leur cliente. Cette dernière ne désirait qu'une bobine de fil blanc et des aiguilles.

— Je suppose que c'est pour réparer une déchirure faite dans la belle nappe de votre reposoir ? dit-elle avec une fausse note de commisération dans sa voix.

— Non, madame, fit l'autre assez sèchement. Ma nappe est en lin et elle a pas été déchirée.

— C'est de valeur quand même qu'une patte de votre autel ait lâché, insista Alexina, parce que votre reposoir était un des plus beaux qu'on a eus à Saint-Paul depuis longtemps.

— Vous êtes bien bonne, madame Duquette, répliqua l'altière Honorine Gariépy. Ça m'apprendra à me fier à n'importe qui pour monter l'autel. J'avais demandé au petit Lamothe de faire ça. Je vous dis qu'il m'a entendue après la procession, l'espèce d'insignifiant !

— Je vous comprends, se borna à dire la marchande. De nos jours, on peut plus se fier à personne.

Après le départ de la présidente des dames de Sainte-Anne, Alexina Duquette ne put retenir un gloussement de satisfaction.

— À cette heure, j'attends monsieur le curé, dit-elle à son mari. S'il vient me demander de faire le reposoir l'année prochaine, tu peux être certain que je vais lui dire de demander à quelqu'un d'autre parce que j'ai plus le temps de faire ça.

— Dis donc pas ça, fit son mari. Je te connais. S'il te demande de t'en occuper, tu vas sauter sur l'occasion. Tu vas être ben trop contente de montrer à tout le monde que t'es meilleure qu'Honorine Gariépy.

— Tu sauras, Alcide Duquette, que j'ai pas à prouver quoi que ce soit, dit-elle sur un ton hautain. D'abord, on n'est pas du même monde qu'elle, une veuve que son mari a laissée sans le sou.

Chapitre 7

Le paresseux

Ce dimanche matin là, Corinne eut du mal à réveiller Laurent pour qu'il aille aider Rosaire à faire le train. Il était rentré tard, la veille, et à voir son air chiffonné, il était évident qu'il avait encore un peu trop fêté à l'hôtel de Yamaska.

— Bâtard! t'aurais pu aller lui donner un coup de main et me laisser dormir un peu à matin, eut-il le culot de reprocher à sa femme en entrant dans la cuisine d'été où elle s'activait à faire la toilette de Philippe, réveillé depuis près de deux heures.

— Il manquerait plus que ça! s'insurgea-t-elle. Tout le monde travaille dans la maison depuis déjà un bon bout de temps. Grand-père est parti nourrir les cochons et les poules, et Rosaire est allé chercher les vaches dans le champ.

Son mari n'insista pas et sortit de la maison en ronchonnant. Quand il revint, il trouva Madeleine Rocheleau, l'aînée des voisins, installée dans la cuisine.

— Qu'est-ce qui se passe? demanda-t-il à sa femme.

— Au cas où tu l'aurais oublié, c'est la Fête-Dieu aujourd'hui. Il y a la procession après la messe. Hier, j'ai demandé à Marie-Claire de m'envoyer Madeleine pour garder le petit à matin.

— C'était pas nécessaire pantoute. Moi, je vais pas à cette affaire-là. On va revenir tout de suite après la messe.

— T'aurais peut-être pu faire ça si tu t'étais levé assez de bonne heure pour aller à la basse-messe, lui fit-elle remarquer. Mais là, il est trop tard. Si tu viens pas à la procession après la grand-messe, tout le monde va te regarder de travers, le raisonna-t-elle. Te vois-tu partir en boghei au milieu de tout le monde ?

— Maudit sacrement ! ragea-t-il les dents serrées. J'ai mal à la tête. J'ai de la misère à m'endurer. Il aurait pas pu mouiller, non !

— T'as juste à moins boire, dit Corinne d'une voix coupante avant de tourner les talons pour aller finir de se préparer pour la messe.

Cette marche sous un soleil ardent n'avait amélioré en rien la mauvaise humeur de Laurent Boisvert. Il rentra à la maison après la procession en maugréant.

— Il est une heure de l'après-midi et on n'a même pas mangé.

— T'en mourras pas, se contenta de dire sa femme en jetant un coup d'œil à grand-père Boucher et à Rosaire, assis sur la banquette arrière.

À leur retour à la maison, Corinne ne servit que des fèves au lard pour dîner. Sentant l'humeur sombre du maître de maison, grand-père et Rosaire mangèrent sans rien dire. Après le repas, le premier s'esquiva pour faire une sieste pendant que l'orphelin aidait Corinne à laver la vaisselle. Cette tâche accomplie, il alla se réfugier dans la vieille balançoire, sur le côté de la maison.

— Ça fait huit jours que je suis revenu ici dedans, et on n'a mangé qu'une fois de la viande, déclara Laurent à sa femme au moment où elle venait le rejoindre sur la galerie. Est-ce que ça va durer encore longtemps comme ça ? Moi, des binnes, j'en ai mangé tout l'hiver et elles commencent à me tomber sur le cœur.

— Imagine-toi donc que je peux pas te servir de la viande plus souvent que ça, répliqua Corinne, mise à cran par la remarque. Des binnes, on en a mangé plus que notre part, nous autres aussi, cet hiver. Mais j'aime autant te dire tout de suite que je peux pas faire de miracles. J'ai plus une cenne. Là, on mange ce qui reste dans le garde-manger.

— T'as juste à le dire et on va aller au village acheter ce qu'il faut chez Duquette et chez Vigneault.

— Avec quel argent ? Les quinze piastres que t'as rapportées, tu les as pas mises dans le pot, dans l'armoire.

— J'ai oublié, mentit-il.

— On va les prendre demain matin pour aller acheter ce qu'il nous faut, déclara-t-elle après un court moment de réflexion. En même temps, on va payer les quatre piastres qu'on doit chez Duquette et les deux piastres et quart du compte qu'on a à la boucherie.

— Whow ! objecta Laurent. Énerve-toi pas ! Il me reste à peu près onze piastres dans les poches. On n'est pas pour tout dépenser pour du manger. Je suis pas pour me promener sans une cenne dans les poches.

— Comment ça, onze piastres ? s'exclama la jeune femme. T'as perdu quatre piastres ?

— Je les ai pas perdues, sacrement ! Tu sauras qu'on peut pas passer son temps à se faire payer la traite par ses *chums*. Je te l'ai déjà dit. Il faut aussi payer de temps en temps.

— Ah bien là, j'en reviens pas ! On doit plus que ce qu'on pèse et tu dépenses quatre piastres pour payer la traite à des purs étrangers. Comment tu vas rembourser grand-père, veux-tu bien me le dire ? Et les comptes à payer au village ? Et les soixante-trois piastres qu'on va être obligés de payer à ton père au début de l'hiver ? Où tu vas prendre tout cet argent-là, Laurent Boisvert ? T'oublies que t'as une femme et un enfant à faire vivre…

— Arrête de me crier par la tête! hurla-t-il. L'argent, c'est pas un problème. On en trouve toujours.

— Peut-être, mais ça presse que t'en trouves avant qu'on soit tous morts de faim, répliqua-t-elle d'une voix tranchante. Il y aura plus rien à manger dans la maison avant la fin de la semaine prochaine.

Un lourd silence tomba sur la galerie. Rien dans la figure du mari n'indiquait qu'il avait mauvaise conscience d'avoir dépensé tant d'argent à boire.

— Me donnes-tu l'argent que t'as pour que je le mette dans le pot? finit par lui demander sa femme.

Il tira deux billets froissés de cinq dollars de l'une de ses poches de pantalon et les lui remit à contrecœur.

— Tu m'avais pas dit que t'avais onze piastres?

— Je garde le reste pour mon tabac, répondit-il sèchement.

— Qu'est-ce que t'as l'intention de faire à compter de demain? lui demanda-t-elle. Tu m'as dit hier que le gros de ton ouvrage était fait.

— Je le sais pas. Je vais prendre ça aisé, répondit-il en allongeant les jambes devant lui.

— J'ai pensé à une affaire à matin, pendant la procession, fit-elle. Qu'est-ce que tu dirais d'aller voir demain matin s'il y aurait pas de l'ouvrage pour toi sur le chantier de l'église?

— Aïe! Moi, les corvées…

— Non, je te parle pas de corvée. Je te parle d'un ouvrage payé. L'entrepreneur peut bien avoir besoin d'un homme habile de ses mains. Je suis certaine qu'il va être content d'avoir quelqu'un d'aussi solide que toi, ajouta-t-elle pour le flatter.

— Ouais! Peut-être, dit-il sans grand enthousiasme.

— T'aurais un salaire qui entrerait. Ça nous ferait du bien. On aurait de quoi se payer du manger.

— Je vais y penser, se limita-t-il à dire au moment même où Philippe signalait à sa mère que son heure de boire était arrivée.

Elle quitta la galerie et rentra dans la maison, laissant son mari seul avec ses pensées.

—◁◁—

Un peu après deux heures trente, Corinne apparut à la porte moustiquaire.

— Est-ce que tu viens à la bénédiction de la croix? lui demanda-t-elle, sans trop se faire d'illusions.

— Ben non, sacrement, je suis tout de même pas pour passer ma journée avec le curé!

— Si c'est comme ça, Rosaire va atteler et il va venir avec moi et grand-père. Je te laisse le petit.

— Qu'est-ce que je fais s'il se met à chialer?

— Tu le prends et tu le berces jusqu'à ce que je revienne.

Dix minutes plus tard, Corinne quitta la cour de la ferme dans la voiture conduite par Wilfrid Boucher. Rosaire était assis à l'arrière. Ils auraient pu se rendre au calvaire à pied, mais grand-père Boucher avait suggéré la voiture parce que la jeune femme n'avait pas encore recouvré toutes ses forces.

Ils abandonnèrent le boghei dans la cour de l'école du rang et se joignirent à la quarantaine de paroissiens qui n'avaient pas hésité à se déplacer pour venir prier en cette belle journée estivale, même s'ils avaient participé à la procession à la fin de l'avant-midi, au village.

Le curé Bilodeau et son vicaire, tous les deux vêtus de leurs surplis blancs, venaient d'arriver sur les lieux, conduits par le bedeau. Ils étaient accompagnés par un enfant de chœur porteur du bénitier dans lequel trempait un goupillon. Immédiatement, les gens présents se rapprochèrent et firent cercle autour de la croix de chemin dont le pied était abondamment fleuri. La cérémonie fut courte mais fervente.

Plusieurs paroissiens choisirent même de s'agenouiller sur le bord de la route pendant que leur curé récitait quelques prières et consacrait l'endroit en aspergeant la croix d'eau bénite à l'aide du goupillon que lui tendait l'enfant de chœur.

À la fin de la brève célébration, Charles Bilodeau félicita Maurice Courchesne pour son geste empreint de piété et rappela brièvement aux personnes présentes qu'il leur faudrait prendre dorénavant le temps de saluer cette croix en passant devant elle.

—⁓—

Le lendemain matin, Corinne fut la première debout, même si elle avait dû se lever à deux ou trois reprises durant la nuit pour dispenser des soins à son bébé. Grand-père Boucher et Rosaire la rejoignirent quelques minutes plus tard dans la cuisine d'été.

— Rosaire, va donc chercher les vaches dans le champ, demanda-t-elle à l'orphelin. Je vais réveiller mon mari.

— Je vais m'occuper des cochons et du cheval, proposa Wilfrid Boucher.

— Laissez faire, grand-père. Laurent a bien le temps de s'occuper de ses animaux, lui ordonna la petite femme blonde.

— Ben non, protesta le vieil homme. Je suis encore capable de me rendre utile.

Sur ces mots, il quitta la maison au moment où Corinne entreprenait de monter à l'étage pour réveiller son mari. Elle lui aurait bien crié de se lever, debout au pied de l'escalier, mais elle ne voulait pas prendre le risque de réveiller Philippe qui venait de se rendormir dans son berceau.

Elle ouvrit la porte de la chambre verte et découvrit Laurent, dormant tout habillé sur le couvre-lit.

— Te lèves-tu ? lui demanda-t-elle, en demeurant debout à la porte.

Il ne broncha pas.

— Laurent, lève-toi ! lui commanda-t-elle en élevant la voix. Les vaches sont déjà dans l'étable et elles attendent que t'ailles les traire.

Il finit par ouvrir les yeux et par se soulever lentement sur un coude, les yeux à demi ouverts.

— Quelle heure il est ? demanda-t-il sur un ton rogue.

— Six heures et quart.

— Sacrement ! Veux-tu ben me dire pourquoi tu viens me réveiller si de bonne heure ? Je t'ai dit hier que le gros de mon ouvrage était fait.

— Les vaches sont habituées d'être traites de bonne heure et il y a en masse de l'ouvrage à faire. Grand-père est déjà en train de nourrir le cheval, ajouta-t-elle pour lui faire honte.

— C'est de ses maudites affaires s'il veut se lever avant le coq, répliqua son mari de mauvaise humeur. Moi, je veux dormir encore une heure ou deux. Ça fait que tu me sacres patience et tu descends en bas, tu m'entends ?

— On va entendre les vaches se plaindre jusque chez les voisins si elles sont traites trop tard, plaida-t-elle.

— Elles se plaindront, je m'en sacre.

— Et qu'est-ce que les voisins vont penser de toi ?

— Ils penseront ce qu'ils voudront, je m'en sacre aussi.

À bout d'arguments, Corinne claqua bruyamment la porte et descendit, folle de rage.

— Un lundi matin ! s'exclama-t-elle. Comme si j'avais pas assez de besogne. J'ai mon ménage et mon lavage à faire avant de préparer le dîner et d'aller désherber une partie du jardin.

Elle alla écouter à la porte de sa chambre pour vérifier si son bébé dormait toujours et elle décida de chausser ses bottes en caoutchouc pour aller traire les vaches et les nourrir. À un certain moment, Wilfrid Boucher apparut dans l'étable, cherchant des yeux son petit-fils.

— Où est-ce qu'il est encore passé ? demanda-t-il à Corinne sans le nommer.

— Il dort. Il dit qu'il est fatigué, répondit-elle d'une voix neutre.

— Ah ben, maudit péché ! s'emporta le vieil homme.

— Laissez faire, grand-père. Je finirai bien par le dompter. Vous seriez bien fin d'aller nourrir les poules et lever les œufs, le temps que j'en finisse avec les vaches.

— Je peux t'aider à finir la traite, proposa grand-père Boucher.

— J'ai presque fini, lui dit-elle avec un sourire de reconnaissance.

À son retour à la maison, grand-père Boucher était occupé à jeter un rondin dans le poêle. Elle se lava les mains et entreprit de préparer le déjeuner.

— Qu'est-ce que vous diriez d'œufs dans du sirop à matin ? proposa-t-elle en s'efforçant de sourire.

— Une ben bonne idée, répondit Wilfrid en consultant l'orphelin du regard.

— Est-ce que je dois réveiller monsieur Boisvert ? s'enquit Rosaire.

— Non, on va le laisser dormir.

Tous les trois déjeunèrent en silence. Après le repas, Rosaire se dirigea vers l'étable pour ramasser le fumier et la paille souillée pendant que grand-père Boucher s'installait à une extrémité de la galerie pour y faire une courte sieste.

Après avoir lavé la vaisselle et remis de l'ordre dans la cuisine, Corinne monta vérifier l'état des chambres de Rosaire et de grand-père Boucher avant de descendre faire son lit. Ensuite, elle entreprit de remplir une grande cuve d'eau chaude sur la petite galerie située à l'arrière de la cuisine d'été et tria les vêtements sales selon leur couleur. Elle lava deux pleins paniers de linge avant de voir apparaître la tête hirsute de son mari à la porte moustiquaire.

— On déjeune pas ici dedans? eut-il le culot de lui demander en se grattant le cuir chevelu.

— Il est quelle heure d'après toi? demanda-t-elle.

— Je le sais pas, répondit-il, grognon.

— Ben, pour le savoir, tu pourrais peut-être tourner la tête vers l'horloge, fit-elle, sarcastique.

— Il est dix heures et demie, finit-il par lui dire.

— C'est bien de valeur, répliqua-t-elle en se mettant à étendre un premier vêtement sur la corde à linge, mais à cette heure-là, l'heure du déjeuner est passée depuis longtemps.

— Qui a décidé ça?

— Moi.

— Tu vas entrer me préparer à manger, lui ordonna-t-il sèchement.

— Oui, mais à midi. T'es pas à l'hôtel, tu sauras. T'as pas de servante à ton service ici dedans. Si t'as envie de manger quelque chose, sers-toi tout seul. Comme tu peux le voir, j'ai de l'ouvrage par-dessus la tête.

— Maudite tête de cochon! jura-t-il avant de disparaître dans la cuisine.

Corinne l'entendit heurter de la vaisselle, mais elle se garda bien d'entrer voir ce qu'il faisait exactement.

À la fin de son lavage, elle chargea Rosaire d'aller porter les eaux grasses dans l'auge des porcs et rentra dans la cuisine d'été. Pendant un court moment, elle se demanda ce que Laurent faisait. Elle ne l'avait pas vu sortir de la maison. Avant de préparer la pâte à crêpes, elle tendit le cou pour voir si grand-père Boucher était toujours sur la galerie. Elle sursauta légèrement en apercevant son mari assis près de son grand-père en train de fumer béatement, à l'ombre.

Elle saisit un coin de son tablier pour essuyer la sueur qui lui coulait dans les yeux avant de poursuivre sa tâche.

Après le dîner, elle alla nourrir le bébé et demanda à Rosaire d'atteler Satan pendant qu'elle et son mari allaient changer de vêtements.

— Pourquoi? lui demanda Laurent qui s'apprêtait à retourner s'asseoir sur la galerie.

— Parce qu'on a dit hier qu'on allait acheter aujourd'hui ce qu'il nous fallait chez Duquette et Vigneault au village.

— Il fait ben trop chaud pour prendre le chemin, déclara-t-il.

— On n'a pas le choix d'y aller cet après-midi. T'as passé ton avant-midi couché, répliqua-t-elle, acrimonieuse.

— En tout cas, je monte pas me changer, fit-il.

— C'est comme tu veux, laissa-t-elle tomber, indifférente. Si t'aimes mieux passer pour quelqu'un de malpropre, c'est ton affaire. Va surtout pas t'imaginer que ça paraît pas que t'as dormi tout habillé, ajouta-t-elle avant de disparaître dans sa chambre à coucher.

Dix minutes plus tard, Rosaire vint immobiliser l'attelage près de la galerie et descendit du boghei.

— Prends bien soin du bébé, lui dit Corinne en montant dans la voiture aux côtés de son mari dont l'humeur ne semblait pas s'être améliorée.

— Ouais. Essaye de te rendre utile pour une fois, ordonna-t-il à l'orphelin avant d'inciter Satan à avancer.

Au moment où le boghei quittait la cour de la ferme, Corinne ne put s'empêcher de dire à son mari:

— T'étais pas obligé de dire ça à Rosaire. Tu sais aussi bien que moi qu'il y a pas plus serviable que lui.

— Je suis chez nous, calvaire! s'emporta-t-il sans raison. J'ai le droit de dire ce que je veux à qui je veux.

— C'est ça, se rebiffa-t-elle. Mais avant de faire des remarques, il faut commencer par donner l'exemple.

— Qu'est-ce que tu veux dire par là ?

— Il me semble que je suis assez claire, rétorqua-t-elle. Commence par travailler avant de dire aux autres de le faire. À ce que je vois, ça te fait pas de rester trop longtemps couché.

Cet après-midi-là, les Boisvert revinrent avec quelques provisions, surtout de la viande, mais il ne leur restait qu'un dollar et demi à déposer dans le pot. Les finances du jeune ménage étaient dans un tel état critique que Corinne se demanda tout le temps de la préparation du souper si elle allait être obligée de puiser dans les vingt-cinq dollars donnés par Juliette à son filleul.

Elle aurait bien voulu que son mari tienne compte de la suggestion qu'elle lui avait faite la veille d'essayer d'obtenir un poste au chantier de l'église, au village, mais tout laissait croire que cela n'intéressait pas Laurent.

— C'est comme si l'argent allait nous tomber du ciel, se répétait-elle en ne parvenant pas à cacher le désespoir qui l'envahissait peu à peu.

Puis, elle finit par se convaincre qu'il finirait bien par se chercher du travail rémunéré, ne serait-ce que pour être capable de défrayer ses sorties hebdomadaires à l'hôtel de Yamaska.

———

Les jours suivants, Laurent Boisvert sembla se prendre en main, il se leva aussi tôt que tous les autres membres de la maisonnée et trouva à s'occuper utilement sur sa terre. Il répara sa charrue et l'essieu brisé de sa voiture à foin ainsi que les portes de la grange. Pendant qu'il effectuait ces travaux, Rosaire s'acquittait sans se plaindre du nettoyage du fenil maintenant pratiquement vide. Sous les tôles chauffées à blanc par le soleil de cette fin du mois de juin, il y régnait une chaleur extraordinaire, mais à aucun moment l'orphelin ne s'en plaignit.

Le jeudi après-midi, le propriétaire de la ferme prit la direction de l'un de ses champs, armé d'une masse et de trois piquets de cèdre. Corinne, occupée à désherber ses plates-bandes, le vit partir. Même s'il ne lui avait rien dit, il était évident qu'il allait remplacer quelques piquets de clôture pourris.

Quand vint l'heure de la traite des vaches, la jeune femme aperçut Rosaire quitter la grange pour aller chercher les bêtes dans leur pacage. Elle imagina ne pas avoir vu son mari revenir à l'étable où il devait être déjà en train de nettoyer les bidons de lait en attendant l'arrivée des vaches. Elle jeta un coup d'œil vers la galerie où elle avait déposé le berceau de Philippe près d'un grand-père Boucher somnolent.

— J'ai fait entrer les vaches dans l'étable, dit Rosaire en apparaissant soudain à ses côtés quelques minutes plus tard. Est-ce que je dois aller avertir monsieur Boisvert?

— Il est pas déjà dans l'étable? s'étonna la jeune femme en se relevant.

— Non.

— Va donc voir dans la maison, il est peut-être là, lui suggéra-t-elle. Plutôt non, laisse faire, reprit-elle. Il faut que j'aille préparer mon souper. Va voir dans les bâtiments. S'il est dans la maison, je vais lui dire que les vaches l'attendent.

L'orphelin prit la direction de l'écurie pendant que Corinne abandonnait ses plates-bandes pour rentrer dans la maison. Quand elle se rendit compte que son mari n'était pas là, elle revint sur la galerie pour y prendre le berceau dans lequel reposait son bébé.

— Je l'ai pas trouvé, Corinne, lui cria Rosaire en sortant du poulailler.

— Voyons donc! s'exclama-t-elle assez fort pour réveiller grand-père Boucher. Où est-ce qu'il est encore passé?

— Qu'est-ce que tu cherches? lui demanda le vieil homme en quittant sa chaise berçante.

— Laurent. C'est l'heure du train et on le cherche partout.

Puis, elle se rappela soudain l'avoir vu se diriger vers le champ, portant des piquets de cèdre. Comme elle ne l'avait pas vu revenir, elle s'inquiéta tout à coup. Était-il encore là-bas? Cela ne prenait pourtant pas tant de temps pour planter quelques piquets… Était-il possible qu'il lui soit arrivé quelque chose?

— Grand-père, voulez-vous vous occuper du petit? Je vais aller voir s'il est pas dans un de nos champs.

— Je peux ben y aller, si tu veux, proposa le vieillard.

— Moi aussi, je peux y aller, dit Rosaire qui venait de s'approcher.

— Non, laissez faire tous les deux. Toi, Rosaire, va donc laver les bidons en attendant que je revienne avec mon mari. Pour moi, il a dû oublier l'heure.

Sur ce, elle descendit de la galerie et se dirigea d'un pas résolu vers l'arrière des bâtiments où s'étendaient leurs six grands champs, accolés deux par deux, jusqu'à la limite de leur « terre à bois ».

Elle longea d'abord les deux premiers champs en les scrutant: pas le moindre signe de la présence de Laurent. Impatiente, elle traversa dans le champ suivant et s'avança en regardant à gauche et à droite.

— Veux-tu bien me dire où il est passé, lui! dit-elle à mi-voix.

Le soleil tapait dur et elle décida de marcher à l'ombre des grands érables plantés en bordure de ce champ par le propriétaire précédent. Et c'est là qu'elle découvrit son mari par le plus grand des hasards.

Elle aperçut d'abord un tache grise au pied d'un arbre, puis en s'approchant elle se rendit compte qu'il s'agissait bien de Laurent. Le jeune cultivateur était étendu là et semblait endormi.

— Mon Dieu! s'écria-t-elle en se mettant à courir vers lui. Je le savais donc qu'il lui était arrivé un accident! Laurent! Laurent! lui cria-t-elle, le cœur battant follement la chamade.

Parvenue à lui, elle se laissa tomber à genoux à ses côtés, les larmes aux yeux.

— Qu'est-ce que t'as? Qu'est-ce qui t'est arrivé? lui demanda-t-elle en le secouant doucement. Où est-ce que t'as mal?

Un ronflement sonore fut l'unique réponse qu'elle obtint et il lui fallut quelques secondes pour le réaliser.

— Mais tu dors! s'écria-t-elle, soudain furieuse, en le secouant cette fois plus énergiquement.

Le dormeur marmonna quelques mots incompréhensibles et se tourna sur le côté, comme si elle n'avait pas été là. Ce mouvement révéla la présence d'un flacon vide dont elle s'empara. Elle l'approcha de son nez pour le renifler : de l'alcool.

— C'est pas vrai! s'écria-t-elle en le secouant de nouveau, mais cette fois sans ménagement. T'es pas rendu à boire en cachette comme un soûlon?

Elle n'obtint aucune réponse, ce qui l'enragea encore plus. Durant un instant, elle fut tentée de retourner à la ferme pour y remplir un seau d'eau froide et de revenir le lui lancer à la tête. Puis, elle se raisonna. Elle prendrait beaucoup de temps à faire l'aller-retour et ce serait en pure perte, parce que, dans l'état où il semblait se trouver, il ne lui serait d'aucune utilité. Pire, il pourrait se montrer violent.

Elle se releva en refoulant difficilement ses larmes.

— Cuve-la, ta saudite boisson! On va encore une fois se passer de toi, ajouta-t-elle en lui tournant le dos.

Sans un seul regard pour l'ivrogne en train de dormir, elle prit la direction des bâtiments de la ferme.

— Mais avec quel argent il peut bien acheter cette boisson-là ? se demanda-t-elle à mi-voix.

Elle se douta alors qu'il avait dissimulé un peu d'argent gagné durant l'hiver pour satisfaire son vice et elle fut encore plus bouleversée par cette hypocrisie.

En approchant de l'étable, elle entendit les meuglements des vaches, impatientes d'être traites. Un peu essoufflée, elle entra dans la cuisine d'été où elle trouva grand-père Boucher en train de bercer Philippe.

— L'as-tu trouvé ? lui demanda-t-il.

— Il doit être parti chez un voisin et il a dû oublier l'heure, mentit-elle. Si vous voulez vous occuper encore un peu du petit, je vais aller commencer le train, poursuivit-elle.

— Non, tu t'occupes de ton petit et du souper, déclara le vieillard sur un ton sans appel en se levant et en lui tendant le bébé. Moi, je suis encore capable de traire une vache. À part ça, je pense qu'il a besoin d'être changé.

Wilfrid Boucher quitta la maison et alla rejoindre Rosaire à l'étable. Tous les deux ne rentrèrent à la maison qu'une heure et demie plus tard, après avoir soigné les animaux.

À leur retour, Corinne déposa sur la table un plat dans lequel des saucisses voisinaient avec des pommes de terre rissolées. Le tout dégageait un arôme des plus appétissants. En constatant l'absence du maître de la maison, le grand-père et l'orphelin ne posèrent pas de questions. Ils mangèrent de bon appétit pendant que Corinne, l'air absent, chipotait dans son assiette.

— Mange, ma fille, finit par lui dire le vieil homme. Quand on a des problèmes, c'est toujours mieux de leur faire face le ventre plein pour les régler.

Corinne ne répondit rien, mais au sourire qu'elle lui adressa, Wilfrid vit qu'elle avait bien compris l'allusion.

Ce soir-là, Corinne prépara Philippe pour la nuit et alla le déposer dans son berceau dans sa chambre. À son retour, elle alla rejoindre grand-père Boucher et Rosaire, assis paisiblement sur la galerie. Elle prit au passage des vêtements qu'elle tenait à repriser. Quand l'obscurité tomba, tous les trois rentrèrent dans la maison. Rosaire alluma une lampe et ils décidèrent de jouer aux cartes quelques minutes avant de réciter leur prière en commun.

Quand vint le temps d'aller au lit, Wilfrid demanda à sa petite-fille par alliance s'il fallait verrouiller la porte de la maison.

— Non, grand-père. Il va bien finir par rentrer, ajouta-t-elle sans donner plus d'explications.

Le vieillard secoua la tête en signe de parfaite incompréhension et fit signe à Rosaire de passer devant lui dans l'escalier qui conduisait aux chambres.

Corinne entra dans sa chambre sans faire de bruit pour ne pas réveiller l'enfant. Elle se déshabilla dans l'obscurité et se coucha. Malgré la fatigue d'une longue journée de travail, elle ne parvenait pas à trouver le sommeil. Elle finit tout de même par sombrer et ne se réveilla qu'un peu après minuit quand Philippe exigea de boire. Elle venait à peine de commencer à le nourrir quand elle entendit la porte moustiquaire se refermer bruyamment. Elle tendit l'oreille pour percevoir d'autres bruits. Il y eut des pas traînants qui s'arrêtèrent devant sa porte de chambre. Elle ne bougea pas et ne dit rien. Puis, elle entendit les marches de l'escalier craquer et une porte se fermer à l'étage.

— Si ça a de l'allure ! murmura-t-elle.

Elle finit de nourrir son enfant et changea ses langes avant de le remettre dans son berceau. Quelques minutes plus tard, elle retrouva le sommeil en se promettant de manifester le lendemain la plus parfaite indifférence au sujet de ce qui était arrivé ce jour-là. Par contre, elle se jura de profiter de la moindre absence de son mari pour tenter de découvrir l'endroit où il dissimulait son alcool. Si elle en trouvait, elle le détruirait.

Le lendemain matin, Laurent Boisvert, le visage chiffonné et victime apparemment d'une gueule de bois carabinée, ne descendit dans la cuisine d'été qu'un peu après neuf heures. À son grand étonnement, la maison semblait vide. Il dut sortir sur la galerie arrière pour découvrir sa femme en train de plumer une poule.

— Où est encore passé Rosaire? lui demanda-t-il en mettant ses larges bretelles.

— Dans le fenil, il a pas fini de nettoyer.

— Il en met ben du temps pour faire cet ouvrage-là, eut-il le culot de dire.

— Il fait ce qu'il peut, répliqua Corinne d'une voix neutre.

— Où est grand-père?

— Chez Jocelyn, à côté.

— Bon, et on mange quoi, à matin?

— Ce que tu veux, sers-toi. Moi, j'ai mon pain à faire cuire et une poule à vider.

Il fit un effort évident pour ne pas exiger qu'elle abandonne tout pour venir lui servir son repas. Son écart de comportement de la veille lui était probablement revenu en mémoire et avec sa migraine, il n'avait pas le goût de déclencher une autre scène de ménage où il n'aurait pas le beau rôle.

Avant de rentrer, il prit tout de même la précaution de scruter sa femme un long moment, comme pour vérifier si elle avait l'intention de lui faire un sermon sur sa conduite de la veille. Mais celle-ci l'ignora royalement et poursuivit sa tâche, comme s'il était déjà rentré. Un peu dépité par cette indifférence, il retourna à l'intérieur.

Chapitre 8

La découverte

La semaine suivante, Corinne eut enfin l'occasion de se réjouir du retour de son mari à la maison. Ce dernier s'était présenté un peu avant sept heures, le lundi matin, sur le chantier de la nouvelle église et il avait eu la chance de rencontrer Bernard Provencher au moment même où le jeune entrepreneur constatait avec colère l'absence de deux de ses ouvriers.

— Où est-ce qu'ils sont encore passés, ces deux-là? demanda-t-il à un nommé Lemieux qu'il considérait comme son contremaître.

— J'en ai pas la moindre idée, mais pour Bouchard, c'est la troisième fois qu'il est pas à l'heure en deux semaines, lui fit remarquer l'homme trapu en s'emparant de ses outils.

Laurent Boisvert s'avança à ce moment-là vers les deux hommes en demandant qui était le patron. Provencher le jaugea rapidement du regard. Le cultivateur avait la même taille et la même carrure que lui, tout en ayant cinq ou six ans de moins. L'affaire se régla en quelques minutes.

— Si t'es capable de te servir d'une scie, d'une hache et d'un marteau comme du monde, dit-il à Laurent, je t'engage. Tous mes hommes ont le même salaire: six piastres par semaine pour six jours d'ouvrage, de sept heures le matin à six heures le soir. Quand il mouille trop fort pour travailler, je peux pas payer. Est-ce que ça fait ton affaire?

— C'est correct, accepta Laurent. Mais moi, j'ai une terre. J'ai personne pour faire les foins à ma place au commencement d'août.

— Inquiète-toi pas avec ça, le rassura l'entrepreneur. J'ai trois de mes hommes qui sont comme toi. On s'arrangera. Aujourd'hui, je te prends à l'essai. Si tu fais l'affaire, je vais te garder.

À la fin de cette première journée de travail, Laurent rentra à la maison et déclara avec fierté qu'il avait travaillé à l'essai toute la journée sur le chantier de l'église et que l'entrepreneur avait décidé de l'engager. Quand il eut expliqué les conditions exigées par son employeur, grand-père et Corinne se déclarèrent enchantés et l'assurèrent qu'ils étaient en mesure, avec l'aide de Rosaire, de s'occuper des animaux et des petits travaux qui restaient à faire en attendant les foins et les récoltes.

Ce soir-là, Corinne fit clairement entendre à son mari qu'elle désirait son retour dans la chambre à coucher du rez-de-chaussée. Ce dernier ne se fit pas prier pour revenir occuper sa place dans leur lit, même si les vagissements du bébé l'agaçaient un peu.

Les deux semaines suivantes furent probablement les plus heureuses que Corinne connut depuis son mariage. Son mari ressemblait enfin au jeune homme agréable qui l'avait fréquentée. Il semblait aimer son travail sur le chantier et se disait apprécié par ses compagnons et Bernard Provencher. Comme le temps chaud et ensoleillé se maintenait, il n'avait pas perdu une seule journée de travail depuis qu'il avait commencé, trois semaines plus tôt. Fait encourageant, il déposait presque intégralement sa paye dans le pot vert rangé sur la seconde étagère de l'armoire, ne gardant qu'un dollar pour l'achat de son tabac. Comme il terminait à six heures chaque soir, sauf le samedi – ce jour-là, il finissait à quatre heures –, Laurent rentrait trop tard pour avoir le temps de souper, de faire sa toilette et de se rendre à l'hôtel de Yamaska. Bref, il se comportait enfin comme un père de famille responsable, soucieux d'apporter suffisamment à la maison pour nourrir les siens.

Étrangement, ce fut une initiative de Corinne qui vint troubler involontairement cette vie paisible. Un mardi après-midi, après avoir aidé grand-père Boucher et Rosaire à faire le train, la jeune femme se rendit compte qu'il restait plus d'une demi-heure à attendre avant le retour de son mari du chantier.

— Le souper est presque prêt, annonça-t-elle en déposant sur la table de la cuisine d'été un plat rempli de belles tomates rouges qu'elle venait de cueillir dans son jardin. Il me semble que ce serait bon de manger des fraises avec de la crème.

— Je veux ben te croire, dit Wilfrid, mais tes plants, tu les as plantés cette année et ils donneront rien avant l'été prochain.

— Je le sais, grand-père, mais Marie-Claire Rocheleau m'a dit qu'elle avait trouvé des belles talles de fraises des champs proches de leur bois. Je me demandais si on n'en n'aurait pas, nous autres aussi, ajouta-t-elle en regardant Rosaire avec insistance.

— C'est correct, j'ai compris, dit l'orphelin en se levant. Dans quoi je vais les mettre, si j'en trouve.

— Prends une petite chaudière dans la remise, en passant, lui suggéra-t-elle avec un grand sourire.

— Puis, mange pas tout en t'en revenant, fit le grand-père, espiègle.

— Ben non, j'en mangerai pas une, promit l'adolescent, sérieux.

— C'était une farce, dit Wilfrid. Tu peux en manger tant que tu veux. Il faut pas oublier que la saison des fraises est pas mal finie, ajouta-t-il à l'intention de la femme de son petit-fils. Je serais pas mal surpris qu'il en trouve ben gros, si jamais il en trouve.

Rosaire prit un petit seau dans la remise, traversa la cour et disparut derrière l'étable. Il se glissa entre deux fils de fer barbelé pour entrer dans le premier des champs de la ferme et il marcha en bordure des arbustes clairsemés qui les séparaient de la terre de Jocelyn Jutras. Lorsqu'il pénétra dans le second champ, il vit les vaches que grand-père et lui venaient de traire, se reposant à l'ombre d'un vieux chêne. Il poursuivit son chemin vers le bois encore distant de plusieurs centaines de pieds.

À son approche de l'orée du bois, deux gros corbeaux s'envolèrent pesamment, tournoyèrent quelques instants à une faible hauteur avant de revenir se poser exactement à l'endroit qu'ils venaient de quitter. Ils répétèrent ce manège à deux ou trois reprises, comme si l'adolescent était un intrus venant déranger un banquet. Intrigué par ce manège, Rosaire décida de se diriger vers eux pour voir ce qui les attirait à cet endroit.

Avant même d'être parvenu sur place, une odeur nauséabonde lui souleva le cœur. Les corbeaux durent finalement l'estimer peu menaçant parce qu'ils ne prirent même pas la peine de s'envoler alors qu'il s'approchait de la scène. Ils se contentèrent de s'éloigner un peu en sautillant, attendant, de toute évidence, qu'il se retire pour poursuivre leur festin. C'est alors que Rosaire aperçut une paire de bottes et des lambeaux de vêtements.

Saisi d'une nausée incoercible, il fit quelques pas en arrière, lâcha son seau et rendit sa collation avant de prendre ses jambes à son cou pour rentrer à la maison. Au moment où il débouchait, à bout de souffle, dans la cour de la ferme, Laurent descendait du boghei et s'apprêtait à dételer Satan.

— Qu'est-ce que t'as à courir comme un fou, comme ça ? lui demanda-t-il. Viens-tu de voir le diable ?

— Mon… Monsieur Laurent, il y a quelque chose dans le champ, proche du bois, balbutia l'adolescent, le visage blafard.

Le jeune cultivateur suspendit son geste pour examiner Rosaire qu'il n'avait jamais vu si bouleversé. Il remarqua alors sa pâleur anormale.

— C'est quoi, ça, quelque chose ? fit-il, impatient.

— Je le sais pas, monsieur. Je pense que c'est quelqu'un qui est mort.

— Toi, mon petit sacrement, si tu me fais courir là pour rien, tu vas le regretter, dit-il, menaçant.

— J'ai vu des bottes et du linge, s'entêta l'orphelin dont la voix se raffermissait progressivement.

— C'est correct. Calme-toi et finis de dételer Satan pendant que je me lave, lui ordonna-t-il sèchement.

Le fils de Gonzague Boisvert se rendit au puits, puisa de l'eau qu'il versa dans un bol à main et se lava avec la serviette déposée en permanence sur la margelle. Il rentra dans la maison en même temps que Rosaire.

— Seigneur ! Mais t'as pas mis grand temps à me rapporter des fraises ! s'exclama Corinne en déposant Philippe dans son berceau.

— Je pense pas qu'il t'ait rapporté quoi que ce soit, intervint Laurent en suspendant sa casquette au crochet fixé derrière la porte. Quand je l'ai vu, il courait comme s'il avait le diable à ses trousses, se moqua-t-il. Il était blanc comme un drap. Il dit qu'il a vu quelque chose dans le champ.

Corinne se tourna vers Rosaire et vit à quel point il était bouleversé. Elle lui demanda de décrire ce qu'il avait vu.

— C'est pas grave, dit-elle pour le rassurer. Après le souper, mon mari va aller voir ce que c'est. Bon, mettez-vous à table, ordonna-t-elle à son mari, à grand-père Boucher et à Rosaire.

Elle déposa sur la table, près de la miche de pain cuite la veille, un plat rempli de pommes de terre et un rôti de porc.

— Demain, tu pourrais peut-être me rapporter une chaudière de graisse de chez Duquette, dit-elle à son mari en prenant place à table à son tour. Jocelyn m'a laissé une poche de farine à matin, mais je manque de graisse.

— Dis donc, fit Laurent avec humeur. Est-ce qu'il s'attend à ce que tu lui fasses son pain jusqu'à la fin de tes jours?

— Je le sais pas, rétorqua-t-elle, mais en attendant, il me fournit assez de farine pour cuire son pain et le nôtre et ça nous coûte rien.

Laurent se le tint pour dit et on mangea en silence. Après avoir trempé du pain dans de la mélasse au dessert, le maître de maison but une tasse de thé en fumant sa pipe. Même si toutes les fenêtres de la cuisine d'été étaient largement ouvertes, il y régnait une chaleur infernale à cause du poêle qu'il avait fallu allumer pour faire cuire le repas.

Quand Corinne se mit à desservir la table, Rosaire s'empressa de l'imiter. Grand-père se retira sur la galerie, suivi de près par son petit-fils. Pendant un court moment, Laurent sembla hésiter à s'asseoir. Puis, il descendit de la galerie et, sans dire un mot, se dirigea vers ses bâtiments. Il contourna l'étable et se mit en devoir de traverser ses champs sans se presser.

Arrivé presque en bordure de ce qu'il appelait sa « terre à bois », il sentit, lui aussi, l'odeur nauséabonde.

— C'est une charogne en train de pourrir, dit-il à mi-voix en s'approchant de l'endroit d'où provenait l'odeur.

Comme Rosaire, la première chose qu'il vit fut une paire de bottes. Il s'avança un peu plus, écarta l'herbe haute et aperçut alors les restes en putréfaction avancée de ce qui semblait bien être un corps. Le cultivateur eut d'abord un geste de recul et son premier réflexe fut de revenir à la maison pour aller avertir les autorités.

Le cœur au bord des lèvres, il fit le tour de la scène en s'appliquant sur le nez un large mouchoir à carreaux qu'il venait de tirer de l'une de ses poches. Les animaux de la forêt et les oiseaux paraissaient avoir mangé une partie du corps. Finalement, Laurent s'immobilisa et se pencha un peu pour s'assurer qu'il ne se trompait pas. Il venait d'apercevoir une paire de moufles qui avaient dû être rouges à une certaine époque.

— Est-ce que ça se peut que ce soit Mitaines? se demanda-t-il à haute voix. Qu'est-ce qu'il venait faire sur ma terre, le maudit innocent?

La dernière fois qu'il avait vu Mitaines, il le tenait par le col et le menaçait d'une raclée parce qu'il l'avait surpris en train de regarder sa femme par la fenêtre de leur chambre alors qu'elle se déshabillait. C'était un pauvre innocent âgé de près de vingt ans que le père Tremblay du rang Notre-Dame avait recueilli chez lui. On l'avait surnommé Mitaines parce qu'il portait en toutes saisons une paire de moufles rouges autour du cou.

Au moment où Laurent s'apprêtait à quitter les lieux pour revenir chez lui, il buta sur quelque chose. Il se pencha et écarta les longues herbes. Il découvrit alors un vieux sac de toile contre son pied. Il le souleva et le regarda avec circonspection. Il n'hésita qu'un bref instant avant de s'en emparer et de s'éloigner de la scène pour vérifier ce qu'il contenait.

Il s'agenouilla et ouvrit le sac dont il étala le contenu devant lui.

— Il y a juste des hardes sales là-dedans, dit-il avec une mine dégoûtée.

Il allait tout remettre dans le sac quand il sentit une bosse dans la poche d'un vieux pantalon. Laurent glissa sa main à l'intérieur et en sortit un rouleau qu'il prit d'abord pour du vulgaire papier jusqu'à ce qu'il se rende compte brusquement qu'il s'agissait d'un rouleau de billets de banque. Son cœur eut un raté, puis une espèce de frénésie s'empara de lui.

Toujours à genoux, il jeta un regard autour de lui pour s'assurer d'être bien seul dans son champ avant de se mettre à compter un à un les billets de banque.

— Six cent quatre-vingt-dix piastres! dit-il d'une voix que l'excitation faisait trembler. Six cent quatre-vingt-dix piastres!

Le jeune homme de vingt-deux ans n'avait jamais vu une telle somme et, évidemment, il n'avait jamais possédé autant d'argent. À aucun moment l'idée de remettre le tout dans le sac avec les vieux vêtements ne l'effleura. Cet argent-là représentait la fin de tous ses ennuis, une richesse inespérée.

— J'ai trouvé cet argent-là chez nous, je le garde! dit-il en fourrant les vêtements dans le sac de toile qu'il jeta près du cadavre.

Il se releva ensuite rapidement, essuya les genoux de son pantalon maculés de terre et reprit le chemin de la maison sans se presser en vérifiant de temps à autre du bout des doigts la présence de l'épaisse liasse de billets de banque dans sa poche, comme pour s'assurer de n'avoir pas rêvé.

Six cent quatre-vingt-dix piastres! Il n'en revenait pas. Il allait pouvoir rembourser tout l'argent qu'il devait à son père dès demain matin s'il le désirait. Il possédait maintenant assez d'argent pour rembourser sa ferme et ses animaux. Tout en marchant, il imaginait déjà la tête de son père au moment où il étalerait la somme exacte de sa dette sur sa table de cuisine. Les yeux allaient lui sortir de la tête, c'était certain. À cette seule idée, un sourire de contentement s'épanouissait sur son visage.

— Ben non, sacrement! J'y pense. Si je fais ça, tout le monde va me demander d'où je sors cet argent-là, monologua-t-il en s'arrêtant brusquement. Corinne va être la première à vouloir savoir. Je suis tout de même pas pour dire que je l'ai trouvé…

Il se remit en marche, passablement moins euphorique. Cependant, il n'en continua pas moins à imaginer divers scénarios où il lui serait possible d'utiliser cet argent sans soulever la curiosité de son entourage.

— En tout cas, c'est fini le temps où j'étais obligé de toujours calculer chaque cenne et de me demander si j'en ai assez pour me payer un verre. À cette heure, j'ai les moyens.

Il s'arrêta à nouveau à l'instant où il arrivait derrière son étable, frappé par une inquiétude soudaine.

— C'est ben beau tout ça, mais où est-ce que je vais mettre cet argent-là? Je peux tout de même pas le cacher dans la maison. Ça, ce serait des plans pour que quelqu'un tombe dessus.

Le problème était d'importance et il lui fallait de toute urgence trouver une solution. Le jeune cultivateur regarda nerveusement autour de lui, à la recherche d'une bonne cachette. S'il enfouissait son magot dans la terre, l'argent risquait d'être difficile à atteindre quand il en aurait besoin. Quelqu'un finirait par le voir en train de creuser et se poserait sûrement des questions. Il se gratta la tête. Il ne restait donc que les bâtiments. Il pensa d'abord à l'étable et à l'écurie, mais l'une et l'autre n'offraient que bien peu d'endroits sécuritaires. Il serait aussi idiot de dissimuler son argent dans le foin ou dans la paille que de le cacher sur une poutre de l'un ou l'autre des bâtiments. La porcherie ne valait rien. La remise attenante à la maison n'était pas envisageable non plus parce que tout le monde passait son temps à y placer ou déplacer des choses.

Il avait des sueurs froides juste à la pensée que quelqu'un puisse mettre la main sur sa fortune par inadvertance. Il ne pouvait tout de même pas garder tant d'argent en permanence dans l'une des poches de son pantalon. Il risquait de le perdre ou encore de se faire remarquer. Cela susciterait bien trop de questions.

— Le haut du poulailler, dit-il soudain à mi-voix. Le haut du poulailler, c'est la bonne place. C'est là que je vais le cacher. Il y a jamais personne qui met les pieds là.

Le rez-de-chaussée du poulailler ne contenait qu'une vaste pièce séparée en deux par un treillis pour éviter que les poules aillent abîmer une quantité importante de poches de grains. Le grenier du petit bâtiment ne servait qu'à remiser des poches de jute vides, des paniers et de vieilles choses le plus souvent hors d'usage.

Laurent, tout guilleret d'avoir trouvé ce qui lui semblait l'endroit idéal où dissimuler son argent, contourna l'étable et se glissa dans le poulailler sans être vu.

Il monta rapidement au grenier, repéra cinq ou six sacs remplis de vieilles poches de jute vides. Il s'empara du dernier au fond de la pièce et y glissa son rouleau de billets de banque enveloppé dans un morceau de vieille toile qui traînait par terre. Il referma le sac et s'empressa de descendre. Il s'apprêtait à sortir du poulailler quand la porte s'ouvrit brusquement, le faisant sursauter violemment.

— Qu'est-ce que tu fais dans le poulailler? lui demanda sa femme.

— Torrieu, que tu m'as fait peur! s'écria-t-il.

Il lui fallut quelques secondes pour inventer une excuse crédible.

— Je cherche une toile, mentit-il. Je pensais en avoir aperçu une ici dedans. T'as pas vu ça quelque part?

— Non, qu'est-ce que tu veux faire avec ça? lui demanda-t-elle, intriguée. Je pensais que t'étais parti voir dans le champ ce que Rosaire avait aperçu.

— C'est pour ça, justement, mentit-il en retrouvant progressivement son aplomb. Il y a quelqu'un de mort au bout de notre terre. Je voulais mettre une toile sur lui en attendant que quelqu'un vienne le ramasser.

— Ah, mon Dieu! s'exclama Corinne en mettant une main sur sa bouche.

— J'ai l'impression qu'il est mort là depuis un bon bout de temps, reprit Laurent en l'entraînant à sa suite vers la galerie où grand-père et Rosaire étaient assis. Rosaire, va atteler le boghei, ordonna-t-il à l'orphelin.

Pendant que le garçon filait vers l'enclos situé près de l'écurie où Satan se reposait, Laurent monta sur la galerie en compagnie de sa femme.

— As-tu une idée de qui ça peut être? lui demanda son grand-père, aussi secoué que Corinne et Rosaire par la découverte.

— Il reste pas grand-chose du pauvre diable, mais ça se pourrait que ce soit Mitaines, lui répondit-il. Il me semble que je l'ai pas vu dans la paroisse depuis que je suis revenu au mois de mai. D'habitude, il est toujours à traîner à gauche et à droite.

En entendant ces paroles, Corinne blêmit, mais son mari ne s'en rendit pas compte. Elle s'était bien gardée de lui raconter l'épisode où l'innocent avait tenté de la violer, l'hiver précédent. D'ailleurs, elle ne lui avait pas dit non plus qu'on l'avait accusé d'avoir volé Eusèbe Tremblay avant de prendre la fuite le jour même de l'incident.

Quand Rosaire tendit les rênes à Laurent, ce dernier monta dans le boghei et prévint sa femme qu'il allait alerter Bertrand Gagnon et revenir probablement avec lui.

Quelques minutes plus tard, le jeune cultivateur entra dans la cour de la première maison du rang Saint-Joseph habitée par le maire de Saint-Paul-des-Prés.

Mis au courant, le gros homme s'empressa de monter dans la voiture pour aller constater ce que son administré venait de lui apprendre. Rosaire vint s'occuper de Satan dès que les occupants du boghei en furent descendus et, en compagnie de Wilfrid Boucher, les deux hommes prirent la direction du champ où reposaient les restes humains.

Un peu essoufflé, le maire arriva sur la scène et se dépêcha de presser son mouchoir sur son nez avant de se pencher sur le corps en décomposition. Comme Laurent, il remarqua immédiatement les moufles retenues par un lacet autour de ce qui avait été le cou de l'homme.

— Batèche! On dirait ben que c'est Mitaines qui est venu mourir chez vous, dit-il en se relevant et en s'empressant de s'écarter du corps. Bon, on n'a plus rien à faire ici. Je vais monter au village et téléphoner de chez Duquette à la Police provinciale.

Les trois hommes revinrent sans se presser dans la cour de la ferme. Déjà, le soleil se couchait, plongeant tout le paysage dans un bain de sang.

— Comment ça se fait, monsieur le maire, que vous ayez pas encore le téléphone? lui demanda Laurent qui se souvenait d'avoir entendu le premier magistrat de la municipalité se vanter de l'avoir commandé l'été précédent, à l'époque où il travaillait à son moulin.

— Je le sais pas, batèche! Ça m'a l'air que c'est une bande de branleux qui s'occupe de mon affaire. Je veux ben croire que c'est pas encore courant, cette invention-là, mais il commence à y en avoir pas mal partout. Ce que je comprends pas, c'est que Duquette en a un depuis plus que six mois et que moi, j'attends encore.

Les deux hommes arrivèrent devant le magasin général au moment où Alcide et Alexina Duquette s'apprêtaient à s'asseoir sur leur galerie pour prendre le frais après une longue journée de travail.

— Alcide, on va avoir besoin de ton téléphone, dit Bertrand Gagnon en arrivant au pied des marches conduisant à la galerie. Je pense qu'on a retrouvé le corps de Mitaines au bout de la terre de Laurent Boisvert.

— C'est pas vrai! s'exclama la commerçante.

— On le dirait, madame Duquette. C'est pour ça que je voudrais appeler la Police provinciale à Sorel, si ça vous dérange pas trop.

Les Duquette firent pénétrer leurs visiteurs dans le magasin et Alcide demanda à la téléphoniste de le mettre en communication avec la Police provinciale avant de dire au maire, en lui tendant l'écouteur:

— Parle ben dans le cornet, Bertrand.

L'autre eut un geste agacé en s'approchant de l'appareil. Le maire de Saint-Paul-des-Prés supportait mal les airs supérieurs du commerçant parce qu'il était le seul à posséder un téléphone dans le village. Il expliqua en quelques mots la raison de son appel à son interlocuteur, écouta durant un moment ce que l'autre lui disait et il raccrocha.

— Cré maudit! T'es pas tombé sur un bavard, lui fit remarquer Alcide.

— Qu'est-ce que tu veux qu'il dise? Ça a tout l'air qu'ils viendront pas avant demain matin, ajouta le maire pour satisfaire la curiosité évidente des Duquette.

— Est-ce que t'as l'intention d'aller avertir monsieur le curé? lui demanda le propriétaire du magasin général.

— J'ai ben l'impression que notre curé pourra plus faire grand-chose pour le pauvre innocent avec ce qui en reste, fit le maire.

— En plus, il est déjà pas mal tard, fit remarquer Laurent.

— Ça me surprendrait pas pantoute que la police retrouve sur lui au moins une partie de l'argent qu'il avait volé au père Tremblay, crut bon d'ajouter le commerçant en accompagnant ses visiteurs sur la galerie.

Laurent déglutit péniblement en entendant ces paroles.

— Quel argent? demanda-t-il en blêmissant.

Il bénit l'obscurité qui empêchait les Duquette et Gagnon de percevoir son trouble.

— T'es pas au courant ? lui demanda Alexina. Mitaines a disparu de chez Eusèbe Tremblay en plein mois de décembre. Le père Tremblay a porté plainte à la police comme quoi il lui aurait volé sept cents piastres, tout son argent.

— Sept cents piastres ! s'exclama hypocritement Laurent. Mais c'est ben de l'argent, ça !

— Il paraît qu'une bonne partie de cet argent-là venait de ton père qui lui avait acheté en cachette le grand terrain qu'il avait au village et où ton père a essayé de faire construire la nouvelle église. Le reste, c'était tout ce que le bonhomme avait ramassé dans sa vie.

— Puis ?

— Ben, la police est jamais venue à bout de mettre la main sur Mitaines et on n'a jamais su si le vieux avait pas exagéré le montant qu'il s'était fait voler, conclut Alcide Duquette.

— On va y aller, nous autres, reprit Bertrand en descendant de la galerie. Il commence à être pas mal tard.

Laurent laissa le maire chez lui, au passage, et il rentra à la maison. Tout en dételant Satan, il se demanda s'il ne serait pas mieux de retourner à l'endroit où reposait le cadavre de Mitaines pour remettre un peu d'argent dans son sac.

— Je pourrais y retourner et laisser là cent piastres, dit-il à mi-voix… Ben non, se morigéna-t-il. Cinquante, ce serait ben assez ! L'affaire est que c'est pas mal maudit de rien laisser dans son sac… Ils vont trouver ça louche s'il a pas une cenne sur lui. Calvaire ! Cet argent-là est à moi ! ragea-t-il. Après tout, il est venu mourir sur ma terre et c'est des troubles, ça. Il faut ben que ça me rapporte quelque chose ! Dix piastres, ce serait ben assez…

Cependant, la perspective de retourner sur les lieux dans l'obscurité complète l'enchantait de moins en moins. Au moment où il hésitait encore sur la conduite à tenir, il entendit des pas s'approchant de lui.

— Es-tu rendu comme grand-père ? lui demanda Corinne dans le noir. Tu te parles tout seul, à cette heure.

— Ben non, je parle à Satan pour le calmer, mentit-il. Il est nerveux à soir. Il y a une marmotte qui a passé entre ses pattes sur le chemin.

— Je t'attendais. Grand-père et Rosaire viennent de monter se coucher. J'ai promis de les réveiller quand la police arriverait.

— Ils vont dormir un bon bout de temps parce qu'elle viendra pas avant demain avant-midi, lui dit-il en suspendant le harnais du cheval à un clou, près de la porte de l'écurie.

— Voyons donc ! Ils peuvent pas laisser Mitaines en plein champ toute la nuit comme si c'était un animal, protesta Corinne, outrée.

— Aïe ! T'oublies qu'il est mort depuis un maudit bout de temps et que c'est pas la première nuit qu'il est là.

— C'est pas humain pareil, fit-elle, la voix étranglée par l'émotion. Il est parti sans même recevoir les derniers sacrements, comme un chien…

— Ben oui, qu'est-ce que tu veux qu'on y fasse ? demanda Laurent, agacé par cette mièvrerie. Viens, il est temps d'aller se coucher.

Le mari et la femme traversèrent lentement la cour de la ferme.

— Le vent a changé de bord, fit remarquer Corinne. On dirait qu'on va avoir de la pluie. On voit plus les étoiles, ajouta-t-elle en levant la tête pour regarder le ciel.

—⚬⚬—

Le lendemain matin, le ciel était gris et il tombait une petite pluie fine quand Laurent et Rosaire rentrèrent après avoir fait le train. Wilfrid pénétra derrière eux dans la cuisine d'été, les bras chargés de bûches destinées à alimenter le poêle sur lequel Corinne achevait de faire cuire les œufs qu'elle allait servir à déjeuner.

— Penses-tu que tu vas pouvoir travailler au chantier aujourd'hui ? demanda-t-il à son petit-fils.

— Il mouille pas assez pour arrêter l'ouvrage. Si ça pouvait au moins empêcher le curé d'être dans nos jambes, ce serait pas mal, ajouta-t-il. On passe notre temps à buter sur lui.

— Tu resteras pas pour attendre la police ? demanda Corinne, surprise.

— Ben non, pourquoi je perdrais une journée d'ouvrage pour ça ? Quand les gars de la police viendront, Rosaire aura juste à leur montrer où c'est.

L'orphelin se dépêcha de manger pour aller atteler Satan. C'était une nouvelle exigence du maître de maison. Il voulait que la voiture soit prête dès qu'il avait fini de déjeuner.

Au moment où il sortait de la maison, une voiture entrait dans la cour de la ferme. Deux inconnus en descendirent. L'un et l'autre semblaient de mauvaise humeur, probablement parce qu'ils avaient dû voyager sous la pluie depuis Sorel. Pour arriver aussi tôt à Saint-Paul-des-Prés, ils étaient sûrement partis vers cinq heures du matin.

Corinne, grand-père Boucher et Rosaire sortirent sur la galerie à temps pour voir les deux hommes s'approcher du boghei dans lequel Laurent avait déjà pris place.

— Monsieur Boisvert ? demanda le plus âgé des deux policiers.

— Oui, répondit Laurent, contrarié d'être retardé dans son départ pour le chantier.

— Germain Leroux et Armand Rochette de la Police provinciale. Il paraît que vous avez trouvé un corps chez vous.

— Oui, au bout de ma terre, précisa le maître des lieux.

— Bon, vous allez venir nous montrer ça, lui ordonna le plus jeune, un homme âgé d'une trentaine d'années à la figure peu aimable.

— Ben là, je dois aller travailler, s'excusa le cultivateur. Si ça vous fait rien, mon jeune va aller vous montrer la place.

— Non, c'est vous qui allez venir, trancha l'aîné. C'est votre terre, venez nous montrer ça.

— Est-ce qu'on peut y aller avec le boghei? demanda l'autre.

— Non, répondit sèchement Laurent. Ses roues vont caler dans les labours.

— Madame, fit Germain Leroux en s'adressant à Corinne. Un docteur et d'autres policiers vont arriver dans quelques minutes. Voulez-vous nous les envoyer?

— Oui, monsieur, se contenta de répondre Corinne, impressionnée par tout ce branle-bas.

Les trois hommes se mirent en route en contournant les flaques d'eau. Ils disparurent derrière l'étable. Silencieux, Laurent marchait quelques pas devant; il se demandait s'il avait bien remis le sac à la bonne place avant de quitter les lieux, la veille. Il n'avait pas pensé vérifier quand il y était retourné avec le maire.

Lorsqu'ils arrivèrent à l'endroit où se trouvaient les restes de Mitaines, le plus jeune des policiers demanda à Laurent de se tenir à distance avant de s'avancer avec son collègue pour examiner la scène en chuchotant avec lui. Mal à l'aise, Laurent se retira sous la ramure d'un jeune érable qui poussait en bordure du champ, non loin de là, et il attendit en fumant nerveusement sa pipe.

Quand trois autres hommes se présentèrent quelques minutes plus tard, il se rapprocha un peu pour mieux voir ce qu'ils faisaient. L'un d'entre eux était médecin, de toute évidence. Il se pencha un long moment sur le cadavre pendant que les autres hommes furetaient autour, apparemment à la recherche de quelque chose. Finalement, tous se réunirent à l'écart et se mirent à discuter entre eux.

— On dirait ben que t'as de la visite, fit une voix dans le dos de Laurent.

Ce dernier sursauta et se tourna vers Jocelyn Jutras qui avait été attiré par cet attroupement au bout de la terre de son voisin.

— Qu'est-ce qui se passe ? demanda le célibataire, curieux.

— Je pense qu'on a trouvé le corps de Mitaines, dit Laurent, soulagé d'avoir un peu de compagnie. Il en reste pas grand-chose.

— Pauvre diable ! le plaignit le voisin.

Les deux hommes n'eurent pas la chance de parler plus longtemps. Le dénommé Rochette se tourna vers Laurent et lui fit signe de s'approcher du groupe. Jutras en profita pour s'esquiver.

— Monsieur Boisvert, je suis le docteur Barbeau, se présenta un petit homme à la barbichette grise. Est-ce que vous avez touché à quelque chose ?

— Non.

— Vous avez pas déplacé le corps ?

— Pantoute, répondit Laurent en réprimant un frisson.

— Vous avez rien pris ? lui demanda Leroux, qui semblait commander au petit groupe.

— Non.

— C'est tout de même drôle que ce gars-là ait pas eu une cenne dans ses poches, laissa tomber Rochette en jetant un regard soupçonneux à Laurent.

— Vous avez vu le corps, reprit Leroux. Est-ce que vous le reconnaissez ?

— À vrai dire, non, mais si je me fie aux mitaines qu'il a autour du cou, je pense que c'est l'innocent qu'on appelait Mitaines dans le village.

— Quand l'avez-vous vu la dernière fois? demanda Rochette en prenant des notes dans son calepin malgré la petite pluie fine qui continuait à tomber.

— L'été dernier. J'ai passé l'hiver au chantier et je suis revenu seulement au mois de mai, expliqua Laurent.

— Je pense qu'il y a plus rien à faire ici, déclara Leroux en s'essuyant le visage avec son mouchoir. Si vous êtes d'accord, docteur, on peut emporter le corps.

— C'est correct, accepta le médecin.

Laurent n'avait pas remarqué que les deux derniers policiers arrivés sur place avaient transporté une civière. Dirigés par le médecin, ils étendirent une toile, y disposèrent les restes avant de déposer le tout sur la civière que les deux policiers empoignèrent. Ensuite, l'étrange cortège traversa lentement les champs et, parvenu dans la cour de la ferme, se dirigea vers une voiture fermée.

Corinne, grand-père et Rosaire sortirent immédiatement sur la galerie quand ils aperçurent les policiers et Laurent. Sans perdre un instant, Corinne descendit et s'approcha de la voiture, non pour voir le corps dissimulé par la toile, mais pour déposer dessus un petit crucifix en bois. Leroux sembla apprécier le geste et la salua poliment de la tête.

La voiture fermée quitta la première la cour de la ferme après avoir fait demi-tour.

La pluie venait de cesser, mais le ciel demeurait gris. Avant de monter dans le boghei où son patron avait déjà pris place, Rochette tint à dire à Laurent:

— Bonjour, monsieur Boisvert. J'ai l'impression qu'on va se revoir bientôt.

Ce fut dit sur un ton tel que Laurent se sentit blêmir malgré lui.

Dès que les policiers eurent pris la route, le jeune cultivateur sentit le besoin de passer sa nervosité sur quelqu'un.

— T'étais pas obligée de gaspiller un crucifix ! reprocha-t-il à sa femme.

— C'est pas un gaspillage, répliqua Corinne. C'était la moindre des choses à faire pour quelqu'un qui a même pas eu la chance d'avoir l'extrême-onction.

— Et toi, arrête de niaiser, ajouta-t-il en se tournant vers Rosaire. Grouille-toi d'aller me nettoyer l'étable. Il y a du fumier partout.

Sur ce, il monta à son tour dans sa voiture pour aller travailler.

Ce matin-là, Bernard Provencher ne lui tint pas rigueur de son important retard quand il en apprit la cause. Par ailleurs, Laurent retint la leçon. Il n'était pas question qu'il dépense sans discernement l'argent pris dans le sac de Mitaines. Tout en travaillant, il prit la résolution de ne jamais dépenser plus qu'un dollar par semaine, et ça, à l'hôtel. Il s'agissait d'éviter à tout prix de prêter flanc aux rumeurs qui pourraient alerter les policiers. Là, ils n'avaient aucune preuve contre lui et il allait faire en sorte de ne pas leur donner la moindre chance de le soupçonner.

Chapitre 9

Un pensionnaire

Deux jours plus tard, Corinne était agenouillée dans son jardin en train de désherber quand une voiture pénétra dans la cour de la ferme. Elle se releva précipitamment et souleva son chapeau de paille pour identifier le visiteur.

— Dérange-toi pas, c'est juste nous autres, ma sœur, se moqua Bastien en descendant de son boghei avec souplesse.

— Ah ben, la belle visite! s'écria la maîtresse des lieux en apercevant aussi sa sœur Germaine, toute pimpante. Attendez, j'arrive.

Elle se rendit dans un coin du jardin qu'un chêne voisin plongeait dans l'ombre pour s'emparer de la boîte cartonnée dans laquelle Philippe dormait comme un bienheureux. Bastien poussa la porte du jardin et vint à la rencontre de sa sœur qu'il embrassa sur les joues avant de prendre la boîte.

— Eh ben! on dirait que tu lui as fait un bon petit lit, dit-il en apercevant le coussin épais qui tapissait le fond de la boîte.

— Je le couche là-dedans chaque fois que j'ai à sortir dehors, expliqua la jeune mère après avoir embrassé Germaine, qui venait d'enlever à son tour la boîte des mains de son jeune frère.

— Êtes-vous rendus que vous faites des visites de politesse en pleine semaine? demanda Corinne.

— Pantoute, répondit sa sœur en riant. Bastien doit aller s'acheter un habit pour ses noces la semaine prochaine. Rosalie a dit qu'elle voulait pas le marier avec son vieil habit tout lustré.

— Elle a bien raison, approuva Corinne.

— Ça fait qu'il s'en va s'acheter un habit à Sorel et il a presque fallu que je le batte pour le décider à faire un détour à Saint-Paul pour qu'il me laisse chez vous, exagéra la jeune institutrice.

— Si t'exagères encore comme ça, la menaça son frère, tu vas revenir à pied à Saint-François.

— Arrêtez de vous chicaner, les exhorta Corinne. Bastien, on va t'attendre pour souper.

Le futur marié quitta rapidement les lieux et les deux sœurs demeurèrent seules.

— J'arrête le désherbage et on va jaser, déclara Corinne.

— Il en est pas question, fit Germaine. J'ai apporté ma robe de semaine et on retourne dans ton jardin dès que je me serai changée. Où sont les autres?

— Grand-père est parti avec Rosaire réparer notre vieille cabane à sucre. Elle était tellement en mauvais état qu'on n'a pas pu faire les sucres le printemps passé. Je te garantis que ça arrivera pas cette année. Ils ont apporté leur dîner. On va être toutes seules pour manger, à midi.

— Et ton mari?

— Lui, il est au village. Il travaille toujours au chantier de l'église. Il aime pas mal ça. Mais s'il fait beau, après les noces de Bastien, il va être obligé d'arrêter au moins une semaine pour faire les foins.

— En tout cas, je peux te dire que ça fait mon affaire de sortir aujourd'hui, avoua Germaine. Depuis que je suis revenue de Saint-Bonaventure, j'ai pas mis le nez dehors. C'est bien beau travailler du matin au soir à faire des confitures de fraises et de framboises, mais j'aimerais bien faire autre chose aussi, le soir.

— Il te faudrait un cavalier, lui dit Corinne, l'œil moqueur. Lui, il te changerait les idées.

— Sais-tu que je dirais pas non s'il s'en présentait un qui aurait du bon sens, avoua la jeune femme, mi-sérieuse.

— Dis-moi pas que tu commences à avoir peur de coiffer sainte Catherine, se moqua Corinne.

— Ben non, à part ça, oublie pas qu'il me reste encore deux ans avant d'être vieille fille.

— Mais t'as changé d'idée, par exemple, fit Corinne en précédant sa sœur dans le jardin. L'été passé, t'arrêtais pas de me répéter que tu voulais rien savoir de te marier.

— Tu sauras qu'il y a juste les fous qui changent pas d'idée, dit Germaine en piquant un fard.

Celle-ci disparut quelques instants dans la maison et revint vêtue de ce qu'elle appelait une «robe de semaine». Les deux sœurs entreprirent alors de désherber le jardin qui fournissait des haricots jaunes, les premières tomates et de la laitue déjà en grande quantité.

À la fin de ce bel après-midi, grand-père Boucher et Rosaire rentrèrent à la maison se reposer quelques minutes avant d'aller aider Corinne et sa sœur à traire les vaches et à nourrir les animaux.

— On va avoir le temps de souffler un peu, déclara Corinne en revenant des bâtiments en compagnie de sa sœur. Le souper est déjà sur le feu et Laurent ne rentrera pas avant six heures et demie.

— Tant mieux, ça va donner le temps à Bastien de revenir de Sorel.

À peine les deux jeunes femmes venaient-elles de parler qu'elles entendirent la voix de Laurent ordonner à Satan de s'arrêter.

— Qu'est-ce qui lui est encore arrivé pour qu'il revienne si de bonne heure à la maison? demanda la maîtresse de maison en poussant la porte moustiquaire de la cuisine d'été pour sortir sur la galerie.

Elle vit le boghei arrêté près de l'écurie et son mari en train de dételer le cheval. Un inconnu l'aidait. Elle attendit que les deux hommes se dirigent vers la maison pour apprendre la raison de ce retour hâtif. L'homme qui marchait aux côtés de son mari était aussi grand et aussi large d'épaules que lui. Il avait une épaisse chevelure brune et sa moustache mettait en valeur les traits énergiques de son visage.

— Je t'amène de la visite pour souper, lui annonça son mari en posant le pied sur la première marche de l'escalier. C'est Bernard Provencher, mon *boss*.

— Bonjour, monsieur, le salua poliment Corinne. J'ai bien peur que vous trouviez pas grand-chose de spécial sur la table. Avoir su, j'aurais au moins préparé un gâteau.

— Donnez-vous pas de mal, madame Boisvert. C'est normal, j'arrive chez vous comme un cheveu sur la soupe.

— Dans ce cas-là, vous pouvez aller vous rafraîchir au puits avant de souper. Je vous apporte une autre serviette dans une minute.

Quelques instants plus tard, les deux hommes pénétrèrent dans la cuisine d'été et trouvèrent Germaine portant le petit Philippe dans ses bras.

— Sacrifice! Tu m'avais pas dit qu'on avait de la visite, dit Laurent à sa femme en allant embrasser sa belle-sœur. Comment t'es venue jusqu'ici? demanda-t-il à Germaine. J'ai pas vu de voiture dans la cour.

— Bastien m'a amenée. Il est supposé me ramener tout à l'heure s'il finit par revenir de Sorel.

Soudain, le maître de maison sembla se rappeler la présence de Bernard demeuré près de la porte et il se tourna vers lui en affichant une belle humeur assez exceptionnelle.

— Bernard, je te présente ma belle-sœur Germaine. Un maudit beau parti. C'est la dernière petite Joyal de Saint-François-du-Lac pas encore mariée.

— Bonjour, mademoiselle, la salua l'entrepreneur en lui serrant la main.

Germaine lui adressa un sourire chaleureux et déposa Philippe dans son berceau afin de venir aider sa sœur en train de dresser les couverts.

— Comment ça se fait que t'arrives si de bonne heure ? demanda Corinne à son mari.

— Le moulin de Gagnon nous a pas livré assez de bois. Quand il a vu qu'on n'avait plus rien pour travailler, Bernard a décidé de nous renvoyer. Comme il venait parler à Gagnon – il reste dans notre rang, prit-il la peine de préciser à Germain –, je l'ai invité à souper.

— Comment trouvez-vous Saint-Paul, monsieur Provencher ? demanda Corinne à l'invité.

— C'est un beau village, madame.

— Un beau village avec un curé ben fatigant, se moqua Laurent.

Discret, Provencher ne releva pas l'allusion. Il se contenta de poursuivre, après avoir allumé sa pipe.

— Depuis le commencement du chantier, je reste chez les Vigneault, au village, mais j'ai l'impression que je dérange pas mal madame Vigneault. Elle a huit enfants sur les bras du matin au soir. Je pense qu'un pensionnaire est un poids de trop pour elle et qu'elle a hâte que j'aille rester ailleurs.

— Vous pouvez pas retourner chez vous ? demanda Germaine en se tournant vers lui.

— Ce serait pas mal difficile, mademoiselle, expliqua-t-il en ne la quittant pas des yeux. Mes parents restent à Nicolet. Ça ferait toute une trotte matin et soir. Je passerais ma vie sur le chemin.

— Vous êtes pas marié ? s'enquit Corinne, étonnée.

— Eh non ! dit Bernard en riant. Les trois garçons d'Alphonse Provencher sont pas des marieux, comme nous le reproche notre mère. Elle arrête pas de se plaindre à tout le monde qu'il y a pas moyen de se débarrasser de nous autres. Toutes mes sœurs sont mariées, mais pas les garçons. On travaille tous dans la construction avec notre père. Comme je suis le plus vieux, j'ai hérité du chantier le plus important de la famille. Les autres s'occupent de constructions qu'on fait à Saint-Grégoire et à Sainte-Monique.

— Pour moi, c'est parce que vous êtes trop difficiles, lui fit remarquer Corinne en riant.

— Pantoute, se défendit l'entrepreneur. C'est juste qu'on n'a pas encore trouvé.

Au même moment, Bastien arriva chez sa sœur. Le futur marié, apparemment heureux de son achat, ne put résister à la tentation de faire admirer son costume neuf aux gens présents dans la cuisine.

— Ouais ! C'est une ben grosse dépense pour se mettre la corde au cou, lui fit remarquer grand-père Boucher qui n'avait pas ouvert la bouche depuis son retour des bâtiments.

— Voyons donc, grand-père ! fit Laurent en feignant d'être indigné par la remarque.

— Vous devriez pas dire ça, monsieur Boucher, intervint Germaine. C'est pas payer bien cher pour avoir une bonne qui va le servir toute sa vie.

— Avant que ça tourne mal ce genre de discussion-là, je pense que vous êtes mieux de vous approcher, intervint Corinne. J'ai du bœuf et des patates brunes pour souper. Pour le dessert, vous allez être obligés de vous contenter des framboises avec de la crème. C'est Rosaire qui les a ramassées à matin.

Tout le monde prit place autour de la table et Germaine distribua les assiettes au fur et à mesure que sa sœur les remplissait.

— On dirait que t'es tombée dans l'œil de notre invité, chuchota rapidement Corinne à sa sœur. Il arrête pas de te regarder avec les yeux dans la graisse de binnes.

— Chut! fit l'institutrice en rougissant légèrement. Il va t'entendre.

Au moment du dessert, grand-père Boucher parla des foins et de la moisson qui arriveraient bientôt avec un été aussi chaud. Cela permit à Bernard Provencher de préciser qu'il allait permettre aux trois cultivateurs qu'il employait de s'absenter quelques jours pour faire leurs foins dès qu'ils le lui demanderaient.

— Vous avez dit que vous aviez l'impression de déranger chez les Vigneault, dit Corinne. Avez-vous l'intention de trouver pension ailleurs?

— Oui, pourvu que ce soit à Saint-Paul, avoua l'entrepreneur.

— Est-ce qu'il faut que ce soit absolument au village?

— Pas nécessairement. Me dites-vous ça parce que vous seriez prête à me prendre comme pensionnaire? fit-il avec un large sourire.

— Qu'est-ce que t'en penses, Laurent?

— Ben, je sais pas trop, dit-il d'une voix hésitante.

— Écoutez, je veux pas vous gêner.

— Non, mais je voudrais pas que t'aies l'impression de te faire tordre un bras, reprit Laurent en jetant un regard lourd de reproches à sa femme.

— Moi, ça ferait ben mon affaire, reconnut Bernard. Si cinq piastres par semaine pour me nourrir et me blanchir suffisent, je suis votre homme dès vendredi soir.

Corinne regarda son mari. Ce dernier acquiesça.

— C'est entendu, je vais vous préparer une chambre pour vendredi. Ce sera pas mauvais pour Laurent, cette affaire-là, ajouta-t-elle avec le sourire. Il pourra jamais être en retard puisqu'il va voyager avec son *boss*.

Une heure plus tard, l'entrepreneur accepta l'invitation de Bastien et Germaine de partager leur voiture jusqu'au village. Les Joyal le laissèrent à la boucherie Vigneault avant de poursuivre leur route vers Saint-François-du-Lac. Pendant ce temps, à la maison, Laurent avait été incapable d'attendre que grand-père et Rosaire soient montés se coucher pour laisser éclater sa mauvaise humeur.

— Maudit calvaire! jura-t-il. T'avais ben besoin de prendre un pensionnaire! Provencher, en plus! T'es-tu promis d'ouvrir un hôtel, sacrement! On va avoir l'air de maudits quêteux dans la paroisse quand le monde va apprendre qu'on a été obligés de prendre un pensionnaire pour arriver.

— Aïe, Laurent Boisvert! Je sais pas si t'es devenu riche sans que je le sache, s'insurgea Corinne, indignée par les reproches de son mari, mais moi, je suis pas prête à cracher sur cinq piastres par semaine. On quête pas, tu sauras. Cet argent-là, je vais le gagner. Toi, ça va te demander aucun effort.

— En tout cas, je t'avertis, la prévint-il. S'il me dérange le moindrement, je me sacre pas mal qu'il soit mon *boss* ou pas, je le mets dehors et il ira se faire héberger ailleurs.

— C'est ça! Et merci d'avoir réveillé le petit avec tes cris, répliqua-t-elle en lui claquant au nez la porte communiquant avec la cuisine d'hiver.

À la fin de la semaine, Bernard Provencher vint s'installer dans la chambre verte, pièce voisine de celle qu'occupait grand-père Boucher. Son cheval rejoignit Satan dans l'enclos. Le jeune homme se montra des plus accommodants en proposant d'utiliser son cheval et sa voiture du lundi au vendredi pour aller travailler, laissant ainsi Satan et le boghei à la disposition de Corinne et du grand-père. Laurent ne devrait prendre son boghei que le samedi parce que son pensionnaire prévoyait partir pour aller chez ses parents à Nicolet dès la fin de sa journée de travail.

—ᴍ—

La veille des noces de Bastien, Germain Leroux et Armand Rochette firent leur apparition à la ferme des Boisvert un peu avant midi. Les deux policiers expliquèrent à Corinne qu'ils désiraient revoir les lieux où le corps de Mitaines avait été découvert. Wilfrid Boucher leur proposa de les conduire, mais les deux hommes refusèrent poliment en arguant qu'ils connaissaient les lieux. La jeune femme les vit se diriger vers les champs derrière l'étable et elle cessa de se préoccuper de leur présence.

Deux heures plus tard, ils revinrent en affichant une mine soucieuse. Corinne envoya Rosaire leur proposer un bol de soupe au moment où ils s'apprêtaient à monter dans leur voiture. Germain Leroux se donna alors la peine de venir jusqu'à la porte de la cuisine pour la remercier tout en refusant son offre.

— Je suppose qu'on peut trouver votre mari sur le chantier de l'église ? demanda-t-il avant de partir.

— Il devrait être là, répondit la jeune femme, intriguée.

Quand Laurent rentra en compagnie de Bernard à la fin de la journée, Corinne s'empressa de lui demander ce que voulaient les policiers et lui révéla qu'ils avaient passé près de deux heures dans leurs champs, près du boisé.

— Je sais pas pantoute ce qu'ils cherchent, lui mentit-il. Je pense qu'ils veulent juste savoir comment ça se fait que Mitaines était là. Ils m'ont dit qu'un voisin l'avait aperçu l'hiver passé et qu'il avait l'air d'avoir resté dans sa cabane à sucre sans qu'il le sache.

Le sujet fut clos.

— Vous pouvez vous préparer à passer à table, dit-elle aux deux hommes. Le train est presque fini. Rosaire, dit-elle à l'orphelin en se tournant vers le garçon qui sortait de la remise, va me chercher des œufs au poulailler.

— Laisse faire, s'empressa d'intervenir Laurent. Va plutôt dételer et donner à manger au cheval de monsieur Provencher. Je vais m'occuper des œufs.

Corinne rentra dans la maison, suivie par Bernard Provencher pendant que Laurent se dirigeait vers le poulailler. Avant de monter au grenier, il s'assura que Rosaire conduisait bien la voiture à l'écurie. Il gravit alors rapidement les quelques marches, alla au cinquième sac de jute et plongea la main au fond pour en retirer le rouleau de billets de banque de Mitaines.

Pendant un bref moment, il eut la tentation de prendre cinq ou six dollars pour les glisser dans sa poche. Il résista. Il se contenta d'en prendre trois, malgré la promesse qu'il s'était faite en s'emparant du magot de se contenter d'un seul dollar par semaine.

— Après tout, bonyeu, j'ai ben le droit de me payer la traite un peu après avoir travaillé comme un fou toute la semaine, dit-il à mi-voix.

Content de lui, il se dépêcha d'aller chercher quatre ou cinq œufs qu'il déposa dans un petit panier déposé en permanence près de la porte et il rentra à la maison.

Après le souper, il s'empressa de faire sa toilette. C'était la première fois que sa femme le voyait se préparer à sortir un vendredi soir depuis qu'il travaillait pour Bernard Provencher. Habituellement, il ne pouvait se le permettre parce qu'il travaillait le samedi. Mais cette fois-ci, il allait assister au mariage de son beau-frère le lendemain matin.

Corinne se retint de lui faire une remarque visant à l'empêcher d'aller passer la soirée à Yamaska. Elle se borna à lui recommander de ne pas revenir trop tard et de ne pas faire de bruit en rentrant pour ne pas réveiller le bébé qui dormait toujours dans son berceau, dans leur chambre à coucher. Après l'avoir vu partir, elle se dit qu'il ne pourrait pas boire beaucoup puisqu'il lui avait remis son salaire presque en entier, ne conservant qu'un dollar.

Assis sur la galerie aux côtés de grand-père Boucher, Bernard Provencher ne put retenir sa curiosité en voyant partir Laurent endimanché et fraîchement rasé.

— Est-ce qu'il s'en va voir de la famille ? demanda-t-il au vieillard.

— Non, il s'en va juste boire une bière avec des gars à l'hôtel de Yamaska, répondit Wilfrid, à l'évidence peu enclin à parler de ce sujet.

Bernard Provencher n'ajouta rien, mais il n'en pensa pas moins que le maître des lieux avait un comportement plutôt surprenant pour un père de famille.

Cette nuit-là, un peu avant deux heures du matin, l'entrepreneur dut se rendre aux toilettes sèches. Au moment où il s'apprêtait à monter dans sa chambre, il entendit un attelage entrer dans la cour de la ferme et s'immobiliser devant l'écurie. Il s'arrêta devant la porte moustiquaire et entendit la voix avinée de Laurent Boisvert injuriant à tue-tête son cheval qu'il fit entrer dans l'enclos. Quand il vit le mari de Corinne se diriger en titubant vers la maison, il s'empressa de monter à sa chambre sans faire de bruit.

Il lui fallut un long moment avant de retrouver le sommeil. Il se demandait comment Corinne parvenait à supporter un tel comportement chez son mari. Étendu dans le noir, il se rappela alors avec un demi-sourire la réaction de ses parents quand il avait osé rentrer à la maison passablement éméché. Ce fut l'unique fois où cela s'était produit.

Ce soir-là, sa mère lui avait cassé un balai sur le dos et l'avait envoyé coucher dans la remise, sur la paillasse du quêteux. Le lendemain matin, il n'avait pu échapper à un long sermon de son père, même s'il se sentait malade à en crever.

— À cette heure, tu t'en vas travailler au chantier, avait déclaré sa mère sur un ton qui ne supportait pas la réplique.

— Je suis malade, avait-il dit pour tenter de l'amadouer.

— Ça t'apprendra à te conduire comme du monde, avait rétorqué son père, l'air mauvais. Grouille! Va travailler! Viens surtout pas espérer qu'on te prenne en pitié!

L'épisode l'avait marqué et il ne s'était jamais plus enivré.

Chapitre 10

Les noces de Bastien

Le samedi matin, Corinne se leva à l'heure habituelle tant pour aider au train que pour préparer le déjeuner de son pensionnaire qui, lui, devait aller diriger ses employés au chantier. Dans le ciel orangé, le soleil venait à peine de se lever et il régnait déjà une agréable fraîcheur. Après avoir allumé le poêle, elle prit soin de transporter le berceau où dormait paisiblement Philippe dans la cuisine, avant de réveiller son mari.

Elle était incapable de préciser à quelle heure ce dernier était rentré. Il devait être très tard parce qu'il n'était pas encore à ses côtés quand elle s'était levée à une heure du matin pour allaiter Philippe.

Elle eut beau le secouer pour le réveiller, Laurent ne broncha pas. Il dégageait une odeur rance propre à soulever le cœur.

— Je te dis que tu vas être beau pour venir aux noces de mon frère ! s'exclama-t-elle, mécontente.

Elle n'obtint qu'un vague grognement avant qu'il se tourne de l'autre côté pour se rendormir. Elle finit par renoncer et revint dans la cuisine. Elle allait devoir déposer Philippe dans la boîte en bois tapissée d'un vieil oreiller et le transporter dans l'étable pour faire le train avec Rosaire et peut-être grand-père Boucher.

Debout au pied de l'escalier, elle cria à Rosaire de se lever.

En rentrant dans la cuisine d'été, elle fut surprise de trouver Bernard Provencher déjà debout. De toute évidence, il arrivait du puits où il était allé faire sa toilette.

— Ce sera pas long, monsieur Provencher, votre déjeuner va être prêt dans quelques minutes.

— Vous pressez pas, rétorqua ce dernier. C'est moi qui suis en avance à matin. Votre mari est déjà aux bâtiments?

— Pas encore, il est rentré pas mal tard. Il dort encore. Je vais aller faire le train avec Rosaire, ajouta-t-elle au moment où l'orphelin entrait dans la pièce.

— Préparez le déjeuner, madame Boisvert. Je vais m'occuper du train avec votre jeune.

— Voyons donc! Vous avez pas à faire ça, protesta-t-elle.

— Ayez pas peur, je sais traire une vache et nourrir les animaux. J'ai longtemps passé mes étés chez mon grand-père qui avait une terre à Précieux-Sang.

Avant même que la jeune femme ait le temps d'émettre d'autres objections, Bernard quitta la maison en compagnie de Rosaire. Peu après, Wilfrid descendit de sa chambre à son tour et alla nourrir les poules et les chevaux sans rien dire. Moins d'une heure plus tard, le pensionnaire rentra déjeuner avec le vieil homme et Rosaire.

Corinne s'empressa de leur servir un bol de gruau qu'ils arrosèrent de crème fraîche après l'avoir saupoudré de sucre brun. À aucun moment l'un ou l'autre ne fit allusion au maître des lieux encore au lit.

Peu après le départ de Bernard Provencher pour le chantier, Laurent se leva, le visage passablement chiffonné, se plaignant d'une forte migraine.

— Presse-toi pas, fit sa femme d'une voix acide. On a fait le train à ta place.

— Crie-moi pas après à matin! répliqua son mari d'une voix geignarde, j'ai mal à la tête.

— C'est ce qui arrive quand on boit comme un cochon ! laissa-t-elle tomber en commençant à changer les langes de Philippe. Dépêche-toi de déjeuner et de te changer, poursuivit-elle, sinon on va arriver en retard aux noces de Bastien.

— Ah non, j'ai pas le goût pantoute d'aller là ! dit-il en s'assoyant au bout de la table devant une tasse de thé. J'y vais pas !

— Tu peux pas faire ça ! T'as pas le choix ! C'est le mariage de mon frère, s'insurgea Corinne.

— Je te dis que je file pas !

— Mange quelque chose et remets-toi d'aplomb. Si tu viens pas, je vais y aller toute seule. Madeleine Rocheleau va venir garder Philippe dans dix minutes. Moi, il me reste juste ma robe à mettre pour être prête.

Laurent ne réagit pas et Corinne s'alarma à l'idée d'avoir à passer sa journée à expliquer aux invités de la noce pourquoi son mari ne l'avait pas accompagnée. Elle imaginait déjà la colère de sa mère en constatant l'absence injustifiée de Laurent. Cependant, elle cessa d'insister et disparut dans sa chambre pour s'habiller. Grand-père Boucher, assis dans sa chaise berçante, n'avait rien dit durant toute la scène, se contentant de regarder par la fenêtre. Pour sa part, Rosaire s'était prudemment esquivé sur la galerie.

— Tu peux pas faire ça à ta femme, dit le vieil homme à voix basse en se tournant soudain vers son petit-fils. Tu vas lui faire honte devant toute sa famille et tu vas passer pour un moins que rien.

— Ouais, mais je me sens pas correct pantoute, geignit Laurent.

— Va te passer la tête sous l'eau froide et mange quelque chose, ça va te replacer l'estomac à l'endroit.

À contrecœur, Laurent se leva et suivit les conseils du vieillard. Ensuite, il dut faire un effort extraordinaire pour se décider à remplir un bol à main avec de l'eau chaude. Il se rasa et se lava. Il finit par entrer dans la chambre où il s'habilla. Reconnaissante, Corinne s'empressa de lui nouer sa cravate passée sous son col en celluloïd. Pendant ce temps, Wilfrid était sorti et avait attelé Satan au boghei avec l'aide de Rosaire. Il revint sur la galerie au moment où Madeleine Rocheleau arrivait.

La maîtresse de maison expliqua rapidement à l'adolescente ce qu'elle aurait à faire et promit d'être de retour à la fin de l'après-midi. Elle monta ensuite dans le boghei où Laurent, maussade, l'attendait déjà. Durant une bonne partie des dix milles séparant Saint-Paul-des-Prés de Saint-François-du-Lac, le conducteur se retrancha dans un silence boudeur. Il semblait à l'étroit dans le costume noir qu'il avait porté à son propre mariage, moins d'un an auparavant.

— Christ que j'ai mal à la tête ! se plaignit-il au moment où la voiture approchait de l'église de Saint-François-du-Lac.

— Comment t'as fait pour boire autant hier soir ? demanda Corinne, sans montrer trop de compassion.

— Ça, c'est pas de tes affaires ! se rebiffa-t-il, tout de suite sur ses gardes. Travailles-tu pour la police, toi ?

Sa femme ne répondit pas. Au moment où la voiture s'immobilisait près de l'église, elle aperçut sa mère en compagnie de ses sœurs Blanche et Germaine, debout sur le parvis. Elle descendit rapidement du boghei et, sans attendre son mari, se dirigea vers les trois femmes.

— Ton père et Bastien sont déjà arrivés, lui expliqua Lucienne en l'apercevant. Ils viennent d'entrer. Là, on attend Omer Cadieux et Rosalie. J'ai bien hâte de voir sa robe de mariée. C'est sa mère qui l'a faite.

— Avez-vous su s'il y aurait beaucoup de monde ? lui demanda Corinne.

— Omer et sa femme ont invité toute la parenté, autant de son côté que du nôtre, répondit sa mère. On peut pas dire qu'il est bien regardant. C'est pas comme Anselme Rochon. J'ai idée que ton frère Anatole va avoir des bien petites noces au mois de septembre prochain. Le père de Thérèse a averti Anatole qu'il était pas assez riche pour recevoir tout le monde. Il va inviter juste les frères, les sœurs et peut-être un oncle ou deux. Mais pas plus.

— Qu'est-ce qu'Anatole dit de ça ? demanda Corinne, curieuse.

— Il est pas bien content, mais il a rien à dire.

— Et vous, m'man, avez-vous hâte d'avoir Thérèse à la maison ? fit Corinne, moqueuse.

La grimace esquissée par sa mère suffit à faire rire ses trois filles.

— En tout cas, c'est de valeur que les Cadieux et les Rochon se soient pas entendus pour faire une seule noce, regretta Lucienne. L'idée de tes frères de se marier le même jour était pas folle pantoute. Mais Anselme Rochon trouvait que les Cadieux voulaient faire les choses trop en grand à son goût.

Lucienne Joyal allait poursuivre quand la voiture transportant sa future bru et son père s'immobilisa au pied des marches conduisant au parvis. Rosalie Cadieux était très jolie dans sa robe blanche toute simple. Pour souligner son passé d'enfant de Marie, elle avait orné son large chapeau d'un ruban bleu. Cette belle brune pétillante salua de la main les parents et les connaissances rassemblés sur le parvis avant de pénétrer dans l'église. Tout le monde la suivit et on prit place de part et d'autre de l'allée centrale.

La cérémonie du mariage fut simple et le curé Duhaime, comme à son habitude, insista sur l'obéissance que la femme devait à son mari et sur ses lourdes responsabilités de gérer un foyer chrétien.

Assis aux côtés de sa femme, Laurent Boisvert avait l'air grognon et ne cessait de glisser un doigt entre son col de chemise et son cou, comme s'il l'étouffait.

— Change d'air, finit par lui murmurer Corinne. On dirait que t'es à un enterrement.

— Laisse-moi donc tranquille et mêle-toi de tes maudites affaires, la rabroua-t-il.

La fête se transporta ensuite chez les Cadieux, propriétaires d'une ferme sur l'île Saint-Jean. Il était visible que les parents de la mariée s'étaient donné beaucoup de mal pour offrir de belles noces à leur fille. De longues tables surchargées de victuailles avaient été dressées sous les arbres, à gauche de la maison. Des voisines avaient accepté de venir prêter main-forte à la mère de la mariée pour servir le repas.

Comme les Joyal connaissaient les Cadieux depuis toujours, les hôtes n'eurent pas à pousser les deux familles à se mêler. Mis à part la traditionnelle table d'honneur réservée aux mariés, à leurs parents et au curé de la paroisse, les autres tables accueillirent les invités qui prirent place au hasard, sans se soucier de l'identité de leurs voisins de table.

Corinne se retrouva assise entre une cousine de Rosalie et sa sœur Blanche, qui lui annonça à voix basse être enceinte pour une quatrième fois. Corinne se réjouit pour elle et espéra que cette prochaine naissance lui ferait oublier la perte de son petit Germain décédé l'hiver précédent.

Rosa Cadieux avait préparé un véritable banquet pour le mariage de son unique enfant. Elle avait dû cuisiner durant plusieurs jours pour arriver à servir au choix, après une soupe au riz, du poulet, du porc ou du bœuf avec des pommes de terre et une salade de laitue et de tomates. Après la récitation du bénédicité par le curé Duhaime, les gens firent honneur à toute cette nourriture appétissante. Il y eut des cols de chemise déboutonnés et des ceintures relâchées de plusieurs crans bien avant qu'on commence à se régaler de tartes au sucre, aux raisins et aux dattes.

La bonne humeur était générale. Le ton des conversations montait progressivement. Les nouveaux mariés étaient souvent la cible de plaisanteries assez lestes pour que certaines mères de famille fassent de gros yeux à leurs auteurs pour les inciter à plus de retenue. À un certain moment, les convives devinrent si bruyants qu'il fut impossible de s'entendre d'une table à l'autre.

À la fin du repas, les hommes se levèrent et se retirèrent à l'écart dans la cour tant pour parler entre eux que pour laisser la place aux femmes qui desservaient.

Un beau-frère d'Omer Cadieux, échevin à Trois-Rivières, se mit à pérorer sur le ralentissement du commerce du bois dans sa région et se donna le beau rôle dans l'implantation, au mois d'avril précédent, de la compagnie Wabasso dans sa ville.

— Ça a l'air de rien, mais cette compagnie-là va faire vivre des centaines de familles dans ma ville, affirma-t-il d'un air avantageux en passant ses pouces dans ses larges bretelles.

Un peu plus loin, Amédée Cournoyer, le mari de Blanche, s'entretenait de la fin de la guerre des Boers, survenue à la fin du mois de mai, avec deux hommes assez âgés qui déploraient encore que le Canada se soit mêlé de cette affaire-là en envoyant des contingents de soldats.

Un peu à l'écart, Simon, le cadet des Joyal, « faisait le coq », comme disait sa mère, devant trois adolescentes de son âge. La casquette inclinée sur l'œil et la cigarette au bec, il se vantait de pouvoir se faire engager dès l'automne dans un chantier, accédant ainsi au statut d'adulte.

Quelques minutes plus tard, un violoniste et un accordéoniste s'installèrent sur la galerie de la maison des Cadieux et se mirent à jouer un *set* carré endiablé.

— Napoléon! cria l'un des frères Joyal, viens *caller* les *sets*.

Le père du marié ne se fit pas prier. Il s'installa devant les deux musiciens et se mit à diriger la danse avec l'assurance que lui donnait une longue pratique. Immédiatement, les jeunes envahirent le carré de gazon devant la galerie et se mirent à danser. Dès la seconde danse, les femmes mariées partirent à la recherche de leur mari pour les obliger à danser avec elles.

Corinne réussit à attirer les faveurs de son mari pour les deux premières danses, mais ensuite Laurent disparut vite de la circulation en compagnie de deux ou trois autres invités. Après l'avoir cherché durant quelques minutes, la jeune femme finit par renoncer. Elle préféra converser avec des parents qu'elle n'avait pas vus depuis presque un an. Sans l'avoir voulu, elle eut même un aperçu du caractère un peu difficile de Thérèse Rochon, sa future belle-sœur. Cette dernière s'était fâchée contre Anatole pour une peccadille et lui avait fait une scène hors de proportion avec la faute.

— Seigneur! Elle a tout un caractère, la Thérèse, ne put-elle s'empêcher de glisser à l'oreille de sa mère qui avait, elle aussi, assisté à la scène.

— Laisse faire, lui chuchota celle-ci, les dents serrées. Quand elle va mettre les pieds à la maison après le mariage, elle va avoir affaire à s'asseoir sur son petit caractère. Je t'en passe un papier.

Un peu après trois heures, Bastien et Rosalie vinrent saluer et remercier les invités avant de partir pour Nicolet où ils se proposaient de passer trois jours. À leur retour de ce bref voyage de noces, le jeune couple allait s'établir chez les Cadieux, à la plus grande satisfaction du père de la mariée, qui attendait l'aide de son nouveau gendre avec une impatience non déguisée.

Après le départ des jeunes mariés, les invités commencèrent à quitter les lieux.

— Pour moi, t'es mieux d'aller jeter un coup d'œil à ton Laurent, vint murmurer Anatole à l'oreille de sa sœur cadette.

— Qu'est-ce qu'il a ? demanda Corinne.

— Il a l'air d'avoir un sérieux coup dans le nez. Il est en arrière de la maison avec trois neveux d'Omer Cadieux.

Corinne se rendit compte brusquement qu'elle n'avait pas vu son mari depuis plus d'une heure. Elle quitta les deux couples avec qui elle parlait et s'empressa d'aller voir ce qui se passait derrière la maison. Elle découvrit Laurent, en manches de chemise et cravate dénouée, affalé au pied d'un arbre. Il parlait seul en faisant de grands gestes incohérents.

— Qu'est-ce que tu fais là, à terre ? lui demanda-t-elle, sévère.

— Je me re… repose, sa… sacrement ! jura-t-il d'une voix pâteuse. Un… un homme a ben le droit de… de se reposer, non ?

— Tout le monde s'en va, lui fit-elle remarquer. Il faut qu'on y aille, nous autres aussi. Vas-tu être capable de me ramener à la maison ?

— Ben… ben sûr, ma belle ! répondit son mari en se relevant péniblement.

Une fois debout, il dut s'appuyer contre le tronc de l'arbre pour ne pas tomber.

— Si ça a de l'allure de se mettre dans des états pareils ! s'exclama la jeune femme en le regardant. Attends d'avoir repris tes esprits avant de revenir en avant de la maison. J'ai pas envie que tout le monde te voie arrangé comme ça.

Elle le quitta sur ces mots et retourna rejoindre les derniers invités. Elle se mit à la recherche d'Anatole qu'elle attira discrètement à l'écart.

— Me rendrais-tu service ? demanda-t-elle à son frère aîné.

— Ben là, je suis avec Thérèse, dit-il d'une voix hésitante.

— Ça va te prendre juste deux minutes.

— C'est correct.

— Attellerais-tu Satan et aiderais-tu mon mari à monter dans le boghei ? T'avais raison : il a trop bu. Je voudrais pas qu'il fasse honte à toute la famille en venant faire des niaiseries en avant. Je vais aller remercier les Cadieux et dire bonjour à m'man et à p'pa. Après, je vais me dépêcher à monter en voiture.

— Je vais faire ça pour toi, lui promit Anatole avant de s'éloigner vers l'enclos où paissaient les chevaux des derniers invités.

Corinne s'efforça de sourire et alla remercier ses hôtes, puis embrasser ses parents.

— Où est passé Laurent ? lui demanda sa mère. Il me semble qu'on l'a presque pas vu de la journée.

— Il est en train de jaser avec des hommes en arrière de la maison, lui mentit sa fille avant de se diriger vers sa sœur.

Corinne fit quelques pas vers Germaine qui se trouvait momentanément seule.

— Viens passer quelques jours à la maison dès que tu le pourras, l'invita-t-elle. J'ai un pensionnaire qui a l'air de te trouver pas mal à son goût.

— De qui tu parles ?

— De Bernard Provencher que t'as vu chez nous cette semaine.

— C'est qui cet homme-là ? demanda Lucienne, soup-çonneuse, subitement apparue dans leur dos.

Corinne et Germaine sursautèrent légèrement. Elles n'avaient pas vu leur mère approcher derrière elles.

— Mon pensionnaire, m'man. C'est le *boss* de Laurent, l'entrepreneur qui bâtit l'église. Ce serait un beau parti pour Germaine.

— Whow ! ma fille. Joue pas trop vite à la marieuse. On le connaît pas, cet homme-là. Si ça se trouve, c'est encore un soûlon qui va nous faire honte et qui en ferait arracher à ta sœur.

Corinne pâlit. Elle réalisait soudain que sa mère s'était rendu compte de l'état de son mari, même si elle n'en avait pas fait mention un instant plus tôt, lorsqu'elle l'avait embrassée.

— Il faut que j'y aille, fit-elle en tentant de reprendre son aplomb.

— Faites bien attention à vous autres en retournant à Saint-Paul, recommanda Lucienne d'une voix adoucie. Et surtout, embrasse Philippe pour moi.

La jeune femme retourna dans la cour où Anatole était parvenu, elle ne savait trop comment, à installer Laurent dans le boghei.

— J'ai mis son *coat* en arrière, précisa-t-il à sa sœur. Aussitôt que tu seras sortie de la cour, t'es mieux de prendre les rênes si tu veux pas te ramasser dans le fossé.

Corinne le remercia, monta dans la voiture que Laurent mit en marche. Quand elle se retourna pour saluer les siens, elle vit Thérèse Rochon, le visage fermé, debout près de son frère. Quelques centaines de pieds plus loin, elle exigea que son mari arrête l'attelage.

— Étends-toi en arrière, dit-elle à son mari d'une voix neutre. Je te réveillerai à la maison.

Ce dernier ne protesta pas. Il lui fallut cependant l'aide de sa femme pour enjamber le dossier et se laisser tomber sur le siège arrière. Sa grande carcasse ne lui permit pas de s'étendre, mais il n'en dormit pas moins durant tout le trajet.

À son arrivée à la maison, une heure plus tard, la jeune femme demanda à Rosaire d'aller chercher une couverture et de l'étendre au pied du chêne planté entre l'écurie et le poulailler. Avec l'aide de grand-père Boucher, elle fit descendre son mari.

— Étends-toi là pendant qu'on va faire le train, lui ordonna-t-elle. Essaye de reprendre tes esprits.

— Je veux a… aller me cou… coucher dans mon lit, bredouilla l'ivrogne en se laissant tomber tout de même sur la couverture.

— Il en est pas question, répliqua sèchement la petite femme à bout de patience. Si tu t'imagines que tu vas être malade dans notre lit et m'obliger à tout nettoyer, tu te trompes.

Sur ces mots, elle tourna les talons et se dirigea vers la maison dans l'intention de remercier Madeleine Rocheleau d'avoir gardé son bébé.

— Tu peux aller chercher les vaches, dit-elle à Rosaire. Je me change et j'arrive tout de suite.

Au moment où elle sortait de la maison quelques minutes plus tard, après avoir changé de robe, Bernard Provencher rentrait du chantier de l'église. Elle avait totalement oublié que le travail prenait fin à cinq heures le samedi et que son pensionnaire lui avait dit qu'il viendrait souper ce soir-là avant de retourner chez ses parents, à Nicolet. Si elle s'en était souvenue, elle aurait fait en sorte que son mari récupère dans sa chambre pour éviter que son patron le voie dans cet état.

— Ah bien là! c'est complet, murmura-t-elle d'une voix dépitée. Il m'aura fait honte toute la sainte journée. En plus, mon souper est même pas prêt.

L'entrepreneur ne prit pas la peine de dételer sa bête parce qu'il avait l'intention de partir dès la fin du repas. Dans les circonstances, Bernard se montra diplomate et fit comme s'il n'avait pas vu le maître des lieux étendu à l'ombre du chêne. Il descendit de voiture et se dirigea vers la maison.

— J'espère que vous avez eu des belles noces? dit-il à Corinne.

— Pas mal belles, parvint-elle à lui répondre. Je vais aller donner un coup de main pour faire le train pendant que vous faites votre toilette. Après ça, je prépare votre souper.

— Laissez donc faire le train, madame Boisvert. Je vais m'en occuper pendant que vous faites le souper, proposa-t-il aimablement.

— Voyons donc, vous l'avez déjà fait à matin, protesta-t-elle. Mon mari... voulut expliquer Corinne, gênée par la situation.

— Oui, ça arrive des fois, la coupa l'entrepreneur pour lui éviter d'inventer des explications inutiles. C'est la fatigue de la semaine. Dans ce temps-là, un petit verre suffit à assommer un homme.

Elle feignit de croire à cette explication et remercia son pensionnaire avant de rentrer dans la cuisine d'été pour préparer le repas.

Laurent n'émergea de son sommeil éthylique qu'au milieu de la soirée. Il fut si malade qu'il refusa de manger quoi que ce soit. Sa femme n'insista pas. Elle demeura murée dans un lourd silence réprobateur quand il apparut dans leur chambre à coucher un peu après dix heures.

— Je sais pas ce que j'ai eu, dit-il en se déchaussant. Pour moi, il y avait quelque chose de pas frais dans ce que j'ai mangé à midi.

— C'est pas ce que t'as mangé qui t'a pas fait, c'est ce que t'as bu, lui déclara Corinne, sèchement. Est-ce que t'es pas capable de boire comme du monde? T'as été le seul à être soûl à pas en voir clair.

— Christ, j'ai pas bu tant que ça, tu sauras! s'emporta son mari en se glissant sous les couvertures.

— Ah non! persifla sa femme. Je suppose que tu te souviens comment t'es arrivé à monter dans le boghei.

— Comme d'habitude.

— Pantoute, Laurent Boisvert. Il a fallu que mon frère te porte. En plus, t'as fait tout le chemin couché en arrière pendant que je conduisais. J'ai jamais eu aussi honte de ma vie. As-tu pensé à ce que le monde va penser de toi?

— Je m'en sacre, rétorqua-t-il, l'air mauvais. Ils diront ce qu'ils voudront.

— Bien, moi, je t'avertis que c'est pas demain la veille que je vais sortir avec toi si t'es pas capable de te tenir comme du monde.

Chapitre 11

Le cœur noir de Gonzague

Le mois d'août débuta par un violent orage qui mit fin à tout espoir de commencer les foins ce jour-là. Corinne fut réveillée en sursaut au milieu de la nuit par le tonnerre et les éclairs, ainsi que par la pluie forte qui venait frapper le toit de la galerie.

— Seigneur! Il va bien mouiller partout dans la maison, dit-elle à mi-voix en se précipitant hors de la chambre à coucher pour aller fermer les fenêtres et les portes par où la pluie entrait déjà.

La veille, le lundi, une chaleur d'une humidité presque insupportable était tombée sur la région, rendant pénible tout effort physique. Laurent était rentré épuisé du chantier et s'était endormi très tôt en soirée, assis sur sa chaise berçante placée sur la galerie.

Au petit matin, la jeune femme eut la surprise de découvrir son mari déjà en train de boire une tasse de thé dans la cuisine d'été.

— Je me suis réveillé à quatre heures, lui expliqua-t-il en soufflant sur son thé brûlant. Je me suis endormi trop de bonne heure.

— Merci d'avoir allumé mon poêle, dit Corinne en soulevant une plaque pour vérifier s'il y avait suffisamment de bois à brûler.

— C'est une maudite malchance quand même, reprit son mari. J'étais supposé commencer les foins aujourd'hui.

Là, je vais être poigné pour attendre deux ou trois jours que ça sèche avant de faucher. En plus, je perds mon salaire de la journée parce que Provencher paie pas quand il mouille trop pour travailler sur le chantier.

— Veux-tu que j'aille te donner un coup de main à faire le train ? demanda-t-elle.

— Laisse faire, je vais crier à Rosaire d'aller me chercher les vaches. Il mouille moins fort depuis une couple de minutes.

Quand Laurent et Rosaire rentrèrent à la maison après avoir nourri les animaux, ils trouvèrent Bernard Provencher, fraîchement rasé, prêt à prendre son déjeuner en leur compagnie. Wilfrid Boucher vint les rejoindre, les bras encombrés par une brassée de bûches qu'il laissa tomber dans le coffre à bois placé près du poêle.

— T'en vas-tu au chantier, même s'il mouille ? demanda Laurent, surpris de voir l'entrepreneur debout aussi tôt.

— Oui, mais je vais renvoyer ceux qui sont venus. Il y a un problème d'argent. Je dois passer voir monsieur le curé de bonne heure cet avant-midi. La fabrique est en retard dans ses paiements et mon père commence à perdre patience. Ça fait que je dois essayer de régler ça avant de continuer. Il faut de l'argent pour payer le matériel et les hommes. Après, j'ai une couple de commissions à faire à Yamaska.

Le silence tomba dans la cuisine et tous mangèrent l'omelette que Corinne avait cuisinée.

— Vous faites du ben bon pain, madame Boisvert, dit Bernard en se tournant vers son hôtesse. Il est encore meilleur que celui de ma mère.

— Merci.

— Ça vous a jamais tenté d'avoir votre four dehors ? demanda l'entrepreneur. Il me semble que vous pâtiriez ben moins de la chaleur si vous pouviez faire cuire dehors, au moins durant le printemps et l'été.

— C'est vrai que ce serait bien pratique, reconnut Corinne. Mon mari va peut-être m'en construire un avant la fin de l'automne.

— Si j'ai le temps, laissa tomber Laurent, apparemment peu intéressé par la chose.

Bernard Provencher remarqua l'air déçu de la jeune femme, mais il ne dit rien. À la fin du repas, il alla atteler son cheval et partit pour le village en promettant de revenir pour dîner. Après son départ, Corinne entreprit de ranger la cuisine.

— Qu'est-ce que t'as l'intention de faire de ta journée? demanda-t-elle à son mari en finissant de laver la vaisselle.

— Je peux pas faire grand-chose avec le temps qu'il fait. Il vient d'arrêter de mouiller, mais je peux pas commencer les foins.

— Qu'est-ce que tu dirais d'aller finir de réparer la cabane à sucre avec grand-père et Rosaire. Ils ont presque fini. Si on a une cabane d'aplomb le printemps prochain, on va être capables de faire notre propre sirop.

— C'est vrai, ça, renchérit Wilfrid, plein de bonne volonté. Il reste juste un bout de plancher pourri à remplacer et j'ai trouvé des vieilles planches qui vont faire l'affaire dans le haut de la grange. On n'en aurait même pas pour deux heures.

Laurent sembla hésiter un bref moment avant de se décider à accepter la suggestion de sa femme en ronchonnant.

— C'est correct, on va aller t'arranger ça, dit-il sans grand entrain en entraînant grand-père Boucher et Rosaire avec lui.

Les deux hommes et l'orphelin prirent la direction du bois après avoir déposé sur le chariot les planches et les outils dont ils auraient besoin. Ils ne rentrèrent à la maison qu'un peu après onze heures. Il ne tombait plus qu'un faible crachin.

— La cabane est correcte, tout est d'aplomb, déclara le jeune cultivateur à son retour dans la maison.

Il venait à peine d'allumer sa pipe qu'un bruit de voiture entrant dans la cour incita Corinne à s'approcher de la fenêtre pour identifier le visiteur. Elle aperçut sans aucun plaisir son beau-père. Le cultivateur à la figure en lame de couteau mangée par ses épais favoris poivre et sel immobilisa son boghei au milieu de la cour. Avant de descendre de voiture, Gonzague Boisvert prit le temps de jeter un long regard aux bâtiments situés au fond de la cour.

— C'est ton père, dit-elle à son mari, sans aucun enthousiasme. Je pense que t'es mieux d'aller voir ce qu'il veut, ajouta-t-elle froidement.

Au fil des mois, la jeune femme avait appris à ses dépens que les visites de son beau-père étaient rarement désintéressées.

— Tu travailles pas au chantier aujourd'hui ? demanda Gonzague à son fils cadet qui venait de sortir sur la galerie pour l'accueillir.

— Ben non, le *boss* nous fait pas entrer aujourd'hui.

— C'est ben ce que j'ai pensé quand je suis passé devant l'église tout à l'heure. Il y avait pas un chat là-bas… À part ça, j'ai appris que t'avais pris un pensionnaire ?

— Ben oui, mon *boss*, reconnut Laurent.

— Est-ce que c'est payant au moins ? demanda le père sans éprouver aucune gêne à se montrer aussi indiscret.

— Cinq piastres par semaine, logé, blanchi et nourri, répondit Corinne sans franchir la porte moustiquaire.

La jeune femme n'esquissa aucun geste pour rejoindre son mari sur la galerie où son beau-père venait de monter.

— Cré maudit ! C'est payant, cette affaire-là, fit Gonzague, alléché.

— Pas tant que ça, monsieur Boisvert, lui précisa sa bru, avant de disparaître dans les profondeurs de la cuisine.

— D'après Provencher, il y aurait peut-être pas mal d'argent à se faire s'il se construisait un hôtel au village, reprit Laurent, désireux de changer de sujet de conversation. Il a entendu dire qu'il va s'ouvrir des routes autour et les hommes qui vont travailler à ça vont avoir besoin de se trouver des chambres pour rester.

— Il y a des hôtels en masse à Sorel, rétorqua Gonzague en montrant peu d'intérêt.

— C'est vrai, mais c'est pas autour de Sorel que ces routes-là vont s'ouvrir, p'pa. C'est entre Nicolet et Yamaska.

— Il y a déjà un hôtel à Yamaska.

— D'après lui, ça suffira pas. Il va en falloir au moins un autre à Saint-François ou à Saint-Paul. Il paraît qu'il y a une piastre à faire avec une affaire comme ça. Louer des chambres, louer des places à l'écurie, la boisson, le manger…

— Ouais ! fit Gonzague, l'air songeur.

Dans la cuisine, Wilfrid n'avait pas esquissé le moindre geste pour aller saluer son gendre. Il s'attarda à allumer sa pipe et s'assit dans une chaise berçante pendant que Corinne déposait une marmite pleine de fèves jaunes à cuire sur le poêle.

— J'ai pas tellement le goût de sortir, mais je pense bien que je vais être obligée de le faire par simple politesse, chuchota-t-elle au grand-père en lui adressant un sourire complice.

Sur ces mots, elle traversa la cuisine d'été, poussa la porte moustiquaire et sortit sur la galerie pour saluer son beau-père. Après l'avoir saluée à son tour, Gonzague poursuivit la conversation interrompue avec son fils cadet.

— Ton Provencher parle peut-être à travers son chapeau, avança-t-il, sceptique.

— C'est pas son habitude, p'pa, répliqua Laurent. Il dit qu'il connaît un gars de Trois-Rivières qui a fait fortune avec son hôtel dans le coin de Shawinigan.

— Ouais, c'est ben beau tout ça, dit Gonzague en hochant la tête, mais c'est pas pour ça que je suis arrêté. On va commencer les foins cette semaine, s'il arrête de mouiller, ben sûr.

— C'est ce que je veux faire, moi aussi, affirma son fils.

— Entrez et venez dîner avec nous autres, proposa Corinne, hospitalière. Mon dîner est presque prêt.

— Ce sera pour une autre fois, refusa son beau-père.

— Ça vous tente pas de venir voir votre petit-fils ?

— Je suis trop pressé aujourd'hui. Ça aussi, ce sera pour une autre fois. Je suis passé aujourd'hui pour reprendre Rosaire, laissa-t-il tomber, comme si cela n'avait aucune importance.

— Hein ! Vous voulez reprendre Rosaire ? s'exclama Corinne, soudainement alarmée. Mais vous pouvez pas nous faire ça, beau-père !

— Comment ça ? demanda Gonzague qui ne semblait pas comprendre sa réaction. Je te l'ai prêté l'automne passé parce que tu disais qu'il te rendrait des services pendant que Laurent serait au chantier. Ton mari est revenu depuis presque trois mois, t'as plus besoin de lui.

Corinne aperçut l'orphelin, debout devant l'une des fenêtres de la cuisine d'été, et elle se rendit compte qu'il entendait tout ce qui se disait. Elle chercha désespérément une raison à opposer à la demande de Gonzague.

— Les foins commencent cette semaine, monsieur Boisvert, on va en avoir besoin.

— Mais nous autres aussi, on en a besoin, répliqua sèchement Gonzague en s'adressant directement à son fils parce que, selon lui, c'était au mari de prendre une décision. Oublie pas que c'est moi qui l'ai pris en élève. Si tu penses qu'un jeune te serait utile, t'as qu'à faire comme moi et t'en faire venir un de l'orphelinat de Sorel. Les sœurs Grises vont t'en trouver un.

Laurent sembla étudier un court moment la proposition paternelle avant de se tourner vers la porte moustiquaire.

— Rosaire ! cria-t-il.

— Oui, monsieur Boisvert, fit l'orphelin en poussant la porte.

— Va préparer toutes tes affaires en haut. Tu t'en retournes chez mon père. Grouille-toi. Il attend après toi !

Le garçon pâlit. Sans dire un mot, les épaules basses, il rentra dans la maison, suivi de près par une Corinne furieuse. Elle monta avec lui dans sa chambre pour l'aider à préparer son maigre bagage. Au moment de descendre au rez-de-chaussée, elle attrapa Rosaire par les épaules.

— Écoute-moi bien, Rosaire. Tu pars parce que je peux rien faire pour empêcher mon beau-père de t'emmener, mais dis-toi bien que je vais tout faire pour que tu reviennes vivre avec nous autres.

Rosaire secoua la tête, les yeux gonflés de larmes.

— Est-ce que tu me crois ? lui demanda Corinne, elle-même au bord des larmes.

— Oui, balbutia-t-il.

Corinne l'embrassa sur les deux joues avant de l'entraîner dans l'escalier. Gonzague et son fils discutaient encore sur la galerie quand elle sortit de la maison en compagnie d'un Rosaire à l'air abattu.

— Rosaire est prêt, monsieur Boisvert, lui dit-elle d'une voix neutre. Il est resté ici pendant neuf mois, et pas une fois j'ai eu le moindre reproche à lui faire. J'espère que vous laisserez pas personne le bardasser chez vous.

Son beau-père ne se donna même pas la peine de lui répondre.

— Monte, ordonna-t-il à l'orphelin, avant d'aller lui-même prendre place dans le boghei. Si jamais t'as un peu de temps après tes foins, viens nous donner un coup de main, dit-il à son fils en se tournant vers lui.

Quand la voiture sortit de la cour, Rosaire tourna la tête vers Corinne pour la saluer timidement de la main. Elle lui fit un signe à son tour en pleurant silencieusement. Laurent rentra dans la maison. Elle le suivit. Sa peine avait soudainement fait place à une rage impuissante qui ne demandait qu'à exploser.

— Maudit cœur noir! s'écria-t-elle en se dirigeant vers l'armoire pour en sortir les assiettes.

— De qui tu parles, toi? demanda son mari avec brusquerie.

— De ton père! fit-elle sur un ton rageur. Comme s'il avait pas pu nous laisser Rosaire. Il sait qu'il était bien avec nous autres. On lui faisait pas de misère. Bien non! Il fallait qu'il vienne nous le reprendre même si, quand il était chez eux l'année passée, il arrêtait pas de se plaindre qu'il mangeait plus que ce qu'il rapportait, que c'était un sans-dessein, un paresseux et un vrai hypocrite. Annette et Henri passaient leur temps à piocher dessus et à le maltraiter. Ça me fend le cœur de voir une affaire comme ça!

— C'est juste un orphelin, se justifia Laurent avec désinvolture.

— Quand tu parles comme ça, tu me rappelles ton père! fit Corinne d'une voix cinglante. Rosaire, c'est une vraie soie. J'ai l'impression que je viens de perdre presque un frère.

— Reprends tes sens, sacrement! lui ordonna son mari avec brusquerie. Christ! Avoir su que ça tournerait comme ça, j'aurais jamais permis qu'il mette les pieds ici dedans l'automne passé. Vas-tu finir par te mettre dans la tête une fois pour toutes qu'on n'a aucun droit sur ce jeune-là? Il est en élève chez mon père, pas chez nous. Là, je veux plus en entendre parler, c'est clair?

Wilfrid, cantonné à l'autre bout de la pièce, se garda bien de se mêler à la dispute, mais tout dans son attitude désapprouvait la décision de son petit-fils d'avoir laissé partir Rosaire.

Le retour du village de Bernard Provencher mit fin à la scène. Laurent, sorti sur la galerie, regarda son pensionnaire immobiliser sa voiture près de l'écurie et dételer son cheval avant de le faire entrer dans l'enclos. Ensuite, à sa grande surprise, il le vit déposer par terre quatre grands sacs de ciment et une plaque de métal.

— Qu'est-ce que t'as l'intention de faire avec ce ciment-là ? demanda-t-il à Bernard quand celui-ci entra dans la maison.

— Ben, j'ai eu l'impression à matin que ta femme avait l'air intéressée par un four dehors. J'ai pensé qu'on pourrait peut-être se servir des pierres qui ont été ramassées dans tes champs ce printemps pour lui en faire un. Il manquera plus qu'une porte en fer que Melançon, au village, a peut-être dans sa forge. Qu'est-ce que t'en penses ? De toute façon, tu peux pas faire les foins et, moi, j'ai rien à faire au chantier aujourd'hui.

À voir le regard reconnaissant de Corinne, l'entrepreneur vit bien que sa suggestion la rendait heureuse. Laurent s'en aperçut aussi et crut que ce serait peut-être une bonne façon de se faire pardonner le départ de Rosaire.

— C'est correct, accepta-t-il, mais j'aime autant te dire que j'en ai jamais bâti un, prévint-il.

— Inquiète-toi pas pour ça, fit Bernard. L'année passée, j'ai aidé mon père à en faire un chez nous. Avant, on construisait ça avec de la paille et de l'argile. À cette heure, avec du ciment, c'est juste plus facile.

— Oui, je le sais. Quand j'étais jeune, c'est un four comme ça qu'on avait à la maison, dit Laurent. Quand il s'est fissuré, ma mère a décidé de cuire son pain dans le fourneau du poêle plutôt que dehors.

— Nous autres, on peut le faire avec des pierres et du ciment. On lui fait une base en pierre et on le monte aussi avec des pierres qu'on va cimenter. Pendant que je ferai la base, tu pourras aller voir chez le forgeron, au village, pour la porte du four.

Si Bernard Provencher remarqua l'absence de Rosaire à table, il n'en souffla pas mot. Il dîna en compagnie de ses hôtes et de grand-père Boucher et, dès la fin du repas, entraîna Laurent à l'extérieur pour commencer à construire le four. Finalement, Laurent n'eut pas à aller chez Baptiste Melançon cet après-midi-là.

Après avoir lavé sa vaisselle, Corinne alla dans son jardin chercher des tomates et aperçut Jocelyn Jutras dans son champ. Elle lui cria qu'elle avait deux miches de pain cuites la veille pour lui. Le jeune voisin s'empressa de sauter la clôture. Pendant que la jeune femme allait chercher le pain dans la huche, il s'approcha de Laurent et de Bernard en train de choisir des pierres entassées près du poulailler.

— On va bâtir un four pour ma femme, expliqua le maître des lieux.

— Ça tombe ben, fit le voisin, j'ai rien à faire cet après-midi. Je vais vous donner un coup de main. Après tout, je vais être le premier à en profiter.

Quand Bernard invita Laurent à aller au village pour vérifier s'il ne pourrait pas se procurer une porte de four chez Melançon, Jocelyn intervint.

— Attends donc. Je pense que j'ai vu ça dans ma remise. Si j'en ai une, ça va t'éviter de payer Melançon pour te la faire.

Une demi-heure plus tard, Jocelyn revint chez les Boisvert en portant une lourde porte de fer.

— T'es chanceux, déclara-t-il avec un large sourire en déposant la porte aux pieds de son voisin. J'ai même les ferrures qui vont servir de pentures. C'est pas neuf, mais ça a l'air solide.

Les trois hommes travaillèrent tout l'après-midi, mais un peu avant le souper le four était construit.

— Il reste juste à laisser sécher le ciment, déclara Laurent en arborant un air satisfait. Dans une journée ou deux, tu devrais être capable de t'en servir, annonça-t-il à sa femme ravie.

— C'est peut-être pas le plus beau four, mais il devrait ben fonctionner, fit remarquer Bernard. Il devrait garder sa chaleur et ben tirer. De toute façon, vous allez ben le voir la prochaine fois que vous cuirez.

Corinne allait demander à Rosaire de corder quelques bûches près de son nouveau four quand elle réalisa subitement qu'elle ne pourrait plus compter sur l'aide du garçon, qui avait toujours été si disposé à lui rendre service. Elle fut immédiatement submergée par une vague de tristesse. Elle avait perdu un ami, un frère sur qui elle pouvait toujours compter. L'adolescent parlait peu, mais il savait montrer qu'il l'aimait et la comprenait.

— Vous êtes bien fins de m'avoir bâti ça, les remercia Corinne, vraiment reconnaissante. Je suis certaine que je vais être capable de faire du bon pain avec ce four-là.

— Tant mieux, s'il fait votre affaire, madame Boisvert, répondit Bernard en secouant la poussière de ciment qui couvrait les manches de sa chemise.

— Là, vous avez le temps de souffler un peu avant le souper, ajouta-t-elle.

Laurent sortit sa montre de gousset et consulta l'heure.

— Ouais, il est presque l'heure de faire le train. Dis donc à Rosaire d'aller chercher les vaches, ordonna-t-il à sa femme qui se dirigeait déjà vers la galerie.

Corinne s'immobilisa et se tourna vers son mari, la gorge un peu sèche.

— T'oublies que ton père est venu le chercher à matin, lui fit-elle remarquer d'une voix blanche avant de se remettre en route vers la maison.

— Bon, ben, ça a tout l'air que je vais être poigné pour aller courir les vaches dans le champ, dit-il, contrarié, à l'entrepreneur.

De retour dans la cuisine, Corinne s'abandonna à son chagrin. Le départ de Rosaire laissait un grand vide dans la maison et son mari se rendrait compte rapidement à quel point l'adolescent leur était utile.

Elle sentit monter en elle un mouvement de révolte à la pensée que l'adolescent était retourné se faire maltraiter chez son beau-père. Pour celui-ci, comme pour Henri et sa femme, ce n'était qu'un orphelin tout juste bon à travailler du matin au soir. Évidemment, il ne retournerait pas à l'école dans quelques semaines et il hériterait de toutes les tâches dont personne ne voulait se charger chez Gonzague Boisvert. Elle ne parvenait pas à s'enlever de la tête que son beau-père n'était venu le chercher que pour se venger d'elle.

À la pensée qu'elle ne reverrait plus Rosaire assis à sa place, à table, ses yeux se remplirent de larmes et elle sortit précipitamment un mouchoir de la poche de son tablier pour s'essuyer les yeux.

Le geste n'échappa pas à grand-père Boucher qui l'observait sans rien dire depuis un bon moment.

— Mets-toi donc pas tout à l'envers pour rien, lui conseilla-t-il doucement. Rien est jamais aussi pire qu'on le pense. Tout finit toujours par s'arranger.

— Je pensais à Rosaire, grand-père, murmura-t-elle.

— Je me doute que tu l'as pas laissé partir de gaieté de cœur, dit le vieillard sur un ton compatissant.

— J'ai bien peur qu'il s'ennuie terriblement chez monsieur Boisvert, conclut Corinne en se mettant à éplucher ses pommes de terre.

Chapitre 12

Des sautes d'humeur

Cet après-midi-là, le curé Bilodeau ne décolérait pas. La visite inattendue de l'entrepreneur après son déjeuner l'avait mis à cran.

— Batèche, l'abbé! s'était-il écrié en voyant Jérôme Nadon en train de lire paisiblement son bréviaire, le toit du presbytère vous tomberait sur la tête et ça vous énerverait pas plus que ça!

— Qu'est-ce qui se passe, monsieur le curé? demanda le jeune vicaire, surpris, en refermant son livre de prières.

— Il y a que Provencher menace de tout arrêter parce que la fabrique lui a pas versé l'argent qu'elle aurait dû lui remettre le 15 juillet. Ça fait plus que deux semaines de retard et lui, il dit qu'il a besoin de cet argent-là pour payer ses fournisseurs et ses employés. Là, il vient de renvoyer ses hommes parce qu'il fait pas beau et qu'il manque de matériel, mais il parle de tout lâcher.

— Il fera jamais ça, monsieur le curé. C'est juste une menace en l'air, dit Jérôme Nadon pour calmer son supérieur.

— J'en suis pas sûr, moi. Bonyenne! Voulez-vous bien me dire ce que Racicot niaise? C'est à lui, le président de la fabrique, de voir à ce que rien retarde la construction de notre église.

— Lui avez-vous demandé pourquoi il l'avait pas fait, monsieur le curé?

— Je viens de l'envoyer chercher par le bedeau. On va bien voir quelle raison il va nous donner, l'insignifiant !

Là-dessus, le curé, furieux, quitta le salon pour retourner dans son bureau. Quelques minutes plus tard, Rose Bellavance vint frapper à la porte pour lui annoncer l'arrivée du président de la fabrique.

Camil Racicot avait pris le temps de revêtir une chemise propre et un veston avant de répondre à l'appel de son curé. Le petit homme à la moustache hérissée avait même fermé le premier bouton de sa chemise malgré la chaleur qui était revenue après la pluie du début de l'avant-midi.

— Vous m'avez fait demander, monsieur le curé ? dit le cultivateur âgé d'une quarantaine d'années.

— Oui, entrez donc, monsieur Racicot, répondit le prêtre, sans se donner la peine de se lever derrière son bureau.

Pendant que le président de la fabrique, mal à l'aise, prenait place sur l'une des deux chaises disposées devant le grand bureau en chêne, Charles Bilodeau l'observait derrière ses lunettes à la fine monture en acier.

— Bon, je dois vous dire que j'ai reçu la visite de l'entrepreneur et il est pas content, déclara le prêtre sans prendre de précautions oratoires. Il paraît qu'il a pas reçu le paiement qui lui était dû le 15 juillet passé. Je sais pas si vous l'avez remarqué, mais il y a eu personne sur le chantier aujourd'hui.

— Je pensais que c'était parce qu'il mouillait, monsieur le curé.

— Il a plu seulement au commencement de l'avant-midi, dit sèchement le prêtre. Non, Provencher aurait peut-être fait travailler ses ouvriers aujourd'hui s'il avait de quoi les payer. Là, il menace de tout lâcher.

Camil Racicot se contenta de hocher la tête.

— Voulez-vous bien me dire ce qui se passe ? fit le curé d'une voix tranchante. C'est vous qui êtes chargé de ça. On dirait bien que vous avez pas été capable de faire le travail convenablement. Est-ce qu'il va falloir demander au conseil de nommer un autre président?

Lorsqu'il entendit ces mots, le visage de Camil se durcit. Il y avait tout de même des limites. Il n'allait pas endurer plus longtemps la saute d'humeur de son curé.

— Bernard Provencher a pas reçu son argent le 15 juillet passé tout simplement parce qu'on n'a plus une cenne dans la caisse, monsieur le curé, déclara-t-il.

— Comment ça? On avait cinq mille piastres ce printemps et vous étiez chargé de négocier avec une banque un prêt de quarante-cinq mille piastres pour financer le reste de l'église.

— C'est ce que j'ai fait dès que le chantier a commencé, monsieur le curé, se défendit le cultivateur. On dirait que vous avez oublié que la banque a accepté de prêter l'argent qu'on demandait à condition que monseigneur Gravel garantisse le prêt.

— Puis?

— Puis, rien. J'attends encore que le diocèse garantisse le prêt. Pendant ce temps-là, on roule toujours sur les cinq mille piastres qu'on avait.

— Ça fait trois mois que l'église est commencée. Il me semble que vous auriez pu nous en parler aux réunions du conseil, le blâma le prêtre.

— Pourquoi j'en aurais parlé, monsieur le curé? rétorqua le président de la fabrique sur un ton excédé. Tout était correct. On attendait juste que l'évêché donne sa garantie. Ça devait toujours se faire d'un jour à l'autre.

— Mais là, il va falloir que vous fassiez quelque chose, reprit Charles Bilodeau.

— Je le veux ben, monsieur le curé, mais quoi?

— Je le sais pas, moi, reconnut le prêtre en élevant la voix. Vous êtes le président de la fabrique. Démenez-vous un peu.

— Remarquez, monsieur le curé, qu'on aurait peut-être encore un peu d'argent en caisse si vous aviez pas demandé trois ou quatre changements dans les plans depuis le mois d'avril.

— Mais…

— Chacun des changements que vous avez demandés coûte un peu plus cher à la fabrique. De ça, il va falloir qu'on en parle à la prochaine réunion.

— Voyons donc !

— Sauf votre respect, monsieur le curé, ce que je vous dis là, je l'invente pas. C'est l'entrepreneur en personne qui me l'a dit. En attendant, je pense que la seule solution pour faire bouger l'évêché, ce serait que vous alliez vous-même en discuter avec monseigneur, ajouta Camil, ulcéré d'avoir été blâmé alors qu'il croyait avoir fait l'impossible. Peut-être même que le plus tôt serait le mieux parce que j'ai pas l'impression que Provencher est un gars qui parle à tort et à travers. S'il vous a dit qu'il fermerait le chantier, c'est probablement ce qu'il va faire.

— C'est correct, laissa sèchement tomber Charles Bilodeau en se levant pour signifier que l'entrevue était terminée. En attendant, essayez donc de trouver quelque chose. Peut-être même que le maire Gagnon pourrait vous aider.

Le curé de Saint-Paul-des-Prés était intimement convaincu que l'entrepreneur n'était passé le voir que pour mettre un peu de pression sur le conseil de fabrique. Il était certain que jamais il n'oserait fermer le chantier, parce qu'il n'ignorait pas que les Provencher avaient obtenu et obtenaient encore des contrats de l'évêque.

Camil quitta le bureau, persuadé qu'il était inutile d'aller demander de l'aide à Bertrand Gagnon qui lui en voulait encore de lui avoir été préféré pour occuper le poste de président de la fabrique. Le gros maire serait bien trop heureux de le voir coincé par la situation.

Après le départ du président de la fabrique, le curé Bilodeau fut encore plus énervé qu'avant la rencontre. Il craignait que monseigneur Gravel ne refuse carrément de garantir un prêt aussi important pour la construction de son église. Le prélat avait été pour le moins réticent à cette idée lors de leur dernière rencontre le printemps précédent.

— J'aimerais autant que votre conseil de fabrique voie au financement de votre nouvelle église sans avoir recours à la garantie du diocèse, avait-il déclaré sans ambages. Vous devez comprendre, monsieur le curé, que le moment est plutôt mal choisi. Nous sommes endettés jusqu'aux yeux avec la reconstruction de la cathédrale. C'est sûr que si notre cathédrale ne s'était pas effondrée l'année passée, ce serait une autre paire de manches, avait-il tout de même pris soin de lui expliquer en mettant fin à leur entretien.

Au moment où Charles Bilodeau entrait dans le salon pour rejoindre son vicaire, Rose Bellavance annonçait que le dîner était prêt. Les deux prêtres pénétrèrent dans la salle à manger meublée d'une longue table, de huit chaises et d'un encombrant vaisselier en chêne massif. Jérôme Nadon attendit que son supérieur récite le bénédicité avant de s'asseoir. Rose entra alors et déposa devant les deux ecclésiastiques une lourde soupière avant de se retirer. Elle avait déjà mis sur la table une assiette de jambon et un plat contenant des pommes de terre en purée. L'abbé Nadon laissa son curé se servir le premier avant de remplir son bol d'une onctueuse soupe aux pois. Charles Bilodeau regarda de plus près le contenu du bol posé devant lui et les traits de son visage se crispèrent.

— Encore de la soupe aux pois et encore du jambon ! s'exclama-t-il avec mauvaise humeur.

Le vicaire ne dit rien. Il se contenta de regarder son supérieur allonger le bras pour secouer la clochette placée en permanence à sa droite, sur la table. La septuagénaire un peu voûtée poussa la porte de la salle à manger un instant plus tard.

— Vous avez besoin de quelque chose, monsieur le curé ? demanda-t-elle.

— Dites donc, madame Bellavance, est-ce que c'est la seule sorte de soupe que vous savez cuisiner ? demanda le prêtre en montrant son bol de la main et en arborant un air dégoûté. C'est gras sans bon sens et c'est difficile à digérer. Et ça fait surtout trois fois que vous nous servez du jambon cette semaine. Vous trouvez pas que c'est exagéré ?

Le long visage anguleux de la veuve changea soudain d'expression. Son air aimable disparut comme par enchantement pour faire place à une rage difficilement contenue.

Rose Bellavance avait toujours été très attachée au curé Béliveau et avait mal accepté son transfert dans une autre paroisse. Comble de malchance, il avait fallu qu'elle devienne la cuisinière et la servante de Charles Bilodeau dont elle détestait les manières abruptes et la froideur. À soixante-dix ans, elle estimait qu'il était temps qu'elle commence à s'occuper de ses rhumatismes et elle caressait l'idée, depuis quelques semaines déjà, de se retirer chez sa fille aînée, qui vivait à Verchères.

— Ah ! Vous trouvez que ma cuisine est trop difficile à digérer, dit-elle, les dents serrées. Je pensais cuisiner dans un presbytère, moi, pas dans un hôpital. Si vous voulez juste du blanc-manger et du gruau, il faut me le dire, monsieur le curé ! ajouta-t-elle d'une voix cinglante.

L'abbé Nadon baissa la tête pour que son supérieur ne voie pas le sourire qu'il avait beaucoup de mal à réprimer.

— N'oubliez pas à qui vous parlez, madame ! lui ordonna sèchement Charles Bilodeau en fusillant sa cuisinière d'un regard hautain qui aurait dû suffire à la faire disparaître.

— Mais j'oublie rien, monsieur le curé, fit la vieille dame en durcissant le ton. J'oublie même pas de vous dire que je pars. Comme ça, vous allez pouvoir faire vous-même votre cuisine et votre ménage, en même temps.

— Mais vous pouvez pas faire ça ! s'exclama le prêtre en se levant précipitamment de table.

— Je vais me gêner encore ! fit la servante, sarcastique.

Sur ces mots, Rose Bellavance franchit la porte de la salle à manger et sortit, laissant le curé désarçonné.

— Ah bien ! J'aurai tout vu aujourd'hui ! s'exclama-t-il en prenant son vicaire à témoin.

— Pour moi, monsieur le curé, vous auriez été mieux de rester couché ce matin, dit Jérôme Nadon avec un certain humour.

Le curé fit comme s'il n'avait pas entendu la remarque de son vicaire.

— Si elle veut s'en aller, qu'elle s'en aille, décréta-t-il en s'assoyant. Je suis sûr que ce sera pas difficile de la remplacer. A-t-on idée d'avoir aussi mauvais caractère ?

— Je peux toujours essayer d'aller lui parler, proposa le vicaire.

— Laissez faire, l'abbé. C'est pas à nous de faire les premiers pas. Si elle vient pas s'excuser, qu'elle s'en aille. Bon débarras !

Une heure plus tard, la porte du presbytère claqua derrière Rose Bellavance. Elle quittait les lieux en emportant toutes ses affaires rangées dans deux petites valises.

Charles Bilodeau avait cru jusqu'au dernier instant que sa servante viendrait s'excuser de sa saute d'humeur et il s'apprêtait même à se montrer magnanime après l'avoir sermonnée. Lorsqu'il l'entendit claquer la porte, il déposa son bréviaire sur la petite table installée près de son fauteuil.

— Mais elle est vraiment partie, dit-il sur un ton incrédule à son vicaire, assis à l'autre bout du salon.

— On le dirait, monsieur le curé, répondit Jérôme Nadon, désinvolte.

Les deux ecclésiastiques se levèrent et allèrent jeter un coup d'œil dans la salle à manger puis dans la cuisine.

— Mais elle a rien nettoyé avant de partir! constata Charles Bilodeau, comme s'il n'en croyait pas ses yeux.

— On le dirait, répéta Jérôme Nadon, un peu moqueur.

— Ça a pas d'allure! Comment on va faire pour souper?

— Je pense qu'on n'aura pas le choix, monsieur le curé. On va cuisiner nous-mêmes. Mais avant, il va falloir laver la vaisselle et les chaudrons.

— J'ai jamais fait ça, moi. Et vous, l'abbé?

— Laver la vaisselle, je l'ai déjà fait. Mais, si vous me laissez la laver tout seul, ajouta le vicaire avec humour, je vous le dis tout de suite, je vais vous laisser préparer le souper tout seul. En cuisine, je vaux rien.

— Ah bien là, on est mal pris en pas pour rire, l'abbé, conclut le curé, catastrophé.

Charles Bilodeau demeura un long moment immobile devant la table de cuisine surchargée de casseroles, de marmites et d'ustensiles à récurer.

— Bon, on n'a pas le choix, l'abbé. Allez me chercher ce qui traîne sur la table de la salle à manger pendant que je commence à laver la vaisselle. On va nettoyer ensemble et après, on va se chercher quelqu'un pour nous faire la cuisine.

—⟶∞⟵—

Ce soir-là, le temps demeura humide, même si toute menace de pluie semblait écartée. Pendant que Corinne allaitait son petit dans sa chambre, Wilfrid, Bernard et Laurent prenaient le frais sur la galerie. Le soleil s'était couché quelques minutes plus tôt dans un ciel dégagé de tout nuage. Un peu plus loin, de l'autre côté de la route, ils entendaient les enfants de Conrad et Marie-Claire Rocheleau se disputer.

— Je pense que je vais entrer me coucher, déclara grand-père Boucher. Les maudits maringouins sont en train de me manger tout rond. Torrieu! Il me semble qu'on a ben assez des mouches toute la journée sans se faire achaler par ces bibittes-là le soir.

Bernard Provencher se leva à son tour.

— Je pense que je vais faire comme vous, monsieur Boucher. Il commence à être tard. Ah! Pendant que j'y pense, Laurent, ajouta-t-il, prends tout le temps nécessaire pour faire tes foins. Le chantier va rester fermé un petit bout de temps.

— Hein! Comment ça se fait? demanda le maître des lieux, étonné.

— Bah! C'est pas ben grave, voulut le rassurer son employeur. C'est juste une question de contrat avec la fabrique. J'ai l'impression que ça va se régler la semaine prochaine, au plus tard. À matin, j'ai expliqué aux gars qui sont venus travailler que j'étais obligé de fermer le chantier tant que la fabrique aurait pas l'argent pour payer. Ça fait que je vais m'en retourner à Nicolet demain matin. Je sais pas encore quand est-ce que je vais revenir.

Sans donner plus d'explications, l'entrepreneur entra dans la maison à la suite de Wilfrid Boucher et monta à l'étage se mettre au lit. Laurent décida alors qu'il en avait assez, lui aussi, de se faire piquer par les maringouins. Il se leva, alluma le fanal suspendu près de la porte de la cuisine d'été et, sans se presser, alla inspecter, comme chaque soir, les bâtiments. Il profita de l'occasion pour prendre un dollar dans le magot caché au grenier du poulailler avant de revenir à la maison.

Quand il rentra dans la cuisine d'été, il eut la surprise de découvrir sa femme en train d'écrire à la lueur de la lampe à huile déposée au centre de la table.

— Est-ce que le petit dort? lui demanda-t-il.

— Oui, je viens de changer sa couche et de le nourrir. Il devrait être bon pour se rendre jusqu'à demain matin. Mais j'ai bien peur d'achever de le nourrir, j'ai presque plus de lait, ajouta-t-elle.

— Est-ce que Provencher t'a dit qu'il partait demain matin, après le déjeuner, et qu'il savait pas quand il reviendrait?

— Non, qu'est-ce qui se passe? Il est pas content du manger que je sers? demanda sa femme, inquiète.

— Ben non, il ferme le chantier un petit bout de temps. Il a pas voulu dire pourquoi. C'est une histoire de contrat. En tout cas, on va avoir le temps de faire les foins tranquilles… À qui t'écris? À Juliette?

Laurent Boisvert considérait toujours avec une certaine suspicion le fait que sa femme écrive. Comme il ne savait ni lire ni écrire, il se sentait en position d'infériorité quand il voyait quelqu'un en train de poser l'un ou l'autre de ces gestes. Il savait que Corinne n'avait que deux correspondantes: Germaine et Juliette. Comme il n'ignorait pas qu'elle ne correspondait avec sa sœur Germaine que durant l'année scolaire quand cette dernière était à Saint-Bonaventure, il ne lui restait que Juliette. C'était un vrai gaspillage, selon lui, parce que le timbre coûtait un cent.

— Non, j'écris aux sœurs Grises de l'orphelinat de Sorel, répondit Corinne, qui venait de tremper sa plume dans la bouteille d'encre posée devant elle.

— Pourquoi? demanda son mari en s'avançant vers elle.

— Parce que je veux demander qu'elles nous envoient Rosaire. Je leur ai dit qu'il était pas heureux chez ton père et qu'il aimerait mieux vivre avec nous autres, expliqua-t-elle à son mari. J'ai écrit qu'il était bien mieux traité ici dedans. Je suis sûre que la supérieure de l'orphelinat va comprendre ça.

— Es-tu devenue folle, Corinne Joyal? s'emporta soudainement Laurent en s'approchant subitement de la table.

Veux-tu que mon père nous haïsse à mort ? Là, tu te mêles de ce qui te regarde pas.

Surprise par cet éclat soudain de son mari, Corinne demeura un moment la plume en l'air.

— Il est pas question pantoute d'envoyer cette lettre-là, tu m'entends ? poursuivit son mari, en colère. Donne-moi ça, lui ordonna-t-il en allongeant la main pour s'emparer de la feuille couverte de la fine écriture de sa femme. Envoye !

Le visage blême, Corinne ne put faire autrement que de pousser la feuille vers lui. Laurent s'en empara, la déchira en plusieurs morceaux avant de laisser tomber ces derniers dans le poêle à bois qu'on avait laissé s'éteindre après le souper.

— Là, ça va faire ! dit-il sur un ton rageur. Il va falloir que tu finisses par apprendre qu'ici dedans, c'est moi qui mène, déclara-t-il, péremptoire. Je veux plus entendre un Christ de mot sur Rosaire ! C'est clair ? Sa place, c'est chez mon père ou à l'orphelinat. Si t'essayes de le faire revenir, tu vas avoir affaire à moi ! À cette heure, il est temps d'aller se coucher.

Sur ces mots, il tourna les talons et alla remonter l'horloge murale de la cuisine d'hiver avant de se diriger vers leur chambre à coucher.

Le cœur serré, Corinne rangea sa plume, sa tablette de papier à lettre et sa bouteille d'encre avant de prendre la direction de sa chambre, à son tour. Lorsqu'elle pénétra dans la pièce, cette dernière était plongée dans l'obscurité. Avant de se déshabiller dans le noir, elle vérifia si Philippe était bien couvert dans son berceau.

Elle n'était pas pressée d'aller s'étendre aux côtés de son mari parce qu'elle sentait monter en elle une rage d'autant plus grande qu'elle se savait impuissante dans cette affaire. Elle n'acceptait pas d'être traitée comme il venait de le faire. Bien sûr, c'était son mari et il avait son mot à dire sur ce qui se passait chez lui, mais il n'avait pas le droit de la traiter comme une esclave. Il aurait dû comprendre à quel point elle était attachée à Rosaire… Tout ça pour ne pas déplaire à

son père!

Dès qu'elle prit place dans le lit, Laurent se tourna vers elle en manifestant très clairement ses intentions de jouir de ses droits de mari. Pendant un court instant, Corinne eut envie de se refuser à lui. Lorsqu'il glissa une main sous sa robe de nuit, elle eut un geste de recul. Puis elle se souvint de ce que le curé Bilodeau lui avait dit lors de sa dernière confession.

— Madame, votre devoir d'épouse chrétienne est de vous soumettre en tout temps à votre mari et de lui obéir. Ne pas le faire est un péché.

La jeune femme poussa un léger soupir d'exaspération et choisit d'être absolument passive pour bien faire sentir à son compagnon son mécontentement. Laurent ne dit rien durant les quelques instants que durèrent leurs ébats, mais sa réaction pleine de dépit, à la fin, apprit à Corinne que son manque de collaboration ne lui avait pas échappé.

Chapitre 13

Les foins

Le lendemain matin, au déjeuner, Corinne s'opposa à la proposition de Wilfrid de participer à la récolte du foin.

— Il en est pas question, grand-père, dit-elle avec force. Pas à votre âge ! Je sais que vous avez déjà fait les foins, mais à quatre-vingt-un ans, c'est trop éreintant. Qu'est-ce que t'en dis, Laurent ? demanda-t-elle en se tournant vers son mari qui n'avait pas ouvert la bouche.

— C'est vrai ce qu'elle dit, laissa-t-il tomber sans grand enthousiasme.

— Vous pourrez conduire la charrette quand on ramassera les meules, si ça vous tente, proposa Corinne. En attendant, vous seriez bien fin si vous acceptiez de garder le petit.

Le vieil homme dut consentir à cet arrangement bon gré mal gré, sachant fort bien que Corinne n'avait pris cette décision que pour protéger sa santé.

Laurent, mécontent, attendit que le vieil homme s'absente un moment pour demander à sa femme :

— Pourquoi t'as fait ça ? Il est encore capable de donner un coup de main.

— Pas à son âge, déclara sèchement Corinne. Ça aurait pas d'allure de le faire travailler en plein soleil, comme un jeune.

— Ben, dans ce cas-là, il sert plus à rien et sa place est à l'hospice, sacrement !

— Maudit sans-cœur! ne put s'empêcher de rétorquer sa femme. Prends ta carabine et tue-le tout de suite tant qu'à y être! Il sert plus à rien...

— C'est correct! J'ai rien dit.

Quelques minutes plus tard, le jeune cultivateur quitta la maison. Il était entendu que sa femme viendrait le rejoindre dans le champ après avoir rangé sa cuisine.

— Je vais commencer à faucher du côté de chez Jutras, la prévint-il. T'auras juste à me suivre avec ta fourche pour faire des mailloches.

La jeune femme était capable de ramasser le foin coupé avec sa fourche pour constituer des meules. Elle l'avait fait chaque année chez son père depuis le début de son adolescence. Chez les Joyal, les garçons fauchaient et les femmes les suivaient avec leurs fourches. Quand les premiers avaient pris trop d'avance, ils s'armaient de fourches à leur tour pour venir prêter main-forte aux filles. Cependant, rien ne l'avait préparée au travail éreintant qui l'attendait.

Ce matin-là, le soleil tapait dur, même en ce début de matinée. Après avoir fait quelques recommandations à Wilfrid, Corinne baissa les manches de sa robe, se couvrit la tête de son large chapeau de paille et prit une fourche dans l'étable, au passage. À son entrée dans le champ, elle se rendit compte que son mari avait pris une bonne avance et qu'il avait déjà fauché plus d'une centaine de pieds sur une largeur de quatre à cinq pieds.

Elle se mit alors courageusement au travail, se concentrant pour constituer des meules qui allaient être faciles à charger dans la charrette quand viendrait le temps de les ramasser.

— Faire les foins à deux, c'est une autre paire de manches, reconnut-elle à mi-voix en s'épongeant le front alors que Laurent fauchait loin devant elle.

L'écart entre eux ne cessait de se creuser, ce qui était plutôt décourageant pour la jeune femme. Au milieu de l'avant-midi, elle prévint son mari qu'elle devait rentrer quelques minutes pour aller nourrir le petit et changer ses langes.

— Fais ça vite, se contenta de dire Laurent. Rapporte une cruche d'eau.

Durant cette courte pause, Corinne en profita surtout pour récupérer un peu. Elle revint dans le champ avec l'espoir que son mari avait abandonné sa faux pour constituer des meules à son tour. Il n'en était rien. Il avait poursuivi son travail sans s'arrêter. Lorsqu'elle regarda ce qui était déjà fauché, elle dut reconnaître qu'il était un solide travailleur. Elle lui tendit la cruche d'eau et se remit au travail. Un peu plus tard, Laurent échangea enfin sa faux pour une fourche et se mit à entasser le foin en meules à son tour.

Le mari et la femme travaillèrent ainsi jusqu'au dîner. Après une sieste de quelques minutes, Laurent et grand-père Boucher allèrent atteler Satan à la charrette pendant que la jeune femme déposait Philippe dans sa boîte coussinée. Elle suivit la charrette à pied et déposa l'enfant à l'ombre d'un arbuste, dans le champ, avant de se mettre à charger le foin dans la voiture avec Laurent.

À la fin de l'après-midi, les Boisvert avaient eu le temps de remplir leur charrette en deux occasions et de venir décharger le tout dans le grenier de l'étable.

Pour la première fois de sa vie, Corinne se rendit compte que ce travail était, et de loin, le pire qu'elle ait jamais fait. Son père exigeait toujours des garçons qu'ils déchargent la charrette. Il trouvait que projeter le foin vers le grenier, en équilibre instable sur la charge de foin demandait trop de force physique et de résistance pour qu'une femme puisse le faire. Par ailleurs, il n'acceptait pas plus que l'une de ses filles aille se placer dans l'ouverture du fenil pour réceptionner le foin et l'entasser dans la soupente de l'étable, à cause de la chaleur infernale qui régnait dans l'endroit quand le soleil tapait sur la tôle du toit.

Malheureusement, Laurent n'avait pas le choix. Il lui fallait envoyer sa femme dans la « tasserie », en haut.

— Je peux aller en faire un bout, proposa grand-père quand Corinne eut déposé Philippe sous un arbre de la cour, à courte distance du bâtiment.

— Non, grand-père. Vous conduisez déjà la charrette, se contenta de dire Corinne en s'emparant courageusement de sa fourche avant de grimper au grenier.

La chaleur qui l'accueillit faillit la suffoquer lorsqu'elle arriva dans le fenil. Ce fut à peine plus supportable quand Laurent eut ouvert le panneau par lequel il se mit à lancer le foin. Au fur et à mesure que la charge baissait, il devait fournir un plus grand effort physique pour que le fourrage se rende à destination. Pour sa part, sa femme peinait à transporter tout ce foin avec sa fourche au fond du grenier.

Corinne accueillit l'heure du train comme une délivrance. Elle n'en pouvait plus et avait du mal à soulever les bras tant elle était fatiguée. Ses mains étaient couvertes d'ampoules et elle éprouvait de la difficulté à les fermer. Pendant que grand-père et Laurent se chargeaient de traire les vaches et de nourrir les animaux, elle prit Philippe dans ses bras et rentra à la maison pour préparer un souper froid constitué de laitue, de tomates et de cretons. Elle n'alluma le poêle que pour préparer du thé.

Elle eut toutes les peines du monde à ne pas s'assoupir en nourrissant le bébé. Après avoir remis Philippe dans son berceau, elle dut aller s'asperger le visage d'eau froide autant pour enlever la poussière qui le couvrait que pour se tenir réveillée.

Le souper se prit dans un silence presque complet. Après avoir bu une tasse de thé, Laurent quitta la table en déclarant :

— Il va faire clair encore deux bonnes heures. Je vais aller faucher un peu.

— Moi, j'en peux plus, dit Corinne, sans fausse honte. J'ai l'impression que j'ai plus de bras.

— C'est normal. Pour une femme, t'as fait de l'ouvrage ben forçant toute la journée. Laisse faire, contente-toi de faire ta vaisselle.

Une telle preuve de bonté la surprit tellement qu'elle ne trouva rien à dire.

La jeune femme lava et essuya la vaisselle utilisée durant le souper avant de sortir sur la galerie. Elle aperçut Conrad Rocheleau et les siens dans le champ, de l'autre côté de la route. Tout ce monde faisait ce que Laurent était en train de faire. À sa gauche, elle découvrit Jocelyn et un homme engagé faisant le même travail. Cela ne l'étonna pas. Elle savait depuis toujours que la récolte du foin était l'une des tâches les plus importantes de l'été chez les cultivateurs parce que le fourrage servait à nourrir les bêtes.

— Je vais retourner donner un petit coup de main à Laurent si vous acceptez de jeter un coup d'œil au petit, dit-elle à grand-père Boucher en se levant avec effort.

Elle quitta la galerie et prit une fourche en passant près de l'étable. Laurent la vit arriver et se mettre à faire des meules avec le foin qu'il venait de faucher. Il ne dit pas un mot, mais il était évident qu'il appréciait sa présence à ses côtés. À un certain moment, il se mit à râteler le foin, lui aussi.

Quand l'obscurité tomba, le mari et la femme, épuisés, rentrèrent à la maison. Ils trouvèrent grand-père en train de bercer le bébé sur la galerie.

— Je pense qu'il a faim, déclara-t-il à la jeune mère en le lui tendant.

Corinne disparut à l'intérieur pendant que son mari se lavait près du puits.

À neuf heures trente, le couple était déjà au lit, n'aspirant plus qu'à une nuit de sommeil réparateur.

— Je pense que j'ai plus de lait, dit Corinne, désolée, à son mari avant de sombrer dans le sommeil.

— Tu le nourriras autrement, se contenta de dire Laurent en lui tournant le dos, à la recherche d'une position confortable pour dormir.

De toute évidence, le jeune homme ne comprenait pas les implications de la déclaration de sa femme. En cessant d'allaiter, elle avait toutes les chances de tomber enceinte à nouveau.

—∿—

Ce matin-là, à son retour du couvent où il venait de célébrer sa messe, le curé Bilodeau avait découvert avec stupéfaction qu'aucun bruit ne provenait du chantier de l'église situé à gauche de son presbytère.

— Voyons donc! dit-il en accélérant le pas en direction de l'endroit où les ouvriers travaillaient habituellement. Qu'est-ce qui se passe là? Il pleut pourtant pas.

Il se rendit immédiatement compte que le chantier était désert. Tout d'abord, l'ecclésiastique ne comprit pas ce qui arrivait. Il avait pourtant bien vu quelques ouvriers arriver sur les lieux au moment où il quittait son presbytère pour aller dire sa messe au couvent voisin. Puis, il réalisa soudain que l'entrepreneur était passé aux actes. Il avait fermé son chantier, faute de fonds. Il avait du mal à croire que Bernard Provencher ait osé mettre ses menaces à exécution.

— Ah bien! Ça parle au diable! dit-il, rageur. J'aurai tout vu. Hier, la servante part en claquant la porte parce que je lui ai fait une petite remarque sans importance et voilà qu'aujourd'hui, c'est le chantier qui ferme pour de bon.

Le pasteur de Saint-Paul-des-Prés rentra en catastrophe dans le presbytère et se précipita vers le salon, croyant y découvrir l'abbé Nadon qui célébrait sa messe à sept heures, cette semaine-là. À la dernière minute, Charles Bilodeau s'arrêta devant la porte de la cuisine en se rappelant que son vicaire lui avait annoncé, sans grand enthousiasme, qu'il allait tenter de préparer le déjeuner.

Le spectacle de la cuisine sens dessus dessous le frappa. L'évier était rempli de la vaisselle sale du souper de la veille. De plus, le digne ecclésiastique était bien obligé de reconnaître que leurs tentatives pour préparer un souper convenable avaient causé quelques dégâts.

— Bondance, l'abbé! vous avez vu? s'enquit Charles Bilodeau debout auprès de son vicaire en lui désignant vaguement la fenêtre de la cuisine.

— Quoi, monsieur le curé? Vous parlez de la cuisine? demanda le jeune prêtre qui avait passé un tablier avec dentelle du plus curieux effet sur sa soutane noire.

— Bien non, je vous parle du chantier. Il y a personne à côté.

— Oui, Bernard Provencher s'est arrêté tout à l'heure pour dire qu'il l'avait fermé en attendant que la paroisse trouve de l'argent.

— Ça se passera pas comme ça! rugit le curé. Je lui ai dit hier qu'on était pour le régler. Où est-ce qu'il reste déjà? Chez le forgeron, non?

— Non, monsieur le curé, chez Laurent Boisvert, dans Saint-Joseph. Mais il reste plus là. Il est reparti chez lui, à Nicolet.

Charles Bilodeau se tut, catastrophé. Puis, son estomac affamé le rappela à l'ordre.

— Bon, je verrai plus clair dans tout ça quand j'aurai mangé quelque chose. Qu'est-ce qu'on mange, l'abbé? Des œufs?

— J'ai essayé d'en faire cuire, monsieur le curé, mais je crève toujours le jaune. Ça fait que j'ai décidé de faire cuire du gruau en suivant la recette sur le sac.

— N'importe quoi, l'abbé. Apportez-nous ça dans la salle à manger. Avec de la crème et de la cassonade, ça devrait être mangeable.

Malheureusement, l'optimisme du curé de Saint-Paul-des-Prés fut très mal récompensé. Le gruau cuisiné par son subordonné avait la consistance du ciment en train de prendre et il aurait fallu un estomac à toute épreuve pour pouvoir le digérer facilement. Cependant, affamés, les deux ecclésiastiques firent des efforts méritoires pour en avaler quelques cuillerées.

— Il vaut mieux pas laisser notre cuillère trop longtemps dans ce gruau, dit Charles Bilodeau, l'œil critique, sinon on sera plus capables de l'ôter.

— C'est vrai qu'il aurait fallu que je mette plus d'eau, reconnut Jérôme Nadon, l'air dépité.

Bref, les deux hommes se nourrirent surtout avec du pain et du beurre. Pendant un long moment, le curé se tut, perdu dans ses pensées. Il ne reprit la parole qu'au moment où il finissait sa tasse de thé.

— Bon, ça va faire. On peut plus continuer comme ça. À matin, je demande au bedeau de me conduire à Nicolet. Il faut que j'aille rencontrer monseigneur. Pendant mon absence, l'abbé, vous laissez tout tomber pour nous trouver au plus coupant une servante qui sache faire à manger. Informez-vous, mais trouvez-nous quelqu'un avec un bon caractère, si possible.

— Et pour la vaisselle, monsieur le curé? demanda le vicaire avec un sourire goguenard. Est-ce que je me trompe ou nous avions convenu, hier, que celui qui ne faisait pas à manger lavait la vaisselle?

— J'ai des choses plus importantes à faire, trancha son supérieur d'une voix hautaine. Vous demanderez à la nouvelle servante de remettre de l'ordre dans la cuisine que vous avez mise à l'envers en préparant le déjeuner, ajouta-t-il avec une évidente mauvaise foi.

—◦◦◦—

Moins d'une heure plus tard, Pierre-Paul Langevin immobilisait le boghei devant le presbytère pour laisser monter à l'arrière un curé Bilodeau à la mine particulièrement renfrognée. Le vieux bedeau, désormais habitué aux sautes d'humeur du curé, se contenta d'allumer sa pipe avant de prendre la route de Nicolet. La voiture longea le rang Saint-André jusqu'au croisement avant de s'engager à droite, sur la route principale qui traversait Saint-François-du-Lac, Pierreville et Baie-du-Fèvre avant d'arriver à Nicolet.

Tout au long du trajet de plus de deux heures, Charles Bilodeau ne desserra pas les lèvres, trop préoccupé par le genre de réception qu'allait lui réserver monseigneur Gravel. Il n'eut même pas un pincement au cœur en passant devant la petite route qui conduisait à Saint-Elphège dont il avait administré la paroisse pendant cinq ans.

Au passage, il regarda sans les voir les scènes bucoliques que lui présentait cette belle campagne du centre du Québec en ce début d'août. Il faisait beau et chaud et le soleil luisait de ses mille feux. Partout où ses yeux se posaient, son regard enregistrait des signes d'activité humaine. La plupart des cultivateurs étaient occupés à faire les foins, comme ils disaient. Ici et là, des vaches ruminaient à l'ombre des arbres plantés en bordure des champs.

Quand la voiture entra dans Nicolet, le bedeau se décida à adresser la parole à son passager.

— Où est-ce qu'on dîne, monsieur le curé ? lui demanda-t-il en tirant sa montre de gousset pour la consulter. Il est déjà midi et demi.

— Vous allez me laisser devant l'évêché, répondit le curé Bilodeau. Je dîne pas. Vous pouvez aller manger quelque chose à l'auberge et vous viendrez m'attendre ici. Oubliez pas de donner à manger et à boire au cheval.

Pierre-Paul Langevin ne discuta pas, heureux de ne pas avoir à supporter la présence de son curé durant le repas. Il laissa ce dernier devant l'évêché et poursuivit sa route.

Pour sa part, Charles Bilodeau s'empressa d'entrer dans ce qui était la troisième cathédrale de Nicolet autant pour se mettre à l'abri du soleil que pour prier pour la réussite de sa mission. Il pénétra dans l'édifice dont la construction n'était pas encore achevée. Le diocèse n'avait vraiment pas eu de chance avec sa cathédrale. La précédente s'était effondrée au printemps 1899 et on avait dû consentir à d'énormes sacrifices pour entreprendre la construction de la nouvelle dès l'année suivante. Cela expliquait en grande partie les réticences de monseigneur Gravel à laisser ses paroisses se lancer dans ce qu'il appelait de «folles dépenses».

Un peu après une heure, le curé de Saint-Paul-des-Prés décida d'aller se présenter au secrétariat de l'évêché pour obtenir un rendez-vous avec son supérieur. Le secrétaire particulier de l'évêque le reçut sans trop le faire attendre.

— Monseigneur a l'habitude de ne recevoir que sur rendez-vous, monsieur le curé, lui fit remarquer Raoul Tousignant, l'air revêche.

— Je le sais, l'abbé, fit Charles Bilodeau d'une voix coupante. Allez tout de même lui demander s'il peut m'accorder cinq minutes. C'est une urgence.

— Je serais surpris qu'il ait le temps de vous voir aujourd'hui, rétorqua le jeune prêtre en se gourmant.

— On verra bien, laissa tomber le curé que son énervement rendait irascible.

Raoul Tousignant sortit de la pièce pour y revenir moins de cinq minutes plus tard, un dossier sous le bras et l'air affairé.

— Monseigneur vous attend. Mais de grâce, soyez bref, monsieur le curé. Il a devant lui un après-midi très chargé.

Sur ces mots, le secrétaire conduisit le prêtre au visage fermé à la porte matelassée du bureau de l'évêque de Nicolet. Le cœur battant la chamade, le curé de Saint-Paul-des-Prés pénétra dans la pièce et salua son supérieur qui s'était levé à son entrée pour lui serrer la main.

— Entrez, monsieur Bilodeau, et assoyez-vous, l'invita sans sourire le prélat à la longue figure sévère.

L'évêque prit place derrière son bureau et attendit que le prêtre se soit assis avant de reprendre la parole.

— Mon secrétaire a dû vous dire que j'avais un après-midi très occupé. S'il vous plaît, allez directement au but de votre visite.

Mal à l'aise, le curé raconta en quelques mots ce qui l'avait poussé à venir consulter son supérieur sans prendre le temps d'attendre un rendez-vous.

— La fabrique de ma paroisse a fait ce que vous aviez recommandé, monseigneur, lui fit remarquer Charles Bilodeau. Elle a attendu d'avoir cinq mille dollars avant de commencer la construction de notre église ce printemps. Là, le problème est que les banques veulent pas nous prêter les quarante-cinq mille dollars dont on a besoin pour continuer si l'évêché garantit pas le prêt.

— Je comprends, laissa tomber sèchement le prélat en continuant à fixer son interlocuteur d'un air imperturbable.

— Provencher, l'entrepreneur, a fermé le chantier et ne le rouvrira pas sans recevoir l'argent que la fabrique lui doit.

— C'est normal.

— Il faut comprendre, monseigneur, que ça fait quatre ans que mes paroissiens n'ont pas d'église et ils ont fait bien des sacrifices pour en avoir une. Ils sont bien fatigués de venir à la messe dans la petite salle que la supérieure du couvent nous prête. Je pense, monseigneur, que leur patience est à bout.

— Et la vôtre aussi, je suppose? ajouta son supérieur, l'air un peu goguenard.

— Oui, monseigneur, reconnut le prêtre, en rougissant légèrement.

Monseigneur Gravel se leva et alla se planter devant l'une des fenêtres de son bureau. Il demeura un long moment à regarder à l'extérieur en silence. Il réfléchissait. Finalement, il se tourna vers son visiteur.

— Je vais parler à Alphonse Provencher. Je le connais bien. Je vais m'organiser pour que le travail reprenne rapidement dans votre chantier. Ensuite, vous allez demander au directeur de la banque qui exige que le diocèse garantisse votre prêt de passer au secrétariat de l'évêché. Je vais faire une entorse à la règle que j'ai établie. Je vais accepter de garantir votre prêt parce qu'on ne peut pas laisser votre église construite au quart sans rien faire.

— Merci, monseigneur, fit le curé, stupéfait d'être parvenu aussi facilement à obtenir ce qu'il désirait.

— Mais de grâce, monsieur le curé, surveillez bien les dépenses avec les membres de votre fabrique. Il n'est absolument pas question de dépasser le devis initial. Vous m'entendez?

— C'est promis, monseigneur.

Quelques minutes plus tard, Charles Bilodeau sortait de l'évêché, tout guilleret et affamé. Le bedeau, qui l'attendait debout près de la voiture, se rendit compte du changement d'humeur de son passager. Pendant un bref moment, le curé de Saint-Paul-des-Prés fut tenté d'aller manger quelque chose avant de prendre le chemin du retour. Finalement, il décida de rentrer sans tarder pour annoncer la bonne nouvelle autant à son vicaire qu'aux membres de la fabrique.

Il faut croire que cette journée devait être bénéfique pour le prêtre car, à son arrivée au presbytère en fin d'après-midi, il eut la surprise de découvrir une petite femme toute ronde en train de balayer le couloir du rez-de-chaussée.

— Bonjour, monsieur le curé, le salua la dame avec un large sourire.

— Bonjour, madame. Est-ce que je peux vous demander qui vous êtes?

— Géraldine Lemieux, monsieur le curé. Je suis la cousine de Constant Boulanger, le fromager. Monsieur le vicaire m'a demandé de passer vous voir parce qu'il paraît que vous avez besoin d'une ménagère. En vous attendant, j'ai remis un peu d'ordre dans la cuisine.

— Ah bon, se contenta de dire Charles Bilodeau sur un ton neutre. Passez donc dans mon bureau, madame Lemieux.

L'entrevue ne dura que quelques minutes. Le curé apprit que Géraldine Lemieux était une veuve de quarante-cinq ans, hébergée depuis quelques mois par les Boulanger. La dame était soucieuse de plaire et semblait avoir un caractère agréable. Quand le prêtre parla des conditions de travail, elle les accepta toutes sans la moindre hésitation. Bref, elle fut engagée à l'essai.

— Vous seriez bien bonne, madame, de me préparer un petit quelque chose à manger. J'arrive de Nicolet et j'ai rien pris depuis le déjeuner.

— Je vous prépare ça tout de suite, monsieur le curé, fit la dame avec entrain.

Une heure plus tard, Charles Bilodeau pouvait se vanter de n'avoir jamais aussi bien mangé depuis son arrivée dans la paroisse.

— Vous avez eu la main heureuse, l'abbé, dit-il à Jérôme Nadon quand ce dernier rentra de sa visite bihebdomadaire aux malades de la paroisse. Je pense que madame Lemieux va faire l'affaire.

— C'est ce que j'ai pensé, moi aussi, monsieur le curé.

— Il reste que vous ferez bien attention de ne pas vous montrer désagréable avec notre nouvelle cuisinière, le mit en garde son supérieur, l'air sévère. Il manquerait plus qu'on la perde à cause de votre mauvais caractère.

Cette remarque coupa les jambes du vicaire et il regarda son supérieur, les yeux ronds, incapable de croire ce que ses oreilles venaient d'entendre.

———

Le beau temps perdura toute la semaine pour la plus grande joie des cultivateurs de la région. Il ne tomba pas une goutte de pluie de sorte qu'on ne perdit pas de temps à retourner le foin déjà coupé dans les champs.

Le samedi après-midi, Corinne poussa un véritable soupir de soulagement quand la dernière charrette de foin fut déchargée.

— On a tellement de foin que j'ai eu de la misère à fermer la porte de la tasserie, déclara Laurent en dételant Satan. Là, on a tout le foin qu'il nous faut jusqu'à l'année prochaine, même si on a des veaux cet automne.

Là-dessus, il alla se laver au puits en arborant un air satisfait avant de s'occuper du train. Sa femme rentra à la maison où l'avait précédé grand-père Boucher, chargé de Philippe. Malgré sa fatigue, elle s'activa à préparer le repas du soir.

Après le souper, Laurent, fidèle à son habitude du samedi soir, fit sa toilette et quitta la ferme sans préciser où il allait ni quand il rentrerait. Corinne ne formula aucune remarque. Elle se contenta de faire la toilette du bébé avant de le coucher. Elle se mit au lit tôt en espérant avoir la chance de parler à Rosaire le lendemain matin, après la messe. Depuis son départ de chez elle, elle n'avait pas eu l'occasion de le voir une seule fois. Il était évident que son beau-père faisait en sorte que l'orphelin l'accompagne maintenant à la basse-messe, le dimanche matin, parce qu'il savait que sa bru n'y assistait pas.

Chapitre 14

Les soupçons

Comme tous les dimanches matin, Corinne eut un mal fou à tirer son mari du lit. Encore une fois, elle ignorait à quelle heure il était rentré, mais, fait surprenant, il ne semblait pas souffrir d'une gueule de bois ce dimanche-là. Corinne fut étonnée de le voir entrer dans la cuisine d'été, les yeux gonflés de sommeil, mais somme toute assez frais. Sans dire un mot, il quitta la maison pour l'étable, devancé à l'extérieur par grand-père Boucher parti chercher les vaches dans le champ.

Trois heures plus tard, à son entrée dans le réfectoire du couvent servant de chapelle, Corinne aperçut son beau-père en compagnie d'Henri et Annette. Elle chercha des yeux Rosaire, qui aurait dû normalement être assis à leurs côtés. L'orphelin n'y était pas.

— J'espère qu'ils font pas manquer la messe à Rosaire pour lui faire garder les petits, murmura-t-elle à son mari.

— Ça nous regarde pas une miette, se borna-t-il à lui répondre.

Durant toute la cérémonie religieuse, la jeune femme s'interrogea sur la raison de l'absence de son protégé et n'entendit pas un mot du sermon du curé Bilodeau.

À la fin de la messe, elle s'empressa de se glisser derrière Gonzague Boisvert, son fils et sa bru pour être en mesure de prendre des nouvelles de Rosaire.

Dès qu'ils posèrent le pied sur la galerie du couvent, elle les intercepta, suivie de près par Laurent. Avant même que son mari ait eu le temps de demander à son père s'il avait fini d'engranger son foin, elle demanda au cultivateur :

— Je vois pas Rosaire avec vous, beau-père. J'espère qu'il est pas malade.

— Non, je pense pas, répondit Gonzague, d'une voix neutre.

— Vous l'avez laissé à la maison ?

— Non plus.

— Qu'est-ce qui se passe ? demanda-t-elle, de plus en plus intriguée.

Ce fut Annette qui répondit à la place de son beau-père.

— Je sais pas ce que t'as fait à cet enfant-là, intervint la petite femme au maigre chignon noir, mais il y avait plus moyen de le faire obéir pantoute.

— Comment ça ? s'étonna Corinne, surprise par le ton acerbe de sa belle-sœur.

— Une vraie maudite tête de cochon ! Il aurait fallu passer notre temps à le battre pour le faire travailler.

— Ça fait qu'on a décidé de s'en débarrasser, conclut Henri de sa grosse voix.

— Hein !

— Ben oui, reprit Gonzague, bourru. J'ai décidé de le renvoyer à l'orphelinat. Les sœurs, elles, doivent avoir des moyens pour le dresser. Moi, j'avais pas de temps à perdre à faire ça et Henri non plus.

En entendant ces paroles, Corinne eut les larmes aux yeux.

— Mais pourquoi vous nous en avez pas parlé, à Laurent et à moi, avant de le renvoyer ? Nous autres, on l'aurait repris à la maison.

— Non, on l'aurait pas repris, fit sèchement Laurent. Je t'ai déjà dit que j'en voulais plus chez nous.

Cette déclaration suscita un mince sourire dans le visage des Boisvert, comme s'ils se réjouissaient de voir la jeune femme se faire remettre à sa place publiquement par son mari. Corinne ne dit rien, mais ses mâchoires se crispèrent et ses yeux laissèrent voir toute sa fureur. Il était évident qu'elle faisait un terrible effort de volonté pour ne pas éclater en sanglots devant les gens rassemblés autour d'eux.

— Bon, moi, je dois passer chez Duquette acheter du tabac. Si ça vous fait rien, on se reverra une autre fois, fit Laurent en entraînant sa femme dans l'escalier conduisant à la route.

Corinne, le visage fermé, monta dans le boghei et n'ouvrit la bouche que lorsque la voiture se fut mise en marche.

— J'espère que tu te trouves bien fin d'avoir montré à tout le monde que t'étais le maître !

Son mari ne dit rien. Il immobilisa le véhicule derrière la demi-douzaine de bogheis arrêtés devant le magasin général qui allait fermer ses portes à midi, comme tous les dimanches.

Corinne descendit de voiture et entra chez Duquette sans se soucier de savoir s'il la suivait ou pas pour acheter son tabac. En fait, elle remarqua rapidement qu'il était demeuré à l'extérieur pour parler avec deux jeunes de la paroisse en train de boire une boisson gazeuse.

Dans le magasin, une dizaine de personnes s'étaient regroupées près du comptoir et semblaient peu pressées de rentrer chez elles. La majorité d'entre elles étaient des femmes. Aucune ne paraissait avoir remarqué l'entrée de Corinne qui leur tournait le dos pour examiner quelques produits placés sur les étagères.

— Je sais pas ce que la police cherche exactement, fit la voix pontifiante d'Honorine Gariépy, mais elle est encore passée cette semaine pour me poser toutes sortes de questions sur le petit Boisvert.

En entendant ces paroles, Corinne se figea et se fit attentive.

— Tiens, moi aussi, dit la femme du forgeron.

— Moi, c'est la semaine passée que la police a arrêté à la maison pour nous questionner sur le plus jeune de Gonzague Boisvert, fit une autre.

— Il y a quelque chose de louche là-dedans, déclara la grosse épouse de Constant Bélanger.

Corinne se glissa à l'extérieur du magasin sans avoir rien acheté et dit à son mari qu'elle allait l'attendre dans le boghei. Elle lui demanda de se presser pour qu'elle ait le temps de préparer le dîner.

Quand son mari reprit place dans le boghei moins de cinq minutes plus tard, elle ne put s'empêcher de lui répéter ce qu'elle avait entendu malgré elle dans le magasin. Elle ne remarqua pas le changement d'expression suscité par cette révélation sur le visage de son mari.

— Veux-tu bien me dire pourquoi la police pose des questions sur toi ? lui demanda-t-elle.

— Comment veux-tu que je le sache ? mentit Laurent, en dissimulant mal son inquiétude.

— T'as rien à te reprocher, non ?

— Parle donc pas pour rien dire, calvaire ! s'emporta-t-il. C'est sûr que j'ai rien fait. Quand est-ce que tu veux que j'aie eu le temps de faire quelque chose de travers ? Je travaille du matin au soir comme un esclave.

— Si c'est comme ça, ça doit avoir affaire avec Mitaines, poursuivit Corinne d'une voix hésitante. La police doit se demander pourquoi il est mort chez nous.

— Ça se peut. Ce maudit innocent-là aurait pu aller crever ailleurs, ajouta-t-il, l'air mauvais.

La jeune femme garda le silence pendant un bref moment, se demandant s'il était temps de révéler à son mari la tentative de viol dont elle avait été l'objet l'hiver précédent. Puis elle se décida à tout lui dire.

— Je t'ai jamais dit que Mitaines était revenu chez nous l'hiver passé, poursuivit-elle un ton plus bas, comme si elle craignait d'être entendue.

— Qu'est-ce qu'il voulait?

Sa femme avala péniblement sa salive au souvenir de ce qui s'était produit.

— Il s'était caché dans le poulailler et il m'a sauté dessus quand je suis allée chercher des œufs.

— Quoi! C'est seulement aujourd'hui que tu me dis ça? explosa Laurent en lui jetant un regard furieux.

— Il s'est rien passé, déclara Corinne pour l'apaiser. Je me suis débattue comme une folle et Rosaire m'a entendue crier. Il est arrivé en courant et il m'a défendue à coups de pelle. L'innocent a pas eu le choix de se sauver. S'il est rien arrivé, c'est grâce à Rosaire.

— Laisse faire saint Rosaire! répliqua Laurent sur un ton rogue.

— Je fais juste te raconter ce qui s'est passé, se défendit Corinne.

— Pourquoi tu m'en as pas parlé avant? lui reprocha son mari, mis de mauvaise humeur par cette révélation inattendue.

— Qu'est-ce que ça aurait changé?

— Rien, admit-il à regret.

Il y eut un bref silence dans la voiture avant que Laurent reprenne la parole. Il venait de réaliser brusquement que cette tentative avortée de viol, si elle était connue, pouvait faire de lui un suspect potentiel de la mort de Mitaines. Les gens mal intentionnés pourraient insinuer qu'il s'était vengé. Pendant un bref moment, il eut même la tentation de se débarrasser de l'argent de l'innocent. S'il contactait la police pour avouer venir de le trouver dans un sac, dans son champ, on cesserait de le soupçonner... Toute la question était de savoir si on le croirait. Les policiers avaient sérieusement examiné ses champs depuis la découverte du cadavre… Et puis non! L'argent était à lui. Il l'avait trouvé sur sa terre. Il n'allait pas bêtement le donner.

— Qui est au courant de cette affaire-là? demanda-t-il à Corinne, l'air soupçonneux, au moment où la voiture approchait de leur ferme.

— Il y a juste Rosaire. J'en ai pas parlé à personne.

— C'est correct, conclut-il, un peu rassuré.

— C'est correct aussi longtemps que Rosaire en parlera pas à personne, laissa-t-elle tomber en se méprenant sur le sens des paroles de son mari.

Laurent se promit tout de même de se montrer encore plus prudent dans ses dépenses de manière à ne pas prêter flanc au moindre soupçon. Tout de même, cela l'inquiétait de savoir que Rosaire était au courant de la tentative de viol de Mitaines… Puis, il se rappela soudain que c'était l'orphelin qui avait découvert le cadavre de l'innocent. Qu'est-ce qui prouvait qu'il n'avait pas jeté un coup d'œil dans son sac? Poussé par la curiosité, il pouvait fort bien avoir vu le gros rouleau de dollars… Si la police allait l'interroger, le jeune risquait de tout révéler et alors, c'était lui, Laurent Boisvert, qui allait être accusé d'avoir volé cet argent-là.

À la seule pensée de se retrouver montré du doigt dans la paroisse, d'être traité de voleur et peut-être même d'assassin, il eut des sueurs froides. Lui, faire de la prison, jamais! Il fallait absolument trouver un moyen de faire oublier le rôle de Rosaire dans toute cette affaire.

À son arrivée à la maison, le couple eut la surprise de découvrir la voiture de Bernard Provencher près de l'écurie. Le jeune homme était assis sur la dernière marche de la galerie en grande conversation avec grand-père Boucher. Laurent laissa sa femme devant la porte de la cuisine d'été et, après avoir salué son patron, poursuivit son chemin jusqu'à l'écurie.

— Qu'est-ce que vous venez faire en plein dimanche à Saint-Paul? demanda aimablement Corinne à son pensionnaire.

— Je suis désolé d'arriver chez vous comme ça, sans être attendu, s'excusa Bernard, mais on va rouvrir le chantier demain matin. Je suis venu aujourd'hui pour être bien sûr que monsieur Gagnon va nous livrer le bois commandé demain matin de bonne heure. En même temps, j'en ai profité pour avertir en chemin tous mes hommes que l'ouvrage reprend demain. Laurent est le dernier.

— Comme ça, vos problèmes sont réglés? demanda l'hôtesse, heureuse à la pensée que son mari allait retrouver son emploi dès le lendemain.

— On le dirait ben, convint Bernard avec le sourire.

Laurent, le chapeau incliné sur l'arrière de la tête, revint au même moment. Quand il apprit la réouverture du chantier de l'église, il en fut tout heureux et invita son employeur à entrer dans la maison. Wilfrid Boucher suivit les deux jeunes hommes.

— Si tu rouvres, est-ce que ça veut dire que la fabrique a trouvé l'argent qui manquait? demanda Laurent, indiscret.

— On le dirait. Tout ça s'est réglé entre mon père et monseigneur Gravel. Mais là, je veux pas que vous vous sentiez obligés de m'offrir à manger, se défendit Bernard en voyant Corinne ajouter un couvert sur la table dressée avant le départ pour la messe.

— Il y a pas de problème, répliqua cette dernière, hospitalière. J'ai fait un gros chaudron de bouilli de légumes. J'en ai amplement pour les fins et les fous.

— Si c'est comme ça, j'accepte, fit l'entrepreneur sans faire plus de manières. Ah oui, je vous ai apporté un petit quelque chose, ajouta-t-il en se penchant sur son gros sac en toile qu'il avait transporté à l'intérieur.

Il tira une meule de fromage orangé du sac dans lequel il transportait ses objets personnels.

— Bien, voyons donc ! protesta Corinne, ravie du présent.

— C'est un cadeau de ma mère, expliqua le jeune homme. Elle a fait du fromage avant-hier et elle a trouvé que c'était une bonne idée de vous en envoyer une meule.

— Mais c'était pas nécessaire.

— C'est pas son avis, dit en riant Bernard. Elle dit que ça vaut au moins ça pour endurer toute la semaine un vieux garçon comme moi.

Durant le repas, chacun louangea le fromage confectionné par Marie-Blanche Provencher et Corinne ne manqua pas de demander à Bernard de s'informer si sa mère accepterait de lui communiquer sa recette.

— J'en ai jamais mangé d'aussi bon, lui dit-elle.

— ༄ —

Ce dimanche-là réservait une agréable surprise à la maîtresse de maison. Au début de l'après-midi, elle reçut la visite de Bastien et Rosalie, accompagnés de Germaine. Le jeune couple ne s'était finalement offert que deux jours de voyage de noces chez une tante de la nouvelle mariée avant de s'installer chez les Cadieux. Depuis, le travail à la ferme de ses beaux-parents n'avait guère laissé de loisir au frère préféré de Corinne.

— Si tu nous invites à souper, on va rester, annonça ce dernier à sa sœur. Le beau-père m'a dit qu'il s'occuperait tout seul du train, à soir.

— Mon père l'aime bien gros, se crut obligée de préciser Rosalie.

— C'est peut-être vrai, reconnut Bastien, mais ça l'a pas empêché de me dire de pas en prendre l'habitude.

— Et moi, si tu m'invites à rester, je passerais bien une couple de jours avec toi, intervint une Germaine rayonnante dont la nouvelle minceur surprenait encore sa sœur cadette. Dans trois semaines, les vacances vont être finies et je vais retourner à Saint-Bonaventure pour remettre de l'ordre dans l'école.

— C'est sûr que je te garde toute la semaine, la rassura Corinne avec enthousiasme. On s'est presque pas vues de l'été. On ira te reconduire à Saint-François dimanche prochain.

— Tu connais m'man. Il était pas question que je passe mon été à me promener quand il y avait de l'ouvrage à plus savoir où donner de la tête à la maison, reprit l'enseignante.

Le reste de la journée passa agréablement. Pendant que les hommes parlaient de récoltes avec grand-père Boucher, Bernard Provencher s'était arrangé pour s'asseoir près de Germaine avec qui il discuta longuement de mille et un sujets.

— Dis donc, Corinne, est-ce que ta sœur serait pas en train de se faire un amoureux? chuchota Rosalie, toujours aussi enjouée. Ton pensionnaire la lâche pas des yeux depuis qu'il est arrivé.

— Je le sais pas, reconnut l'hôtesse, mais on dirait bien qu'il la trouve à son goût.

Les deux femmes laissèrent Germaine et Bernard à leur conversation pour s'entretenir de leurs projets de couture. Avec la permission de Corinne, Rosalie s'empara de Philippe et se mit à le bercer en s'extasiant sur sa bonne mine. Il fallait reconnaître que le bébé était un magnifique poupon.

Au souper, on parla abondamment du mariage d'Anatole prévu le samedi précédant la fête du Travail.

— Je veux pas trop rien dire, fit Rosalie avec des airs de conspiratrice, mais la Thérèse sera pas facile à endurer. J'ai jamais vu une femme aussi capricieuse.

— Puis, elle énerve déjà pas mal maman, ajouta Germaine. Une chance que je serai pas à la maison pour voir ça. J'ai l'impression que ça va faire pas mal de tiraillage quand la nouvelle belle-sœur va essayer de faire la loi dans la cuisine.

— Moi, je suis sûre que ça va faire des flammèches, prédit Rosalie.

— Je suis pas comme vous autres, affirma Corinne. Je connais m'man. La femme qui va venir faire la loi dans sa maison est pas encore au monde. La Thérèse Rochon va avoir à se lever de bonne heure si elle veut essayer de tout régenter chez les Joyal. Je suis certaine qu'Anatole a dû déjà l'avertir.

— Ça veut pas dire que Thérèse va l'écouter, dit Rosalie en riant.

Quand Bastien annonça au milieu de la soirée qu'il était temps de partir, Corinne fit promettre au jeune couple de revenir la visiter le plus tôt possible.

— Même si on reste chez mon père, dit Rosalie, vous pouvez venir, vous autres aussi. On va tous être bien contents de vous voir. Puis inquiétez-vous pas pour ma cuisine, je fais pas à manger aussi bien que Corinne, mais je vous empoisonnerai pas. Vous avez juste à regarder Bastien : il est déjà gras comme un voleur et ça fait même pas deux mois qu'on est mariés.

Après leur départ, Corinne alla aider sa sœur à s'installer dans l'une des chambres, à l'étage.

— Je sais pas si c'est bien correct de te laisser coucher en haut, dit-elle à voix basse à Germaine en ouvrant la fenêtre de la chambre rose.

— Pourquoi tu dis ça ? demanda sa sœur, étonnée.

— Je t'ai regardée faire de l'œil à mon pensionnaire depuis qu'il est arrivé. Il couche dans la chambre à côté… Si m'man savait ça, je suis sûre qu'elle en dormirait pas.

— Dis donc pas de niaiserie, la réprimanda Germaine. Bernard Provencher est pas mon cavalier.

— Tu dis ça, mais…

— T'oublies, à part ça, qu'il y a le grand-père de Laurent à côté, la coupa sa sœur.

— Je le sais, mais il dort dur comme une bûche. En tout cas, si j'entends le moindre bruit en haut, je vais envoyer Laurent mettre de l'ordre, plaisanta Corinne.

— Inquiète-toi pas, la rassura Germaine. Oublie pas que je suis presque une vieille fille. En plus, je suis sévère et sérieuse comme une maîtresse d'école.

Chapitre 15

Le scandale

La semaine suivante ne manqua pas de réserver d'autres surprises à la femme de Laurent Boisvert.

La première eut lieu le mardi après-midi, au moment où elle entreprenait de repasser les vêtements lavés la veille. Tout était calme dans la maison et Germaine berçait le bébé dans le but de l'endormir. Corinne venait de déposer sur le poêle son fer à repasser pour le réchauffer quand le bruit d'une voiture pénétrant dans la cour de la ferme l'attira à l'une des fenêtres de la cuisine d'été.

— Ah bien, Seigneur ! s'exclama-t-elle toute joyeuse en reconnaissant la passagère de la voiture. C'est Juliette, la sœur de Laurent qui arrive, dit-elle à Germaine, qui s'était levée pour regarder, elle aussi, à l'extérieur.

La maîtresse de maison s'empressa de retirer son tablier et se précipita sur la galerie pour aller accueillir Juliette Marcil. Elle eut à peine le temps de se porter à la rencontre de la visiteuse que la grande et forte femme avait payé son cocher et empoigné une petite valise.

— Tu parles d'une belle surprise ! fit joyeusement Corinne en serrant contre elle sa belle-sœur. Si j'avais su que tu venais, je t'aurais préparé un souper spécial.

— Mais t'as l'air en bonne santé, la petite belle-sœur ! s'exclama à son tour la restauratrice de Montréal en tenant son hôtesse à bout de bras. On dirait jamais que je tiens là une vieille femme qui va avoir vingt ans dans une dizaine de jours.

— J'ai encore toutes mes dents et pas trop de cheveux blancs, plaisanta Corinne.

— À cette heure que je t'ai bien regardée, je veux absolument voir tout de suite mon filleul pour être sûre que tu l'as pas trop magané pendant que j'étais pas là.

— Viens en-dedans, ma sœur Germaine est en train de le bercer.

Les deux femmes s'engouffrèrent dans la maison en riant. Après avoir salué Germaine qu'elle avait déjà rencontrée à quelques reprises, Juliette s'empressa de prendre dans ses bras le bébé de trois mois.

— Mais il est bien beau, ce bébé-là! s'exclama-t-elle. S'il continue comme ça, il va finir par ressembler à sa marraine... Et où est passé grand-père? demanda-t-elle en tournant la tête dans toutes les directions.

— Il est allé jaser avec Jocelyn, à côté, répondit Corinne. Je pense que le pauvre vieux s'ennuie un peu à passer ses journées tout seul. Laurent travaille au chantier de l'église au village six jours par semaine, et quand il rentre le soir avec Bernard...

— Bernard? l'interrompit sa belle-sœur.

— Tu sais bien, c'est notre pensionnaire. C'est l'entrepreneur du chantier. Je te l'ai écrit dans une de mes lettres.

— C'est vrai, reconnut Juliette. Je l'avais oublié.

— Ça fait que, de temps en temps, grand-père va passer une heure ou deux avec le voisin.

Corinne s'arrêta, attendant de toute évidence que sa belle-sœur dise quelque chose sur sa relation avec Jocelyn Jutras. Quand elle se rendit compte qu'elle n'en disait pas un mot, elle s'enhardit au point de lui demander s'ils s'écrivaient, comme ils se l'étaient promis lors de leur dernière rencontre, le printemps précédent.

— On s'est écrit une ou deux fois, mais notre Jocelyn est pas un écriveux, avoua Juliette. Il écrit qu'il a pas grand-chose à raconter.

— C'est de valeur. Vous vous entendez si bien, déplora Corinne.

— Dis donc, reprit la restauratrice. Où est passé Rosaire ? Est-ce qu'il est parti, lui aussi, chez Jocelyn ?

Lorsque la fille de Gonzague Boisvert s'aperçut que le visage de sa belle-sœur avait soudainement changé d'expression, elle s'inquiéta.

— Dis-moi pas qu'il lui est arrivé quelque chose ? s'alarma-t-elle.

Germaine, au courant de toute l'affaire, secoua la tête pour signifier que tel était le cas.

— Qu'est-ce qui lui est arrivé ? demanda Juliette.

— Il y a quinze jours, ton père est venu le chercher en disant qu'il en avait absolument besoin pour les foins.

— Mon père aurait pu vous le laisser. Il avait déjà Henri pour l'aider. Qu'est-ce que Laurent a fait ?

— Il a dit à Rosaire de faire ses paquets et de s'en aller avec ton père, dit Corinne, la voix brisée, comme si le souvenir de la scène la faisait encore souffrir.

— Puis ? Mon père t'a pas dit qu'il te le renverrait après les foins ?

— Pantoute… parce que Rosaire était plus chez eux à ce moment-là.

— Comment ça ?

— D'après Annette, il voulait plus obéir pantoute et il travaillait pas. Ça fait que ton père a décidé de le renvoyer à l'orphelinat.

— Pourquoi Laurent va pas le chercher s'il est là-bas ?

— Probablement pour pas déplaire à ton père.

— J'en reviens pas. Ça regarde plus mon père pantoute, cette affaire-là, protesta Juliette. Si Rosaire reste plus là, tu peux toujours écrire à l'orphelinat de vous l'envoyer.

— C'est ce que j'ai déjà essayé de faire, mais ton frère a déchiré ma lettre. Il veut plus le revoir ici dedans, avoua Corinne, le cœur gros.

— Et moi qui lui avais tricoté un beau chandail! se plaignit Juliette.

À la fin de l'après-midi, les trois femmes se partagèrent les tâches. Pendant que Germaine préparait le repas, Juliette et Corinne firent le train avant l'arrivée des hommes. Grand-père Boucher arriva quelques minutes avant Laurent et Bernard et sembla tout heureux de revoir sa petite-fille.

— T'as décidé de faire une surprise à ton père? lui demanda le vieil homme, d'excellente humeur.

— Bien oui, grand-père.

— Je pense qu'il va être content d'avoir sa fille à la maison une couple de jours.

— Ça, c'était pas mon intention, le corrigea Juliette. Si Corinne me garde à coucher, je pense que j'aimerais mieux coucher ici dedans et aller passer juste une journée chez mon père.

— Il y a pas de problème, accepta sa jeune belle-sœur avec le sourire. Il reste une chambre en haut.

— Annette va t'être bien reconnaissante de m'avoir empêchée d'être dans ses jambes pendant deux ou trois jours, ajouta la restauratrice. Même si c'est la maison de mon père, j'ai toujours l'impression de la déranger. Remarque que ça me fait pas un pli, mais ça finit par m'agacer à la longue. Je pense qu'elle m'aime sans bon sens, notre petite noire, ajouta-t-elle, ironique.

— Je te garde pas pour rien, poursuivit Corinne. Je pense que tu vas être bien utile pour surveiller en haut.

— Corinne! fit Germaine, scandalisée.

— Comment ça ?

L'hôtesse allait expliquer sa plaisanterie quand Laurent et Bernard arrivèrent. En cette fin d'après-midi de la mi-août, il faisait une chaleur sèche agréable. À les voir, il était évident que les deux hommes avaient eu très chaud et leurs vêtements étaient couverts de bran de scie. Bernard Provencher immobilisa l'attelage près du puits et tendit les rênes à son employé en disant :

— C'est à ton tour de dételer. Je vais aller me nettoyer pendant que tu t'occupes du cheval.

L'entrepreneur de Nicolet s'empressa de prendre le sac de vêtements propres qu'il laissait toujours entre les deux sièges du boghei et descendit de voiture. Dès qu'il fut près de la margelle du puits, il retira sa chemise, remplit le bol à main d'eau et se mit en devoir de se laver. Au même moment, Juliette et Corinne sortirent du poulailler après avoir nourri les poules.

— Qui est-ce ? demanda Juliette en l'apercevant.

— Bernard Provencher, mon pensionnaire.

— Mon Dieu ! C'est toute une pièce d'homme, reprit la veuve, admirative.

— T'es mieux de pas trop le regarder si tu veux pas que ma sœur t'arrache les yeux, chuchota Corinne, moqueuse. Je pense qu'elle a l'œil sur lui, même si elle refuse de le dire.

— J'ai compris.

Lorsque les deux femmes arrivèrent près de lui, Bernard avait tout juste eu le temps d'endosser une chemise propre. Corinne le présenta à sa belle-sœur. Cette dernière le salua poliment et s'excusa sous le prétexte d'avoir à dire quelques mots à son jeune frère occupé à dételer le cheval devant l'écurie.

— Tiens ! De la visite rare, fit Laurent sans grand enthousiasme en voyant sa sœur s'approcher de lui. Es-tu venue passer quelques jours chez p'pa ?

— J'ai pris un congé de trois jours. Mon associée va s'occuper du restaurant pendant ce temps-là, lui expliqua-t-elle après lui avoir plaqué un baiser sonore sur une joue. J'avais pensé coucher chez vous au moins à soir, si ça te dérange pas trop, bien entendu?

— Pantoute. T'es la bienvenue, répondit son frère sans la moindre chaleur.

— J'ai cherché Rosaire partout, je l'ai pas vu, ajouta la grande femme en affichant l'air de celle qui ignore tout.

— Il est retourné à l'orphelinat, se contenta de répondre son frère, comme si la chose n'avait pas la moindre importance.

— Comment ça se fait? Il était pas heureux avec vous autres?

— Il restait plus avec nous autres. P'pa est revenu le chercher et il écoutait plus. Ça fait qu'il a décidé de le renvoyer chez les sœurs.

— Pourquoi tu l'as pas repris d'abord?

— Parce que c'était pas nous autres qui l'avions pris en élève. P'pa aurait pas aimé qu'on le fasse revenir.

— Dis donc, Laurent Boisvert! s'exclama sa sœur aînée en se plantant devant lui, les mains sur les hanches. Jusqu'à quel âge tu vas te sentir obligé de toujours faire plaisir à p'pa? Tu trouves pas qu'une fois marié, ce serait bien plus important que tu fasses plaisir à ta femme plutôt qu'à ton père?

— Aïe, là, sacrement! Tu te mêles de ce qui te regarde pas, la grande! s'emporta Laurent en haussant le ton.

— Je m'en mêle pas pantoute, répliqua sa sœur sur le même ton. Je te donne même pas un conseil. Je fais juste te rappeler que t'es un homme marié à une bonne femme et que t'aurais pu essayer de lui faire plaisir en faisant revenir Rosaire à la maison... Là, je dis plus un mot. Comme tu viens de le dire, ça me regarde pas.

Sur ce, Juliette tourna les talons et le laissa aller se laver au puits alors même que Bernard Provencher venait de prendre place sur la galerie en attendant que le souper soit prêt.

— Madame Boisvert m'a dit que vous avez un restaurant à Montréal, dit-il aimablement à la sœur de son hôte au moment où cette dernière arrivait à sa hauteur.

— Oui, et j'ai pris trois jours de congé pour venir voir la parenté et surtout mon filleul, répondit Juliette en s'immobilisant, la main sur la poignée de la porte moustiquaire.

— Vous devez trouver que ça fait changement de la grande ville.

— Pour ça, c'est pas mal plus calme, reconnut la sœur de Laurent. Mais vous, je pensais que vous étiez le *boss* de mon frère. À vous voir tout à l'heure, vous aviez l'air d'avoir autant travaillé que lui.

— Ben non, la corrigea Laurent, qui arrivait déjà derrière elle, après s'être rapidement lavé la figure et les mains au puits. Il se salit sur le chantier pour faire croire au monde qu'il travaille aussi fort que nous autres. En réalité, il fait juste nous regarder, les mains dans les poches, du matin au soir.

Avant que son pensionnaire ait eu l'occasion de se défendre, Corinne apparut à la porte pour inviter tout le monde à passer à table. Germaine avait préparé une salade et fait cuire de la saucisse et du boudin qui furent servis avec des pommes de terre.

Tout le monde s'entassa autour de la table de la cuisine d'été et le repas se déroula dans une joyeuse atmosphère. Si Juliette parla beaucoup de certains clients bizarres qui fréquentaient son restaurant de la rue Ontario, Bernard Provencher raconta quelques-uns des mauvais coups auxquels il avait participé avec ses frères lorsqu'ils étaient jeunes.

— Vous avez bien dû faire damner votre mère ? finit par dire à ce dernier une Germaine qui buvait ses paroles.

— Je le pense pas, mademoiselle Germaine, répondit Bernard, l'œil amusé. Il me semble ben l'avoir entendue dire qu'elle préférait avoir trois gars un peu haïssables qu'une seule fille malcommode.

— Whow ! Charriez pas, vous, lui ordonna Juliette en éclatant de rire. Vous pouvez faire dire n'importe quoi à cette pauvre femme, elle est même pas là pour se défendre. Je suis certaine que ses garçons avaient un paquet de défauts.

— Le seul qu'elle nous reprochait, c'était d'être un peu traîneux, reprit Bernard. Quand elle entrait dans notre chambre et qu'elle voyait le barda éparpillé un peu partout, elle s'enrageait ben noir. À ce moment-là, elle nous criait de nous ramasser un peu et, si on bougeait pas assez vite, elle nous allongeait une claque pour nous faire comprendre que ça pressait, conclut l'entrepreneur en éclatant de rire. Avec l'âge, ma mère a pas beaucoup changé, mais j'ai un peu exagéré en disant qu'elle aurait pas voulu d'une fille. Je suis sûr qu'elle aurait aimé en avoir au moins une... Peut-être une qui aurait ressemblé à une de vous trois, ajouta-t-il galamment.

Le sourire des trois femmes assises autour de la table lui apprit à quel point elles étaient sensibles à son compliment.

—⚬—

Le lendemain après-midi, Wilfrid Boucher décida d'aller aider Jocelyn Jutras à réparer une voiture à foin. Juliette attendit le départ de son grand-père pour monter à sa chambre. Elle revint un instant plus tard en portant deux paquets qu'elle déposa sur la table, devant Corinne et Germaine.

— Avant que je l'oublie, je suis aussi bien de te les donner tout de suite, dit-elle à sa belle-sœur. Le plus petit paquet, c'est le chandail que j'ai tricoté pour Rosaire. Je vais te le laisser. On sait jamais, il va peut-être revenir.

— Et l'autre paquet ? demanda Corinne, curieuse.

— Ça, c'est ton cadeau de fête, déclara Juliette avec entrain.

— Mais ma fête est juste en septembre, protesta la jeune femme.

— Je le sais, mais comme je suis pas sûre d'être capable de revenir à Saint-Paul en septembre, j'ai décidé de te le donner aujourd'hui. Envoye, ouvre-le ! J'ai hâte de voir si tu vas l'aimer.

— Voyons donc ! c'était pas nécessaire, fit la jeune femme, émue par l'attention.

Elle dénoua la ficelle et écarta le papier brun dans lequel était enveloppé son cadeau.

— Qu'est-ce que c'est ? demanda-t-elle curieuse, en déployant devant elle un étrange vêtement rayé noir et blanc.

— Ça, ma belle, c'est un costume de bain à la dernière mode, déclara fièrement la restauratrice. Je te l'ai acheté dans une nouvelle boutique de la rue Sainte-Catherine.

— Un costume de bain ! répéta Corinne, sidérée par l'étrangeté du présent pendant que sa sœur examinait le vêtement, aussi surprise qu'elle.

— Écoute, Corinne, reprit Juliette en riant. T'es une femme moderne, pas une vieille mémère, non ? On est au vingtième siècle. Pourquoi tu porterais pas ça si t'arrives à décider mon frère à t'emmener te baigner dans la rivière ? Moi, j'en ai un et je m'en suis servi trois fois cet été.

— C'est vrai ce que tu dis là, reconnut Corinne, qui semblait tout de même peu convaincue. T'es bien fine de m'avoir acheté ça. C'est pas raisonnable d'avoir dépensé autant d'argent pour ma fête, ajouta-t-elle en l'embrassant sur une joue.

— À cette heure, il te reste juste à aller l'essayer et à venir nous montrer de quoi t'as l'air là-dedans.

— J'oserai jamais, dit sa belle-sœur, gênée.

— Voyons donc! protesta Germaine. Es-tu rendue scrupuleuse comme m'man? Si tu l'essayes pas, c'est moi qui vais l'essayer.

— Non, j'y vais, fit Corinne en s'emparant du vêtement après une courte hésitation.

— Parfait, fit Juliette. Pendant que tu le mets, nous autres, on va aller dans le jardin ramasser les tomates et la salade que tu veux avoir pour le souper.

Un peu rougissante, Corinne s'esquiva dans sa chambre à coucher pendant que sa sœur et sa belle-sœur quittaient la maison pour aller au jardin.

La maîtresse de maison retira rapidement ses vêtements et se glissa difficilement dans le maillot blanc et noir que venait de lui donner Juliette. Lorsqu'elle se plaça devant le miroir de sa table de toilette, elle découvrit une petite femme blonde aux traits fins vêtue d'un maillot de bain d'une seule pièce au décolleté très modeste. La tenue ressemblait à un long sous-vêtement couvrant aussi bien les cuisses jusqu'aux genoux que les bras.

— Mon Dieu! s'exclama Corinne en se rendant compte à quel point le maillot collait à son corps et la dépeignait de manière impudique. J'oserai jamais mettre une affaire comme ça! C'est comme si j'étais toute nue.

Au même moment, la jeune femme entendit frapper à la porte de la cuisine d'été et elle se précipita pour aller ouvrir de crainte que l'on frappe à nouveau et réveille ainsi Philippe qui dormait dans la pièce.

Lorsqu'elle approcha de la porte moustiquaire, elle eut un brusque geste de recul en découvrant l'identité du visiteur. Mais il était trop tard pour se retirer dans sa chambre.

Le curé Bilodeau l'avait clairement aperçue à travers la moustiquaire.

Rouge de confusion, Corinne se sentit donc obligée de s'approcher pour répondre au pasteur de Saint-Paul-des-Prés. Ce dernier s'écarta de la porte, signifiant ainsi qu'il n'avait pas l'intention d'entrer. La maîtresse des lieux n'eut d'autre choix que de sortir en costume de bain sur la galerie. Si elle était gênée au-delà de toute expression d'apparaître dans cette tenue devant un prêtre, ce dernier semblait au moins aussi mal à l'aise qu'elle. À faible distance, près de la maison, Juliette et Germaine se tenaient debout à la porte du jardin, la main devant la bouche, réprimant difficilement un fou rire devant l'embarras évident de Corinne.

— Je suis bien chez Laurent Boisvert ? demanda sèchement Charles Bilodeau, ne sachant, de toute évidence, où poser les yeux.

— Oui, mon… monsieur le curé, répondit Corinne en bafouillant. Je suis sa femme.

— Est-ce que Bernard Provencher est ici ?

— Non, il est supposé être au chantier de l'église.

— Il y est pas, fit le curé de Saint-Paul-des-Prés d'une voix cassante. On m'a dit que je pourrais peut-être le trouver ici. Bon, si c'est comme ça, dis-lui donc que je voudrais le voir dans la soirée s'il en a le temps.

— Je vais lui faire la commission, promit la maîtresse des lieux en croisant les bras sur sa poitrine en un geste de pudeur.

— C'est correct, fit le prêtre. Dis donc, ma fille, est-ce que c'est une habitude que tu as de te promener toute nue, comme une Jézabel ?

Le visage de Corinne s'empourpra violemment et elle serra encore les bras plus fort autour d'elle avant de répondre :

— Non… Non, monsieur le curé. J'étais en train d'essayer un…

— Laisse faire, la coupa l'ecclésiastique. Je suis sûr que ta mère serait pas fière de te voir accoutrée comme ça. Si ça a de l'allure ! Souviens-toi que le Seigneur a dit : « Malheur à celui par qui le scandale arrive. »

— Oui, monsieur le curé, trouva la force de répondre une Corinne prête à défaillir, tant sa honte était grande.

— T'es mère de famille, non ?

— Oui, monsieur le curé.

— C'est une vraie honte de se montrer comme ça, insista-t-il en la couvrant d'un regard plein de mépris. Oublie surtout pas de t'accuser de ça dans ta prochaine confession, lui ordonna-t-il avant de tourner les talons pour monter dans son boghei.

Corinne n'attendit pas que le prêtre ait quitté la cour de la ferme pour rentrer précipitamment dans la maison. Peu après, elle revint dans la cuisine d'été, habillée convenablement, mais encore bouleversée par ce qu'elle venait de vivre.

À sa vue, Juliette et Germaine furent prises d'un fou rire, trop heureuses de laisser éclater enfin leur joie devant l'air catastrophé de Corinne.

— Saudite affaire ! s'écria cette dernière avec humeur. Vous parlez d'une malchance ! Il fallait que monsieur le curé vienne juste au moment où je venais de mettre mon costume de bain ! Il me semble que vous auriez pu m'avertir, vous deux !

— On l'a pas entendu arriver pantoute, se défendit Germaine, entre deux hoquets. Quand on l'a vu, il était trop tard, il était déjà sur la galerie et il frappait à la porte.

— Là, c'est fin ! À cette heure, il me prend pour une femme de mauvaise vie !

— Bien non, chercha à la rassurer Juliette. Il va se calmer. Je pense que c'était la première fois qu'il voyait une femme en maillot de bain. Il a failli avoir une attaque, le pauvre homme ! Pour moi, il en dormira pas de la nuit !

— Dis-toi que ça aurait été pire si ça avait été m'man qui t'avait vue habillée comme ça, reprit Germaine en pouffant encore.

— T'es bien drôle, toi ! s'insurgea sa sœur, pas encore remise de sa mésaventure.

— En tout cas, on a vu ce que ça donnait. Il te fait très bien, voulut l'encourager Juliette. Je suis certaine que Laurent va l'aimer, promit-elle.

— Parlez-en pas. Je vais lui faire la surprise à soir, ajouta Corinne, qui retrouvait peu à peu son calme.

Ce soir-là, Corinne se retira dans sa chambre quelques minutes avant son mari. Elle s'empressa de revêtir son costume de bain pour lui faire une surprise. Ce qui fonctionna au-delà de tous ses espoirs. Quand il pénétra dans la pièce, elle prit une pose si aguichante qu'il faillit en échapper la lampe à huile qu'il tenait.

— Sacrement, veux-tu ben me dire d'où ça sort, cette affaire-là ? lui demanda-t-il, furieux.

— Parle pas si fort, lui ordonna sa femme. Tu vas réveiller le petit et les autres vont t'entendre.

— Je m'en sacre ! répliqua Laurent. D'où ça vient ?

— C'est le cadeau de fête que ta sœur m'a donné.

— Mais elle est devenue complètement folle ! s'emporta-t-il à mi-voix. Pour voir si tu vas te mettre ça sur le dos ! Elle doit ben savoir que les femmes mettent pas des affaires comme ça à la campagne !

— Tu trouves pas que ça me fait bien ? demanda Corinne, en prenant la pose pour désamorcer sa colère.

— C'est pas le problème. Je veux pas te voir ça sur le dos. Est-ce que t'as compris ? J'ai pas envie pantoute que ma femme passe pour une putain.

— Ah bien! T'es pas gêné, Laurent Boisvert! se fâcha à son tour Corinne. Ce costume-là, c'est la mode.

— Attends que je dise deux mots à la grande folle qui t'a donné ça.

— C'est correct, on n'en parle plus, répliqua rageusement sa femme en commençant à retirer le vêtement. T'as pas à t'inquiéter, je le mettrai pas. Je vais m'en débarrasser. Mais dis rien à Juliette. Elle a acheté ça pour me faire plaisir.

Le lendemain matin, la restauratrice demanda à Laurent de la conduire chez leur père avant d'aller travailler. Ce dernier sembla si soulagé de voir partir sa sœur aînée qu'il s'empressa d'accepter. Il fit même les gros yeux à sa femme quand cette dernière insista pour que sa belle-sœur demeure plus longtemps.

— Je resterais bien, admit Juliette, mais mon père comprendrait pas que j'aille pas passer au moins une journée à la maison.

— Je comprends, admit Corinne, tout de même désolée de la voir partir si vite.

— Puis, à part ça, il faut bien que j'aide Annette à gagner un peu son ciel, ajouta-t-elle dans un éclat de rire.

Après son départ, la maison sembla vide, même si Germaine était encore présente chez sa sœur.

Chapitre 16

Germaine

Le lendemain matin, Corinne surprit sa sœur en train de regarder Bernard atteler son cheval au boghei devant l'écurie. Germaine était si perdue dans ses pensées qu'elle dut lui répéter ce qu'elle venait de lui dire.

— Comme le dirait m'man, veux-tu bien me dire ce que t'as à manger les vitres ? finit par lui demander la maîtresse des lieux.

— Rien, répondit l'institutrice, en se secouant, mais sans quitter son poste d'observation.

— Aïe, Germaine Joyal ! Prends-moi pas pour une aveugle, fit Corinne. C'est encore le beau Bernard que tu regardais, pas vrai ?

— Bien non, mentit l'autre.

— Germaine !

— C'est vrai, avoua-t-elle.

— T'aimerais bien qu'il devienne ton cavalier, pas vrai ?

— J'haïrais pas ça, admit sa sœur.

— Offre-lui, fit Corinne.

— Es-tu devenue folle, toi ? Tu sais bien que ça se fait pas, une affaire comme ça.

— Veux-tu que je lui demande si ça l'intéresse d'abord ?

— Je vais avoir l'air fine encore !

Le silence tomba dans la cuisine d'été des Boisvert alors qu'à l'extérieur on entendait la voix de Laurent, sortant du poulailler, annoncer à l'entrepreneur qu'il était prêt à partir. La voiture quitta la cour.

— Je pense à une affaire, reprit Corinne. Pourquoi tu lui demanderais pas de t'accompagner aux noces d'Anatole, samedi prochain ?

— Me vois-tu lui demander ça, comme si j'étais pas capable de trouver un garçon pour m'accompagner ? En plus, tu m'as dit que les hommes travaillent le samedi au chantier...

— Écoute, c'est pas une punition que tu veux lui donner. T'es belle et t'es instruite. Il arrête pas de te regarder. Je suis certaine que t'aurais pas à le supplier bien longtemps.

— Je suis pas sûre de ça.

— Fais ce que tu veux, répliqua Corinne. Mais après ça, viens pas te plaindre qu'une fille te l'a volé.

Germaine eut l'air songeur toute la journée. Elle savait que si elle désirait persuader Bernard Provencher de l'accompagner, elle devait le faire le soir même. Le lendemain, samedi, le jeune homme ne revenait pas à la maison après sa journée de travail. Il quittait le chantier pour se rendre directement chez ses parents, à Nicolet.

Ce soir-là, après le souper, Corinne amena habilement la conversation sur le mariage de son frère aîné qui devait avoir lieu sept jours plus tard.

— As-tu décidé avec qui tu vas venir aux noces d'Anatole ? demanda-t-elle à sa sœur, qui lui fit les gros yeux.

— Non, finit par répondre cette dernière d'une voix embarrassée. Je vais peut-être y aller toute seule. J'aurai pas le temps de m'occuper de me trouver un cavalier. Tu connais m'man. Aussitôt que je vais mettre les pieds à la maison, ça va être le grand ménage. En plus, il va falloir cuisiner une bonne partie de la semaine, même si c'est pas nous autres qui faisons les noces. Blanche et Amédée vont arriver la veille avec les enfants, comme les oncles de Nicolet. La maison va être bien pleine.

Laurent jeta un regard interrogateur à sa femme qui l'ignora volontairement, trop occupée à guetter la réaction de son pensionnaire devant ce véritable appel du pied. Comme Bernard ne réagissait pas, Corinne se sentit obligée de poursuivre sa manœuvre.

— Il me semble qu'il y a au moins trois ou quatre gars de Saint-François qui te font de l'œil depuis longtemps et qui demanderaient pas mieux que de t'accompagner, reprit-elle.

Cette dernière phrase sembla tirer brusquement le jeune entrepreneur de sa léthargie. Il se racla la gorge avant de demander à l'institutrice :

— Je voudrais pas me montrer effronté, mademoiselle Germaine, mais est-ce que vous accepteriez que je vous accompagne aux noces de votre frère ?

Germaine allait se jeter sur l'offre quand un coup de pied bien appliqué sous la table l'obligea à freiner sa réaction qui allait être trop enthousiaste. L'institutrice comprit le message et prit donc un court moment avant de répondre.

— Je voudrais pas nuire à votre travail, dit-elle. Je sais que vous travaillez le samedi d'habitude, ajouta-t-elle d'une voix hésitante.

— Si je donne congé à Laurent cette journée-là, je suis ben capable d'en faire autant pour moi, expliqua-t-il, à l'évidence incertain du sens de la réponse de la jeune femme.

— Dans ce cas-là, je vais vous attendre samedi matin prochain, dit Germaine, le visage transfiguré.

Quand les hommes sortirent fumer une pipe sur la galerie, les deux femmes se mirent à chuchoter dans la cuisine.

— J'ai jamais eu aussi peur de ma vie, murmura Germaine. Je pensais que t'étais pour lui demander carrément de m'accompagner.

— Bien non, j'ai juste voulu te donner un petit coup de pouce. T'avais pas l'air à vouloir te décider. Et ça a marché, comme t'as pu voir. Es-tu contente au moins ?

— Bien oui ! répondit Germaine, enthousiaste.

— À cette heure, t'auras juste à t'organiser pour qu'il ait le goût de te fréquenter après les noces d'Anatole.

Le visage de l'institutrice se rembrunit immédiatement lorsqu'elle entendit ces paroles.

— Ah oui ! Ça, c'est une autre paire de manches. Ça marchera pas, fit-elle, désolée, au bord des larmes. Ça peut pas marcher. J'ai pas le droit de le recevoir dans mon logement pendant l'année. Il y a pas un gars qui va accepter de m'attendre toute l'année pour venir veiller au salon juste pendant l'été, quand je fais pas l'école.

— À ta place, je m'inquiéterais pas trop pour ça. Bernard a pas l'air d'avoir les deux pieds dans la même bottine, voulut la rassurer sa jeune sœur. Je suis certaine qu'il va être capable de trouver un moyen de te voir s'il en a le goût. Par exemple, p'pa pourrait aller te chercher à l'école une fin de semaine sur deux et là, tu pourrais recevoir ton cavalier. Si le chantier est ouvert une partie de l'hiver, tu pourrais venir ici de temps en temps et je vous chaperonnerais.

Ces paroles semblèrent calmer les appréhensions d'une Germaine encore très peu sûre de son charme.

—◆—

Le samedi matin, la température était beaucoup plus fraîche et le ciel couvert de lourds nuages. Bernard Provencher quitta la maison en compagnie de Laurent après avoir souhaité à Germaine un bon retour à la maison le lendemain après-midi. Pour sa part, il ne reviendrait chez les Boisvert que le dimanche soir, après avoir passé la journée chez ses parents.

— J'ai ben peur que ce soit un petit samedi d'ouvrage, déclara Laurent à son patron. Pour moi, il va mouiller dans une couple d'heures.

— On verra ben, fit l'autre en saluant de la main Germaine, debout sur la galerie.

Les deux bogheis prirent la route du village.

Laurent se trompait. Le ciel demeura menaçant toute la journée, mais il ne plut pas. Il rentra à la maison un peu avant six heures. Il soupa rapidement et s'empressa d'aller faire sa toilette. Quand il apparut dans la cuisine d'été, vêtu de ses habits du dimanche, Germaine ne put s'empêcher de dire :

— Mon Dieu, Laurent, mais t'es bien de bonne heure pour te préparer pour la messe de demain matin.

Son beau-frère fit comme s'il n'avait pas entendu la remarque et alla se camper devant le miroir fixé au-dessus de l'évier pour se coiffer. Grand-père Boucher, assis dans sa chaise berçante, fit un signe discret à la jeune femme de ne pas poursuivre.

— Attends-moi pas pour aller te coucher, dit Laurent à Corinne en boutonnant son veston. Je sais pas à quelle heure je vais revenir.

Germaine jeta un regard à la dérobée à sa jeune sœur, étonnée de constater qu'elle n'avait manifesté aucune surprise de voir sortir seul son mari. Elle regarda sans dire un mot son beau-frère se diriger vers l'écurie.

Après son départ, intriguée, elle fut incapable de se retenir plus longtemps.

— Où est-ce qu'il va, comme ça ? demanda-t-elle, curieuse, à Corinne.

— D'habitude, il va faire un tour à l'hôtel de Yamaska rencontrer des gars de Saint-Paul, répondit Corinne, comme si cela n'avait aucune importance.

— Est-ce qu'il fait ça toutes les semaines ? demanda sa sœur, surprise.

— Oui.

— Et ça te fait rien ?

— Même si ça me faisait quelque chose, ça changerait rien, admit Corinne sur un ton désabusé. Il dit qu'il faut bien qu'il s'amuse un peu après avoir travaillé toute la semaine.

— Moi, je te trouve pas mal bonne de le laisser faire ça. J'accepterais jamais ça de mon mari. Toi aussi, tu travailles toute la semaine et…

— Laisse faire, lui ordonna sa sœur en déposant Philippe sur la couverture étalée sur la table de cuisine dans l'intention de faire sa toilette du soir.

Germaine abandonna le sujet. Elle se rendait bien compte que sa jeune sœur aurait préféré qu'elle ignore cette sortie hebdomadaire de son mari.

Vers dix heures, les deux femmes imitèrent Wilfrid Boucher et décidèrent d'aller se coucher. Au moment où elle éteignait sa lampe, Germaine entendit les premières gouttes de pluie frapper le toit de la maison. Comme le vent venait de se lever, elle dut fermer à demi sa fenêtre pour éviter que la pluie ne pénètre à l'intérieur. La jeune femme s'endormit presque aussitôt, s'imaginant au bras de Bernard Provencher, le samedi suivant.

Un violent coup de tonnerre la réveilla brusquement. Elle avait l'impression qu'elle venait à peine de s'endormir. Assise dans son lit, elle hésita pendant un court moment à se lever pour fermer totalement la fenêtre. Quand un coup de vent fit voler les rideaux, elle se décida à quitter son lit. Elle jeta un coup d'œil à l'extérieur. Tout était noir. Alors qu'elle allait retourner se coucher, un éclair zébra le ciel et elle aperçut Laurent pénétrant dans le poulailler, les bras chargés d'un paquet. Elle demeura debout devant la fenêtre, intriguée. Elle n'eut pas à attendre longtemps. Une minute plus tard, elle vit son beau-frère courir sous la pluie en direction de la maison.

Au rez-de-chaussée, une porte claqua et elle entendit des pas dans la pièce située sous sa chambre. Un peu plus tard, un lit grinça et le silence revint dans la maison.

Germaine retourna dans son lit en se demandant ce que son beau-frère pouvait bien être allé porter dans le poulailler à cette heure de la nuit et sous une pluie battante. Il s'était comporté comme s'il craignait que quelqu'un le voie. Plus elle côtoyait Laurent Boisvert, moins il lui inspirait confiance. Elle n'appréciait pas particulièrement la façon dont il traitait sa sœur, mais le voir sortir seul le soir et ne rentrer qu'au milieu de la nuit, cela dépassait son entendement. Comment Corinne pouvait-elle supporter un tel comportement ? C'était pour elle un mystère.

Soudain, elle crut comprendre ce qu'il était allé porter dans le poulailler.

— Dis-moi pas qu'il cache de la boisson pour la boire en secret, murmura-t-elle. Il manquerait plus que ça !

Elle l'avait vu ivre au mariage de Bastien et se rappela l'avoir surpris endormi dans la remise, peu avant son mariage, alors qu'elle était venue aider Corinne à peinturer sa future maison. Il avait bien l'air de relever d'une soirée un peu trop arrosée. Puis, des bribes de conversation entre ses parents lui revinrent en mémoire où il était question du goût immodéré de Laurent Boisvert pour l'alcool.

Pendant quelques instants, elle se demanda si elle ne devait pas révéler à Corinne avoir vu son mari se glisser dans le poulailler durant la nuit pour apparemment y dissimuler quelque chose. Finalement, elle décida de ne rien dire autant pour ne pas provoquer une scène entre sa sœur et son mari que pour éviter d'être traitée par ce dernier de rapporteuse tout juste bonne à espionner ses hôtes. À la limite, Laurent Boisvert était assez bête pour lui interdire sa porte s'il apprenait qu'elle l'avait dénoncé.

Avant de se rendormir, elle eut une pensée pour Bernard. À ses yeux, il était aussi bel homme que son beau-frère, mais il n'avait aucun de ses défauts. Il était intéressant, sensible, délicat et respectueux. C'est en lui cherchant d'autres qualités qu'elle finit par retrouver le sommeil.

—ⵎ—

Le lendemain matin, la jeune femme se leva au moment où grand-père Boucher rentrait de la basse-messe. Comme tous les dimanches, le vieil homme assistait à la première messe pour permettre à Corinne d'aller à la grand-messe en compagnie de son mari. Germaine trouva sa sœur en train de repasser les vêtements de Laurent quand elle pénétra dans la cuisine.

— Es-tu rendue que tu fais ton repassage le dimanche matin ? lui demanda-t-elle, étonnée.

— Non, c'est Laurent qui s'est fait attraper par la pluie hier soir. Son linge a eu le temps de sécher, mais il est tout fripé.

Germaine fit un effort pour ne pas lui faire remarquer qu'à sa place, elle laisserait avec plaisir son mari endosser des vêtements fripés. Le beau Laurent Boisvert avait vraiment l'air de prendre sa sœur pour sa servante.

Quand ce dernier rentra après avoir fait le train, sa belle-sœur ne put s'empêcher de lui demander à quelle heure il était rentré.

— Pas ben tard, lui répondit-il évasivement.

— Le tonnerre m'a réveillée, lui expliqua-t-elle. Quand je me suis levée pour aller fermer la fenêtre, je t'ai aperçu en train de sortir du poulailler. Il mouillait à boire debout.

— Dis donc, la belle-sœur, on jurerait ben que tu me surveilles, lui fit remarquer sèchement Laurent, l'air faussement enjoué.

— Pantoute, se défendit cette dernière, offusquée par sa remarque. Je te disais juste ça comme ça.

— Si ça peut t'intéresser, dit-il, j'ai jeté un coup d'œil au poulailler pour voir si tout était correct avant de rentrer.

Germaine n'insista pas et se rappela à temps son intention de ne pas mentionner le paquet qu'il semblait avoir laissé dans le poulailler. Toutefois, elle fut certaine qu'il mentait. Elle l'avait bien vu entrer avec un paquet qu'il n'avait plus quand il avait quitté le petit bâtiment. Pour sa part, Corinne, occupée à ranger son fer à repasser, ne prêta aucune attention à l'échange entre sa sœur et son mari.

Quelques heures plus tard, tous les trois se retrouvèrent assis dans la chapelle du couvent, juste derrière une Catherine Gariépy au maintien altier. Cette dernière, le menton levé bien haut et la tête droite, était venue prendre place juste devant son ancien amoureux.

— Qu'est-ce que tu penses de la fille assise en avant de nous autres? chuchota Corinne à sa sœur.

Germaine scruta la jeune femme durant quelques instants avant de lui répondre :

— Elle est pas laide. C'est qui ?

— C'est juste la fille de l'organiste, se contenta de dire Corinne à voix basse après avoir vérifié si son mari ne lorgnait pas son ancienne flamme.

— C'est drôle, fit Germaine sur le même ton. À la façon dont elle se tient, j'aurais plutôt pensé que c'était la fille d'un notaire ou d'un docteur.

Le curé Bilodeau monta en chaire et parla longuement de sainte Anne, l'exemple parfait de la mère, selon lui. Puis, on ne sut trop pourquoi ni comment, le prêtre se mit à tonner contre les femmes qui osaient s'exhiber en tenue plus que légère devant les hommes, même quand ils portaient une soutane.

Les gens présents à la grand-messe s'interrogèrent du regard, se demandant de qui leur pasteur parlait. Corinne, rouge de honte, baissa soudain la tête, se tordant les mains dans son giron. Germaine fit un effort pour regarder droit devant elle en se mordant les lèvres. De toute évidence, la jeune femme éprouvait toute la peine du monde à réprimer un sourire.

— Si mon premier devoir n'était pas de respecter la charité chrétienne, déclara le prédicateur sur un ton apocalyptique, je me dépêcherais de vous nommer qui, dans cette paroisse, ose inciter les hommes à l'impureté ! Rappelez-vous toujours que les flammes de l'enfer attendent ceux et celles par qui le scandale arrive !

Corinne n'entendit pas le reste du sermon du curé Bilodeau tant elle était bouleversée d'avoir suscité une telle tempête.

— T'as entendu ce que le curé vient de dire ? lui chuchota son mari, l'air narquois. Tu vas aller brûler en enfer.

— Si je me trompe pas, je serai pas toute seule, répliqua-t-elle à voix basse, piquée au vif. Je suis sûre qu'il y a un coin pour les ivrognes aussi là-bas.

Laurent se contenta de lui jeter un regard mauvais avant de détourner les yeux.

À la fin de la messe, Germaine et Corinne ne purent éviter Gonzague Boisvert qui accompagnait Annette. Ce dernier reconnut la sœur de sa plus jeune bru et la salua sans grande chaleur.

— Sais-tu de qui monsieur le curé parlait, toi ? demanda la petite femme au chignon noir à sa belle-sœur.

— J'en ai pas la moindre idée, mentit Corinne. Où est passé Henri ?

— Il est venu à la basse-messe. C'est lui qui garde les enfants.

— Dis donc, t'es pas maîtresse d'école, toi? demanda Gonzague à Germaine Joyal.

— Oui.

— Ça te tenterait pas de venir faire l'école à Saint-Paul? La maîtresse du rang de ta sœur vient de nous faire faux bond.

Cette offre de son père ne sembla pas plaire particulièrement à Laurent qui lui jeta un regard noir.

— Ce serait bien tentant, monsieur Boisvert, mais j'ai déjà signé mon contrat à Saint-Bonaventure, répondit Germaine, désolée de perdre une si belle occasion de se rapprocher de Bernard Provencher.

— Qu'est-ce qui se passe avec Mance Proulx? demanda Corinne par simple politesse.

— Ça lui tentait pas de revenir, se contenta de lui répondre le père de Laurent.

— Bon, nous autres, on va y aller, dit Corinne à Laurent. Grand-père Boucher garde Philippe, mais ça lui arrive de s'endormir dans sa chaise berçante.

Elle entraîna sa sœur à sa suite et se dirigea vers le boghei pendant que son mari prenait congé de son père. Depuis que les Boisvert étaient venus lui reprendre Rosaire et l'avaient renvoyé à l'orphelinat, elle était incapable de leur faire bonne figure. Elle ne leur pardonnait pas leur manque de cœur et n'était pas prête à jouer la comédie de la parente attentive.

— Eux autres, moins je les vois, mieux je me porte, dit-elle à Germaine, les dents serrées.

Ce jour-là, à leur retour de Saint-François-du-Lac, Laurent ne put s'empêcher de dire à sa femme:

— J'aime ben ta sœur, mais je la trouve fouine en maudit.

— Voyons, Laurent! protesta Corinne.

— Elle est fatigante, je te dis. J'espère, en tout cas, qu'elle prendra pas l'habitude de venir en visite trop souvent, conclut-il sur un ton sans appel.

Chapitre 17

Le mariage d'Anatole

Le samedi suivant, la maison bourdonnait déjà d'activité au lever du soleil. Il faisait un temps magnifique et il n'y avait pas un nuage dans le ciel.

— Mon frère est chanceux, dit Corinne à grand-père Boucher en train de déposer des bûches dans la boîte à bois. Il va avoir du bien beau temps pour ses noces.

— Ceux qui ont préparé la noce vont être, eux aussi, ben contents, se contenta de dire le vieil homme avant de retourner dans la remise chercher d'autres bûches.

La jeune femme se sentait heureuse. Ce matin, au réveil, Laurent était de bonne humeur et plein d'allant. Il le fut plus encore quand Bernard Provencher, demeuré à la maison pour aller assister au mariage, lui proposa son aide pour faire le train.

— Ils s'entendent bien, ces deux-là, dit-elle à mi-voix en les regardant se diriger vers les bâtiments. Si Bernard pouvait donc avoir une bonne influence sur Laurent...

La veille, Corinne avait préparé avec soin ses vêtements et ceux de son mari en prévision du mariage de son frère Anatole et, à cette heure matinale, elle cuisinait un solide déjeuner avant de nourrir Philippe, déjà réveillé.

— Il est pas question qu'on attende jusqu'à une heure de l'après-midi pour manger quelque chose, avait déclaré

Laurent, la veille. On communiera à la messe, dimanche matin.

Corinne ne s'était pas entêtée et avait accepté sans discuter. À leur retour à la maison, les hommes trouvèrent une omelette appétissante sur la table et un plat de grillades de lard auxquels ils firent honneur pendant que la maîtresse de maison nourrissait le bébé. Quand la jeune Madeleine Rocheleau frappa à la porte, Corinne lui confia son fils avant de s'esquiver dans sa chambre pour s'habiller et se coiffer. Grand-père avait bien offert de garder l'enfant, mais elle avait trouvé trop déraisonnable de lui imposer une telle tâche durant toute la journée.

— Vous êtes bien fin, grand-père, mais je pense que la petite Madeleine a plus l'habitude que vous de s'occuper d'un bébé.

Peu avant sept heures, Bernard et Laurent attelèrent leur cheval à leur boghei. Il avait été entendu la veille que les deux voitures se suivraient jusqu'à Saint-François-du-Lac. Ils auraient pu ne prendre qu'un véhicule, mais Bernard avait l'intention de poursuivre son chemin jusqu'à Nicolet après les noces.

Quand les deux conducteurs immobilisèrent leur attelage devant la maison de Napoléon Joyal, dans le rang de la rivière, la cour était déjà encombrée par trois voitures de visiteurs matinaux.

À leur arrivée, Corinne aperçut Germaine, debout sur la galerie, en train de parler avec sa sœur Blanche. Elle vit le visage de la jeune fille s'illuminer d'un grand sourire de contentement lorsqu'elle constata la présence de son cavalier. L'air appréciateur de Blanche n'échappa pas non plus à la plus jeune des filles de Lucienne Joyal.

Ce matin-là, Bernard avait fière allure, vêtu d'une chic redingote gris anthracite et d'un chapeau melon de la même couleur. La chaîne de sa montre de gousset se détachait sur son gilet noir.

Il descendit de voiture, l'air un peu emprunté, et attendit que Laurent et Corinne le rejoignent avant de se diriger à leur suite vers la galerie. Germaine quitta Blanche pour souhaiter la bienvenue aux visiteurs. Au même moment, Lucienne et Napoléon Joyal vinrent à la rencontre des nouveaux arrivants. Il y eut un échange de baisers et Germaine présenta son cavalier à ses parents. Dès les premiers instants, Bernard ne put que constater la froideur assez apparente de la mère de Corinne à l'endroit de son gendre.

— On a encore en masse le temps de jaser avant de partir, déclara Napoléon Joyal après avoir présenté Bernard à la parenté qui envahissait peu à peu la galerie.

Anatole fut le dernier à apparaître, ce qui déclencha immédiatement quelques plaisanteries chez les hommes rassemblés à une extrémité de la galerie.

— On dirait ben, mon Anatole, que t'as pas l'air pantoute pressé de te mettre la corde au cou, fit un oncle hilare. Qu'est-ce que t'as à te traîner les pieds comme ça, à matin ?

— Je me traîne pas les pieds, mon oncle, répondit ce dernier.

— Non, mais t'as l'air d'hésiter en maudit, intervint un frère de Lucienne en éclatant de rire.

Le jeune homme de vingt-huit ans de taille moyenne ressemblait étrangement à son père avec son visage rond et son épaisse moustache. Déjà, sa chevelure un peu clairsemée laissait présager qu'il serait chauve assez tôt.

— T'aurais dû demander des conseils à ton frère Bastien, reprit un autre parent. Je suis sûr qu'il t'aurait dit de pas faire ce qu'il a fait.

— T'as l'air pourtant intelligent, intervint l'oncle Tancrède, un autre frère de Lucienne, en se campant sous son nez, comme pour l'examiner de plus près.

Cette dernière remarque déclencha une tempête de rires qui était peut-être due aux quelques verres que Napoléon avait octroyés en cachette à ses visiteurs matinaux.

— Vous feriez mieux d'arrêter vos niaiseries pour lui dire à quel point vous êtes gâtés d'être bien mariés, tous autant que vous êtes, fit Lucienne, l'air sévère, en apparaissant sur la galerie.

— C'est ben vrai ce que vous dites, se crut obligé de dire Laurent, un peu moqueur.

— Oui, surtout toi, Laurent Boisvert, rétorqua sa belle-mère en ne relevant pas la plaisanterie.

Un silence embarrassé accueillit la réplique assez vive de la mère de Corinne, ce qui ne l'empêcha pas de reprendre la parole aussitôt sans perdre son air sévère :

— En tout cas, essayez de pas exagérer sur la boisson pendant les noces. Il manquerait plus qu'un de vous autres nous fasse honte devant les Rochon, ajouta-t-elle avant de rentrer dans la maison.

— Calvinus ! Elle est à pic à matin, la Lucienne, ne put s'empêcher de faire remarquer Tancrède.

Quelques minutes plus tard, Napoléon donna le signal du départ. Alors que les femmes se réunissaient devant les quelques miroirs de la maison pour ajuster leur chapeau, le maître de maison chuchota à certains invités qu'il transportait quelques bouteilles de bon petit boire dans son boghei, au cas où le père de la mariée n'en aurait pas prévu assez pour étancher la soif de tous les convives.

— On va s'en souvenir, mon oncle, déclara un neveu en riant.

Germaine fut la première à sortir de la maison, coiffée d'un magnifique chapeau bleu marine, de la même teinte que la robe qu'elle étrennait pour l'occasion. Elle se dirigea vers Bernard Provencher qui l'aida à monter dans sa voiture.

— C'est de valeur que vous ayez manqué les noces de mon frère Bastien le mois passé, dit-elle au jeune homme. C'était vraiment une grosse noce. Aujourd'hui, on va être pas mal moins nombreux parce que les parents de ma future belle-sœur voulaient pas avoir trop de monde à recevoir. Il faut dire que les Rochon ont huit enfants et il y en a déjà six de mariés.

— Est-ce qu'on pourrait pas se dire « tu »? lui demanda son compagnon avec un mince sourire.

— Si tu veux, accepta la jeune fille avec joie.

Un peu plus loin, dans le boghei où venaient de monter Corinne et Laurent, ce dernier demanda à sa femme :

— Qu'est-ce que ta mère a à être à pic comme ça à matin ? On dirait qu'elle m'en veut.

— Bien non, tu te fais des idées, voulut le rassurer sa femme.

— Veux-tu ben me dire d'abord à quoi ça rime ce qu'elle a dit tout à l'heure ? Il me semble que ton père a pas l'habitude de boire trop.

— Peut-être qu'elle visait quelqu'un d'autre, dit finement Corinne.

— Si c'est moi qu'elle visait, elle se trompait en calvaire. J'ai pas pour habitude de boire comme un cochon.

— Elle devait se souvenir des noces de Bastien, par exemple, rétorqua sa femme.

— Cette affaire ! Elle a ben dû s'apercevoir que j'étais malade, pas soûl.

— En tout cas, si tu sens que tu vas devenir malade comme ça aujourd'hui, avertis-moi à temps pour que je puisse te ramener à la maison sans que tout le monde se mette à jaser, conclut Corinne au moment où la voiture s'avançait à la suite de celle occupée par Germaine et Bernard Provencher.

À l'arrivée des Joyal devant l'église de Saint-François-du-Lac, un petit groupe d'invités rassemblés sur le parvis attendaient l'apparition des futurs époux.

Il n'y avait qu'un seul représentant de la famille Joyal déjà sur place. Antoine Joyal, le frère aîné de Napoléon, se tenait un peu à l'écart des Rochon, en compagnie de sa femme. Napoléon les salua de la main au passage avant de s'engouffrer rapidement dans l'église en compagnie d'Anatole.

Au moment où les cloches se mirent à sonner, Anselme Rochon arriva enfin avec sa fille Thérèse, vêtue d'une robe blanche toute simple et coiffée d'un petit voile en tulle. La jeune femme au visage un peu ingrat était transfigurée.

— Elle est tellement bien arrangée aujourd'hui qu'on a presque de la misère à la reconnaître, chuchota Lucienne à ses filles Corinne et Blanche, debout près d'elle.

La mère de famille voulait faire allusion au fait qu'on remarquait à peine le nez un peu trop long et les lèvres trop minces dans le visage étroit de la future madame Anatole Joyal. Celle-ci adressa un sourire un peu emprunté aux gens avant d'entrer à son tour dans l'église au bras de son père. Les invités suivirent et prirent place dans les premiers bancs, à l'avant du temple, de part et d'autre de l'allée centrale. Anselme Rochon et sa femme s'installèrent dans le premier banc. Le père de la mariée, un homme sec comme un coup de trique, se tenait bien droit pour ne pas perdre un pouce de sa petite taille. À ses côtés, sa femme, drapée dans une robe mauve, occupait pratiquement les deux tiers du banc.

Le curé Duhaime célébra le mariage des deux jeunes gens de la paroisse et répéta, presque mot pour mot, l'homélie qu'il avait servie, deux mois plus tôt, au mariage de Bastien et Rosalie.

Anselme et Rosanna Rochon avaient eu beau limiter le nombre des invités à la noce, il n'en restait pas moins que près d'une quarantaine de personnes se rassemblèrent chez eux après la cérémonie pour participer au dîner offert. La maîtresse de maison, aidée par ses filles et une voisine, servit le repas à l'intérieur de la maison en faisant deux grandes tablées. Les invités firent largement honneur aux pâtés au poulet et aux gâteaux dans une bonne humeur communicative, même si les hôtes regardaient d'un air sévère les auteurs de plaisanteries plutôt lestes adressées aux nouveaux mariés.

Après le dîner, les invités s'égaillèrent à l'extérieur pour échapper autant à la chaleur dégagée par le poêle qu'aux enfants un peu trop bruyants. Comme d'habitude dans ces occasions, les femmes demeurèrent plus longtemps à l'intérieur pour aider à laver la vaisselle et à ranger la nourriture. Elles prirent toutefois la précaution de chasser les enfants de la maison avant de se mettre au travail.

Pendant ce temps, les hommes se rassemblèrent par petits groupes sur la galerie et dans la cour pour discuter des prochaines récoltes, sujet beaucoup plus important pour eux que le couronnement d'Édouard VIII qui avait eu lieu trois semaines auparavant.

Dès que les femmes apparurent à l'extérieur, un parent des Rochon sortit son accordéon et s'installa sur la galerie pour faire danser les gens.

— Il y a pas à dire, ton pensionnaire est tout un bel homme, chuchota Blanche à l'oreille de Corinne en regardant leur sœur Germaine se diriger vers Bernard en train de discuter à l'écart avec Bastien et son mari, Amédée Cournoyer.

— C'est vrai qu'il est pas laid, reconnut la jeune femme.

— J'ai jamais vu Germaine être aussi pressée de se débarrasser de la vaisselle, dit en riant l'aînée des sœurs Joyal. Pour moi, elle avait trop hâte de le rejoindre.

— Arrêtez donc de vous exciter pour rien, fit leur mère en surgissant derrière elles. On le connaît pas, cet homme-là, et il y a rien qui dit que votre sœur l'intéresse.

— M'man, Bernard vient d'une bonne famille de Nicolet. Les Provencher sont loin d'être pauvres, à part ça, tint à lui préciser Corinne. Laurent et moi, on commence à le connaître pas mal. Si vous le voyiez regarder Germaine, vous vous demanderiez pas si elle l'intéresse.

— Toi, ma fille, fais bien attention à ce que tu fais quand t'invites ta sœur à coucher chez vous, la mit en garde Lucienne d'une voix sévère.

— Ayez pas peur, m'man, je les surveille aussi bien que vous nous surveilliez, Laurent et moi, quand on se fréquentait.

— Ayoye ! plaisanta Blanche en pouffant. Dans ce cas-là, c'est sûr qu'il arrivera rien.

Lucienne Joyal haussa les épaules et s'éloigna pour aller parler avec Rosanna Rochon et son mari dans l'intention de les féliciter pour la fête qu'ils avaient organisée.

Un peu plus loin, certains invités faisaient circuler entre eux des bouteilles d'alcool dont le niveau baissait rapidement. Près de la galerie, des enfants exécutaient une ronde endiablée au son de l'accordéon.

— Vous êtes pas pour jacasser tout l'après-midi, déclara Rosanna Rochon à la cantonade quelques minutes plus tard. Allez, tout le monde, venez danser. Anatole, Thérèse, donnez l'exemple, ordonna-t-elle aux nouveaux époux en grande conversation avec deux sœurs mariées de Thérèse.

Corinne décida alors de s'approcher de Laurent dans l'espoir qu'il l'invite à danser et surtout pour l'inciter à boire avec modération. Ce dernier, le verbe haut, avait déjà retiré son veston et dénoué sa cravate. Il parlait avec deux oncles de sa femme et un fils aîné des Rochon de son expérience vécue aux États-Unis, le printemps précédent.

— Ah ben ! Si c'est pas le grand Laurent Boisvert ! fit une voix dans son dos au moment où Corinne allait interpeller son mari.

Laurent se tourna tout d'une pièce et aperçut un jeune homme d'une vingtaine d'années tout souriant.

— Vous vous connaissez? demanda Alexis Rochon, surpris.

— Je comprends, fit le nouvel arrivé, un voisin des Rochon invité à participer à la fête durant l'après-midi. On se voit quasiment tous les samedis soirs à Yamaska. Qu'est-ce que tu fais là, le grand? ajouta-t-il à l'intention de Laurent.

— Comme toi, Joseph Paradis, répondit Laurent. Je suis invité aux noces.

— Es-tu venu tout seul ou avec la belle Louisette? demanda l'autre avec entrain.

— Ma femme s'appelle Corinne, se sentit obligé de répondre Laurent, en faisant les gros yeux à celui qui semblait être un copain de beuverie.

— Ah bon! Je me serais jamais douté que t'étais marié, fit l'autre, étonné.

Corinne avait tout entendu, mais elle ne réalisa pas ce que les paroles de l'inconnu pouvaient signifier.

— Est-ce que tu viens danser? demanda-t-elle à son mari en affichant un sourire un peu contraint.

— C'est correct, accepta immédiatement ce dernier sans se faire prier.

Cet empressement à lui plaire aurait dû mettre la puce à l'oreille de la jeune femme. Laurent entraîna sa femme vers les quelques danseurs qui avaient pris la place des enfants devant la galerie. Le couple se joignit aux autres pour danser un *set* carré dirigé avec enthousiasme par Napoléon Joyal.

Après cette danse, qui fut la seule à laquelle la jeune femme eut l'occasion de prendre part durant l'après-midi, son mari rejoignit un groupe de joyeux lurons qui s'était réfugié près des bogheis pour faire honneur à l'alcool apporté par quelques-uns d'entre eux.

— Il est ben endurable, le père, fit l'un des fils de l'hôte, sérieusement éméché, mais il est pas fort sur la boisson. Une chance que tout le monde a pris ses précautions.

Vers quatre heures, Anatole et Thérèse remercièrent chacun des invités avant de partir pour Contrecœur où un oncle de la mariée avait offert de les accueillir durant les trois ou quatre jours que devait durer leur court voyage de noces.

Pour sa part, Bernard Provencher tint absolument à raccompagner Germaine à la maison avant de prendre la route de Nicolet, mais il dut accepter la présence de Simon, le frère cadet de son amie, dans son boghei.

— Ma mère est bien ancienne, fit l'institutrice, gênée par ce chaperonnage intempestif.

— C'est parfait, lui déclara Bernard avec le sourire. C'est comme ça qu'il faut faire. J'aime bien ta mère, elle ressemble à la mienne.

Quand Bernard la quitta au pied des marches qui conduisaient à la galerie de la maison des Joyal, rang de la rivière, l'air de Germaine s'était sensiblement assombri. Durant tout le court trajet, elle s'était demandé avec angoisse s'il allait exprimer son désir de la revoir. L'entrepreneur s'était contenté de lui dire qu'il avait beaucoup aimé la journée et à quel point il avait apprécié chacun des membres de sa famille.

— Bien, je te remercie de m'avoir accompagnée aux noces de mon frère, dit-elle, l'air un peu dépitée. À partir de demain, je vais commencer à préparer mes affaires pour l'école. Je retourne à Saint-Bonaventure après-demain.

— C'est vrai que tu vas être pas mal loin, reconnut Bernard, toute sa bonne humeur soudainement envolée.

— Il y a pas beaucoup de filles de la place qui font la classe dans leur village, ajouta Germaine, incapable de mettre fin à l'entretien.

Il y eut un court silence entre les deux jeunes gens avant que Bernard reprenne la parole, l'air embarrassé.

— Est-ce que tu penses que je pourrais venir te voir ?

— Pas à Saint-Bonaventure, affirma Germaine, malheureuse. C'est pas permis.

— Et chez vous ou chez Laurent ?

— Ça me ferait bien plaisir, accepta tout de suite l'institutrice. Je pourrais même t'écrire pour te dire quand je peux monter à Saint-Paul ou à Saint-François. Tu peux être certain que je vais faire mon possible pour que quelqu'un de chez nous vienne me chercher une fin de semaine sur deux.

— Ce serait parfait, dit Bernard, apparemment très soulagé. À cette heure, je pense que ce serait plus correct que j'aille demander la permission à tes parents de venir te voir, ajouta-t-il en montant l'escalier à ses côtés.

Évidemment, Lucienne et Napoléon ne firent pas obstacle aux visites d'un jeune homme aussi bien élevé. Quand Bernard quitta la ferme quelques minutes plus tard, Germaine, debout sur la galerie, le suivit du regard aussi longtemps qu'elle put voir son attelage sur la route.

— Ça a l'air d'un bon garçon, se contenta de déclarer Lucienne au moment où sa fille allait se retirer pour changer de vêtements.

— En tout cas, m'man, il vous trouve bien à son goût, rétorqua Germaine. Il dit que vous ressemblez à sa mère.

— Tiens ! En v'là un qui sait comment se faire aimer ! se moqua Napoléon en vidant sa pipe avant d'aller faire son train.

Pendant ce temps, en cette fin d'après-midi, les Boisvert faisaient route vers Saint-Paul-des-Prés. Corinne avait bien tenté d'attirer chez elle Blanche et les siens, mais sa sœur aînée, probablement moins résistante à cause de sa grossesse, avait décliné son offre en invoquant sa fatigue. Le retour à la maison se faisait dans une espèce de silence morose, surtout dû au fait que Laurent avait encore une fois trop bu. Il conduisait Satan, muré dans un silence boudeur.

Soudain, Corinne se rappela les paroles de Joseph Paradis et se mit, malgré elle, à réfléchir à ce qu'elles impliquaient. Peu à peu, un pli d'inquiétude apparut sur son front et elle regarda si longuement son mari qu'il finit par s'en rendre compte.

— Veux-tu ben me dire ce que t'as à me dévisager ? lui demanda-t-il sur un ton brusque.

— Un chien regarde bien un évêque, lui répondit-elle sur le même ton.

— Si t'es pour me faire une crise parce que j'ai bu un verre ou deux, t'es mieux de changer d'idée, la prévint-il. Je suis pas d'humeur pantoute à t'entendre !

— Non, je voulais juste te demander si tu le connais bien, Joseph Paradis.

— C'est qui ça ?

— Le voisin des Rochon, le gars avec qui t'as parlé après le dîner.

— Je le connais comme ça, répondit Laurent, évasif. Je l'ai rencontré une couple de fois à Yamaska.

— Est-ce que tu connais mieux la Louisette dont il parlait ? reprit Corinne, la voix doucereuse.

— Pantoute, je sais même pas de qui il parlait.

— C'est drôle pareil, poursuivit sa femme, il donnait l'impression de croire que tu fréquentais assez cette femme-là pour l'emmener avec toi à des noces.

— Ben non, il devait être complètement soûl. Il disait n'importe quoi.

Corinne se tut, en proie à un accès incoercible de jalousie. Elle n'avait aucune preuve d'être trompée, mais elle se promit de surveiller dorénavant son mari de beaucoup plus près. L'évocation d'une Louisette lui rappela douloureusement le souvenir d'une certaine Catherine Gariépy que son mari avait fréquentée régulièrement et en cachette jusqu'à la veille de leurs fiançailles. Elle ne songea qu'à ça durant tout le reste du trajet jusqu'à la maison.

— S'il s'imagine qu'il va rire de moi en pleine face, se dit-elle rageusement après avoir payé la gardienne de Philippe, il se trompe.

Chapitre 18

Des projets

À la fin de la première semaine de septembre, Laurent prit la décision, un peu à contrecœur, d'annoncer à Bernard Provencher qu'il devait abandonner son emploi sur le chantier à la fin de la semaine suivante pour s'occuper de sa terre. Il avait pris le temps d'expliquer à son pensionnaire que le temps des récoltes était venu et lui avait fait comprendre que le travail à la construction de l'église lui avait permis d'amasser un peu d'argent, mais que cela s'était fait au détriment de plusieurs tâches urgentes à accomplir à la ferme. Son patron, tout en regrettant sa décision, avait bien compris la situation.

En fait, le jeune cultivateur s'était bien gardé de dire à l'entrepreneur qu'il ne renonçait à son emploi que parce que sa femme était épuisée. La veille, au moment de se mettre au lit, Corinne s'était résignée à lui dire qu'elle ne parvenait plus à tout faire. Elle avait beau travailler du lever au coucher du soleil, elle n'y arrivait plus. Elle faisait le train, entretenait le jardin, cuisinait les conserves pour l'hiver, cuisait son pain, préparait les repas, nettoyait la maison, lavait les vêtements et s'occupait de Philippe.

En réalité, il aurait dû remarquer lui-même que, le soir venu, sa femme était si exténuée qu'elle avait du mal à répondre à son ardeur.

— Pourquoi tu veux que j'arrête d'aller travailler au village ? avait demandé Laurent, apparemment peu pressé de revenir s'occuper de sa ferme. T'étais ben contente que j'aille travailler là cet été. À t'entendre, on avait ben besoin de cet argent-là.

— Parce que j'en peux plus, avait-elle admis dans un souffle. Je me couche tellement fatiguée que j'arrive plus à m'endormir. Je me lève le matin aussi fatiguée que quand je me suis couchée la veille.

— En v'là une affaire ! C'est normal d'être fatigué après une journée d'ouvrage.

— Je le sais. Mais en plus, moi, je pense que je suis en famille, lui avait-elle avoué.

— Déjà ! s'était-il exclamé sans montrer un grand intérêt à la venue d'un second enfant.

— Je nourris plus Philippe depuis un bon bout de temps, avait-elle dû lui expliquer. Là, ça fait trois jours que je me lève avec le mal de cœur.

— C'est correct, arrête de te lamenter, lui avait-il finalement ordonné. Je vais avertir Provencher que je travaillerai plus pour lui à partir de lundi prochain.

Durant cette semaine-là, deux vaches vêlèrent et Corinne dut se précipiter, à chaque occasion, chez Jocelyn Jutras pour qu'il vienne l'aider. Grand-père Boucher était bien serviable, mais son âge avancé lui interdisait certains travaux trop exténuants. Par exemple, la jeune femme s'opposait énergiquement à ce qu'il vienne l'aider à nettoyer l'étable ou la porcherie.

— À votre âge, grand-père, vous avez bien gagné de vous reposer un peu, lui répétait-elle. En plus, je veux absolument pas que vous enleviez de l'ouvrage à mon mari. C'est sa terre après tout.

— Il reste pareil que Rosaire serait ben utile, faisait parfois remarquer le vieillard en se laissant tomber dans sa chaise berçante.

Chaque fois, Corinne éprouvait un pincement au cœur quand le vieil homme mentionnait le nom de l'orphelin en sa présence. Cette semaine-là, la jeune femme regarda les enfants d'âge scolaire reprendre le chemin de l'école du rang avec une certaine nostalgie. Une année avait déjà passé. Elle se souvenait trop bien combien elle avait aimé son expérience d'institutrice l'année précédente.

— C'est bien de valeur que je puisse pas retourner faire l'école. Il me semble que j'aimerais ça, déclara-t-elle à Wilfrid en regardant les jeunes Rocheleau s'engager sur la route en direction de la petite école.

— T'es mariée, laissa tomber le vieillard sur un ton fataliste.

— En tout cas, ça a tout l'air que le beau-père a trouvé une maîtresse d'école pour remplacer Mance Proulx. J'espère juste que la nouvelle va être moins grincheuse que l'autre.

Durant toute la semaine, la jeune femme fit des allusions à peine voilées au fait qu'elle allait célébrer son vingtième anniversaire le vendredi suivant, le 15 septembre.

— Comment ça, le 15 septembre ? finit par demander Laurent, agacé. L'année passée, si je me souviens ben, tu m'as dit que ta fête, c'était pendant notre voyage de noces, non ?

— L'année passée, disons que j'avais avancé un peu la date, avoua sa femme, avec un petit sourire coquin, mais je suis vraiment venue au monde le 15 septembre.

— C'est correct, on le sait à cette heure, avait conclu son mari.

Chaque fois qu'elle avait fait allusion à son anniversaire par la suite, son mari ne laissa aucunement paraître qu'il avait saisi le message qu'elle tentait de lui transmettre. Le vendredi matin, il se leva à l'aurore, comme à l'accoutumée, et partit au travail avec Bernard Provencher sans lui avoir souhaité un bon anniversaire.

Le cœur meurtri, elle travailla toute la matinée sans désemparer, comme si le travail pouvait engourdir sa peine. Un peu avant le repas du midi, elle reçut, fait exceptionnel, des lettres de Juliette, de Germaine et de sa mère pour lui souhaiter un bon anniversaire.

Au repas, grand-père Boucher s'esquiva quelques instants dans sa chambre pour en revenir avec un paquet maladroitement emballé qu'il déposa à la place qu'elle occupait à table.

— Qu'est-ce que c'est, grand-père? demanda-t-elle, émue d'une pareille attention.

— Un petit cadeau pour ta fête, se contenta de répondre le vieil homme.

Corinne déballa son cadeau pour y découvrir une boîte de chocolats.

— Comment vous avez fait pour acheter ça? Vous sortez presque jamais de la maison.

— Jocelyn est allé l'acheter pour moi chez Duquette.

— Si c'est comme ça, je vais me faire un gâteau de fête et on va l'inviter à venir en manger un morceau à soir, déclara-t-elle, un peu moins triste.

Quand Laurent et Bernard Provencher rentrèrent du travail à l'heure du souper, Corinne laissa intentionnellement la boîte de chocolats ouverte sur la table.

— Veux-tu ben me dire d'où ça sort, ce chocolat-là? lui demanda son mari, étonné.

— Grand-père me l'a donné pour ma fête, répondit-elle sur un ton neutre.

— Bonne fête, madame Boisvert, s'empressa de lui souhaiter Bernard.

— Merci.

— Moi, je trouve que c'est des niaiseries, ces affaires-là, déclara Laurent, avec humeur. C'est dépenser de l'argent pour rien.

Il y eut un silence embarrassé dans la pièce.

— Tiens! J'aurais juré entendre ton père, dit doucement Wilfrid en scrutant son petit-fils.

— Le père a pas tort, grand-père, affirma Laurent avec force.

— C'est ce que tu penses, mon jeune. Mais tu devrais savoir que faire plaisir à quelqu'un qu'on aime, c'est jamais une niaiserie.

Corinne ne dit rien. Elle ne regretta même pas le cadeau et le repas spécial qu'elle avait offerts à son mari le jour de son anniversaire, deux mois auparavant. Elle se promit de tant insister à l'avenir sur les anniversaires qu'il serait bien obligé de les célébrer, comme on avait toujours fait chez les Joyal. Quand elle reprit la parole, ce fut pour déclarer en déposant son gâteau d'anniversaire sur la table:

— On va attendre Jocelyn Jutras pour prendre le dessert.

— Pourquoi? fit son mari, un rien jaloux.

— Parce que c'est un bon voisin et c'est lui qui s'est donné la peine d'aller acheter le cadeau que grand-père m'a donné.

Laurent ne trouva rien à redire, mais ce soir-là, il fit plutôt grise mine au voisin. Le célibataire sembla s'en apercevoir et écourta sa visite en prétextant qu'il devait se lever tôt.

Le lendemain, Laurent rentra à la maison, apparemment très soulagé d'en avoir fini avec son travail de journalier.

— Finalement, ça a pas l'air de te faire trop mal au cœur de lâcher ta *job*, lui fit remarquer sa femme.

— Pantoute. De toute façon, Provencher aurait été obligé de nous demander de rester chez nous, à moi et à deux autres gars. Il paraît qu'un des trois chantiers que sa famille dirige va finir la semaine prochaine. Dans ce cas-là, son père *slacke* les plus jeunes d'un autre chantier pour donner de l'ouvrage aux plus anciens.

— Ah bon.

— En tout cas, pour la pension, ça changera rien. Il m'a dit avant de partir qu'il allait revenir dimanche soir, après le souper, comme d'habitude.

— Il t'a pas dit s'il allait voir Germaine en fin de semaine ? l'interrogea Corinne, curieuse.

— Non, il m'a rien dit… S'il fait beau lundi matin, je fauche le blé, déclara-t-il en prenant place à table après avoir fait un brin de toilette.

— Ça va faire drôle de t'avoir à la maison pour faire le train matin et soir, fit sa femme, heureuse d'être soulagée, du moins en partie, de cette tâche à accomplir deux fois par jour. Je vais pouvoir vider le jardin et finir mes marinades.

— Il va ben falloir que tu t'habitues à me voir ici dedans, reprit son mari entre deux bouchées de bouilli de légumes. Ça se pourrait même que je passe l'hiver ici.

— Ah oui ?

— J'y pense, se contenta-t-il de répondre.

— C'est vrai que tu pourrais bûcher, dit Corinne, heureuse à l'idée de ne pas passer l'hiver seule avec, comme unique soutien, grand-père Boucher.

— Je te passe un papier que je passerai pas l'hiver à Saint-Paul juste pour bûcher, affirma son mari sur un ton sans appel, sans se donner la peine de donner plus d'explications.

En fait, depuis quelques jours, le jeune père de famille caressait l'idée de s'offrir un hiver à son goût où le travail n'occuperait pas la plus grande place. Fort du magot caché dans le poulailler – magot qu'il avait à peine écorné depuis qu'il se l'était approprié –, il ne voyait pas l'utilité d'aller s'éreinter dans un chantier de novembre à avril.

— J'ai en masse d'argent pour rembourser le père au mois de janvier, s'était-il dit à mi-voix quelques minutes plus tôt quand il avait fait un court arrêt dans le poulailler pour y prendre deux dollars dans l'intention de célébrer à l'hôtel, le soir même, la fin de son emploi de journalier.

Je pourrais même rembourser grand-père et le renvoyer à l'hospice, si je le voulais… Au fond, je pourrais même le renvoyer là demain matin. Si je lui calcule cinq piastres par semaine de pension, comme pour Provencher, c'est lui qui me doit de l'argent.

Une heure plus tard, il quitta la maison, tout endimanché et le cœur en fête. Wilfrid, assis sur la galerie dans sa chaise berçante, le regarda partir en affichant une mine réprobatrice. Il entendait Corinne dire des mots d'amour à Philippe pendant qu'elle faisait sa toilette du soir dans la cuisine d'été.

—ᴍ—

Le matin suivant, la jeune femme attendit avec impatience le départ de son mari pour l'étable pour se précipiter dans leur chambre à coucher et examiner de près les vêtements qu'il avait portés la veille. Elle commença par les humer, à la recherche d'une odeur de parfum, puis elle les inspecta avec soin pour y déceler la moindre trace de rouge à lèvres. Enfin, elle explora les poches du veston et du pantalon sans rien découvrir. Soulagée, elle retourna dans la cuisine préparer son dîner avant de faire sa toilette du dimanche. Grand-père Boucher venait de partir pour le village assister à la basse-messe.

Quand Laurent rentra dans la maison après le train, il affichait sa tête des lendemains de beuverie. L'air renfrogné et le visage chiffonné, il entreprit de se raser devant le petit miroir suspendu au-dessus du lavabo.

— Christ de cochonnerie ! hurla-t-il soudain en laissant tomber son rasoir à lame droite dans le bol à main.

Le bébé, réveillé en sursaut par le cri de son père, se mit à pleurer. Corinne s'empressa d'aller le prendre dans ses bras pour le consoler.

— Qu'est-ce qu'il y a encore ? demanda-t-elle, énervée.

— Il y a, sacrement, que je me suis encore coupé! ragea-t-il.

Elle ne dit rien et se contenta de se retirer dans leur chambre pour changer les langes du bébé avant le retour de Wilfrid qui allait le garder pendant leur absence.

Ce dimanche-là, après la grand-messe, elle suivit son mari sans grand enthousiasme quand il manifesta le désir de saluer son père avant de rentrer à la maison. Le couple retrouva ce dernier en grande conversation, près de sa voiture, avec Paul-Aimé Rajotte et Camil Racicot, ses deux anciens supporteurs au conseil de fabrique. L'un et l'autre l'avaient appuyé sans réserve l'année précédente, lorsqu'il s'était opposé durant des mois au curé Béliveau.

— Ils ont du temps à perdre en maudit! s'exclama Gonzague Boisvert au moment où son fils et sa bru le rejoignaient. Si ça a de l'allure de gaspiller comme ça l'argent de nos taxes.

— Qu'est-ce qui se passe, p'pa? demanda Laurent après avoir salué les deux marguilliers.

— Tu sais pas la meilleure? La Police provinciale a décidé de reprendre au complet son enquête sur la mort de Mitaines, lui annonça son père.

— Comment ça? fit Laurent, en blêmissant légèrement.

— D'après ce que j'ai entendu dire, intervint Paul-Aimé Rajotte, c'est la disparition de l'argent du père Tremblay qu'ils comprennent pas.

— On dirait même qu'ils pensent que le bonhomme s'est jamais fait voler cet argent-là, ajouta Camil Racicot.

— Ça, c'est ce que tu dis, Camil, fit Paul-Aimé en passant ses pouces sous ses bretelles. Ça me surprendrait qu'ils doutent du vieux. Je pense plutôt qu'ils ont une autre idée derrière la tête.

— Tu penses que quelqu'un aurait pu le voler à Mitaines, par exemple? demanda Gonzague.

— Pourquoi pas ? Ça pourrait vouloir dire que celui-là aurait pu le tuer et le laisser pourrir dans le champ de ton garçon, ajouta l'homme en prenant un air avantageux.

— Une crapule comme ça, ça mérite même pas la corde pour le pendre, conclut Camil Racicot. Si c'est ce qui s'est passé et qu'il se fait poigner, ce sera ben bon pour lui. Il y a personne dans la paroisse qui va le plaindre quand ils vont le pendre.

— Gagnon m'a dit qu'un des enquêteurs lui a raconté que s'il faut qu'ils interrogent toute la paroisse, ils vont le faire, dit Paul-Aimé.

— C'est vrai qu'ils ont pas encore posé de questions aux enfants, plaisanta Camil. Ça me surprendrait pas pantoute qu'ils le fassent.

En entendant ces paroles, Laurent sentit la sueur couler dans son dos. Il songea à Rosaire et à ce qu'il avait pu voir lors de la découverte des restes de Mitaines. Pendant cette conversation, Corinne se désintéressa de ce que les hommes racontaient pour chercher des yeux Marie-Claire Rocheleau à qui elle n'avait pas parlé depuis plus de deux semaines, même si elle était sa plus proche voisine. Elle finit par l'apercevoir non loin d'Honorine Gariépy et elle attendit patiemment qu'elle s'éloigne de la directrice de la chorale avant de s'approcher d'elle. Au moment où elle allait la saluer, elle vit une jeune femme prendre place aux côtés de Marie-Claire.

— Bonjour, Corinne, la salua sa voisine avec sa bonne humeur coutumière en l'apercevant. Est-ce que tu te prépares à rentrer chez vous ?

— Ça devrait pas tarder, répondit Corinne.

— Si ça te dérange pas, est-ce que tu laisserais Blandine à l'école du rang. C'est la nouvelle maîtresse. Blandine, je te présente madame Boisvert. Elle a fait l'école dans notre rang l'année passée presque jusqu'à Noël.

— Bien sûr, ça va nous faire plaisir de l'emmener, accepta Corinne en adressant un sourire à l'inconnue.

— Blandine Leclerc, se présenta à son tour la jeune institutrice tout juste âgée de dix-huit ans. Je m'excuse du dérangement, madame. D'habitude, mon père vient me chercher pour la fin de semaine, mais cette semaine, il pouvait pas.

— Il y a pas de dérangement, la rassura Corinne. C'est sur notre chemin.

La jeune fille avait un visage agréable et des manières chaleureuses.

— On l'aurait bien ramenée, expliqua Marie-Claire, mais mon mari veut aller voir son frère dans le rang Notre-Dame.

— Ça me fait plaisir, dit gracieusement Corinne en entraînant la jeune institutrice à sa suite vers son mari à qui elle la présenta.

Comme ce dernier semblait vouloir poursuivre sa conversation avec son père et les deux marguilliers, Corinne le prévint qu'elle allait jeter un coup d'œil sur la nouvelle église et elle invita Blandine Leclerc à la suivre.

— J'ai jamais le temps de voir de quoi va avoir l'air notre église, expliqua-t-elle à la jeune fille. Mon mari a travaillé là tout l'été, mais moi, j'ai encore rien vu. On passe tous les dimanches devant sans jamais s'arrêter.

Les deux femmes sortirent du terrain du couvent, longèrent le presbytère et s'arrêtèrent devant la nouvelle église de Saint-Paul-des-Prés. Elles se campèrent sur le bord de la route pour mieux admirer l'édifice en construction. La structure de ce dernier était achevée et les briqueteurs avaient même pratiquement terminé la pose de la belle brique rouge. Le nouveau toit en tôle brillait sous le soleil.

— Dire que le printemps passé, il y avait encore rien, expliqua Corinne en admirant le résultat du travail réalisé en quatre mois et demi.

— Elle va être pas mal belle, reconnut Blandine.

— J'en ai la chair de poule quand je pense que mon mari a travaillé à poser cette couverture-là jusqu'à hier. Mon Dieu que c'est haut! dit-elle avec un frisson rétrospectif en regardant le toit de la nouvelle église. Des plans pour se tuer.

— C'est vrai qu'il faut être brave pour monter aussi haut, reconnut la jeune institutrice.

— C'est fini, à cette heure, dit Corinne en exhalant un soupir de soulagement. Il va s'occuper de notre terre. De toute façon, il me semble qu'il m'a dit qu'après avoir fait installer les vitraux, l'entrepreneur va envoyer ses hommes travailler à finir le dedans.

— En tout cas, j'ai l'impression qu'ils vont avoir tout un ménage à faire pour nettoyer le terrain, fit Blandine en lui indiquant les alentours encombrés de toutes sortes de matériaux.

— Si vous avez fini de jouer aux inspecteurs, fit la voix moqueuse de Laurent dans leur dos, on pourrait peut-être rentrer avant qu'on soit trempés comme une soupe.

Les deux femmes sursautèrent. Elles n'avaient pas plus remarqué les premières gouttes de pluie qui commençaient à tomber qu'elles n'avaient entendu la voiture s'approcher d'elles. Durant le trajet de retour, Laurent ne put s'empêcher de faire le beau pour plaire à l'institutrice. Il la laissa descendre devant l'école du rang avant de poursuivre sa route en silence jusqu'à la maison.

— C'est correct, tu peux avoir l'air bête à cette heure, lui dit Corinne avec humeur. Moi, je suis juste ta femme.

Le jeune cultivateur haussa les épaules et alla dételer Satan avant de le conduire à son enclos.

—\\\—

Ce midi-là, on mangea au son de la pluie qui tombait sur l'avant-couverture. Corinne remarqua que son mari avait l'air préoccupé, mais elle mit cela sur le compte de la soirée peut-être un peu trop arrosée de la veille.

— J'espère pour toi que cette pluie-là durera pas trop longtemps, dit Wilfrid à son petit-fils au moment de se retirer de la table. S'il en tombe trop, tu vas être pris pour attendre deux ou trois jours avant de pouvoir faucher.

— On y peut rien, grand-père, répondit Laurent, l'air contraint. En tout cas, c'est le meilleur temps pour claquer un bon somme, ajouta-t-il en se levant de table à son tour, bien décidé à aller faire une longue sieste.

Il venait à peine de s'étendre tout habillé sur le lit après en avoir retiré la courtepointe qu'une voiture entra dans la cour de la ferme.

— Ah bien! le ciel va bien nous tomber sur la tête, dit Corinne à mi-voix en reconnaissant les visiteurs après s'être penchée à la fenêtre. Le beau-père et Henri!

Elle s'empressa d'aller prévenir son mari qui se releva en maugréant.

— Veux-tu ben me dire, sacrement, ce qui se passe encore? lui demanda-t-il en passant ses bretelles. J'ai parlé au père il y a pas deux heures.

— Le seul moyen de le savoir, c'est d'aller leur ouvrir, répondit sa femme d'une voix sans joie. Pour moi, ça doit être important si Henri est venu. Il a jamais mis les pieds ici dedans depuis qu'on est mariés.

Tous les deux arrivèrent dans la cuisine d'été au moment même où Gonzague Boisvert s'apprêtait à frapper à la porte. Laurent invita son frère aîné et son père à entrer et leur offrit de prendre place à table. Si Wilfrid avait entendu arriver son gendre et son petit-fils, il ne jugea pas nécessaire de quitter sa chambre pour venir les saluer.

— Sacrifice! Vous avez pas peur de la pluie, vous autres, fit remarquer Laurent aux visiteurs en s'assoyant au bout de la table pendant que Corinne prenait place dans une chaise berçante, à l'écart des trois hommes.

— La capote sur un boghei, c'est pas pour les chiens, répliqua sèchement Gonzague en jetant un coup d'œil oblique à sa bru, qui venait de s'emparer d'un tricot.

L'homme grand et voûté aux épais favoris n'avait jamais ressemblé autant à un corbeau. Ses petits yeux vifs n'étaient jamais longtemps immobiles dans son long visage en lame de couteau. Corinne se sentit examinée, mais ne broncha pas. Elle regarda durant un bref moment son beau-frère Henri qu'elle n'avait vu qu'à une ou deux occasions durant l'été. Il lui sembla que le cultivateur de trente-sept ans avait encore sensiblement engraissé.

Quand le regard de ce dernier s'attarda au poêle à bois sur lequel la théière était posée, elle comprit le message muet. Il était évident qu'il n'aurait pas détesté une tasse de thé, mais elle fit comme si elle ne s'en était pas rendu compte. À aucune de ses rares visites à la maison du rang Saint-André on ne lui avait offert quelque chose à boire.

— On restera pas longtemps, déclara Gonzague d'entrée de jeu. J'aurais pu t'en parler à matin, ajouta-t-il à l'intention de son fils cadet, mais Racicot et Rajotte étaient là et je tenais pas pantoute à ce qu'ils entendent ce que j'avais à te dire.

Laurent ne dit rien, mais tout dans son comportement montrait à quel point il était intrigué.

— J'ai décidé de me présenter comme maire cet automne, déclara son père en prenant un air important.

— Vous êtes déjà président de la commission scolaire, p'pa.

— Puis après? Tu sauras, mon garçon, qu'on n'a jamais trop de pouvoir, lui fit remarquer Gonzague sur un ton doctoral. Et ça, c'est bon pour les affaires.

— En tout cas, ça doit pas être un secret pour personne dans la paroisse, p'pa, fit Laurent. Il y a belle lurette que tout le monde sait que vous pouvez pas sentir le gros Gagnon et que vous voulez prendre sa place.

— Je le sais ben, se contenta de dire Gonzague.

— Moi, ce qui me surprend, par exemple, c'est que vous vous présentiez pareil après l'affaire de l'église, lui dit son fils cadet après un court silence.

— Pourquoi pas ?

— Ben, il me semble que pour tout le monde, Gagnon vous a battu dans cette affaire-là et que vous avez eu l'air fou, non ?

Le visage de Gonzague Boisvert se ferma et son regard se fit mauvais.

— Tu sauras, mon garçon, que dans cette affaire-là, il y avait au moins la moitié de la paroisse qui était de mon bord contre le curé Béliveau. Si j'ai perdu, c'est à cause du maudit Chapdelaine qui s'est pas présenté devant le juge le jour du procès. S'il avait été là, l'enfant de chienne, j'aurais gagné et Bertrand Gagnon aurait mangé toute une claque.

— Ouais, mais en attendant, la nouvelle église est en train d'être construite à côté du presbytère et Gagnon a raconté à gauche et à droite que vous étiez maintenant poigné avec le grand terrain que vous avez acheté au père Tremblay sans savoir quoi en faire. Il se gêne même pas pour dire que vous avez essayé de faire un coup d'argent avec la fabrique en offrant de le vendre pour l'église trois fois plus cher que vous l'aviez payé.

— Gagnon est un maudit menteur et je vais lui faire ravaler ses paroles dans pas grand temps, dit rageusement Gonzague en frappant la table du plat de la main. De toute façon, l'histoire de l'église, c'est du passé. Le monde s'occupe plus de ça pantoute.

— Tant mieux.

— Il y a juste à écouter un peu ce qui se dit au magasin général pour savoir ce qui se brasse dans la paroisse, intervint Henri, qui n'avait pas encore ouvert la bouche. Le monde est pas content pantoute parce que Gagnon arrive pas à faire ouvrir le bout de chemin dont on a besoin jusqu'au moulin de Saint-David.

— En plein ça, reprit son père. Là, ils se rendent compte que c'est ben beau d'avoir un maire qui a travaillé à faire élire le député du comté, mais que ça nuit ben plus qu'autre chose quand ce député-là est du mauvais bord. Avoir un député bleu à Québec quand le gouvernement est ben rouge, c'est ben plus une nuisance qu'autre chose ; c'est sûr.

— Vous devez avoir raison, dit Laurent, sans grand enthousiasme.

— À part ça, je vais donner au monde de Saint-Paul une ben meilleure raison de voter pour moi en novembre, reprit Gonzague en prenant un air de conspirateur.

— Ah oui ?

— Oui, j'ai décidé d'ouvrir un hôtel au village.

— Hein ? fit Laurent, estomaqué par la nouvelle.

— T'as ben entendu. Je vais faire construire un hôtel sur mon terrain, au village.

— Un vrai hôtel ? demanda son fils cadet, stupéfait.

— Peut-être pas un gros, se crut obligé de spécifier son père, mais un hôtel à deux étages avec huit chambres en haut et une salle à manger et un bar en bas. Qu'est-ce que tu dis de ça ?

— Ah ben, c'est toute une nouvelle ! J'en connais pas mal qui vont être surpris en maudit.

— Gagnon a peut-être un moulin ; mais moi, je vais avoir un hôtel et ça, d'après ce que j'ai cru comprendre, c'est pas mal plus payant. Et ça va surtout m'apporter pas mal de votes aux prochaines élections.

— Vous pensez avoir un permis ? demanda Laurent.

— Inquiète-toi pas pour ça, intervint Henri. Tu connais p'pa, il a pris ses précautions.

— C'est sûr que ce sera pas facile, le coupa son père. Je suis allé voir Aurèle Chapdelaine et...

— Tiens, vous êtes plus en chicane ? s'étonna Laurent.

— Pantoute. L'affaire du tribunal était pas sa faute, expliqua Gonzague, l'air un peu contraint. Il paraît que monseigneur Gravel avait parlé au premier ministre. Marchand l'a fait venir à son bureau à Québec et lui a demandé de s'organiser pour laisser gagner le curé Béliveau pour pas se mettre le clergé à dos dans le comté.

— Il aurait pu vous avertir au moins.

— Il paraît que ça s'est fait trop vite, mais Chapdelaine m'a juré qu'il s'organiserait pour que je sois pas perdant dans cette histoire-là. C'est lui qui va m'avoir mon permis de vente de boisson.

— Et quand est-ce que vous pensez commencer à bâtir ?

— Dans une quinzaine de jours au plus tard, affirma Gonzague sur un ton décidé. Je veux que l'hôtel soit ouvert pour les fêtes. Il paraît que c'est un ben bon temps pour faire de l'argent.

— Je suppose que vous êtes venu me voir, p'pa, parce que vous avez besoin de moi ?

— En plein ça. Je compte sur Henri et sur toi pour m'aider pendant les élections. Ça se pourrait que j'aie aussi besoin de toi pendant la construction de l'hôtel.

— Pour les élections, ça peut toujours aller, p'pa, mais pour l'hôtel, j'ai pas encore décidé si je vais passer l'hiver à Saint-Paul ou si je vais descendre au chantier.

— L'hôtel est plus important, trancha Gonzague sur un ton sans appel.

— Peut-être, mais on a besoin d'argent pour vivre, lui fit remarquer son fils, à contrecœur.

— On parlera plus tard d'argent, conclut son père en se levant pour signifier que sa visite était terminée. On va d'abord passer à travers les élections.

— En passant, p'pa, où est-ce que vous allez acheter votre bois de construction ? Je suppose que vous le prendrez pas chez Gagnon.

— Inquiète-toi pas. On va le faire venir de Yamaska, dit Gonzague en faisant signe à son aîné de le suivre. Le gros Bertrand s'est déjà ben assez engraissé avec ce qu'il a vendu pour la construction de la nouvelle église.

À aucun moment Corinne n'avait ouvert la bouche durant la visite des Boisvert. Elle se contenta de se lever pour les raccompagner à la porte, sans même se donner la peine de la franchir. Elle laissa son mari sortir de la maison et s'entretenir encore durant un bref moment avec son père et son frère avant qu'ils ne remontent dans leur boghei et quittent la ferme. Laurent rentra dans la maison.

— T'aurais pu au moins leur offrir quelque chose à boire, dit-il, mécontent, à sa femme.

— Je vois pas pourquoi, lui répondit-elle sur le même ton. Quand on met les pieds chez ton père, ça prend tout pour qu'on nous offre une chaise pour s'asseoir. Pourquoi je ferais des efforts pour me montrer recevante ? En plus, ils se donnent même pas la peine de faire semblant que j'existe. Je serais un meuble, ce serait pareil.

Laurent n'ajouta rien à ce qu'il venait de dire et prit le chemin de sa chambre pour poursuivre sa sieste interrompue.

Ce soir-là, au souper, Corinne ne put s'empêcher d'aborder le sujet qui la préoccupait depuis la visite des Boisvert, au début de l'après-midi.

— D'après toi, ton père est-il sérieux quand il dit qu'il veut faire construire un hôtel au village ?

— Certain, répondit Laurent en versant de la crème fraîche sur du sirop d'érable.

— Mais ça prend pas mal d'argent, une affaire comme ça, reprit-elle. Où est-ce qu'il va le trouver?

— Inquiète-toi pas pour ça, la rassura son mari. Tu connais pas mon père, toi. Il a jamais dépensé une cenne pour rien dans sa vie. En plus, il a hérité de grand-père Boisvert, qui était loin d'être pauvre, et de mon oncle Octave.

— ...

— Oublie pas que la terre, chez nous, c'est une grosse terre et le père a une trentaine de vaches.

— C'est vrai, reconnut sa femme.

— Sans compter que depuis que je suis tout petit, je le vois prêter de l'argent à gauche et à droite avec des intérêts. C'est pas pour rien que le notaire Ménard l'aime pas pantoute. À mon idée, le père, il prête pas mal plus d'argent que lui.

— À ce moment-là, intervint Corinne d'une voix acide, je comprends pas pourquoi il a été aussi cochon avec toi. Il t'a rien donné quand on s'est mariés l'année passée. Il t'a tout vendu en te chargeant des intérêts comme si t'étais un étranger. En janvier, c'est tout juste s'il m'a pas menacée de me jeter dehors parce que j'avais pas les soixante-trois piastres de l'hypothèque.

— Qu'est-ce que tu veux? fit Laurent, fataliste. On le changera pas. Il est fait comme ça.

— C'est drôle, par exemple. Ça le gêne même pas de venir demander des services à tout bout de champ. Regarde aujourd'hui, il compte sur toi et sur ton frère pour l'aider à se faire élire.

Laurent ne dit rien et finit de manger son dessert.

Chapitre 19

Une belle surprise

Une pluie fine et tenace tomba toute la journée du dimanche, noyant le paysage. Il faisait encore chaud en cette deuxième semaine de septembre, mais certains indices laissaient présager la fin prochaine de l'été.

Laurent eut l'air préoccupé durant toute la journée et son humeur ne changea guère le lendemain lorsqu'il se rendit compte qu'il lui était impossible de faucher son blé. Renfrogné, il se cantonna dans un silence obstiné qui perdura même quand il put enfin commencer la récolte. Agacée par cette mauvaise humeur dont elle ignorait la cause, Corinne finit par exploser.

— Je sais pas ce que t'as, mais t'es pas parlable depuis une couple de jours. Seigneur! Change d'humeur. T'es pas endurable!

— Achale-moi pas, se contenta-t-il de lui répondre avant de se replonger dans son mutisme obstiné.

Corinne jeta un coup d'œil vers grand-père Boucher qui lui signifia discrètement de ne pas insister. Durant les derniers jours, ses nausées matinales l'affaiblissaient et elle se demandait si les premiers mois de cette deuxième grossesse allaient être aussi pénibles que ceux de la première.

Malgré la température maussade de cette troisième semaine de septembre, Laurent parvint à récolter son blé et à l'apporter au moulin pour le faire moudre le vendredi matin suivant. Lorsqu'il rentra de Saint-David vers l'heure du dîner, son humeur avait enfin changé, ce qui soulagea énormément sa femme qui avait travaillé durant tout l'avant-midi à faire le ménage des deux cuisines de la maison.

— C'est le dernier repas qu'on prend dans la cuisine d'été, annonça-t-elle à son mari en lui servant un bol de soupe aux pois.

— Déjà, s'étonna-t-il.

— Il fait de plus en plus frais et on est obligés, à cette heure, de chauffer durant la soirée.

— C'est correct.

— Grand-père m'a aidée à nettoyer les tuyaux des deux poêles. J'ai rallumé le poêle ici dedans juste pour le dîner. Après la vaisselle, je vais le laisser s'éteindre et je vais finir de transporter la nourriture dans le garde-manger de la cuisine d'hiver.

Quand Laurent traversa la cuisine d'hiver pour aller changer de vêtements, l'odeur d'eau javellisée lui apprit que les murs et le plafond de la pièce avaient été lavés.

— J'ai des affaires à régler au village, annonça-t-il à sa femme en apparaissant dans la cuisine d'été quelques minutes plus tard, tout endimanché. Je devrais être revenu pour le train.

Sans plus d'explications, il se dirigea vers l'écurie et elle le vit atteler Satan au boghei.

— Où est-ce qu'il va encore courir comme ça ? dit-elle à haute voix, l'air malheureux.

Wilfrid Boucher ne dit rien. Il se contenta de regarder aller son petit-fils quand il passa près de la fenêtre devant laquelle était placée sa chaise berçante. Philippe se mit à rechigner et le vieil homme s'empressa d'aller le chercher pour le bercer pendant que sa mère finissait de laver la vaisselle.

Corinne n'aurait jamais pu imaginer la surprise que lui préparait son mari.

Laurent avait traversé le village, puis était passé devant la maison paternelle avant de poursuivre sa route vers Yamaska. Depuis le dimanche précédent, il n'avait pas cessé de retourner dans sa tête les paroles de Camil Racicot quand il avait dit que les policiers allaient probablement en venir à interroger même les enfants pour essayer de savoir ce qui était arrivé à Mitaines.

— Si jamais Rosaire a vu l'argent dans le sac de l'innocent, il va le leur dire, c'est sûr, ne cessait-il de se répéter cent fois par jour, fou d'inquiétude. À ce moment-là, c'est certain que la police va croire que c'est moi qui l'ai tué...

C'était là la raison de la mauvaise humeur qui l'avait submergé toute la semaine. Incapable de fermer l'œil, il avait passé la plus grande partie de ses nuits à chercher une solution au drame qu'il vivait. Il avait beau examiner le problème sous tous ses angles, il ne voyait aucun moyen de s'en sortir. Si encore il avait suffi de se débarrasser de l'argent... Épuisé au réveil, il lui fallait faire des efforts considérables pour ne pas se laisser aller à une colère incontrôlable devant les siens.

En d'autres mots, il avait passé les cinq derniers jours en proie à une terreur grandissante. Le point culminant, il l'avait vécu la veille quand il avait reconnu l'un des inspecteurs de police sortant du magasin général, au village. Tout indiquait que la police était déjà revenue à Saint-Paul-des-Prés et qu'elle avait entrepris d'interroger les gens, comme l'avaient annoncé Racicot et Rajotte.

Ce soir-là, Laurent Boisvert avait décidé, bien malgré lui, d'adopter ce qui lui semblait être l'unique solution possible, même si elle lui coûtait beaucoup. Il lui fallait aller chercher Rosaire à l'orphelinat pour mieux l'avoir à l'œil durant l'enquête. S'il le laissait à l'orphelinat et que les policiers apprenaient qu'il était présent chez lui lors de la découverte du corps, ils n'hésiteraient probablement pas à aller l'interroger à l'orphelinat. Si tel était le cas, le jeune pourrait raconter n'importe quoi, peut-être même qu'il avait vu l'argent dans le sac, près du corps. Quand il songeait à cette possibilité, il en avait des sueurs froides.

— Ça, c'est une affaire pour me faire accuser de l'avoir tué, murmurait-il.

À bien y penser, aller chercher l'orphelin était la meilleure chose à faire. Après, quand tout serait fini, il pourrait toujours le renvoyer à l'orphelinat en disant qu'il n'en voulait plus comme élève. L'idéal, se disait-il au moment où son attelage longeait les champs entre Yamaska et Sorel, ce serait que les sœurs l'aient déjà placé dans une autre famille, loin d'ici. À ce moment-là, il n'y aurait aucun danger que la police se donne la peine d'aller lui poser des questions.

Près d'une heure plus tard, Laurent Boisvert dut demander à quelques passants où était situé l'orphelinat.

— Sur la rue Georges, à côté de l'Hôpital Général, finit par lui répondre un jeune homme affable. Il est facile à reconnaître, il y a un passage couvert entre les deux bâtisses, ajouta-t-il.

Quand Laurent arrêta son cheval devant l'immeuble quelques minutes plus tard, il fut surpris par la tristesse qui se dégageait des lieux. Tout était gris et terne. Il attacha sa bête à une borne et alla sonner à la porte. Une religieuse à l'air méfiant vint lui ouvrir après l'avoir fait patienter quelques instants. Il lui expliqua alors maladroitement qu'il voulait avoir un jeune en élève.

— Il va falloir que vous parliez à mère supérieure, déclara la sœur Grise. Suivez-moi, lui commanda-t-elle en le précédant dans un long couloir sombre.

Des exclamations et des cris d'enfants se faisaient entendre derrière des portes closes. La religieuse frappa à une porte au verre dépoli et attendit qu'on l'invite à entrer.

— Attendez ici, dit-elle à Laurent en se tournant vers lui.

Elle sortit de la pièce moins d'une minute plus tard en lui faisant signe d'entrer. Le fils cadet de Gonzague Boisvert fit quelques pas et se retrouva en présence d'une petite religieuse au visage sévère. Ses yeux l'examinaient froidement derrière des lunettes à monture d'acier.

— Qu'est-ce que je peux faire pour vous, monsieur...

— Laurent Boisvert, ma sœur, répondit-il en lui adressant son sourire le plus charmeur.

— Assoyez-vous, monsieur Boisvert, et dites-moi ce que vous attendez de notre orphelinat.

— Ben, voilà, ma sœur, dit-il d'une voix légèrement embarrassée. Mon père a pris un garçon de chez vous en élève, l'année passée.

— Comment s'appelait-il? demanda la supérieure, l'air toujours aussi sévère.

— Rosaire.

— Rosaire qui?

— Ça, je me rappelle pas, ma sœur, avoua-t-il, un peu penaud. C'est un gars d'environ douze ans.

— Comment s'appelle votre père?

— Gonzague Boisvert. Il vous l'a renvoyé cet été parce que ça marchait plus pantoute avec lui.

— Et vous voulez quoi exactement, monsieur Boisvert?

— Ben, Rosaire a vécu tout l'hiver passé chez nous, avec ma femme, pour l'aider. Moi, j'étais descendu au chantier. Ma femme l'aimait ben gros. Mais vous savez ce que c'est, mon père a eu besoin de Rosaire cet été et ma femme a dû le laisser partir.

— Je comprends. Mais pourquoi votre père nous l'a-t-il renvoyé au lieu de vous demander de le reprendre? fit la religieuse en le fixant avec attention.

— Je pense que mon père s'est dit que c'était à lui que vous l'aviez envoyé et qu'il devait vous le renvoyer s'il faisait plus son affaire.

La supérieure de l'orphelinat garda le silence un long moment avant de reprendre la parole.

— Si je comprends bien, vous aimeriez qu'on vous confie cet enfant-là.

— Oui, ma sœur.

— Est-ce que vous vous rendez compte qu'un orphelin, quel que soit son âge, c'est pas un jouet? demanda-t-elle d'une voix cinglante. C'est pas un animal non plus. C'est pas sa faute s'il a pas de parents.

— Je sais, ma sœur, laissa tomber un Laurent Boisvert mal à l'aise, qui commençait à perdre patience et n'avait pas du tout l'intention de subir un sermon.

— Si on vous confie un jeune, vous devez bien le traiter.

— C'est entendu.

— Je suppose que vous le prendriez pour vous aider sur votre terre?

— En plein ça, ma sœur.

— Nos jeunes sont habitués à travailler pour gagner la nourriture qu'ils mangent. Ça, c'est normal. On demande pas non plus que vous le traitiez nécessairement comme l'un de vos enfants, mais vous devez pas le maganer.

— C'est certain.

— Je vous cacherai pas, monsieur Boisvert, qu'on a des orphelins à plus savoir quoi en faire. Je suis toujours heureuse de trouver un foyer pour l'un d'entre eux. Là, je vais regarder si votre Rosaire est encore ici. S'il est ici et qu'il accepte d'aller rester chez vous, il y aura pas de problème. S'il veut pas, nous avons encore une demi-douzaine de garçons de son âge capables de vous aider sur votre terre.

Avant même que son interlocuteur ne trouve le temps de lui dire qu'il n'était pas intéressé par un autre garçon que

Rosaire, la religieuse se leva et alla ouvrir le premier tiroir d'un classeur surchargé de minces dossiers. Elle en tira un et revint prendre place derrière son bureau.

— J'ai ici le dossier de votre père. L'orphelin s'appelle Rosaire Gagné. Je me rappelle pas qu'il ait été replacé ailleurs. Il me semble qu'il aide aux cuisines de l'hôpital à côté depuis qu'il est revenu cet été. Attendez, je vais l'envoyer chercher.

La supérieure se leva, ouvrit la porte de son bureau et s'adressa à une jeune fille en train de balayer le couloir. En attendant l'arrivée de l'adolescent, la religieuse eut le temps de remplir le dossier de Laurent Boisvert, même si ce dernier eut enfin l'occasion de lui signifier clairement que si Rosaire Gagné refusait de le suivre, il ne prendrait pas un autre orphelin en élève.

Quelques instants plus tard, on frappa à la porte du bureau de la supérieure. La jeune fille fit entrer Rosaire et s'esquiva avant de refermer la porte derrière lui. Rosaire avait légèrement maigri depuis qu'il avait quitté Saint-Paul-des-Prés au mois de juillet précédent. Toujours aussi timide, il demeura près de la porte sans rien dire.

— Est-ce que tu reconnais monsieur Boisvert? lui demanda la religieuse.

— Oui, ma sœur, répondit Rosaire d'une voix mal assurée.

— Il paraît que tu es resté chez lui un bon bout de temps, reprit-elle.

— Oui, ma sœur.

— Monsieur Boisvert est venu pour me dire qu'il est prêt à te prendre en élève. Aimerais-tu ça retourner vivre chez lui?

La figure de l'adolescent s'illumina lorsqu'il entendit ces paroles et sa réponse fut immédiate.

— Oui, ma sœur.

— Va vite préparer tes affaires. Monsieur Boisvert va t'attendre, dit la religieuse avec un léger sourire.

Rosaire ne se fit pas répéter l'invitation. Il quitta la pièce en coup de vent et fut de retour moins de dix minutes plus tard, portant toutes ses possessions dans un grand sac gris. La supérieure lui souhaita bonne chance après lui avoir recommandé d'être un bon garçon et de ne pas oublier de prier chaque jour. L'orphelin la salua et suivit Laurent jusqu'à son boghei.

Dès qu'ils se retrouvèrent seuls dans la voiture, le sourire affable affiché par Laurent disparut. Rosaire s'en rendit compte et garda le silence. Quand la voiture eut quitté la ville, l'adolescent se contenta de regarder autour de lui le spectacle des cultivateurs en train de récolter leur blé, leur avoine ou leur orge dans leurs champs en cette fin d'après-midi d'automne.

Plus tard, lorsque l'attelage pénétra dans le village de Saint-Paul-des-Prés, le conducteur desserra finalement les dents pour dire à son passager :

— Ma femme sait pas que je suis allé te chercher à l'orphelinat. C'est une surprise.

Rosaire ne dit rien. Le boghei traversa le village et poursuivit sa route jusqu'au rang Saint-Joseph où il tourna. À voir l'air de l'adolescent, il était évident qu'il était heureux de revoir les lieux où il avait vécu près d'un an. Un peu avant d'arriver devant l'école du rang, Laurent ralentit son cheval et ordonna à l'orphelin de se cacher entre les deux sièges du boghei.

— On va faire une surprise à Corinne, lui dit-il.

Plié en deux derrière le conducteur, Rosaire vit passer devant ses yeux l'école qu'il avait fréquentée l'année précédente, la maison des Brisebois, celle de Jocelyn Jutras et aussi celle des Rocheleau avant que Satan ne tourne dans la cour des Boisvert. La maison grise de ces derniers lui apparut soudain, mais la voiture poursuivit sa route sans ralentir jusqu'à l'écurie.

— Bouge pas de là, lui ordonna Laurent. Je dételle et, après ça, tu me suivras.

L'adolescent obéit.

— C'est correct, viens-t'en, lui commanda le jeune cultivateur après avoir conduit Satan dans l'enclos voisin de l'écurie.

Il n'y avait personne à l'extérieur. Tout semblait calme dans la maison. Un coup d'œil à l'une des fenêtres de la cuisine apprit à Laurent que son grand-père somnolait dans sa chaise berçante, près du poêle, et que sa femme devait se trouver à l'étage ou dans leur chambre.

— Attends sur la galerie. Elle t'a pas vu, dit-il avec une bonne humeur un peu forcée.

Le maître des lieux entra dans la maison par la cuisine d'été, enleva son manteau qu'il suspendit à un crochet et pénétra dans la cuisine d'hiver au moment même où Corinne sortait de leur chambre à coucher en tenant Philippe dans ses bras.

— T'as été longtemps parti, se contenta-t-elle de lui dire en déposant le bébé sur une couverture étendue sur le parquet. Je m'en allais commencer le train.

— Ça m'a pris plus de temps que je pensais pour t'avoir ton cadeau de fête, dit-il sans avoir l'air d'y toucher.

Sa femme s'immobilisa soudain, incertaine d'avoir bien entendu.

— Mon cadeau de fête ? Quel cadeau de fête ? demanda-t-elle, stupéfaite.

— Ah oui, je pense l'avoir oublié sur la galerie, dit Laurent d'une voix neutre. T'es peut-être aussi ben d'aller le chercher avant qu'il se gâte, ajouta-t-il, comme si cela n'avait aucune importance.

Intriguée, Corinne quitta la cuisine d'hiver, traversa la pièce voisine et ouvrit la porte d'entrée. Sans franchir le seuil, elle étira le cou pour repérer sur la galerie l'objet que son mari disait avoir laissé à la porte. À cet instant précis, elle aperçut Rosaire, debout, tenant son sac gris rempli de ses effets personnels. Sur le coup, elle se sentit défaillir tant la surprise fut grande.

— Rosaire ! s'écria-t-elle en se précipitant vers l'adolescent qu'elle serra convulsivement entre ses bras. Qu'est-ce que tu fais là ? demanda-t-elle, folle de joie.

— Monsieur Boisvert est venu me chercher à l'orphelinat, finit par dire l'adolescent, rouge de plaisir et la gorge serrée par l'émotion.

— Dis-moi pas que tu t'en reviens vivre avec nous autres ?

— Je pense que oui, ma…

— T'as pas oublié mon nom, j'espère ? lui demanda Corinne, taquine.

— Non, Corinne, répondit Rosaire.

— Viens, reste pas là, lui ordonna-t-elle en l'entraînant à sa suite dans la maison.

Dès qu'il fut dans la maison, Corinne lui suggéra d'aller ranger ses affaires dans son ancienne chambre. Quand l'orphelin eut disparu en haut de l'escalier, la jeune femme se précipita vers son mari qu'elle embrassa avec fougue.

— Merci, Laurent. Tu pouvais pas me faire un plus beau cadeau ! lui dit-elle à mi-voix pour ne pas réveiller Wilfrid qui continuait à somnoler comme un bienheureux au milieu de toute cette agitation.

— C'est correct, fit son mari en la repoussant légèrement. Mais tu vas me promettre de pas trop le gâter. Oublie pas que c'est pas de la famille. Je suis allé le chercher pour qu'il nous donne un coup de main, pas pour l'adopter.

— Est-ce qu'il va pouvoir retourner à l'école ? lui demanda-t-elle.

— On verra ça après les labours, se contenta-t-il de dire, bourru, au moment où grand-père Boucher reprenait pied dans la réalité.

Lorsque le vieil homme aperçut Rosaire en train de descendre l'escalier, un sourire se dessina sur son visage.

— Tiens, tiens ! Il me semble reconnaître ce grand gars-là, dit-il en souriant à l'orphelin.

— Bonjour, monsieur Boucher, le salua Rosaire avec un plaisir non déguisé.

— Aïe, ça va faire les cérémonies ! fit Wilfrid en feignant d'être fâché. Tu m'as toujours appelé grand-père. Je vois pas pourquoi tu changerais ça.

— Oui, grand-père.

— On a fait assez de simagrées pour aujourd'hui, dit Laurent en retrouvant son humeur habituelle. Avance, le jeune, qu'on aille faire le train. Il se fera pas tout seul.

Quand Bernard rentra pour souper, il fut surpris de trouver Rosaire de retour chez les Boisvert, mais, avec son tact coutumier, il se garda de faire la moindre remarque. Il salua l'orphelin et s'informa de sa santé avant de discuter avec son hôte des difficultés qu'il rencontrait à trouver des menuisiers soigneux. Le travail à l'intérieur de l'église avait commencé.

— Pensez-vous qu'on est à la veille d'aller à la messe dans notre nouvelle église ? lui demanda Corinne en déposant devant lui la traditionnelle assiette de fèves au lard du vendredi soir.

— S'il en tenait juste à monsieur le curé, ce serait déjà fait, répondit l'entrepreneur. Il arrête pas de se promener sur le chantier et il énerve mes hommes à leur pousser dans le dos continuellement. Je sais plus pantoute comment lui faire comprendre de leur sacrer la paix, ajouta-t-il, un peu plus sérieux.

— En tout cas, il pouvait pas ben gros nous achaler quand on était sur la couverture en train de clouer la tôle, fit remarquer Laurent. Il aurait jamais osé monter en haut.

— Parle pas de ça, répliqua sa femme. J'ai peur chaque fois que je pense que t'as travaillé en haut comme ça.

Ce soir-là, dès que son mari l'eut rejointe dans le lit conjugal, Corinne tint à lui montrer sa reconnaissance avec une fougue inhabituelle. Le retour de Rosaire à la maison comblait l'un de ses vœux les plus chers.

— T'as été bien fin de me le ramener, dit-elle à son mari avant de se tourner sur le côté pour trouver le sommeil.

— Ouais, dit Laurent, la voix un peu ensommeillée. Reste à savoir comment le père va prendre ça.

— Si tu veux dire comme moi, mon mari, ça le regarde pas, chuchota-t-elle. C'est visible que Rosaire est bien heureux avec nous autres.

— C'est pas important pantoute, trancha son mari. À part ça, ça me tape sur les nerfs de l'entendre t'appeler « Corinne », comme s'il était de la famille.

— Voyons, Laurent ! Il est pas pour m'appeler madame Boisvert. J'ai juste vingt ans. J'aurais l'impression d'être une vieille mémère, ajouta-t-elle en gloussant.

— En tout cas, il va continuer à m'appeler « monsieur Boisvert », déclara son mari. Si jamais il m'appelle « Laurent », il va recevoir une claque sur les oreilles pour lui apprendre à vivre.

Chapitre 20

Des imprévus

Le lendemain de l'arrivée de Rosaire chez les Boisvert, Corinne fit cuire son pain dans son four à l'extérieur, heureuse de profiter d'une température étrangement douce en cette fin de septembre. Les feuilles des arbres n'avaient pas encore commencé à changer de couleur et, n'eût été les précipitations et les nuits fraîches des derniers jours, on se serait cru aux premiers jours du mois d'août.

Depuis le début de l'avant-midi, Laurent et Rosaire, installés près de la remise, fendaient du bois coupé l'automne précédent. Lorsque la brouette contenait suffisamment de bûches, l'adolescent allait les corder à l'intérieur du bâtiment.

Pour sa part, la maîtresse de maison avait profité du beau temps pour ramasser les dernières carottes et les quelques choux qui restaient dans le jardin. Elle déposa ensuite à l'extrémité de la galerie quatre grosses citrouilles qu'elle se proposait de vider et de découper le lundi suivant pour en faire une savoureuse confiture.

Vers la fin de l'après-midi, Corinne décida d'aller s'asseoir sur la galerie aux côtés de grand-père Boucher, pour profiter du chaud soleil. Elle venait à peine d'installer près d'elle le berceau dans lequel Philippe sommeillait qu'une guêpe se mit à tourner autour de sa tête. Le vrombissement de l'insecte l'énervait, mais elle s'efforça de ne pas faire de mouvement brusque parce qu'elle savait fort bien que c'était le meilleur moyen de se faire piquer. Cela lui était arrivé en deux ou trois occasions dans son enfance et elle avait gardé un souvenir cuisant de ce genre de piqûre.

Soudain, une seconde guêpe se mit elle aussi de la partie et la jeune femme perdit son calme.

— Saudites guêpes! dit-elle à Wilfrid en les chassant de la main; elles vont finir par me piquer ou piquer le petit.

Elle se pencha et prit Philippe dans ses bras pour le protéger.

— Énerve-toi pas comme ça, lui conseilla le vieil homme. Tu les attires en bougeant.

Sans quitter sa chaise, grand-père Boucher se mit à regarder au-dessus de sa tête l'avant-toit de la galerie, à la recherche d'un nid.

— Tiens! C'est de là qu'elles viennent, déclara-t-il sur un ton satisfait en montrant à Corinne un gros nid suspendu à l'avant-toit, dans une encoignure.

Il se leva doucement et scruta le nid assez longtemps pour apercevoir deux autres guêpes en sortir.

— Je vais appeler Laurent pour qu'il nous en débarrasse, dit Corinne sur un ton décidé.

Elle confia le bébé au grand-père et se rendit près de la remise.

— Laurent, il y a un nid de guêpes au-dessus de la galerie. Les guêpes vont finir par piquer Philippe, dit-elle à son mari au moment où il repoussait du pied une bûche qu'il venait de fendre.

— Ça peut pas attendre? demanda celui-ci en se passant une main sur le front pour essuyer la sueur qui menaçait de couler dans ses yeux. Tu vois ben que j'ai de l'ouvrage par-dessus la tête.

— Laisse faire d'abord, répliqua-t-elle. Je suis capable d'allumer une torche pour brûler le nid.

— Comment ça, une torche? demanda-t-il en déposant la hache qu'il tenait.

— Chez nous, mon père a toujours brûlé les nids de guêpes avec une torche qu'il faisait en mettant une guenille au bout d'un bâton.

— Une belle façon niaiseuse de sacrer le feu à la maison, fit-il, sarcastique. Je veux pas te voir faire ça. Je m'en occupe.

Sur ces mots, le jeune cultivateur se dirigea vers la maison, sa femme sur ses talons.

— Comment tu vas faire ? lui demanda-t-elle.

— Il y a un moyen ben simple de s'en débarrasser. Tu vas voir.

Arrivé à la galerie, il se tourna vers sa femme.

— Où est-ce qu'il est ce nid-là ?

— En haut, proche de la fenêtre du salon, lui dit-elle en pointant le doigt vers l'endroit où un gros cocon gris était suspendu à l'avant-toit.

— Tu vas voir que c'est pas utile pantoute de faire un drame avec une affaire comme ça, lui dit-il avec assurance.

— Attends que j'entre dans la maison avec le petit au cas où tu manquerais ton coup, fit-elle en se dirigeant vers la porte, suivie de grand-père Boucher.

Elle entra dans la cuisine d'été et se posta derrière la porte moustiquaire, aux côtés du vieil homme, pour regarder faire son mari. Ce dernier descendit de la galerie et alla se poster en face de la fenêtre du salon avant de se pencher pour enlever l'une de ses bottines.

— Fais tout de même attention de pas te faire piquer, lui recommanda sa femme.

— Voyons donc ! se contenta-t-il de dire, désinvolte.

Il projeta sa chaussure de toutes ses forces vers le plafond de l'avant-toit dans l'intention de faire tomber le nid et de l'écraser du même coup. Malheureusement, ses talents de lanceur n'étaient pas à la hauteur de ses ambitions. La bottine rata la cible visée et alla fracasser l'une des vitres de la fenêtre. Pendant un court moment, Laurent regarda la fenêtre d'un air hébété, comme s'il avait de la peine à réaliser ce qu'il venait de faire.

— Ah ben, Christ ! jura-t-il, hors de lui.

— Qu'est-ce que t'as fait là ? lui demanda Corinne en se précipitant sur la galerie.

— Achale-moi pas ! lui cria-t-il. J'ai manqué le calvaire de nid, sacrement ! Là, on a l'air fins. Ça va nous coûter une vitre neuve, expliqua-t-il hors de lui. C'est la fin des écus !

— C'est pas si grave, dit-elle pour l'apaiser.

— On voit ben que c'est pas toi qui vas être poignée pour la remplacer. Tout ça pour cette maudite cochonnerie, ajouta-t-il en pointant le nid qui semblait le narguer. Attends une minute, toi !

Sur ces mots, il se dirigea à cloche-pied jusqu'à la remise voisine d'où il revint en tenant un bâton d'environ trois pieds de longueur. Il grimpa sur la galerie, bien décidé à en finir.

— Fais pas ça, tu vas te faire piquer, le mit en garde son grand-père, qui n'avait rien perdu de la scène, même s'il était demeuré prudemment derrière la porte moustiquaire.

Laurent ne se donna pas la peine de lui répondre. Il s'avança vers le nid et assena un bon coup de bâton au nid qui alla s'écraser sur le sol. L'exterminateur allait esquisser un sourire de triomphe quand les insectes piqueurs se mirent à vrombir autour de lui en s'échappant du nid.

— Ayoye ! cria-t-il en faisant de grands gestes pour les chasser et en dansant une curieuse gigue sur place.

— Entre ! lui ordonna Corinne, alarmée. Dépêche-toi !

Mais Laurent ne fut pas assez rapide pour échapper aux piqûres des guêpes en furie. Lorsqu'il entra dans la maison, elles avaient eu le temps de le piquer à une dizaine d'endroits.

— Maudite vermine ! hurla-t-il en se laissant tomber dans une chaise berçante. Ça fait un mal de chien, cette affaire-là.

Sa femme l'examina avec soin. Sur son visage, elle découvrit trois piqûres qui commençaient déjà à enfler.

— J'en ai au moins deux autres dans le dos et une sur le bras, précisa-t-il en relevant une manche de sa chemise.

Corinne alla dans le garde-manger et en revint avec une bouteille de vinaigre et une feuille de chou. Elle prit un linge qu'elle imbiba de vinaigre.

— Tiens, passe-toi ça sur le visage et sur le bras, recommanda-t-elle à son mari.

Ce dernier s'exécuta en se plaignant que ça brûlait.

— C'est tant mieux. Ça prouve que ça désinfecte, répliqua-t-elle en s'emparant du linge qu'il lui tendait pour le passer dans son dos, là où les guêpes l'avaient piqué. Avant de partir pour faire le train tout à l'heure, tu passeras encore une feuille de chou sur tes piqûres, ajouta-t-elle.

— Pourquoi?

— Ma grand-mère disait que ça fait désenfler, se contenta de répondre sa femme avant de se diriger vers le salon pour ramasser les débris de la vitre fracassée et lui rapporter sa bottine.

Quand Laurent se leva dans l'intention d'aller faire son train, elle cria à Rosaire d'aller chercher les vaches dans le champ et décida d'aller aider son mari à nourrir les poules et les porcs pendant que cuisaient les pommes de terre sur le poêle.

Au retour de son mari, Corinne lui apprit qu'elle avait obstrué la fenêtre brisée avec un morceau de carton, mais qu'il faudrait s'arrêter chez Duquette au retour de la messe le lendemain matin pour acheter une nouvelle vitre et du mastic.

Après le repas, Laurent alla se planter devant le miroir suspendu au-dessus de l'évier et se regarda la figure durant un bref moment.

— Ça vaut rien pantoute, ton maudit vinaigre, maugréa-
t-il en apercevant les trois magnifiques bosses qui lui
déformaient le visage. Regarde-moi donc la face ! Je suis pas
montrable, sacrement !

— D'après moi, ça paraîtra presque plus demain matin.

— Ouais, mais en attendant, me v'là poigné pour passer
le samedi soir à la maison, fit-il avec humeur.

— T'en mourras pas, chercha à le consoler sa femme.
C'est ce que je fais tout le temps, moi.

— Toi, c'est pas pareil, rétorqua-t-il, l'air mauvais, avant
de s'enfermer dans un silence buté, frustré de ne pas pouvoir
effectuer sa sortie hebdomadaire.

. Comme l'air du soir s'était à peine rafraîchi après le
coucher du soleil, il sortit sur la galerie en laissant claquer
la porte moustiquaire derrière lui. Corinne s'approcha de la
fenêtre pour voir ce qu'il faisait. Il s'était assis sur la première
marche de l'escalier pour fumer sa pipe. Elle eut un petit
sourire narquois avant de dire à Rosaire :

— Rosaire, c'est dimanche demain. Approche que je te
lave la tête. Après, tu vas prendre la cuvette dans la remise
et aller te laver au complet au bout du hangar. Et oublie pas
un seul coin. J'ai l'impression que ça fait un bon bout de
temps que t'as pas trempé dans l'eau. Pendant ce temps-là,
je vais aller jeter un coup d'œil sur le linge que tu vas mettre
demain matin. Même si tu vas aller à la basse-messe avec
grand-père, t'es pas pour lui faire honte.

— Il faut vraiment que je me lave au complet ? lui
demanda l'adolescent sans grand entrain.

— Oui et oublie pas de frotter, répondit-elle dans un
éclat de rire. Si c'est pas à mon goût, je vais prendre la brosse
à plancher.

—⚬—

La température chaude se poursuivit le lendemain, faisant oublier qu'on était à l'avant-dernier jour de septembre. Au lever, Corinne se précipita vers les toilettes sèches, comme tous les matins. À son retour, le visage pâle, elle trouva tout de même le courage de s'oublier pour examiner la figure de son mari.

— En tout cas, ça a tout l'air que le vinaigre et le chou ont bien marché ; tes piqûres de guêpe paraissent presque pas, déclara-t-elle avec une mine satisfaite.

— J'ai peut-être désenflé, rétorqua Laurent, mais ça fait mal pareil.

Dès que Wilfrid et Rosaire furent revenus de la basse-messe, Laurent, toujours de mauvaise humeur, houspilla sa femme pour partir pour le village.

— Seigneur ! Qu'est-ce qui te presse tant ? lui demanda-t-elle, agacée par son impatience. Il reste une bonne heure avant la grand-messe.

— Je veux arrêter acheter la vitre chez Duquette, et en plus, j'ai promis au père de le rencontrer devant le couvent. Il est supposé annoncer au monde, à matin, qu'il se présente comme maire.

Corinne eut un soupir d'exaspération, mais s'empressa tout de même d'endosser son léger manteau d'automne après avoir fixé sur sa tête blonde son chapeau à voilette. L'arrêt chez Duquette fut bref et son mari déposa la vitre au fond de la voiture avant de reprendre les rênes jusqu'au couvent devant lequel quelques fidèles commençaient déjà à se rassembler.

Plusieurs paroissiens avaient sûrement déjà assisté à la basse-messe pour pouvoir y communier et ils s'apprêtaient à participer à la grand-messe après avoir mangé, le plus souvent, du pain et du fromage que la maîtresse de maison avait pris la précaution de déposer dans un panier dans la voiture avant de quitter la maison.

Dès sa descente de voiture, Corinne aperçut son beau-père et son fils Henri en grande conversation avec deux cultivateurs qu'elle avait déjà rencontrés en quelques occasions au magasin général. Elle ne se souvenait pas d'avoir jamais vu Gonzague Boisvert aussi souriant et «jasant», comme on disait à Saint-François-du-Lac.

— Le père a déjà commencé sa campagne électorale, laissa tomber Laurent en la quittant pour se joindre au petit groupe.

Sa femme ne fit pas mine de le rejoindre. Elle jeta un coup d'œil autour d'elle et aperçut Alexina Duquette en conversation avec Amanda Brisebois, une voisine du rang Saint-Joseph. Comme elle n'avait guère envie d'entrer aussi tôt dans le couvent, elle s'approcha des deux femmes pour les saluer.

— Bonjour, madame Boisvert, fit la commerçante. J'ai appris hier que votre beau-père se présente comme maire.

— Ah! J'étais pas au courant, mentit la jeune femme.

— C'est lui-même qui l'a dit. Et vous savez pas la meilleure? intervint Amanda Brisebois. Il s'est même vanté de faire construire un hôtel au milieu du village, sur l'ancien terrain du père Tremblay.

— Il a dit ça? demanda Corinne en feignant l'étonnement.

— Ça me surprend qu'il en ait pas parlé à sa famille, reprit Alexina en scrutant la réaction de Corinne. C'est toute une nouvelle.

— Vous savez, mon beau-père est pas le plus bavard des hommes, dit Corinne.

— En tout cas, j'ai bien l'impression que s'il y a quelqu'un qui a les moyens de faire construire une affaire comme ça, c'est bien lui, fit Amanda.

— Quand mon mari a raconté ça à Bertrand Gagnon, vous auriez dû voir la face de notre maire, se moqua la commerçante. Elle a allongé en pas pour rire.

— Qu'est-ce qu'il a dit? demanda Corinne, curieuse.

— Gagnon a dit que ça lui faisait pas peur pantoute que votre beau-père se présente contre lui. Il est sûr de le battre à plate couture. Quand mon mari lui a parlé de l'hôtel, il s'est mis à rire en disant que le curé Bilodeau le laisserait jamais bâtir ça dans sa paroisse.

— Mon mari est sûr qu'on va avoir des élections pas mal mouvementées, déclara Amanda Brisebois en tournant légèrement la tête vers un couple qui venait de traverser la route, en direction du couvent.

Corinne l'imita et ne put masquer sa stupéfaction à la vue de Jocelyn Jutras donnant le bras à Catherine Gariépy, quelques pas devant Honorine Gariépy, l'air toujours aussi altier. Son voisin célibataire semblait tout fier d'exhiber sa conquête. La mère et la fille saluèrent au passage les trois femmes d'un bref coup de tête alors que le cultivateur, rougissant, leur adressait un « bonjour » un peu embarrassé.

— Je savais pas que notre voisin était en amour, chuchota Amanda Brisebois en se penchant vers les deux femmes. Vous, le saviez-vous, madame Boisvert?

— Pantoute, avoua Corinne, secouée.

— D'après moi, c'est pas mal nouveau cette affaire-là, affirma Alexina Duquette avec aplomb. Il me semble que ça fait pas plus qu'un mois qu'on voit le beau Jocelyn au village le samedi soir.

— Eh bien! Dites-moi pas que l'Honorine va enfin arriver à caser sa fille! s'exclama la voisine de Corinne à voix basse. Sa Catherine doit bien avoir une dizaine d'années de moins que le petit Jutras, avança-t-elle en regardant le couple monter l'escalier qui menait au couvent.

— C'est pas bien important, répliqua Alexina en se gourmant. Elle et sa fille ont beau prendre des grands airs et regarder tout le monde de haut, c'est pas ça qui va les nourrir. J'en sais quelque chose, c'est moi qui m'occupe des comptes pas payés au magasin.

De toute évidence, la commerçante n'avait pas encore pardonné à la présidente des dames de Sainte-Anne d'avoir comploté avec le curé Bilodeau pour lui enlever son tour d'installer le reposoir de la Fête-Dieu chez elle. À ses yeux, c'était le comble de l'hypocrisie. Elle n'arrivait pas encore à croire que pendant qu'elle lui faisait des sourires, elle manigançait tout cela dans son dos.

— Ce monde-là, ça se donne des airs supérieurs, mais c'est quêteux comme c'est pas possible. Il faut se battre pour leur faire payer leurs comptes, ajouta la commerçante vindicative en adressant un regard meurtrier au dos de la mère et de la fille.

Amanda Brisebois fit un signe discret à Corinne avant de poursuivre.

— Ce qui est sûr, c'est que notre Jocelyn est pas le premier à aller accrocher son fanal chez les Gariépy, reprit Amanda en ricanant.

Alexina Duquette eut un petit sourire gêné, probablement au souvenir que le mari de Corinne avait été l'un des prétendants les plus assidus de la jeune fille.

— Je suis au courant, madame Duquette, la rassura Corinne avec un petit sourire contraint. Pour moi, c'est du passé. Bon, vous allez m'excuser, je dois aller rejoindre mon mari.

Corinne s'esquiva, l'air tout de même un peu soucieux. Elle se demandait si sa belle-sœur Juliette était au courant de la trahison de Jocelyn Jutras. Elle rejoignit Laurent au moment même où il s'éloignait de son père et de son frère, prêt à entrer dans le couvent.

La jeune femme ne fut guère attentive durant la cérémonie religieuse, trop absorbée dans ses pensées. La vue de

Jocelyn assis près de Catherine, trois rangées devant elle, l'empêchait de prier.

— Tu parles d'un beau sournois! dit-elle à mi-voix sans s'en rendre compte.

— Qu'est-ce que tu dis? lui demanda Laurent en se penchant vers elle.

— Rien.

Jamais elle n'aurait cru que le jeune homme qu'elle connaissait depuis plus d'un an ait été aussi hypocrite. Elle le voyait au moins une fois par semaine pour lui donner son pain qu'elle avait fait cuire et il n'avait pas dit un mot de ses amours. S'il n'était pas capable d'être franc, il irait faire cuire son pain ailleurs, décida-t-elle subitement. Et Juliette dans tout ça? «Maudits hommes! Ils sont tous pareils», songea-t-elle en jetant un regard en coin à son mari.

Après la messe, elle dut encore attendre Laurent près de vingt minutes parce que ce dernier s'attarda à parler avec des cultivateurs de la paroisse en faveur du nouveau candidat à la mairie. Un peu plus loin, Henri et Gonzague Boisvert faisaient la même chose.

Durant le trajet qui les ramena à la maison, la jeune femme ne put s'empêcher de faire remarquer à son mari d'une voix sarcastique:

— Je pense que c'est la première fois que je vois ton père ne pas avoir l'air bête. Je l'ai même vu sourire. J'en ai eu peur que le visage lui craque. Pour moi, il y a pas grand monde dans le village qui le reconnaît quand il sourit.

— T'es ben drôle, Corinne Joyal! fit son mari. Mon père est pas un ricaneux, c'est tout.

— Pour moi, ça prendra pas grand temps qu'il va retrouver son air normal après les élections, conclut-elle sur un petit rire sans joie.

Laurent ne dit rien, se contentant de regarder les champs de Conrad Dumas et de Joseph Saint-Onge au passage.

— As-tu remarqué que notre voisin est en amour par-dessus la tête ? reprit Corinne, sans avoir l'air d'y toucher.

— Quel voisin ? demanda Laurent, sans manifester grand intérêt.

— Jocelyn, cette affaire. C'est le seul célibataire du rang.

— Il est en amour avec qui ?

— Tu le devineras jamais. Avec la fille d'Honorine Gariépy, lui révéla-t-elle en guettant sa réaction.

— Qui raconte cette affaire-là ?

— Pas nécessaire que quelqu'un raconte ça, rétorqua-t-elle. On les a vus à matin, bras dessus bras dessous, s'en venant à la messe. D'après Alexina Duquette, ça fait au moins un mois que ça dure, ajouta-t-elle pour faire bonne mesure.

L'air contrarié de son mari convainquit Corinne qu'il éprouvait peut-être encore un certain attachement envers son ancienne flamme et elle en fut secrètement blessée. Pour se venger, elle sentit le besoin d'en rajouter.

— On dit que c'est pas mal sérieux, à part ça.

— Qui t'a dit ça ?

— Amanda Brisebois.

— Une maudite commère qui parle toujours à travers son chapeau, laissa-t-il tomber en arrêtant son cheval près de la maison pour laisser descendre sa femme.

Il allait lui demander de dire à Rosaire de venir l'aider à dételer quand l'adolescent parut sur la galerie, prêt à s'occuper du cheval. Il lui tendit les guides sans rien dire et entra dans la maison derrière sa femme.

Cet après-midi-là, Corinne venait à peine d'installer le bébé dans le petit lit confectionné la semaine précédente par grand-père Boucher quand une voiture entra dans la cour de la ferme.

— C'est ton père et ta mère, lui cria son mari, contrarié d'avoir à renoncer à sa sieste dominicale.

Toute la maisonnée se précipita sur la galerie pour accueillir les visiteurs.

— Ça, c'est de la belle visite ! s'écria Corinne, heureuse de voir ses parents qu'elle n'avait pas vus depuis plus d'un mois.

Lucienne et Napoléon descendirent de voiture, suivis par une Germaine, radieuse.

— Et en plus, ma sœur qui vient nous voir, ajouta Corinne en l'embrassant sur une joue.

— On a voulu profiter du beau temps pour venir vous voir et voir si le petit continuait de grandir, expliqua Lucienne après avoir embrassé son gendre et salué grand-père Boucher.

— Vous avez bien fait, déclara Laurent sans se montrer trop chaleureux. Le beau temps achève et les routes vont être pas mal moins belles quand il va se mettre à mouiller.

— Mais c'est Rosaire ! s'exclama sa belle-mère en apercevant l'orphelin qui était demeuré sagement près de la porte moustiquaire.

L'adolescent eut un sourire timide.

— Approche, Rosaire. On te mangera pas, lui ordonna Germaine en faisant quelques pas vers lui.

— Mais il a grandi sans bon sens ! s'exclama Lucienne en l'examinant. C'est devenu un homme, ajouta-t-elle en l'embrassant sur une joue.

— Occupe-toi du cheval de la visite, lui ordonna sèchement Laurent, qui ne semblait pas du tout apprécier qu'on accorde autant d'attention au garçon.

Tout le monde s'installa dans la cuisine d'hiver malgré la douce température extérieure et Corinne s'empressa de servir des rafraîchissements pendant qu'on échangeait des nouvelles sur les membres de la famille et les connaissances.

— Blanche attend du nouveau le mois prochain, dit Lucienne à mi-voix. Pour moi, cet enfant-là va peut-être finir par lui faire oublier son Germain.

Les Joyal eurent tous une pensée pour le bébé disparu rapidement l'hiver précédent.

— Bastien a pas l'air à haïr ça travailler avec le père Cadieux, reprit Napoléon en allumant sa pipe. Pour moi, sa Rosalie doit pas être trop mauvaise pour l'ordinaire parce qu'il m'a l'air à engraisser depuis qu'il est marié, ajouta-t-il avec un sourire.

— Et Simon, dans tout ça ? demanda Corinne. Qu'est-ce qu'il fait, notre bébé ?

— Rassure-toi, lui dit sa mère. Il fait pas juste de la boucane avec sa damnée pipe. Il vient juste d'avoir dix-sept ans et il arrête pas de tirer sur les cordeaux. Si on l'écoutait, il passerait sa vie sur le chemin en train de courir à gauche et à droite. En tout cas, on peut dire que ton père et Anatole sont pas de trop pour lui mettre du plomb dans la tête à celui-là.

— On a remarqué en passant que la construction de votre église avance pas mal vite, dit Napoléon en replaçant une mèche de cheveux sur son crâne pratiquement chauve.

— Monsieur le curé a annoncé à matin qu'on allait pouvoir enfin avoir la messe dedans à la fin du mois, dit son gendre.

— Tiens ! C'est pas pantoute ce que nous a dit Bernard la fin de semaine passée, répliqua le cultivateur de Saint-François-du-Lac, étonné. D'après lui, ça se fera pas avant la fin du mois de novembre.

— Vous avez vu Bernard Provencher la semaine passée ? demanda Laurent, surpris. En quel honneur ?

— Tu savais pas que notre Germaine l'intéresse pas mal? répliqua Napoléon avec un sourire. Il m'a même l'air pas mal en amour. Il est venu veiller à la maison hier soir et, à te dire la vérité, je serais même pas surpris qu'il arrive chez vous pas mal de bonne heure aujourd'hui.

Germaine rougit un peu, mais ne dit rien.

— Ah ben! Tu parles d'un cachottier, toi! s'exclama Laurent. Il a passé la semaine à la maison et il en a pas dit un mot.

— C'est un garçon bien élevé, intervint sa belle-mère. Ça fait deux fois qu'il vient veiller avec Germaine. Depuis le début des classes, elle vient passer une fin de semaine sur deux à la maison.

— Ça, c'est pas mal drôle, dit Napoléon, goguenard. Les années passées, elle avait jamais le temps de venir la fin de semaine à la maison, mais cette année, je sais pas pourquoi, elle serait prête à venir toutes les fins de semaine si on l'écoutait.

— Voyons, p'pa! protesta mollement l'institutrice de Saint-Bonaventure.

— Pour moi, c'est la cuisine de sa mère qui lui manque, plaisanta le père de famille.

Toutes les personnes présentes sourirent d'un air entendu. Corinne et son mari avaient bien compris que Bernard Provencher était la raison de cette soudaine attirance de Germaine pour la maison paternelle la fin de semaine.

— Et si on allait voir ton champ de sarrasin, proposa soudain Napoléon, déjà fatigué de demeurer assis. On pourrait aussi en profiter pour jeter un coup d'œil à ta cabane à sucre qui a été pas mal réparée par monsieur Boucher, il paraît.

Laurent ne se fit pas prier pour quitter la maison, entraînant à sa suite son beau-père et Wilfrid Boucher.

— Viens aussi avec nous autres, dit aimablement Napoléon à Rosaire. Il paraît que t'as travaillé toi aussi à réparer cette cabane-là.

La mère et les deux filles se retrouvèrent seules dans la cuisine. Philippe se réveilla et la grand-mère s'empressa d'aller le prendre dans ses bras.

— On pourrait bien aller s'asseoir sur la galerie pour profiter du beau temps, proposa Corinne.

Les trois femmes sortirent de la maison.

— Puis, m'man, vous m'avez pas dit un mot sur Anatole et Thérèse, fit Corinne en prenant place près de Germaine. J'espère que vous trouvez pas ça trop difficile de vivre avec votre bru.

Le visage de Lucienne Joyal se contracta et un pli amer apparut au coin de ses lèvres.

— Ça leur tentait pas de venir avec vous autres cet après-midi ? poursuivit Corinne.

— Laisse faire, ça va juste me faire du bien de pas la voir pendant une couple d'heures, répondit Lucienne. À vrai dire, j'ai pas bien le goût de parler d'elle aujourd'hui, ajouta-t-elle, la voix soudain durcie.

— Voyons donc, m'man, ça peut pas être aussi pire que ça, s'inquiéta soudain sa fille.

— Je sais pas comment Rosanna Rochon a élevé sa fille, répliqua sa mère en serrant les dents d'un air résolu, mais je te garantis que je vais finir par lui casser son petit caractère, moi.

— Ayoye ! ça a pas l'air d'être bien drôle pour vous, fit remarquer sa fille cadette, compatissante.

— En tout cas, elle, on peut pas dire que le mariage l'a améliorée, la Thérèse, reprit Germaine, sérieuse. Moi, ça fait juste deux fois que je vais à la maison les fins de semaine, et on dirait que c'est elle qui dirige tout.

Cette dernière remarque eut l'effet de briser une digue chez Lucienne.

— C'est tout un numéro, cette fille-là, dit-elle d'une voix rageuse. Ça faisait pas une heure qu'elle était revenue de son voyage de noces avec votre frère, qu'elle me demandait comment il se faisait que votre père et moi leur laissions pas notre chambre, en bas.

— Elle a dû se faire répondre, fit Germaine.

— Et comment ! reprit sa mère. Je lui ai dit qu'elle s'installerait là juste le lendemain de ma mort, pas avant. Et vous savez pas la meilleure ?

— Non, fit Corinne.

— Bien, le lendemain matin, elle a commencé à raconter à table qu'Anatole et elle songeaient sérieusement à jeter à terre un mur séparant deux chambres en haut pour se faire une grande chambre. Là, c'est votre père qui a parlé. Il leur a carrément dit que les quatre chambres en haut resteraient telles qu'elles étaient et que, nous autres, on s'en était contentés tant que son père avait vécu avec sa mère.

— J'espère qu'ils ont compris.

— C'était une idée à elle, cette histoire-là, lui expliqua sa mère. Quand elle en a parlé, Anatole a ouvert des grands yeux comme s'il entendait parler de ça pour la première fois. Pour moi, tout le problème vient de ce que votre frère est trop fin avec elle. Elle le fait manger dans sa main.

— Pourtant, Anatole est pas si mou que ça, fit remarquer Germaine.

— J'ai pas dit non plus qu'elle en ferait ce qu'elle voudrait bien longtemps, répliqua Lucienne avec une lueur mauvaise dans les yeux.

— J'espère qu'après ça elle s'est tranquillisée un peu, dit Corinne, qui voyait bien à quel point cette cohabitation avait l'air de peser à sa mère.

— Pantoute. Je sais pas ce qu'elle a, mais elle est pas endurable. On dirait qu'elle cherche juste un moyen d'être déplaisante, reprit-elle. Si c'était pas que je voudrais pas priver votre père de l'aide d'Anatole, je lui dirais de l'encourager à s'acheter une petite terre dans Saint-François ou dans un village autour. J'ai jamais vu ça. Elle critique tout ce que je fais. La prière est trop longue...

— Ah ça, par exemple, fit Corinne avec un sourire.

— Dis rien contre la prière, la mit en garde sa mère. C'est important dans la vie d'une mère de famille chrétienne.

— J'ai rien dit, m'man, se défendit la jeune femme en adressant un regard de connivence à sa sœur.

— Elle fourre son grand nez dans mes chaudrons et trouve à redire à chacune de mes recettes. Même mon lavage est pas à son goût. Quand je la rembarre, elle boude.

— D'après ce que je vois, l'hiver va être pas mal long, conclut Corinne.

— Il va être long pour elle, pas pour moi. Ça, je vous le garantis, promit Lucienne d'un air menaçant. Elle va se placer ou elle va dire pourquoi. En tout cas, je sais pas comment elle était quand elle vivait avec ses parents, mais si elle était comme ça, je comprends qu'ils étaient pressés de s'en débarrasser.

— À ce que je vois, m'man, vous l'aimez pas bien gros, fit Germaine, avec un mince sourire.

— Moi, l'aimer? C'est rendu que je l'haïs au point de m'en confesser.

Un nuage de poussière sur la route attira l'attention des trois femmes. Quand elles virent que la voiture poursuivait son chemin en passant devant chez les Rocheleau, il fut évident que les visiteurs venaient chez Corinne.

— Tiens, si je me trompe pas, c'est le beau Bernard qui arrive, dit Corinne en reconnaissant le cheval de son pensionnaire.

Bernard Provencher tourna dans la cour de la ferme des Boisvert et poursuivit son chemin jusqu'à l'écurie. Il détela sa bête et la conduisit à l'enclos voisin avant de revenir vers la galerie en tenant le sac dans lequel il transportait habituellement ses vêtements pour la semaine.

— Bonjour, mesdames, salua-t-il poliment les trois femmes. Je m'excuse d'arriver avant le souper, madame Boisvert, dit-il à Corinne, debout au pied de l'escalier, mais je voulais pas manquer de voir Germaine avant qu'elle retourne à l'école pour la semaine.

— Vous avez pourtant pas eu grand temps pour vous ennuyer, se moqua la jeune femme. Mon père vient de nous dire que vous l'avez vue hier.

L'entrepreneur eut soudain l'air embarrassé.

— Je disais ça pour rire, se reprit son hôtesse, regrettant déjà ses paroles. Vous êtes le bienvenu. Mais je vous dis tout de suite que vous étiez mieux hier soir parce que aujourd'hui, vous allez avoir deux chaperons.

Germaine s'empressa de quitter la galerie pour entraîner son cavalier vers la balançoire. Profitant du fait qu'elles se retrouvaient seules toutes les deux, Lucienne demanda à sa fille cadette :

— Dis donc, toi, est-ce que tu serais pas déjà repartie pour la famille ?

— Ça se voit tant que ça ?

— Non, répondit-elle pour l'apaiser, mais une mère sent ça quand sa fille attend du nouveau.

— On dirait que je suis partie comme pour Philippe. J'ai mal au cœur tous les matins.

— Ça va finir par passer, la rassura Lucienne. En tout cas, on peut pas dire que t'as eu bien du temps pour souffler après Philippe, reprit sa mère, compatissante.

— Je pouvais plus nourrir le petit, m'man, dit Corinne, comme pour s'excuser.

— T'as pas à t'en vouloir, ma fille, fit Lucienne, compréhensive. On fait pas toujours ce qu'on veut. En tout cas, ton curé pourra pas te reprocher d'empêcher la famille.

Elles aperçurent alors les hommes revenant des champs et se levèrent, prêtes à rentrer. Les visiteurs ne se firent pas prier pour rester à souper quand leurs hôtes les invitèrent.

— Il y a Anatole et Simon à la maison, expliqua Lucienne. Ils sont bien capables de se débrouiller avec le train.

— Surtout que la Thérèse va être folle comme un balai de leur montrer qu'elle sait faire à manger, elle aussi, ajouta Napoléon en adressant un clin d'œil à Corinne.

— Toi, fais pas le drôle, répliqua sa femme avec humeur.

Après le repas, Lucienne et Germaine tinrent absolument à aider Corinne à ranger la cuisine avant de partir. À l'extérieur, l'obscurité était déjà tombée depuis longtemps et il fallut que Napoléon allume le fanal qu'il suspendit à l'avant du boghei.

— On va avoir un bon bout de chemin à faire, dit-il en saisissant les rênes après avoir embrassé sa fille et serré la main de son gendre, de Bernard et de Wilfrid. Il faut qu'on aille conduire Germaine à Saint-Bonaventure avant de revenir à la maison.

La voiture quitta la cour, tirée par le vieux Prince, le cheval préféré de Napoléon. Bernard fut le dernier à rentrer dans la maison.

— J'aurais bien pu aller conduire Germaine, dit-il en secouant sa pipe au-dessus du poêle dont il avait retiré une plaque. Ça m'aurait fait plaisir.

— T'es mieux de pas trop compter faire ça un jour, à moins de la faire passer devant monsieur le curé avant, dit Laurent, sarcastique. Tu sauras que les petites Joyal se promènent pas toutes seules avec un homme si c'est pas leur mari. Lucienne y voit et je te garantis qu'elle a l'œil clair.

— Sois poli avec ma mère, toi, le rabroua Corinne, insultée d'entendre son mari appeler sa mère par son prénom. Ma mère fait ce que toutes les mères font. Pas plus, pas moins.

— Je comprends ça, s'empressa de dire Bernard pour ne pas être à l'origine d'une dispute.

Chapitre 21

La colère du curé Bilodeau

Quelques jours plus tard, les derniers vestiges de l'été disparurent entièrement, comme si la nature s'était soudainement rappelé qu'il était temps que l'automne s'installe. La température chuta et les premiers grands vols d'outardes emplirent le ciel de leurs cris perçants. Les feuilles des arbres s'empressèrent de changer de couleur. Les champs, pour la plupart dénudés, signalaient, si besoin était, la fin de la belle saison. Soudain, les nuits devinrent plus fraîches et chacun put remarquer à quel point le soleil se couchait maintenant plus tôt chaque soir et se levait plus tard le matin.

La veille de l'Action de grâces, en fin d'après-midi, Gustave Parenteau vint sonner à la porte du presbytère. L'homme âgé d'une trentaine d'années était toujours habillé avec autant de soin. Un mouchoir bleu agrémentant la poche de poitrine égayait son costume gris finement rayé. Tout en attendant que la servante vienne lui ouvrir, le jeune avocat retroussait les pointes de sa fine moustache blonde. L'air de la campagne semblait lui avoir fait perdre l'apparence maladive qu'il affichait lors de son arrivée à Saint-Paul-des-Prés, près de deux ans auparavant.

— La servante du curé doit être sur la galerie en arrière. Elle n'a pas dû entendre la sonnette, expliqua-t-il à l'homme qui l'accompagnait en sonnant de nouveau, mais avec plus d'insistance.

Son compagnon avait une allure suffisamment étrange pour attirer le regard. D'une taille inférieure à la moyenne, l'homme était coiffé d'un béret bleu marine bien enfoncé sur la tête et il arborait une épaisse moustache noire. Par ailleurs, il était impossible de discerner la couleur de ses yeux tant les verres de ses lunettes étaient épais. En attendant que l'on vienne répondre à la porte, il avait ouvert son manteau de drap léger et chassait du revers de la main la poussière qui s'était déposée sur son costume noir.

Quelques instants plus tard, Géraldine Lemieux vint leur ouvrir la porte.

— Est-ce qu'on pourrait voir monsieur le curé quelques minutes? lui demanda l'avocat.

— Je vais aller voir, monsieur Parenteau. Voulez-vous passer dans la salle d'attente?

— Merci, madame.

Peu après, Charles Bilodeau vint rejoindre les deux visiteurs et les invita à le suivre dans son bureau.

Le curé de Saint-Paul-des-Prés avait appris à apprécier le jeune avocat dont la maison était située face au couvent, surtout depuis le jour où il s'était porté à son secours quand un chien l'avait attaqué. Par ailleurs, les membres du conseil de fabrique lui avaient appris quel rôle important le jeune homme avait joué le printemps précédent en défendant le curé Béliveau et ses supporteurs en cour. On lui avait expliqué que c'était à sa débrouillardise qu'on devait la chance de pouvoir construire la nouvelle église à côté du presbytère et non au centre du village, comme le désirait Gonzague Boisvert, alors président de la fabrique.

— Quel bon vent vous amène, monsieur Parenteau? demanda le prêtre, intrigué par la présence de l'inconnu à ses côtés.

— Je vous présente le docteur Adrien Précourt, monsieur le curé.

— Enchanté, fit l'inconnu en serrant la main de l'ecclésiastique.

— Bonjour, docteur, le salua Charles Bilodeau en indiquant les deux chaises placées devant son bureau à ses visiteurs. Qu'est-ce que je peux faire pour vous ?

— Pour une fois, pas grand-chose, monsieur le curé, répondit Gustave, en souriant. Je viens juste vous faire mes adieux.

— Comment ça ? demanda le prêtre, surpris. Vous partez ?

— Eh oui, monsieur le curé. Toute bonne chose a une fin. Il faut croire que je suis trop jeune pour demeurer encore longtemps à rien faire. Maintenant que ma santé va mieux, je vais retourner à la pratique du droit. Un confrère de Sherbrooke m'a offert de partager son bureau et j'ai accepté.

— Ça va être une grosse perte pour la paroisse, dit aimablement Charles Bilodeau.

— Mais non, monsieur le curé, dit l'avocat en levant une main. Mon remplaçant va être beaucoup plus utile que moi aux gens de Saint-Paul. Le docteur Précourt, ici présent, vient d'acheter ma maison et compte s'y installer dès le début de la semaine prochaine. Je suis certain que les gens de la paroisse vont bien plus apprécier d'avoir un médecin parmi eux qu'un avocat.

— Je le sais pas, avoua le prêtre, mais ce qui est sûr, c'est qu'un docteur ici sera pas de trop, ajouta-t-il à l'intention du médecin qui n'avait pas encore desserré les dents. J'espère que vous allez vous plaire chez nous, docteur.

— J'en suis certain, répondit Adrien Précourt d'une étrange petite voix flûtée qui fit un peu sursauter l'ecclésiastique.

— Est-ce indiscret de vous demander ce qui vous amène à Saint-Paul, docteur ?

— Je viens d'un petit village au nord de Québec, expliqua le médecin de sa petite voix de tête. J'avais l'intention de m'y installer après avoir exercé cinq ans à Québec, mais un autre médecin m'a devancé. J'ai alors décidé de quitter la ville et de me trouver un village quand j'ai rencontré le vieux docteur Lemire de Pierreville, le père d'un jeune confrère. Il m'a parlé de Saint-Paul-des-Prés et de maître Parenteau, l'un de ses patients qui s'apprêtait à vendre sa maison pour retourner à la pratique à Sherbrooke. Je suis venu voir et voilà.

Les trois hommes parlèrent encore quelques instants avant que Gustave Parenteau ne consulte sa montre de gousset et se lève.

— Mon Dieu, monsieur le curé, on est en train de vous mettre en retard pour votre souper. Je ne voudrais pas partir de Saint-Paul en me faisant une ennemie de madame Lemieux.

Charles Bilodeau ne protesta pas et alla reconduire ses visiteurs jusqu'à la porte. Il souhaita bonne chance à l'avocat avant de refermer la porte sur eux. Il retourna dans son bureau et se planta derrière l'une des fenêtres de la pièce pour regarder Gustave Parenteau et son étrange compagnon traverser la route. Quand il entra dans la salle à manger, le vicaire Nadon l'attendait patiemment, debout derrière sa chaise.

— Vous auriez pu commencer à manger sans m'attendre, lui fit-il remarquer en prenant place au bout de la table de chêne.

Le ton utilisé montrait cependant qu'il n'aurait pas apprécié.

— Je suis pas si affamé que ça, monsieur le curé. Il est à peine cinq heures et demie.

— C'est l'avocat Parenteau qui m'a retardé. Il est venu me saluer avant de quitter la paroisse.

— Dites-moi pas qu'il s'en va ? fit l'abbé, surpris. Même si monsieur le curé Béliveau l'aimait pas beaucoup, il a été bien utile à la fabrique en plus d'être un généreux donateur.

— Il part et il est venu me présenter le docteur Précourt qui vient s'installer dans sa maison, à sa place.

— Un docteur à Saint-Paul ! s'exclama le jeune prêtre. Voilà quelque chose qui va plaire aux gens âgés. S'il est le moindrement bon, ils vont être contents.

— Je sais pas s'il est bon, reconnut Charles Bilodeau en salant la soupe qu'il venait de se servir, mais je peux vous dire qu'il a une drôle de petite voix.

— Une petite voix ?

— Oui, il a une petite voix aiguë comme s'il avait la peau du ventre coincée dans une porte, voulut plaisanter le pasteur de Saint-Paul-des-Prés. En plus, il porte des lunettes épaisses comme des culs de bouteille, si vous me passez l'expression, l'abbé. Je trouve que les deux affaires ensemble inspirent pas beaucoup confiance… Mais enfin, on verra bien !

———※———

Ce soir-là, le maire Gagnon se présenta, lui aussi, au presbytère au moment même où le curé et son vicaire finissaient paisiblement de lire leur bréviaire dans le salon.

Bertrand Gagnon ne venait pas au presbytère de gaieté de cœur. Si l'homme avait bien apprécié le curé Béliveau, malgré sa sévérité, il n'éprouvait, par contre, toujours pas la moindre sympathie pour son successeur qu'il jugeait suffisant, intolérant, cassant et surtout profondément antipathique. Il fallait tout de même reconnaître que le fait que ce dernier lui ait préféré Camil Racicot pour occuper la présidence du conseil justifiait amplement son antipathie envers le nouveau pasteur de la paroisse. Il en était venu à avoir hâte que son mandat de marguillier prenne fin pour échapper aux réunions mensuelles du conseil et aux tâches attachées à ce titre. Bref, il fallait vraiment une raison impérieuse pour qu'il se retrouve au presbytère en ce soir maussade du début d'octobre.

Quand Géraldine Lemieux vint prévenir le pasteur de Saint-Paul-des-Prés que le maire voulait le voir, le prêtre poussa un léger soupir d'exaspération.

— Pas moyen d'avoir la paix, même le soir, dit-il à voix basse à son vicaire en quittant son fauteuil pour se diriger vers son bureau.

— Entrez, monsieur Gagnon, dit-il au gros homme encore un peu essoufflé d'avoir eu à monter l'escalier menant à la porte du presbytère. Assoyez-vous.

Bertrand Gagnon accepta un siège avec soulagement et passa un doigt entre le col de sa chemise et son cou, comme pour respirer plus à l'aise.

— Vous êtes en avance, s'efforça de plaisanter Charles Bilodeau. La réunion du conseil est seulement demain soir.

— Je le sais, monsieur le curé. Je viens seulement pour vous demander si vous êtes au courant de la grande nouvelle.

— Si vous voulez parler du docteur Précourt, il est passé me voir avant le souper.

— Ah! Gustave Parenteau est déjà venu vous le présenter, fit le maire, l'air satisfait. Mais c'est pas à cette nouvelle-là que je pensais. Je voulais vous parler de l'hôtel.

— De l'hôtel! De quel hôtel vous parlez? demanda le prêtre en levant les sourcils.

— Ben, de l'hôtel que Gonzague Boisvert va faire construire au milieu du village, monsieur le curé.

— Un hôtel à Saint-Paul-des-Prés! Voyons donc! Ça a pas d'allure, cette affaire-là. Pour moi, monsieur le maire, vous avez été mal informé.

— Pantoute, monsieur le curé. Boisvert l'a dit à tout le monde dimanche passé, en même temps qu'il a annoncé qu'il se présentait contre moi aux élections.

— Si c'est vrai, comment ça se fait que personne soit venu m'en parler avant aujourd'hui ? demanda Charles Bilodeau en élevant la voix.

— Ça, je le sais pas, monsieur le curé.

— Normalement, le président du conseil aurait dû venir me dire ça tout de suite, non ?

— Ça aurait été normal, dit Bertrand d'une voix fielleuse. Mais il faut pas oublier que Camil Racicot, c'est un homme de Gonzague Boisvert. Il faut croire qu'il a pas voulu causer de trouble à son *chum*.

— Je vais tirer cette affaire-là au clair demain soir, reprit le prêtre d'une voix rogue.

Le maire se réjouit à l'avance de la scène qui aurait lieu le lendemain soir lors de la réunion du conseil de fabrique.

— En tout cas, Boisvert veut se présenter à la mairie et il pense que la construction de son hôtel va l'aider à se faire élire, dit-il après un moment de silence.

— Il a le droit de se présenter contre vous aux élections s'il pense être un meilleur maire, reconnut le prêtre avec onction. La population choisira lequel de vous deux est le plus apte à remplir cette fonction.

— Pour ça, j'ai pas de crainte, dit Bertrand avec suffisance. J'ai fait mes preuves depuis longtemps.

— Vous comprendrez, monsieur Gagnon, que j'ai pas le droit de prendre parti pour l'un ou pour l'autre.

— Je comprends, mais on dirait que vous voyez pas clair dans son jeu, monsieur le curé, protesta le maire, apparemment inconscient de ce que sa remarque avait d'impoli.

— Faites attention à ce que vous dites, fit Charles Bilodeau, sévère. Oubliez pas à qui vous parlez !

— C'est vrai que Boisvert promet un hôtel pour se faire élire, reprit Bertrand en ne tenant aucun compte du changement d'humeur du prêtre assis devant lui, derrière son bureau. Mais le plus important, c'est que cet hôtel-là va attirer tous les ivrognes des environs et en faire de nouveaux... La misère dans bien des familles de Saint-Paul va augmenter à cause de ça.

— Je le sais, affirma sèchement le prêtre, mais oubliez pas que c'est probablement qu'une promesse en l'air, monsieur Gagnon. Vous êtes assez vieux, il me semble, pour savoir que Laurier a tenu un référendum à travers le pays pour faire adopter une loi sur la prohibition il y a quatre ans.

— Je sais ça, reconnut le maire. Je sais aussi que ça a pas marché parce que le monde de la province a refusé.

— Dans ce cas-là, vous savez que notre premier ministre a laissé la province libre de régler le problème de la boisson à sa façon. Nos évêques se sont arrangés pour que notre gouvernement comprenne que l'alcool était souvent la source de la pauvreté et qu'il fallait voter des mesures pour encourager la tempérance. C'est pour ça qu'on a voté la loi qui limite le nombre de permis de vente de boisson dans la province, monsieur le maire.

— C'est pas ça qui va empêcher Gonzague Boisvert d'en avoir un, monsieur le curé, déclara le gros homme, apparemment certain de ce qu'il avançait.

— Oui, ça va l'empêcher, le contredit abruptement le prêtre, comme s'il s'adressait à un enfant un peu retardé. Le maire d'une municipalité a ordinairement le pouvoir de refuser un permis de boisson. Quand il va se rendre compte de ça, monsieur Boisvert va être pas mal moins pressé d'ouvrir un hôtel en plein cœur du village, je vous le promets. Un hôtel sans alcool attirerait pas beaucoup de clients, vous pensez pas?

— C'est sûr, reconnut Bertrand Gagnon. Mais avez-vous pensé que s'il est élu maire, Gonzague Boisvert va être capable de se donner lui-même un permis ?

— Peut-être, mais on peut demander en haut lieu de s'en mêler, fit remarquer Charles Bilodeau en remontant ses lunettes qui avaient légèrement glissé sur son nez.

— Oubliez pas, monsieur le curé, que Boisvert est un organisateur libéral pas mal pesant et qu'on a un gouvernement libéral à Québec comme à Ottawa. C'est pas notre petit député conservateur qui va être capable de lui mettre des bâtons dans les roues.

— Vous êtes certain qu'il est assez pesant pour faire ça ? demanda le curé de Saint-Paul-des-Prés, le front soudainement soucieux.

— Aussi sûr que je suis là, monsieur le curé, assura le maire en se levant. Boisvert a ben des défauts, mais quand il a quelque chose dans la tête, il lâche pas. En plus, moi, je le connais depuis des années. Je peux vous assurer qu'il dépense jamais une cenne pour rien. S'il a décidé de construire un hôtel, c'est qu'il doit déjà avoir eu la promesse d'avoir son permis. Il risquerait jamais de gaspiller de l'argent en construisant un hôtel pour rien.

— Dans ce cas-là, il va avoir affaire à ma soutane, répliqua Charles Bilodeau, piqué au vif. Je fais pas de politique, mais tout ce qui touche ma paroisse me regarde. Il est pas dit que je vais laisser entrer le vice dans Saint-Paul sans rien faire. Il y a une ligue de tempérance à Saint-Paul. Ses membres vont faire campagne contre cet hôtel-là. À part ça, ça tombe bien. J'ai commencé ma visite paroissiale lundi et c'est prévu que je dois aller dans le rang Saint-Joseph demain.

— Avec tout le respect que je vous dois, monsieur le curé, je pense que vous vous trompez de Boisvert. Dans Saint-Joseph, c'est son garçon Laurent qui reste là. Le père, lui, est dans Saint-André.

— Ça fait rien, je vais changer mes plans et aller dans Saint-André demain avant-midi.

À sa sortie du presbytère quelques minutes plus tard, le maire de Saint-Paul-des-Prés se dit avec une certaine allégresse que plusieurs ménagères du rang Saint-André n'allaient sûrement pas apprécier de voir arriver le curé de la paroisse sans qu'il se soit annoncé. Par ailleurs, celles du rang Saint-Joseph ne seraient pas de meilleure humeur en constatant avoir fait inutilement, comme chaque année, un grand ménage pour le recevoir dignement.

Bertrand Gagnon se trompait. Charles Bilodeau savait à quel point sa visite était attendue avec impatience dans les foyers de la paroisse. Lorsque venait le temps de sa visite pastorale annuelle, il faisait comme tous les curés du diocèse. Il annonçait le dimanche, du haut de la chaire, son intention de visiter les gens de tel rang durant la semaine. Il n'ignorait pas qu'on guettait sa venue et qu'on s'endimanchait pour lui montrer son respect.

Par conséquent, dès le départ du maire, le pasteur avait réfléchi à la meilleure conduite à adopter le lendemain et il en était vite venu à la conclusion que le mieux était de rendre visite à la famille de Gonzague Boisvert dès le début de la matinée avant d'aller voir les familles du rang Saint-Joseph, comme promis. De cette façon, il n'aurait qu'un léger retard dans son programme.

De retour dans le salon, Charles Bilodeau se laissa tomber pesamment dans son fauteuil. Son air préoccupé alerta immédiatement son vicaire qui avait levé les yeux de son bréviaire.

— Est-ce qu'il y a quelque chose qui va pas, monsieur le curé? lui demanda-t-il, inquiet. On dirait que vous venez de voir le diable en personne.

— C'est pire, laissa tomber son supérieur sur un ton dramatique.

— Qu'est-ce qui se passe ?

— Saviez-vous ça, l'abbé, qu'un dénommé Gonzague Boisvert se prépare à faire construire un hôtel en plein milieu du village ?

— Première nouvelle, monsieur le curé.

— Un hôtel, l'abbé ! Vous savez ce que ça veut dire, j'espère ? De la boisson, des ivrognes, des filles de mauvaise vie… Toute la racaille va se ramasser là ! Ah, ça va être beau ! Tous les villages autour vont nous montrer du doigt. Je vous garantis que ça prendra pas de temps avant que monseigneur s'en mêle.

— Qu'est-ce qu'on peut faire pour empêcher une affaire comme celle-là ? demanda le petit vicaire, soudain aussi inquiet que son supérieur.

— Je vais d'abord commencer par aller raisonner Gonzague Boisvert pas plus tard que demain matin, affirma Charles Bilodeau. Bondance, c'est l'ancien président de la fabrique ! Il doit certainement y avoir un moyen de lui faire comprendre le bon sens. En attendant, on va prier et célébrer notre messe demain matin, pour demander à Dieu de lui faire changer d'idée.

L'abbé Nadon hocha la tête en signe d'acceptation.

Il n'en resta pas moins que le pasteur de Saint-Paul-des-Prés connut une fort mauvaise nuit qu'il occupa à imaginer divers scénarios propres à convaincre son paroissien de renoncer à son idée d'introduire le vice dans sa paroisse. Lorsqu'il trouva enfin le sommeil aux petites heures du matin, il se réveilla peu après en sursaut après avoir rêvé que monseigneur Gravel le semonçait devant tous les curés du diocèse pour ne pas être parvenu à empêcher la construction d'un lieu de débauche et de perdition à quelques centaines de pieds de son église.

—ɷ—

Ce matin-là, le curé de Saint-Paul-des-Prés fut particulièrement silencieux durant le déjeuner qui suivit la célébration de sa messe. Ses traits crispés et son air mauvais dissuadèrent son vicaire de lui adresser la parole durant le repas. Ce dernier connaissait maintenant assez bien le caractère emporté de son supérieur pour reconnaître les signes annonciateurs de tempête.

— Priez, l'abbé, que je parvienne à faire entendre raison à Gonzague Boisvert, ordonna le pasteur de la paroisse à son vicaire au moment où le bedeau venait le prévenir que le boghei était attelé.

Quelques minutes plus tard, l'attelage du prêtre entra dans la cour des Boisvert. Alertée par le bruit, Annette se pencha à la fenêtre et faillit avoir une attaque en apercevant le curé Bilodeau en train de descendre de voiture.

— Mon Dieu! Ma vaisselle qui est pas encore lavée. J'ai même pas eu le temps d'épousseter le salon et je suis habillée en semaine, à part ça, ajouta-t-elle, affolée. Pour qui on va passer? s'écria-t-elle en se précipitant vers la porte donnant sur la façade. Maurice, essuie le visage de ta petite sœur, ordonna-t-elle à l'aîné de ses deux enfants avant d'aller ouvrir la porte.

Déjà, Charles Bilodeau, connaissant les usages, frappait à la porte de la façade de la maison, porte qu'on n'ouvrait que dans les grandes circonstances.

— Seigneur, monsieur le curé! s'exclama la petite femme au chignon noir, c'est toute une surprise. Je vous attendais pas pantoute! ajouta-t-elle avec une nuance de blâme dans la voix en faisant entrer l'ecclésiastique dans la maison.

— Oui, je sais. Je m'excuse du dérangement, dit le prêtre d'une voix neutre. Mais comme j'avais affaire à votre père…

— À mon beau-père, vous voulez dire, monsieur le curé.

— À votre beau-père, se reprit Charles Bilodeau, je vais en profiter pour faire ma visite paroissiale aujourd'hui.

Sur ces mots, il retira son manteau et le tendit à son hôtesse pendant que les deux enfants de celle-ci demeuraient près de la porte donnant sur la cuisine, intimidés par sa soutane noire.

— Assoyez-vous, monsieur le curé, offrit Annette d'un air contraint.

— Votre beau-père et votre mari sont-ils ici ? lui demanda le prêtre.

— Ils sont aux bâtiments en train de nettoyer.

— Envoyez-les donc chercher, lui ordonna Charles Bilodeau. J'aimerais leur parler.

— Maurice, va chercher ton père et ton grand-père à l'étable, commanda-t-elle à l'aîné de ses enfants.

Le petit garçon détala, apparemment heureux de quitter la pièce.

— C'est votre plus vieux ? demanda le prêtre.

— Oui.

— Il a quel âge ?

— Il va avoir six ans dans un mois.

— Et votre fille a quel âge ?

— Presque cinq ans, monsieur le curé.

— Vous avez pas d'autres enfants ? demanda Charles Bilodeau d'une voix subitement plus sévère.

— Non.

— Depuis combien d'années êtes-vous mariée ?

— Dix ans, murmura-t-elle.

— Êtes-vous en train de me dire que vous empêchez la famille ? fit le prêtre en élevant la voix.

— Pantoute, monsieur le curé. J'ai pas une grosse santé et…

— Laissez faire les excuses, ma fille. Une mère de famille est faite pour donner naissance à des enfants. C'est l'unique raison du mariage, sinon l'acte de chair devient un péché, un péché mortel qui peut vous valoir les flammes de l'enfer pour l'éternité, ajouta-t-il, l'air sinistre.

Sous l'algarade, tout le sang s'était retiré du visage de la jeune femme qui fixait avec obstination ses mains croisées dans son giron. Elle était près de pleurer.

— Il est anormal qu'une femme de votre âge ait pas plus d'enfants en dix ans de mariage. Vous devrez vous en accuser en confession, la prochaine fois, conclut l'homme de Dieu, revêche.

Annette allait répondre quand la porte de la cuisine s'ouvrit pour livrer passage à Henri et à Gonzague Boisvert, précédés de peu par le petit Maurice. La jeune mère de famille se leva précipitamment pour dire aux deux hommes que monsieur le curé les attendait dans le salon. Le père et le fils pénétrèrent dans la pièce sans se presser et saluèrent le pasteur. Charles Bilodeau regarda sévèrement les deux hommes grands et imposants prendre place sur des chaises.

— Est-ce que j'aurais mal écouté votre sermon de dimanche passé ou bien vous vous trompez de rang à matin pour faire votre visite paroissiale dans Saint-André ? demanda Gonzague, sans manifester aucune gêne.

— Vous vous trompez pas, reconnut le prêtre avec un sourire contraint. J'ai pas annoncé ma visite dans votre rang. Je suis passé ce matin parce que j'avais affaire à vous parler, et que ça pouvait pas attendre.

— Ah bon, se contenta de dire Gonzague sans s'émouvoir.

— Ce serait peut-être mieux que je vous parle en particulier, reprit Charles Bilodeau, peu habitué à faire face à quelqu'un que sa soutane n'intimidait pas.

— C'est ma famille, dit tranquillement Gonzague. Mon garçon et sa femme sont au courant de tout ce qui se passe.

— Si c'est comme ça, il y a pas de problème, consentit le curé, dépité. Je voulais vous parler de la rumeur qui circule dans la paroisse comme quoi vous vous préparez à faire construire un hôtel au village. Même si je suis certain que vous seriez venu m'en parler avant d'envisager une affaire de cette importance, j'ai voulu venir tirer les choses au clair.

Gonzague regarda les siens un bref instant avant de revenir poser ses petits yeux vifs sur l'ecclésiastique qui lui faisait face.

— Je vois pas pourquoi j'aurais dû aller vous parler de ça au presbytère, dit-il avec une certaine impudence.

— Pour me demander mon avis, laissa tomber sèchement Charles Bilodeau.

— Vous m'auriez dit que vous étiez contre, affirma Gonzague avec un sourire sans joie.

— En plein ça, rétorqua le prêtre.

— Et je l'aurais fait construire quand même, sauf votre respect, monsieur le curé. Un hôtel à Saint-Paul, c'est une utilité. Ça fait plus que vingt ans qu'un nouveau commerce est venu s'installer dans la paroisse. Il est temps que quelque chose de nouveau arrive.

— J'appelle pas un hôtel un commerce, c'est une maison de débauche, dit durement le curé de Saint-Paul-des-Prés.

— Vous avez le droit, comme tout un chacun, d'appeler ça comme vous le voulez, monsieur le curé, fit son vis-à-vis sur le même ton. Un hôtel, c'est d'abord une maison où les voyageurs et les ouvriers de la région vont pouvoir trouver une chambre pour la nuit. C'est aussi une place où manger et...

— Et boire, poursuivit Charles Bilodeau, l'air mauvais.

— Boire avec modération, s'ils le veulent, reprit son interlocuteur. Vous devez ben savoir, monsieur le curé, que ben des hommes de la paroisse boivent en cachette, chez eux, à l'hôtel de Yamaska ou à l'hôtel de Pierreville.

— Et là, vous vous préparez à leur donner une place de plus pour satisfaire leur vice, et ça, à quelques centaines de pieds de notre nouvelle église, ajouta le prêtre avec emportement.

— En connaissez-vous, vous, des hôtels bâtis au fond d'un rang? reprit Gonzague, sarcastique. Mon hôtel sera pas pire que les autres qu'il y a dans le comté. S'il y a quelque chose, il va être mieux tenu.

Charles Bilodeau se leva, rouge de colère, conscient que cette rencontre n'avait probablement eu comme résultat que de braquer un peu plus l'homme dans son intention de faire construire son hôtel.

— Comme ça, si j'ai bien compris, vous avez pas l'intention de renoncer à votre idée, même si votre curé vous le demande? fit-il en s'emparant de son manteau que lui tendait Annette.

— Vous avez bien compris, dit Gonzague avec conviction.

— Et je suppose que vous croyez que ça va vous aider à vous faire élire?

— C'est possible, laissa tomber Gonzague, dominant de sa haute taille son interlocuteur en train d'endosser son manteau.

— J'ai une chose à vous dire, monsieur, dit le prêtre en adoptant un ton hautain assez déplaisant. Je vous préviens qu'il est bien possible que je condamne cette affaire-là dans mon sermon de dimanche prochain. Alors, j'ai bien peur que vous ayez plus après ça aucune chance de vous faire élire. Je dirais même plus, vous pourriez même perdre votre titre de président de la commission scolaire.

— Ça, c'est ce que vous dites, monsieur le curé, répliqua le cultivateur sans manifester le moindre signe de crainte.

— Si vous me poussez à cette extrémité, reprit Charles Bilodeau, rouge de fureur, vous et les vôtres allez être considérés comme les brebis galeuses de la paroisse et montrés du doigt par tout le monde.

Si Henri et Annette montrèrent quelques signes de nervosité devant ces menaces non déguisées, Gonzague demeura impavide et se contenta de répondre d'une voix retenue :

— À mon tour de vous dire quelque chose, monsieur le curé. Je vous conseille de faire ben attention à ce que vous allez raconter sur mon compte. Si vous vous mêlez de politique, vous risquez de vous en mordre les doigts parce que vous allez apprendre que j'ai le bras long. Moi, des curés, j'en ai connu pas mal et il y en a pas un qui m'a fait peur.

Là-dessus, il ouvrit la porte au pasteur qui quitta la maison sans même songer à parler de la dîme qui lui était due. Plus grave, il en oublia de bénir la famille qu'il venait de visiter.

Le curé de Saint-Paul-des-Prés était si furieux en quittant la grande maison de pierre du rang Saint-André qu'il rata une des marches de l'escalier qui conduisait à la galerie et faillit s'étaler dans une flaque d'eau laissée par la pluie de la veille. Il n'évita la chute qu'en se rattrapant, *in extremis*, à la rampe.

Il allait de soi que la construction de cet hôtel allait être le principal sujet des discussions du conseil de fabrique, le soir même.

À l'intérieur, Annette, le visage décomposé, fit signe à son mari qu'elle voulait lui dire quelques mots en particulier et elle prit la direction de leur chambre à coucher. Henri la suivit en disant à son père qu'il allait le rejoindre à l'étable un peu plus tard.

Dès que la porte de la chambre se referma sur son mari, la jeune mère, incapable de contrôler sa nervosité, s'empressa de lui raconter ce que le curé de la paroisse lui avait dit avant son arrivée dans le salon.

— Puis après ? demanda Henri, l'air désinvolte.

— T'as rien compris, s'emporta Annette. Il veut que je m'en confesse. Il est capable de me refuser l'absolution.

— Ça, c'est pas de ses maudites affaires ce qui se passe dans notre chambre, explosa Henri en élevant la voix. Si c'est nécessaire, t'iras te confesser à Yamaska ou à Pierreville. Il viendra pas nous dire quoi faire chez nous, tu m'entends ? Il y a tout de même des limites ! À cette heure, j'ai assez perdu de temps avec cette niaiserie-là. Le père m'attend.

Après sa visite chez Gonzague Boisvert, le curé Bilodeau était si hors de lui qu'il exigea de son bedeau qu'il le laisse au presbytère en passant.

— On va arrêter ça là pour ce matin, dit-il abruptement à son cocher avant de pénétrer dans le presbytère.

Quand l'abbé Nadon rentra de sa visite à l'école du rang Saint-André, il trouva son supérieur assis dans le salon, plongé dans la lecture quotidienne de son bréviaire.

— Puis, monsieur le curé, est-ce que ça s'est bien passé chez Gonzague Boisvert ?

— Ça aurait pas pu se passer plus mal, laissa tomber Charles Bilodeau en refermant son bréviaire.

— Comment ça ?

— Je veux bien rester charitable, prit la précaution de dire le prêtre, mais c'est un vieil entêté qui a rien voulu comprendre. J'ai essayé de lui faire entendre raison, il a même pas été poli.

— Vous lui avez sûrement dit que vous étiez capable de l'empêcher d'ouvrir son débit de boisson.

— Je lui ai fait clairement comprendre que, s'il s'entêtait, j'en parlerais dans mon sermon de dimanche prochain et qu'il risquait ainsi de perdre son élection.

— Puis ?

— Il m'a presque ri au nez, l'effronté.

— C'est pas possible ! s'exclama le petit prêtre, estomaqué.

— Comme je vous le dis, l'abbé. Quand je lui ai parlé de tout le mal que son hôtel risquait de faire aux gens de

Saint-Paul, il s'est contenté de hausser les épaules comme s'il me croyait pas. J'ai jamais vu ça depuis que je porte une soutane. Cet homme-là, c'est le diable réincarné.

— Il doit certainement exister un moyen de le faire plier, dit le vicaire d'une voix songeuse.

— Si ce moyen-là existe, je le vois pas, avoua le curé au bord du découragement.

— Il vous reste tout de même le conseil, suggéra Jérôme Nadon.

— Je vois pas ce que le conseil pourrait faire de plus !

— Si vous demandiez à tous ses membres d'aller rencontrer Gonzague Boisvert en délégation, peut-être y penserait-il à deux fois avant de faire bâtir.

Charles Bilodeau sembla s'abîmer brusquement dans une profonde réflexion. Quand il releva la tête, ce fut pour dire qu'il proposerait cette démarche aux membres de la fabrique le soir même.

—⁓⁓—

Cet après-midi-là, Charles Bilodeau exigea que son vicaire laisse tomber sa visite hebdomadaire prévue à l'école du rang Notre-Dame.

— Vous irez plutôt à l'école du rang Saint-Joseph après avoir fait la visite paroissiale à la maison du Boisvert qui reste dans ce rang-là, lui ordonna-t-il sèchement. Moi, les Boisvert, j'en ai assez vu pour aujourd'hui.

— Vous avez pas peur que les voisins fassent des remarques sur le fait que c'est la seule maison que vous aurez pas visitée dans ce rang-là ? demanda Jérôme Nadon, surpris par cette demande.

— Qu'ils en fassent, si ça leur plaît, trancha le curé sur un ton sans appel.

— En passant, monsieur le curé, est-ce que c'est pas la femme de ce Boisvert-là que vous avez surprise presque nue à la fin de l'été ?

— Oui, reconnut son supérieur.

— J'espère qu'elle a retenu la leçon et qu'elle aura pris l'habitude de s'habiller quand je vais aller frapper à sa porte, ajouta en souriant le jeune prêtre, secrètement émoustillé par la perspective de se faire recevoir par une Corinne Boisvert aussi peu vêtue que lors de la dernière visite de son curé.

— Cette femme-là est pas une Boisvert, c'est uniquement la femme d'un Boisvert. Il y a des grosses chances qu'elle soit moins têtue que la famille de son mari.

Au milieu de l'avant-midi, Corinne vit arriver le petit abbé Nadon, tout souriant. La maison embaumait le pain fraîchement cuit qu'elle venait de sortir de son four extérieur. Quand elle vint lui ouvrir la porte, elle était endimanchée et portait un bébé dans ses bras. Elle attendait de toute évidence le curé de la paroisse. Si Jérôme Nadon avait craint d'être confronté à une situation aussi gênante que celle vécue par son supérieur l'été précédent, il fut tout de suite rassuré.

Contrairement à ce que le jeune prêtre avait appréhendé, la maîtresse de maison ne sembla pas faire cas du fait qu'il ait remplacé le curé Bilodeau pour la visite paroissiale annuelle. Quelques instants après son entrée dans le salon, la jeune femme fut rejointe par son mari, grand-père Boucher et Rosaire.

Le vicaire prit des nouvelles de tous les habitants de la maison. Après s'être informé de la santé du vieil homme, Jérôme Nadon discuta durant quelques minutes avec le couple avant de s'intéresser à l'orphelin qui n'avait pas ouvert la bouche depuis l'arrivée du prêtre.

— Ce grand garçon-là va plus à l'école ? interrogea l'abbé en se tournant vers Rosaire.

— Il va peut-être y retourner bientôt, après les labours, s'empressa de répondre Corinne avant que son mari n'intervienne.

Ce dernier lui jeta un regard noir, mais se garda de la contredire.

Avant de quitter la maison, le vicaire bénit la jeune famille et Laurent promit d'aller payer sa dîme avant le samedi suivant.

—⟶ɯ⟶—

Dès que le boghei de l'ecclésiastique fut parti, Laurent annonça son intention de profiter de cette journée fraîche et sans pluie pour commencer ses labours d'automne, même si l'après-midi était déjà sérieusement avancé.

— Il me reste un bon deux heures avant le train, je vais y aller tout de suite.

Puis, avant de prendre la direction de l'écurie pour atteler Satan, il ordonna sèchement à Rosaire :

— Toi, tu vas aller me nettoyer l'étable et descendre du foin de la tasserie.

— Avant de faire ça, Rosaire, tu serais fin de m'aider à apporter les paillasses dans la grange, fit Corinne, qui avait remarqué que le ton abrupt de son mari avait peiné l'adolescent. Je vais changer la paille, ajouta-t-elle. Comme ça, on va être mieux couchés, à soir.

Au moment où ils transportaient la première paillasse dans la grange, Corinne aperçut Jocelyn Jutras en train de redresser un piquet de la clôture mitoyenne entre sa ferme et celle des Boisvert. La jeune femme ne lui avait pas encore pardonné sa duplicité et dut faire un effort pour le héler.

— Monsieur Jutras ! J'ai du pain pour vous, lui cria-t-elle avant d'aller déposer la paillasse sur la table improvisée dans l'entrée de la grange.

— J'arrive, répondit ce dernier en se faufilant entre les deux fils barbelés qui constituaient la clôture.

— Rosaire, va chercher deux pains pour monsieur Jutras, dit-elle d'une voix neutre en se tournant vers son jeune compagnon. Le pain est sur la table, dans la cuisine d'été, annonça-t-elle au voisin, le visage fermé.

— Merci, madame Boisvert, dit le célibataire en s'approchant.

Jocelyn Jutras, toujours un peu timide avec les femmes, sentit immédiatement le changement de comportement chez sa jeune voisine et il en fut mal à l'aise. Pendant un instant, il demeura les bras ballants, ne sachant pas trop quelle conduite adopter. Il finit par se secouer et demander à Corinne :

— Qu'est-ce qu'il y a, madame Boisvert ? Est-ce que je vous ai fait quelque chose ?

— Non ! se contenta-t-elle de dire froidement.

— Je vois ben que vous êtes pas comme d'habitude, reprit-il d'une voix hésitante. Qu'est-ce que j'ai fait de pas correct ?

— Je pense à ma belle-sœur, finit par lui avouer Corinne, en dissimulant mal son mépris.

— Vous parlez de Juliette ?

— Oui.

— Mais j'ai rien fait à Juliette, affirma Jocelyn, l'air étonné.

— Vous appelez ça rien, vous ? Vous fréquentez une fille du village dans son dos. Vous devriez avoir honte d'être aussi hypocrite. Moi, j'haïs ça, les hypocrites, fit-elle avec force, les yeux en feu.

— Whow ! madame Boisvert. Là, vous vous trompez pas mal, reprit le voisin en retrouvant son sourire. Juliette et moi, on est juste des amis. On s'écrit de temps en temps pour se donner des nouvelles, rien de plus. Peut-être qu'entre nous deux ça aurait pu aller plus loin, avoua-t-il, mais c'était pas possible. Juliette aime Montréal et aurait jamais voulu revenir vivre sur une terre. Moi, c'est le contraire. Qu'est-ce que vous voudriez que je fasse en ville ? Tout ce que je sais faire, c'est de cultiver la terre.

— Ah ! Elle m'a jamais écrit ça, admit Corinne, désarçonnée et un peu honteuse d'avoir douté de la franchise du voisin.

— Vous savez, je lui ai dit que je fréquentais Catherine Gariépy.

— Qu'est-ce qu'elle en a dit ? demanda la jeune femme, curieuse.

— Rien, elle s'est contentée d'écrire que j'étais assez vieux pour savoir ce que je fais.

— Moi, je vous souhaite bonne chance, monsieur Jutras, dit-elle, toute son amabilité revenue.

Rosaire tendit au voisin ses deux pains. Jocelyn remercia. Il allait retourner chez lui quand Wilfrid Boucher sortit sur la galerie et l'aperçut.

— Dis donc, Jocelyn, est-ce que ton offre tient toujours pour cet après-midi ?

— C'est sûr, monsieur Boucher. Je vous ai pas oublié. Je passe vous prendre dans dix minutes.

Sur ce, Jocelyn Jutras retourna chez lui et Corinne entra dans la grange avec l'intention de vider la paillasse de sa vieille paille après en avoir décousu un coin. Quand elle l'eut remplie de paille fraîche, elle se dépêcha de la recoudre sur place. Elle n'eut pas à demander à Rosaire de laisser son travail à l'étable pour la rapporter à la maison. Grand-père Boucher vint l'aider à la transporter.

— Vous avez des commissions à faire au village ? demanda-t-elle au vieillard, en déposant la paillasse sur son lit.

Elle dut attendre que Wilfrid reprenne son souffle pour obtenir une réponse.

— C'est pas ben pressant, la rassura-t-il.

— Il faut pas vous gêner, grand-père, reprit-elle en couvrant la paillasse d'un drap. Si vous avez besoin de quelque chose au village ou à Yamaska, on peut aller vous le chercher ou bien encore, vous avez qu'à demander à Laurent de vous emmener.

— T'es ben fine, Corinne, mais cet après-midi, je fais juste profiter de ce que le voisin doit aller faire ferrer sa jument chez Melançon pour aller chez le notaire Ménard.

Avant de servir le souper, la jeune femme eut le temps de remplir les paillasses des autres lits de la maison.

—⁓—

Ce soir-là, le curé Bilodeau attendit avec impatience l'arrivée des membres du conseil. Dès que Camil Racicot, Paul-Aimé Rajotte, Baptiste Melançon, Bertrand Gagnon et Aristide Ménard eurent pris place dans la petite salle de réunion voisine du salon, l'abbé Nadon quitta la pièce et laissa son curé seul avec les marguilliers.

Après une courte prière, tous s'assirent autour de la grande table en chêne et attendirent que le président, Camil Racicot, annonce le premier point à l'ordre du jour.

— On va d'abord parler de la rentrée de la dîme, annonça le cultivateur.

— Non, déclara tout net Charles Bilodeau en affichant son air des mauvais jours. Il y a des choses bien plus importantes à discuter que la dîme.

Tous les hommes autour de la table sursautèrent. Le maire allait intervenir pour signifier au prêtre que la direction de l'assemblée appartenait au président quand le curé Bilodeau lui fit signe de se taire d'un geste impérieux.

— Je voudrais bien savoir comment il se fait que moi, le curé de Saint-Paul-des-Prés, j'ai été le dernier prévenu qu'un hôtel allait être bâti au milieu du village ? demanda-t-il d'une voix coupante en scrutant le visage des hommes assis dans la pièce. Pourquoi j'ai pas été averti avant hier soir ?

Un silence pesant accueillit sa question. Ce fut finalement Baptiste Melançon qui lui répondit.

— On a probablement tous pensé que vous étiez déjà au courant, monsieur le curé. Depuis plus qu'une semaine, Gonzague Boisvert le crie sur tous les toits dans la paroisse qu'il va construire son hôtel.

— Où exactement ? demanda Charles Bilodeau.

— Sur le terrain où il voulait que la nouvelle église soit construite, se fit un plaisir de répondre Camil Racicot.

— Si on l'avait laissé faire au lieu d'aller jusqu'à un procès, intervint Paul-Aimé Rajotte, apparemment mal à l'aise, on n'aurait pas ce problème-là sur les bras aujourd'hui. Il aurait jamais pensé construire un hôtel pour la bonne raison qu'il aurait pas eu de terrain au village.

— Si t'essayes de jeter le blâme sur moi, s'emporta le maire qui avait mené la lutte contre la tentative de Gonzague Boisvert, l'année précédente, t'as un front de beu, Rajotte. Moi, j'ai juste voulu aider le curé Béliveau.

— Comme moi, ajouta le notaire Ménard sur un ton paisible.

— Bon, bon, ça sert à rien de déterrer toute cette affaire-là, déclara le curé, peu désireux de réentendre une histoire qu'on lui avait déjà racontée plusieurs fois. Ce soir, il faut essayer d'empêcher Boisvert de construire son hôtel dans le village, un point c'est tout.

— C'est ben beau, ça, monsieur le curé, mais comment vous pensez vous y prendre ? demanda le président du conseil.

— Je suis allé parler à Gonzague Boisvert ce matin, ça a servi à rien, déclara le prêtre. Il veut pas en démordre et rien a l'air de lui faire peur. J'ai pensé qu'avant de le condamner du haut de la chaire, vous pourriez faire une dernière démarche pour le faire changer d'idée.

Tous les membres du conseil se regardèrent, mais aucun n'osa dire un mot.

— Je suggère que vous alliez tous ensemble le rencontrer cette semaine pour lui expliquer que Saint-Paul veut pas d'un hôtel et...

— Excusez-moi, monsieur le curé, mais je vous dis tout net que moi, j'irai pas voir Gonzague Boisvert, affirma Bertrand Gagnon sur un ton sans appel. Nous sommes des adversaires politiques et on s'est jamais aimés. S'il me voit la face, c'est assez pour le braquer.

— Mais...

— Moi aussi, je suis pas intéressé à aller discuter avec lui, intervint le notaire. Il m'a jamais pardonné d'être du côté de votre prédécesseur et tout ce que je pourrais dire sera pris en mauvaise part.

— Voyons donc! s'insurgea le prêtre.

— Moi, je lui dois des choses, avoua piteusement Camil Racicot, et je veux pas m'arranger pour qu'il m'en veuille.

— La même chose pour moi, dit Paul-Aimé Rajotte sur un ton définitif.

— Si je comprends ben, il reste juste moi, fit Baptiste Melançon en regardant les hommes autour de lui. Je suis pas plus fou que vous autres et je tiens pas pantoute à ce que Boisvert me prenne en grippe. Il est rancunier comme le maudit et je vois pas pourquoi je paierais pour tout le monde.

— Eh bien, j'aurai tout vu! s'écria le curé Bilodeau, hors de lui. Tout un conseil de fabrique qui a peur d'un paroissien. Du jamais vu!

Sur ces mots, il se leva, repoussa bruyamment sa chaise et sortit de la pièce sans saluer qui que ce soit.

Un peu honteux, chacun se leva et quitta le presbytère. À l'extérieur, Baptiste Melançon fut le seul à dire aux autres:

— Là, j'ai ben l'impression que monsieur le curé va être obligé de trouver un autre moyen pour que Gonzague Boisvert change d'idée.

Chapitre 22

L'hôtel

Le dimanche suivant, le curé Bilodeau tint parole. Lors de son sermon à la grand-messe, il tonna durant près d'une demi-heure contre les vices de la société moderne et, par on ne sait quel détour de l'esprit, il en tint pour responsables les hôtels et leurs tenanciers, véritables suppôts de Satan.

Évidemment, plus d'une tête se tourna vers Gonzague Boisvert, assis impassible dans son banc. Ce dernier ne sembla pas le moins du monde incommodé d'être épié et se contenta de regarder fixement devant lui.

En conclusion, le pasteur de Saint-Paul-des-Prés, hors de lui et frappant du plat de la main sur le rebord de la chaire pour mieux ponctuer ses paroles, mit en garde ses ouailles contre ceux qui chercheraient à introduire le vice dans leur belle paroisse.

— Satan est puissant et peut prendre mille visages pour vous inciter au mal! s'écria-t-il sur un ton apocalyptique avant de quitter la chaire pour poursuivre la célébration de la messe.

À la sortie du couvent, les paroissiens auraient bien aimé discuter du sermon de leur curé et de l'élection qui aurait lieu trois semaines plus tard, mais le ciel en avait décidé autrement. Ils quittèrent l'édifice sous une pluie battante et n'eurent d'autre choix que de se dépêcher de rentrer à la maison. Gonzague se contenta de saluer d'un bref coup de tête sa bru et son fils avant de monter dans son boghei.

Corinne avait un impératif besoin de certains articles au magasin général et elle força son mari à s'arrêter chez Duquette, au passage.

— Grouille-toi, sacrement! jura-t-il, de mauvaise humeur. Le chemin sera pas passable.

— Si tu m'avais emmenée hier après-midi aussi, quand je te l'ai demandé, rétorqua-t-elle, on pourrait rentrer à la maison sans avoir à s'arrêter. Là, on va être trempés comme une soupe.

Il la laissa devant le magasin général et quitta sa voiture pour se mettre à l'abri sous l'avant-toit de la galerie, où trois ou quatre hommes de la paroisse avaient déjà trouvé refuge et discutaient avec Alcide Duquette. Son arrivée sembla créer un froid, la meilleure preuve qu'ils devaient parler des Boisvert.

À l'intérieur, Corinne eut tôt fait de trouver ce dont elle avait besoin. Pour une fois, Alexina Duquette était seule. Comme chaque dimanche, elle et son mari fermeraient le magasin à midi, comme l'avait toujours exigé le curé de la paroisse.

— Votre beau-père fait pas mal parler de lui, dit la commerçante, sans avoir l'air d'y toucher.

— Ça, ce sont les affaires du père de mon mari, se défendit Corinne. Je suis pas bien au courant de ce qui se passe.

— Je pense que son histoire d'hôtel a l'air de faire enrager notre pauvre curé Bilodeau, reprit Alexina, bien décidée à lui tirer les vers du nez.

Cette remarque était assez surprenante alors que tous les habitants de Saint-Paul-des-Prés savaient bien à quel point elle ne pouvait souffrir le pasteur de la paroisse depuis qu'il lui avait ouvertement préféré Honorine Gariépy pour l'érection du dernier reposoir.

— C'est bien possible, reconnut la jeune femme, mais il y a encore rien de fait.

Reconnaissant qu'elle ne pouvait lui arracher aucun renseignement, l'épouse d'Alcide Duquette changea brusquement de sujet de conversation.

— Puis, avez-vous vu notre nouveau docteur? demanda-t-elle de but en blanc à sa cliente.

— Quel docteur? fit Corinne, surprise. Dites-moi pas qu'on a un docteur dans la paroisse à cette heure.

— En plein ça, affirma Alexina, toute fière de lui annoncer la nouvelle. Mais il est un peu bizarre. Moi, en tout cas, je vais continuer à aller voir le docteur Poirier de Yamaska, ajouta-t-elle sur un ton résolu, même si mon mari dit qu'il faudrait aller voir le petit docteur Précourt parce qu'il va nécessairement devenir un de nos clients, vous comprenez?

— C'est sûr que c'est pas mal délicat, reconnut Corinne.

— Le problème, c'est que ce docteur-là a des lunettes tellement épaisses que je me demande ce qu'il est capable de voir, reprit la commerçante. Puis, en plus, il a une petite voix de fillette pas mal gênante.

Corinne ouvrit sa bourse et paya ses achats en disant à Alexina Duquette qu'elle devait se dépêcher parce que son mari l'attendait dehors, sous la pluie. Elle prit son sac de victuailles et quitta le magasin. Elle monta dans la voiture, suivie de près par son mari. Ce dernier avait son humeur des lendemains de veille, quand il avait un peu trop bu à l'hôtel de Yamaska.

— En tout cas, on peut pas dire que c'est bien plaisant de se faire montrer du doigt en pleine église, lui dit-elle, comme si elle poursuivait un monologue intérieur.

— De quoi tu parles? lui demanda Laurent avec brusquerie, en se protégeant du mieux qu'il pouvait de la pluie, sous la capote du boghei.

— Je te parle du sermon d'à matin, fit-elle d'une voix cassante. J'aime pas bien ça me faire regarder par tout le monde comme si j'avais la gale.

357

— C'est pas nous autres que le monde regardait, c'est mon père, la corrigea son mari.

— Arrête donc, toi! T'es un Boisvert et je m'appelle Boisvert, moi aussi. Les gens de la paroisse savent qu'on fait partie de la famille et ils nous mettent tous dans le même sac. Et ils parlent de nous autres dans notre dos.

— Ben, laisse-les parler, Christ! jura-t-il, à bout de patience. Là, t'arrêtes de jaser pour rien, lui ordonna-t-il. J'ai mal à la tête. Il y a ben assez que j'ai dû endurer le curé crier pendant une heure.

Pendant ce temps, Charles Bilodeau, debout sur la galerie du presbytère, refermait avec soin l'immense parapluie noir sous lequel il s'était protégé de l'averse pour revenir du couvent. Il regarda le président de la fabrique contourner du mieux qu'il pouvait les flaques d'eau en tenant d'une main son chapeau melon noir.

— Un parapluie, c'est bien utile, lui fit remarquer le prêtre sans le moindre sourire.

Camil Racicot ne dit rien, se contentant d'essuyer l'eau qui lui coulait dans les yeux avec un large mouchoir à carreaux qu'il avait sorti de l'une de ses poches.

— Vous aviez quelque chose à me dire dans le particulier, monsieur le curé? demanda le président de la fabrique, un peu haletant après sa course sous la pluie.

— J'aurais aimé pouvoir vous le dire avant l'arrivée des autres, à la dernière réunion des marguilliers, fit le curé de Saint-Paul-des-Prés, mais vous êtes arrivé en retard, monsieur Racicot. À la fin, j'ai pas pu vous parler parce qu'une paroissienne m'attendait dans mon bureau, mentit-il.

— C'est quelque chose d'important? demanda Camil, en cherchant à deviner ce que le prêtre avait à lui dire.

Charles Bilodeau fixa un long moment la large figure ronde du premier de ses marguilliers avant de lui dire d'une voix coupante:

— Oui, c'est pas mal important ! Le premier devoir d'un marguillier, c'est d'être loyal envers son curé, monsieur ! À plus forte raison, le président de la fabrique, ajouta-t-il durement.

— Pourquoi vous me dites ça ? se rebiffa le cultivateur, incapable de comprendre ce qu'on lui reprochait.

— Je vous dis ça parce que c'est de vous, monsieur Racicot, que j'aurais dû apprendre que Gonzague Boisvert projetait de construire un hôtel dans notre paroisse. Je l'ai appris bien après tout le monde, et ça, je peux pas l'admettre !

— Comme on vous l'a expliqué à la réunion, monsieur le curé, on pensait tous que vous le saviez déjà, se défendit Camil.

— Pourtant, on m'a rapporté que vous étiez un grand ami de Boisvert, fit le prêtre d'une voix perfide.

— Ami est un ben grand mot, monsieur le curé.

— Si je me rappelle bien, vous avez dit à la réunion que vous lui deviez des choses. Qu'est-ce que je dois comprendre par là ? s'enquit le prêtre.

— Ben…

— Quoi ?

— Gonzague Boisvert m'a prêté de l'argent, avoua Camil d'une voix gênée. C'est un homme pas mal dur en affaires. Si je me mêle de son histoire d'hôtel, il risque de m'obliger à tout lui rembourser demain matin, et ça, je suis pas capable de le faire.

— Je suppose que c'est la même chose pour Paul-Aimé Rajotte ?

— Ça, je peux pas vous dire, monsieur le curé. Les affaires de Rajotte me regardent pas.

— Comme ça, je dois vous croire quand vous me dites que vous n'étiez au courant de rien avant les autres ? reprit l'ecclésiastique en changeant de sujet.

— Que vous le croyiez ou pas, ça changera rien, répondit de façon abrupte le cultivateur excédé. Boisvert a l'air d'avoir décidé de bâtir un hôtel et il y aura peut-être pas grand-chose à faire pour l'empêcher.

— Ça, ça reste à voir! déclara le curé Bilodeau. Je vous remercie d'être passé me voir, ajouta-t-il en mettant fin brusquement à la rencontre.

Camil Racicot descendit l'escalier et se dépêcha de retourner à sa voiture sous la pluie qui avait redoublé de violence. Charles Bilodeau commençait à lui taper sérieusement sur les nerfs. Il ne lui restait plus que quelques mois à faire avant la fin de son mandat de marguillier. Il n'allait sûrement pas demander son renouvellement. Il avait deviné que Bertrand Gagnon avait dû se faire un plaisir de rapporter la nouvelle de l'hôtel au presbytère pour bien montrer que lui, Camil Racicot, était encore très lié à Gonzague Boisvert. Le maire avait dû insister sur le fait qu'il avait appuyé Boisvert sans réserve l'année précédente parce qu'il lui devait de l'argent et était dans l'incapacité de le rembourser. Cependant, les choses avaient changé depuis le mois de juillet. Il avait fini de rembourser sa dette et il ne lui devait plus rien. Toutefois, il avait jugé plus pratique de faire croire au curé Bilodeau qu'il devait encore de l'argent à l'homme pour éviter ainsi de se frotter à celui dont il pouvait encore avoir besoin dans l'avenir s'il lui arrivait une malchance.

⸻

Après le dîner, la pluie violente n'avait pas cessé et incitait au sommeil. Grand-père Boucher monta à l'étage faire une sieste. Rosaire l'imita. Quand Laurent se dirigea vers la chambre à coucher, Corinne décida de le suivre et s'étendit à ses côtés. À l'extérieur, la pluie ruisselait sur les carreaux et martelait bruyamment l'avant-toit.

— As-tu décidé ce que tu vas faire cet hiver? demanda la jeune femme à son mari.

— Je le sais pas encore, mentit-il. Comme je te l'ai déjà dit, ça se peut que je reste, ajouta-t-il.

— J'aimerais bien ça, fit-elle en esquissant un sourire. J'ai pensé à une chose…

— À quoi?

— Qu'est-ce que tu dirais si on envoyait Rosaire à l'école? Au fond, il est surtout utile pour t'aider à faire le train le matin et le soir, non?

— Tu vas pas revenir là-dessus? fit-il en élevant la voix.

— Tu m'as dit la dernière fois qu'on pourrait peut-être l'envoyer à l'école après les labours, lui rappela-t-elle.

— C'est pas vrai, affirma-t-il. C'est toi qui as dit ça. Moi, j'en ai pas parlé pantoute.

— Mais ce serait quand même une bonne idée, insista-t-elle.

— Aïe! Je suis pas allé le chercher chez les sœurs pour en faire un paresseux, protesta Laurent. Il sait déjà écrire et lire, c'est déjà plus que ce que je suis capable de faire. Si je décide de rester pour aller bûcher, je vois pas pourquoi je le nourrirais à rien faire, juste pour aller user son fond de culotte sur un banc d'école.

— T'as raison, l'approuva Corinne, qui n'en pensait cependant rien. Je dis pas de l'envoyer tous les jours, mais ce serait peut-être pas une mauvaise idée de l'envoyer à l'école les jours où on n'a pas besoin de lui, tu penses pas?

— Ben…

— On n'est pas obligés de faire comme le faisait ton père quand il restait chez eux, reprit-elle d'un ton qu'elle voulait convaincant. Nous autres, on est jeunes, on sait que ça peut être utile d'être allé à l'école, non?

Pendant quelques minutes encore, Corinne plaida la cause de l'orphelin et Laurent, excédé, finit par se rendre à ses arguments.

— Mais je t'avertis qu'il va prendre le bord si je m'aperçois qu'il sert plus à rien ici dedans. Je suis pas pour nourrir inutilement un parfait étranger.

— T'as raison, l'approuva Corinne, heureuse de lui avoir arraché cette permission.

Lorsque Bernard Provencher rentra au milieu de la soirée, l'entrepreneur était trempé jusqu'aux os.

— Des plans pour attraper votre coup de mort! s'exclama Corinne en le voyant retirer son manteau et ses bottes.

— Veux-tu ben me dire d'où tu sors? lui demanda Laurent qui s'était levé pour l'accueillir.

Le cultivateur était de meilleure humeur depuis la fin de l'après-midi. Sa longue sieste lui avait permis de se débarrasser de sa migraine.

— J'aurais dû arriver plus de bonne heure, expliqua le jeune homme. Je suis parti au milieu de l'après-midi parce que j'avais promis de laisser quelque chose à Germaine chez monsieur et madame Joyal. Ils ont insisté pour que je reste à souper. Vous connaissez votre mère, madame Boisvert, c'est ben difficile de lui dire non.

— Je la connais. Elle est bien recevante, reconnut Corinne.

— Ça fait que je suis parti pas mal tard et j'ai attrapé l'orage en m'en venant.

— Ma mère va bien? lui demanda son hôtesse.

— Elle a l'air, même si...

Bernard s'arrêta, comme s'il craignait de faire une indiscrétion.

— Même si quoi?

— Ben, je devrais peut-être pas dire ça, reprit le jeune homme, mais j'ai l'impression que la femme de votre frère est pas trop agréable avec elle.

— Ça va faire du bien à la belle-mère de se faire tenir tête un peu, dit Laurent avec légèreté.

— Dis donc pas n'importe quoi ! le rabroua sa femme, furieuse. M'man a un cœur d'or et mérite pas ça. Attends que je la rencontre, la Thérèse : elle va savoir comment je m'appelle, promit-elle.

— Je dois aussi vous dire, reprit l'entrepreneur, l'air un peu embarrassé d'avoir suscité une dispute entre les deux époux, que c'est ma dernière semaine d'ouvrage à Saint-Paul.

— Comment ça ? lui demanda Laurent.

— Ben, le gros de l'ouvrage est fini à l'église. Même si je doute qu'elle soit prête pour le commencement de décembre, j'aurai plus rien à faire là. Mon père a pas peur de me laisser faire le gros de l'ouvrage, mais il a pas besoin de moi pour les plâtriers et les menuisiers. Il a deux bons vieux *foremen* pour ça. Ça fait qu'il m'a donné une autre *job* à faire à Nicolet.

— Sacrifice ! s'exclama Laurent, vous autres, les Provencher, vous manquez pas d'ouvrage.

— On a toujours deux gros chantiers par année et c'est rare qu'on chôme, reconnut Bernard. Ça va me faire quelque chose de plus vivre ici durant la semaine.

— Et ça va peut-être faire quelque chose à Germaine de plus vous voir, avança Corinne.

— Oh ! J'ai pas pantoute l'intention d'arrêter d'aller veiller avec elle, s'empressa de préciser le jeune homme. On s'est organisés pour se voir au moins une fin de semaine sur deux chez vos parents.

———※———

Deux jours plus tard, les vents et la pluie violente du dimanche précédent n'étaient plus qu'un vague souvenir. Ils avaient dépouillé la plupart des arbres de leur feuillage aux couleurs si agréables à l'œil en cette période de l'année. Les feuilles orangées, rouges et jaunes jonchaient maintenant le sol et avaient pris une teinte brune uniforme qui se mariait bien à celle des champs. De loin en loin, malgré une température anormalement fraîche pour la saison, des cultivateurs étaient rivés aux manches de leur charrue, occupés à labourer leur terre. Des dizaines de mouettes les suivaient et se laissaient tomber derrière eux en poussant leurs cris agaçants.

Pour une fois, Laurent Boisvert était en avance sur ses voisins. Ses labours, entrepris avant la pluie de la semaine précédente, étaient terminés et il avait même eu le temps de commencer l'épandage du fumier dans ses champs. Après cela, il ne lui resterait qu'à faucher le sarrasin et à l'apporter au moulin.

Corinne sortit sur la galerie, derrière la maison, en portant un lourd panier de linge mouillé qu'elle n'avait pu faire sécher la veille. Mal remise de ses nausées matinales, elle laissa tomber le panier à ses pieds avant de se pencher pour s'emparer d'un drap qu'elle se mit en devoir de fixer sur sa corde à linge. Quelques minutes plus tôt, Rosaire avait quitté la maison sans trop d'enthousiasme pour sa première journée d'école.

La veille, la jeune femme avait dû déployer des trésors de patience pour persuader l'adolescent de retourner s'asseoir sur un banc d'école dès le lendemain quand son mari lui avait annoncé qu'il n'aurait pas le temps de continuer à fumer ses champs ce jour-là.

— Écoute, Rosaire, avait-elle fini par lui dire. Ça a tout pris pour que je parvienne à persuader mon mari de te laisser y aller. Il a accepté que tu y ailles seulement quand il y aura pas d'ouvrage à faire à la maison. Tu dois y aller pour avoir ton diplôme de 7e année. T'es capable de l'avoir si tu travailles fort. J'espère que je me suis pas chicanée avec mon mari pour rien, avait-elle ajouté, l'air malheureux.

L'orphelin avait regardé celle qu'il considérait comme sa meilleure amie avant de pencher la tête. De toute évidence, il ne voulait pas lui faire de peine, mais l'école le rebutait. Corinne n'était pas revenue sur le sujet.

Mais ce matin-là, après le départ de Bernard Provencher pour son chantier, il était monté dans sa chambre et en était descendu en portant son sac à dos et le coffre à crayons offert par Juliette Marcil, l'année précédente.

— Va atteler le boghei, ordonna Laurent à l'adolescent en entrant dans la maison au même moment.

Corinne s'aperçut que son mari se préparait à sortir et lui demanda où il allait.

— Au village. Le père m'a demandé d'aller jeter un coup d'œil sur le matériel qui doit être livré sur son terrain à matin.

— Est-ce qu'il a l'intention de t'engager pour aider à construire son hôtel ? lui avait-elle demandé.

— Je le sais pas, il en a pas parlé.

— Laisse donc Rosaire à l'école en passant, avait-elle dit avant de se diriger vers leur chambre à coucher pour faire le lit.

— J'ai pas le temps. Il est pas infirme, il a juste à marcher, avait-il rétorqué, apparemment incapable d'accepter que l'orphelin aille s'instruire au lieu de travailler.

Corinne n'avait rien dit et avait attendu qu'il ait quitté la cour de la ferme avant d'encourager Rosaire à partir à pied pour l'école.

Le village de Saint-Paul-des-Prés était passablement plus bruyant que d'habitude en cette matinée d'octobre. Pour une fois, le centre de l'attention des quelques badauds n'était pas l'église en construction. Quelques vieillards désœuvrés s'étaient rassemblés près de l'unique champ situé au centre du village pour regarder des ouvriers décharger des matériaux de construction sous la direction des frères

Lavigne, de Yamaska. Le vaste terrain en friche de près de deux arpents était situé entre la fromagerie de Constant Boulanger et la boucherie d'Ange-Albert Vigneault, face à la rivière. Gonzague Boisvert l'avait acheté au vieil Eusèbe Tremblay, l'automne précédent, dans l'intention de le vendre avec profit à la fabrique pour y édifier la nouvelle église. Les plans du rusé cultivateur avaient échoué à cause de l'intervention de l'avocat Parenteau. Grâce à lui, Bertrand Gagnon et le curé Béliveau avaient obtenu gain de cause et la nouvelle église avait été construite sur le site même de l'ancienne église incendiée.

Objectivement, l'emplacement au centre de Saint-Paul-des-Prés aurait beaucoup mieux convenu à la nouvelle église que son ancien site, à l'entrée du village, près du couvent, mais le curé Béliveau s'était entêté à vouloir conserver son église près du presbytère et du cimetière paroissial et il avait gagné, au grand dam du père de Laurent.

Cette défaite aurait pu ruiner tous les espoirs de ce dernier de cumuler les postes de président de la commission scolaire et de maire de la municipalité s'il ne s'était pas laissé séduire par les remarques que Bernard Provencher avait faites à Laurent. Quand son fils les lui avait rapportées, elles n'étaient pas tombées dans l'oreille d'un sourd et l'ancien président du conseil de fabrique les avait longuement analysées. À quelques reprises, il avait même trouvé le temps d'aller discuter à bâtons rompus avec les propriétaires des hôtels de Yamaska et de Pierreville. Ce que ces deux hommes d'affaires lui avaient appris ou laissé deviner avait suffi à le décider à se lancer dans l'aventure malgré son avarice bien connue. Son amour immodéré de l'argent l'avait poussé à faire ce grand saut dans l'inconnu.

— Ça coûtera ce que ça coûtera, avait-il fini par dire à son fils Henri, mais je vais le faire bâtir, cet hôtel-là, que le curé soit d'accord ou pas. Si ça marche, Gagnon va s'apercevoir qu'il sera pas maire ben longtemps.

L'homme avait tenu parole malgré les menaces de son curé. Le lendemain du jour où il avait été montré du doigt du haut de la chaire, Gonzague était allé s'entendre avec les trois frères Lavigne de Yamaska à qui il avait consenti des prêts à court terme à quelques reprises dans le passé. Il savait pouvoir faire confiance aux Lavigne, des constructeurs bien connus dans la région pour leur sérieux. Il passa un après-midi complet en leur compagnie à leur expliquer ce qu'il désirait et à se mettre d'accord avec eux sur le prix des constructions désirées. Ces derniers connaissaient leur homme et le savaient solvable, ce qui n'était pas si courant en cette période où l'argent se faisait rare.

Bref, pour une somme raisonnable, les trois frères avaient promis de construire un immeuble d'un étage recouvert de bardeaux de cèdre, au toit pentu en tôle et ceint sur trois des quatre faces d'une galerie de six pieds de profondeur. À l'étage, ils aménageraient huit chambres à coucher de dimensions moyennes et le rez-de-chaussée serait partagé, à égalité, entre une salle à manger et une taverne. L'hôtel aurait une longueur de soixante pieds et une profondeur de trente-deux pieds. Il fut entendu qu'une remise et une écurie seraient bâties à l'arrière de l'édifice.

— On a six hommes qui travaillent pour nous autres cet automne, expliqua Ernest Lavigne, l'aîné des frères. Je pense qu'on va être capables de vous finir ça avant Noël, promit-il en serrant la main du cultivateur du rang Saint-André.

En cette fin de matinée, les curieux avaient vu arriver quatre grosses voitures tirées chacune par deux chevaux. Deux d'entre elles transportaient une charge appréciable de pierres alors que sur les deux autres on avait empilé des poutres, des madriers et des planches. Les Lavigne, sur place depuis près de deux heures en compagnie de Gonzague et de ses deux fils, cessèrent de tirer des cordes entre les piquets qu'ils venaient de planter pour aller indiquer aux conducteurs où déposer leur chargement. Le futur propriétaire avait exigé que son hôtel soit construit à une cinquantaine de pieds du bord de la route.

Ernest Lavigne ordonna aux conducteurs des voitures chargées de pierres de déposer ces dernières à gauche du terrain et il invita les autres à reculer de manière à laisser le bois à une bonne distance du site du futur bâtiment.

— Pendant que mes hommes vont creuser pour la cave et le solage, expliqua l'entrepreneur à Gonzague, je veux pas avoir le bois dans les jambes.

Le hasard voulut qu'à ce moment-là Honorine Gariépy, la présidente des dames de Sainte-Anne et directrice de la chorale paroissiale, sorte du magasin général, les bras encombrés d'un sac de farine. Évidemment, la veuve au port de tête altier ne put résister à la tentation d'aller voir ce qui se passait une centaine de pieds plus loin, de l'autre côté la route. Depuis qu'elle avait appris le projet de Gonzague Boisvert, elle n'avait cessé de le désapprouver hautement et avec des airs scandalisés, allant même jusqu'à prédire qu'un tel établissement apporterait le malheur dans le village.

— Ça va être Sodome et Gomorrhe! répétait-elle sur un ton dramatique en faisant semblant de frissonner d'horreur.

Au moment où elle traversait la route pour se joindre aux badauds et mieux voir ce qui se passait, l'un des frères Lavigne lâcha l'extrémité d'une poutre qu'il aidait à décharger et il cria une mise en garde à l'ouvrier qui passait dessous.

Ce cri eut un effet des plus inattendus sur le docteur Adrien Précourt.

Le nouveau médecin de Saint-Paul-des-Prés n'habitait le village que depuis deux semaines et on ne s'habituait pas encore à le voir chevaucher une bicyclette, une nouveauté dans la municipalité. Bien sûr, certains avaient déjà eu l'occasion d'apercevoir des gens se déplacer sur ce drôle d'engin instable lors d'une visite à Sorel, mais jamais à Saint-Paul-des-Prés. Les gens de la paroisse appelaient ce drôle de véhicule un « bicycle » et ils étaient unanimes pour reconnaître qu'il n'était pas courant de voir un médecin aller visiter ses malades dans un tel équipage.

— Il va finir par se casser la gueule sur cette affaire de fou là, avait prédit Alcide Duquette quand il avait vu le petit homme aux lunettes extrêmement épaisses et à la drôle de voix de tête passer sur cet engin devant son magasin.

— Il va bien trop vite là-dessus, lui avait fait remarquer sa femme. Madame Lemay a un frère à Montréal qui a un bicycle pareil au sien. Elle m'a dit qu'il y a pas de frein. Il y a juste une sonnette pour avertir.

— C'est fin en maudit, une sonnette pour s'arrêter quand il le faut, s'était moqué Alcide.

Or, le cri lancé par l'un des frères Lavigne déconcentra un bref moment le cycliste, à l'instant même où il passait devant le terrain où se déroulaient de nombreuses activités.

Honorine Gariépy ne se méfia pas, toute son attention dirigée vers le groupe qu'elle s'apprêtait à rejoindre. Elle était rendue au milieu de la route quand Adrien Précourt, également distrait, remarqua soudain sa présence. Le pauvre homme à la vue courte fit bien un effort désespéré pour éviter l'imposante matrone. Il lui cria de s'écarter, mais trop tard ; il lui fonça dessus sans le moindre espoir de ralentir sa course.

La veuve poussa un cri de douleur sous le choc et se retrouva quelques pieds plus loin sur la route, assise sur son confortable derrière. Un instant plus tard, le cycliste disparut dans le fossé avec son dangereux véhicule avant-gardiste. Immédiatement, tous les badauds abandonnèrent le spectacle offert sur le terrain du futur hôtel pour se porter au secours des accidentés.

Certains se précipitèrent vers une Honorine Gariépy d'une blancheur inquiétante. Comme ses sauveteurs étaient tous des hommes, elle ne permit à personne de la tâter pour vérifier si l'un de ses membres était brisé. Après un court moment où elle demeura hébétée, assise au milieu de la route, elle se releva, folle de rage.

— Où est-ce qu'il est passé, le maudit insignifiant qui m'a frappée ? hurla-t-elle en époussetant du mieux qu'elle pouvait la farine qui la couvrait de la tête aux pieds.

— Il est dans le fossé, lui répondit Athanase Boudreau tout en esquissant le geste d'épousseter le fessier de la dame.

Le regard meurtrier qu'Honorine lui décocha lui fit vite renoncer à son projet.

La présidente des dames de Sainte-Anne finit par se diriger en boitillant vers le petit groupe rassemblé près du fossé d'où sortait justement le nouveau médecin de Saint-Paul-des-Prés. Si elle croyait que l'homme allait se confondre en excuses pour l'avoir heurtée, elle se trompait lourdement.

Rouge de colère, Adrien Précourt releva tant bien que mal sa lourde bicyclette. On lui tendit ses lunettes dont l'un des verres était éclaté. Il les remit sur son nez et marcha résolument vers la veuve. Les badauds s'écartèrent de son chemin à la vue de sa fureur.

— Dites donc, vous, vous êtes pas capable de regarder avant de traverser le chemin ! l'apostropha-t-il.

— Ah bien ! J'aurai tout entendu, s'indigna Honorine qui le dominait d'une tête. Ça arrive on ne sait pas trop d'où et ça vient nous estropier ! Et, en plus, au lieu de s'excuser, il nous engueule.

Il y eut quelques ricanements dans la petite foule qui s'était amassée pour assister à la rencontre entre les deux protagonistes.

— Vous manquez pas de front, madame! s'emporta le médecin. Le chemin, c'est pas votre cuisine, vous saurez! C'est fait pour les véhicules, pas pour se dandiner.

— Bien, vous saurez, monsieur, que quand on est aveugle, on se promène avec une canne blanche, pas monté sur une bébelle comme celle que vous avez!

Sur ces mots bien sentis, la veuve Gariépy lui tourna carrément le dos et reprit la direction du magasin général pour aller acheter un autre sac de farine.

Après son départ et celui du médecin, les commentaires ne se firent pas attendre.

— Pour moi, le petit docteur serait ben mieux dans une bonne voiture à quatre roues s'il veut prendre l'habitude de culbuter la mère Gariépy, fit Laurent en ricanant. Comme ça, c'est le cheval qui va se faire mal, pas lui.

— Le père Boudreau a aussi failli être blessé dans cette histoire-là, fit remarquer un loustic.

— Comment ça? lui demanda un voisin.

— Il s'en allait aider Honorine à s'épousseter. Ça, c'était une affaire pour se faire arracher un bras.

— Il y a pas à dire, il est devenu brave en vieillissant, le père, dit un autre en riant.

— Tu sauras, mon jeune, qu'il y a rien que je ferais pas pour rendre service à une créature, répliqua Athanase Boudreau. À part ça, qui te dit qu'elle aurait pas aimé ça, ajouta-t-il.

— Ça me fait rien, dit un autre, mais vous feriez peut-être mieux de changer de discours, v'là monsieur le curé.

Plusieurs têtes se tournèrent vers la gauche, à temps pour apercevoir Charles Bilodeau qui s'approchait lentement des lieux de toute cette agitation. L'homme d'Église, vêtu d'un manteau d'automne passé sur sa soutane noire, demeura de l'autre côté de la route. Personne ne chercha à s'approcher de lui pour lui parler. Durant un long moment, le prêtre considéra avec un déplaisir évident ce qui se passait sur le nouveau chantier avant de tourner les talons et de rentrer au presbytère.

À son arrivée, il alla s'enfermer dans son bureau et entreprit d'écrire une lettre à monseigneur Gravel pour lui demander son aide. Il ne doutait pas que son évêque était en mesure de contacter des personnalités assez influentes pour bloquer l'émission d'un permis de vente d'alcool. Sans permis, il allait de soi que Gonzague Boisvert en serait quitte pour renoncer à son abominable projet d'ouvrir un hôtel dans sa paroisse.

Quelques jours plus tard, le futur hôtel cessa d'être le principal sujet de conversation des habitants de Saint-Paul-des-Prés quand ils apprirent qu'un volcan, le Santa María, venait de faire six mille victimes au Guatemala.

— C'est une manifestation de la colère de Dieu! clama le curé Bilodeau lors de son sermon du dimanche suivant. Cinq mois à peine après les vingt-huit mille morts de la montagne Pelée, Il donne aux hommes un autre avertissement...

Chapitre 23

Une grande perte

En ce début de novembre, Corinne avait beaucoup plus de mal que prévu à s'habituer au fait que Bernard Provencher n'habitait plus chez elle. Il ne lui avait fallu que quelques jours pour se rendre compte à quel point la présence de l'entrepreneur de Nicolet avait eu un effet bénéfique sur son mari. Quand il était là, Laurent était plus doux, plus agréable à vivre. Par ailleurs, la perte des cinq dollars hebdomadaires que Bernard lui versait pour sa pension déséquilibrait sérieusement le budget familial.

Depuis qu'il ne travaillait plus au chantier de l'église, Laurent ne rapportait plus d'argent à la maison. Corinne ne parvenait pas à cacher son inquiétude à la vue de la quantité d'argent qui baissait avec une régularité alarmante dans le fameux pot vert posé sur la seconde tablette de l'armoire de cuisine. Pour rien au monde elle n'aurait voulu que son mari soit aussi avare que son père, mais il y avait des limites à l'insouciance. À ses yeux, il se comportait comme si sa petite famille devait vivre de l'air du temps.

Depuis quelques jours, le froid persistait et, chaque matin, le soleil, de plus en plus timide, mettait plus de temps à faire disparaître le frimas qui recouvrait les toitures et les champs au lever du jour. Maintenant, on se levait en grelottant dans la maison et il fallait patienter de longues minutes avant que le poêle commence à réchauffer la cuisine.

Même si le temps froid était de retour, Laurent ne parlait pas de monter au chantier et Corinne se gardait bien d'aborder le sujet, de crainte de lui en donner le goût. Elle espérait qu'il décide de demeurer sur sa terre pour bûcher tout l'hiver, même si elle ne voyait pas trop bien comment ils allaient s'y prendre pour rembourser les soixante-trois dollars qu'ils devraient payer à son beau-père à la fin du mois de décembre et avoir suffisamment d'argent pour hiverner.

Malgré tout, la jeune femme reconnaissait avec plaisir que son mari devenait plus raisonnable sur un point : il ne prélevait plus d'argent dans le pot pour défrayer ses sorties habituelles du samedi soir. À aucun moment elle ne chercha à savoir comment il payait ses consommations. Comme il n'avait pas cessé de boire, il était probable que ses amis lui offraient maintenant toujours à boire, mais elle en doutait.

Par ailleurs, depuis qu'il avait rapporté du moulin la farine de sarrasin, la semaine précédente, le fils de Gonzague Boisvert allait et venait entre la ferme et le chantier de l'hôtel sans se donner la peine d'expliquer le rôle qu'il y jouait.

Le lundi midi, Corinne rentra dans la maison, les doigts gourds d'avoir étendu son lavage sur la corde à linge, bien décidée à préparer son dîner. Philippe, assis dans sa chaise haute, s'amusait avec un hochet, cadeau de sa tante Germaine. Rosaire était à l'école et grand-père Boucher était parti chez les Rocheleau depuis quelques minutes.

Au moment où elle allait déposer une marmite de soupe sur le feu, elle entendit Laurent revenir du village. Par la fenêtre, elle le vit installer une couverture sur le dos de Satan, sans se donner la peine de dételer la bête, signe qu'il avait l'intention de partir de nouveau. Elle décida alors de profiter du fait qu'ils allaient être seuls pour tirer les choses au clair.

Laurent pénétra dans la cuisine, retira son manteau et sa tuque avant de se diriger vers le poêle au-dessus duquel il tendit ses mains pour les réchauffer.

— C'est pas chaud pantoute dehors, dit-il.

— Je le sais, je viens de finir d'étendre mon linge, fit Corinne. Je pense que c'est la dernière fois. La semaine prochaine, je vais installer mes cordes dans la cuisine d'été et étendre là. On gèle trop dehors.

— En tout cas, ce froid-là dérange pas les Lavigne et leurs hommes, reprit Laurent. La cave de l'hôtel est déjà creusée et ils commencent le solage cet après-midi.

— Et toi, là-dedans ? lui demanda sa femme.

— Quoi, « moi, là-dedans » ?

— Travailles-tu sur le chantier ou bien tu te contentes de les regarder faire ?

— J'aide de temps en temps, se contenta de répondre Laurent en plongeant sa pipe dans sa blague à tabac.

Le jeune cultivateur s'était bien gardé de dire à sa femme que, depuis une semaine, il multipliait les contacts pour se faire engager dans un des chantiers au nord de La Tuque. Tout indiquait qu'on lui avait fait une réputation de *jumper* depuis qu'il avait lâché le chantier en plein milieu de la saison l'hiver précédent. Il avait rencontré deux ou trois chefs d'équipes à Yamaska et aucun n'avait de place pour lui. Le dernier qu'il avait approché, un certain Donald Lachance, lui avait même conseillé de se faire oublier un an ou deux avant de se chercher une place. Tout d'abord dépité d'être rejeté, Laurent avait fini par se dire qu'il avait suffisamment d'argent pour s'offrir un hiver bien tranquille à la maison.

— Je veux pas trop t'inquiéter, reprit sa femme en commençant à disposer les couverts sur la table, mais j'ai bien peur qu'on n'ait pas assez d'argent pour passer à travers l'hiver.

— Comment ça ? fit Laurent, surpris. T'as eu toutes mes payes jusqu'au mois de septembre et en plus, t'as eu la pension de Provencher. Comment t'as fait pour dépenser tout cet argent-là ?

— Tu sauras que j'ai rien dépensé pour rien, Laurent Boisvert, fit Corinne en haussant la voix. Au cas où tu le saurais pas, on vit pas de l'air du temps. Je dois acheter ce qu'il faut pour faire à manger et...

— Cette sacrement d'idée aussi de nourrir pour rien grand-père et le membre inutile qui vient de l'orphelinat, laissa-t-il tomber, avec humeur.

— T'as du front tout le tour de la tête, reprit la petite femme blonde en se dressant devant lui, les mains sur les hanches. Grand-père aide tous les jours à la maison. Pour ce qui est de Rosaire, il gagne bien chaque bouchée qu'il avale ici dedans.

— Ouais ! Comment ça se fait qu'il perd son temps à niaiser à l'école pendant que la boîte à bois est vide ? Tu trouves ça normal, toi, que ce soit moi qui sois obligé d'entrer le bois ?

Corinne fit un effort pour se calmer.

— Ce que j'essaye de te dire, c'est qu'on vit sur notre vieux gagné depuis plus qu'un mois. Je m'en fais parce que je sais pas comment on va faire pour rembourser ton père au mois de décembre. Comprends-tu ça ? En plus, on n'a pas payé depuis le commencement d'août notre compte chez Duquette. Je trouve que ça part bien mal l'hiver.

— De l'argent, on finit toujours par en avoir assez, dit Laurent, désinvolte, avant d'allumer sa pipe.

Durant un court instant, Corinne hésita à poser directement la question qu'elle s'était pourtant promis de ne pas poser pour ne pas inciter son mari à partir. Mais il fallait tout de même qu'un jour ou l'autre elle sache sur quel pied danser.

— En fin de compte, qu'est-ce que t'as l'intention de faire cet hiver? finit-elle par lui demander. Pars-tu pour le chantier ou bien tu restes ici pour bûcher?

— Je monte pas au chantier, déclara-t-il sur un ton sans appel. J'ai décidé de rester à Saint-Paul. C'est pas l'ouvrage qui manque.

— Comme ça, tu vas bûcher sur notre terre? fit sa femme, heureuse de savoir qu'il resterait à la maison.

— Pas juste ça.

— Qu'est-ce que tu vas faire?

— J'ai l'intention de travailler à bâtir l'hôtel jusqu'au mois de décembre. Quand ce sera fini, je vais bûcher sur notre terre.

— Je trouve que t'as une bien bonne idée, reconnut Corinne, soulagée. Ton père t'a-t-il dit combien il était pour te payer?

— Inquiète-toi pas pour ça, répondit-il pour la rassurer. Le père a les moyens de payer ses hommes.

Au même moment, le couple entendit des pas sur la galerie. La porte s'ouvrit un instant plus tard sur un Wilfrid Boucher au souffle passablement court.

— Vous êtes bien essoufflé, grand-père? demanda Corinne en tournant la tête vers lui.

— C'est parce que le vent vient de se lever. Ça, ma petite fille, ça aide pas un vieux comme moi à respirer.

———∞———

Cet après-midi-là, Gonzague Boisvert, engoncé dans son manteau d'hiver, vint immobiliser son boghei devant le bureau de l'avocat Aurèle Chapdelaine, rue Charlotte, à Sorel. Le cultivateur du rang Saint-André n'avait jamais eu tant l'air d'un grand corbeau avec son long manteau noir et son chapeau melon de la même couleur.

Une secrétaire le fit pénétrer sans attendre dans le bureau du candidat libéral défait aux dernières élections. L'homme de taille moyenne tout en rondeurs accueillit son visiteur avec une solide poignée de main avant de l'inviter à prendre place dans l'un des deux fauteuils en cuir disposés devant son bureau.

Gonzague scruta son vis-à-vis durant un court moment avant de se décider à prendre la parole. Il connaissait bien l'homme ambitieux et sans scrupules qui venait de s'asseoir devant lui. Ils se ressemblaient jusqu'à un certain point.

Il avait été l'un de ses plus zélés organisateurs dans le comté lors des élections provinciales de 1900. C'était pour cette raison qu'il avait mis beaucoup de temps à lui pardonner sa conduite du printemps précédent. Il avait considéré comme une traîtrise inqualifiable le fait que Chapdelaine lui fasse perdre son procès en ne se présentant pas en cour pour le défendre, comme il avait été entendu. Il avait fallu que certains hauts responsables du parti interviennent pour rétablir les ponts entre les deux hommes, et cette réconciliation n'avait été possible que par la promesse faite à Gonzague de lui obtenir un privilège, un jour ou l'autre.

Le cultivateur était venu rendre une visite à Aurèle Chapdelaine à la mi-août pour lui demander de lui obtenir un permis de vente d'alcool à Saint-Paul-des-Prés. Par la même occasion, il lui avait fait part de son intention de faire construire un hôtel et de se présenter à la mairie de la petite municipalité.

— Je sais que le maire a le droit d'accorder ou de refuser ce genre de permis, avait expliqué Gonzague Boisvert. Moi, je voudrais un permis que le maire peut pas m'ôter. Comme ça, si je perds mes élections, je risque pas de me faire enlever mon permis.

— Mais je suis sûr que vous allez être le prochain maire de Saint-Paul, avait déclaré l'avocat avec un bon gros rire.

— Vous m'avez pas compris, avait repris le cultivateur avec une certaine impatience. Mon hôtel, je veux commencer à le faire construire cet automne. Les élections municipales, ça va se faire le 15 novembre. Il y a rien qui dit que je vais gagner ces élections-là. Moi, j'ai pas le goût pantoute de dépenser de l'argent dans un hôtel si je suis pas sûr d'avoir un permis de vendre de la boisson. Vendre de la boisson, c'est ça qui rapporte le plus. Vous le savez comme moi que le curé de la paroisse va tout faire pour m'empêcher de l'avoir.

— Je comprends, avait affirmé le politicien.

— Ça fait que je veux un permis solide.

— Vous pouvez compter sur moi, monsieur Boisvert, avait-il promis.

— Plus que la dernière fois, j'espère, avait répliqué Gonzague, rancunier.

— Certain.

Pour une fois, l'homme politique ne s'était pas fait tirer l'oreille. Il avait tenu promesse. Quelques jours plus tôt, Gonzague avait reçu une lettre de l'avocat lui demandant de passer à son bureau de Sorel. Il avait une excellente nouvelle pour lui.

— Monsieur Boisvert, j'ai tout un cadeau pour vous, déclara Aurèle Chapdelaine avec un large sourire en l'accueillant dans son bureau.

— Ah oui ? fit le visiteur, sceptique.

— Ça, ce que je vous donne là, c'est un permis spécial accordé par le premier ministre Parent en personne, déclara Chapdelaine en lui tendant une large enveloppe brune. Il y a personne dans la province qui va être capable de vous l'enlever, je vous le garantis. C'est moi-même qui suis allé plaider votre cause au bureau du premier ministre et j'ai dû le persuader que vous étiez un vrai libéral et un homme important pour notre parti dans le comté.

— Je suis ben content, consentit à dire Gonzague avec un mince sourire.

— Vous connaissez les chiffres que la gazette officielle a publiés l'année passée, monsieur Boisvert?

— Non, reconnut le cultivateur.

— La province compte plus qu'un million et demi d'habitants. On a fait faire des études qui disent que les femmes vivent, en moyenne, quarante-huit ans et les hommes, quarante-cinq ans. Qu'un homme de plus de soixante ans se lance en affaires, c'est bon signe et ça mérite d'être encouragé. C'est ce que j'ai dit au premier ministre.

Gonzague remercia Aurèle Chapdelaine d'être intervenu en sa faveur, même s'il ne croyait qu'à moitié ce qu'il lui avait raconté. Il prit congé du politicien et rentra à Saint-Paul-des-Prés sous une petite neige folle poussée par un fort vent. Même s'il était un peu transi, le futur hôtelier ne s'arrêta pas à la maison et poursuivit son chemin jusqu'au chantier pour voir si les travaux avaient progressé durant la journée.

Lorsqu'il aperçut Laurent debout aux côtés de l'un des frères Lavigne, il s'approcha des deux hommes pour apprendre que les six ouvriers termineraient probablement en fin de journée la construction du solage. Il fit un signe appréciateur de la tête et allait se retirer quand son fils cadet lui fit signe qu'il voulait lui dire deux mots.

— Qu'est-ce qu'il y a? lui demanda-t-il.

— Ben, je voulais vous dire, p'pa, que j'ai décidé de pas monter au chantier cet hiver. J'ai pensé que vous pourriez peut-être me donner de l'ouvrage ici.

— Parles-en aux Lavigne. S'ils ont de l'ouvrage pour toi, je suis d'accord.

Sur ce, son père quitta le chantier et rentra chez lui sans dire un mot du permis de vente d'alcool qu'il avait enfoui dans l'une des grandes poches de son paletot d'hiver.

De retour à la maison, il s'empressa de déposer le document dans son secrétaire qu'il verrouilla soigneusement avant de changer de vêtements pour aller aider Henri à faire le train.

—⟊—

Dès le lendemain, une nouvelle routine s'installa chez les Boisvert. La veille au soir, à table, Laurent avait annoncé qu'il travaillerait régulièrement au chantier de l'hôtel à compter du jour suivant. Il fut alors entendu qu'il se chargerait du train du matin avec Rosaire, mais que Corinne se débrouillerait avec l'adolescent pour faire celui du soir parce qu'il ne reviendrait à la maison qu'à l'heure du souper. Le matin, il laisserait le lait à la fromagerie du village, si besoin était.

Sa femme fut si satisfaite de constater qu'il allait rapporter un salaire au lieu de se balader entre la maison et le village qu'elle n'éleva aucune protestation.

C'est ce jour-là que le policier Rochette et un confrère vinrent frapper à sa porte à la fin de l'après-midi, au moment où Rosaire venait de rentrer de l'école.

Quand Corinne alla ouvrir aux deux hommes, Rosaire monta à l'étage changer de vêtements pour être prêt à l'aider à faire le train.

— Bonjour, madame, vous me reconnaissez ? demanda le policier à la figure ronde barrée par une épaisse moustache.

— Ou… oui, fit Corinne, d'une voix un peu hésitante.

— Inspecteur Rochette, et voici mon collègue, l'inspecteur Étienne Brûlé, de la Police provinciale. Est-ce qu'on peut vous dire deux mots ?

— Bien sûr, fit Corinne en invitant les deux policiers à entrer dans la maison.

Les deux hommes saluèrent Wilfrid Boucher qui n'avait pas bougé de sa chaise berçante et déboutonnèrent leur lourd manteau de drap avant d'accepter les sièges que leur proposait leur hôtesse.

— Avant de fermer le dossier de l'enquête sur la mort d'Antoine Meunier qu'on a retrouvé sur votre terre... commença Armand Rochette.

— Qui avez-vous dit ? fit Corinne, surprise.

— Ah oui, se reprit le policier, c'est le nom de celui que vous appeliez Mitaines à Saint-Paul.

— Ah bon !

— Je disais donc qu'avant de fermer le dossier, je voulais être bien sûr que vous vous rappeliez pas de quelque chose que vous auriez pu oublier de nous dire quand on est venus vous voir après la découverte du corps chez vous.

La jeune femme prit un instant de réflexion avant de déclarer d'une voix assurée :

— Non, je pense bien vous avoir tout dit. Vous savez, c'est ni moi ni mon mari qui avons trouvé le corps.

— Moi, j'ai rien vu de tout ça, intervint Wilfrid.

— C'est Rosaire, le garçon que nous gardons en élève qui a trouvé Mitaines en premier.

— Ah oui ! fit Rochette en jetant un regard entendu à son collègue. Et où est-ce qu'on peut le trouver, ce Rosaire-là ?

— Mais ici, fit Corinne. Il est en train de se changer en haut.

— On aimerait bien lui dire deux mots, dit enfin l'autre policier dont la jeune femme n'avait pas encore entendu le son de la voix.

Corinne alla se planter au pied de l'escalier qui menait à l'étage et héla Rosaire qui apparut presque immédiatement sur le palier.

— Ce sont des policiers, dit-elle à l'adolescent. Ils aimeraient te dire deux mots.

Rosaire pâlit à un tel point que Corinne s'en aperçut et chercha immédiatement à le rassurer.

— T'as pas à t'inquiéter, lui dit-elle. Ils t'accusent pas d'avoir fait quelque chose de mal. Ils veulent juste des informations.

— C'est en plein ça, madame, renchérit Étienne Brûlé en examinant le garçon.

— Ben, je m'en allais commencer le train, dit Rosaire d'une voix hésitante.

— C'est parfait, on va sortir avec toi. On a juste une ou deux questions à te poser.

Sur ce, Rosaire endossa son vieux manteau, chaussa ses bottes et précéda les deux policiers à l'extérieur. Wilfrid et Corinne s'empressèrent d'aller à la fenêtre qui donnait sur la cour pour voir ce qui s'y passait. Ils virent les deux policiers parler assez longuement à Rosaire et prendre quelques notes avant de le laisser aller vers l'étable, au fond de la cour.

Les deux policiers montèrent dans leur boghei et quittèrent les lieux, non sans avoir salué de la main Corinne et grand-père Boucher, restés à la fenêtre pour observer la scène.

Quand Laurent rentra à la maison bien après le coucher du soleil, sa femme lui raconta la visite des deux policiers. Par chance, la jeune femme lui tournait le dos pendant son récit, sinon elle n'aurait pas manqué de remarquer à quel point son mari avait pâli en apprenant que les policiers avaient soumis Rosaire à un interrogatoire.

— T'aurais pas dû les laisser l'interroger tout seul, la blâma-t-il sèchement.

— Pourquoi ? On n'a rien à cacher, protesta-t-elle.

— Ça fait rien, reprit son mari. Ils sont ben capables de lui faire dire ce qu'ils veulent.

— Rosaire est pas stupide, tu sauras, dit-elle en prenant instinctivement la défense du garçon. Il est pas bête au point d'inventer des affaires pour se rendre intéressant.

— Qu'est-ce qu'ils te voulaient? demanda Laurent à l'adolescent.

— Ils voulaient savoir tout ce que j'avais vu quand j'ai trouvé Mitaines.

— Et qu'est-ce que tu leur as répondu? demanda Laurent, la voix légèrement altérée.

— Ce que j'ai vu, monsieur Boisvert.

Laurent aurait donné beaucoup pour savoir si l'orphelin avait mentionné avoir vu le sac et ce qu'il contenait, mais en faire état n'aurait fait que mettre la puce à l'oreille de sa femme.

— En tout cas, j'espère que c'est la dernière fois qu'ils viennent nous déranger avec cette affaire-là, dit-il, irrité. Il y a tout de même des limites à déranger le monde, ajouta-t-il en s'approchant de la table pour souper.

—∞—

Le samedi suivant, Corinne vit revenir son mari à la maison un peu après quatre heures.

— Les Lavigne sont corrects, dit-il à sa femme. Ils nous lâchent à quatre heures le samedi après-midi. Ça fait que laisse faire le train, je vais aller le faire à ta place. Où est passé l'autre? demanda-t-il.

— Si tu parles de Rosaire, il est en train de nettoyer l'étable. Il a pas arrêté de travailler de la journée, si tu veux le savoir, ajouta-t-elle sur un ton vindicatif.

— C'est correct, prépare le souper de bonne heure. J'ai affaire à sortir.

Sur ces mots, il quitta la maison et se dirigea vers le poulailler d'où il sortit moins d'une minute plus tard après avoir enfoui dans l'une de ses poches deux dollars tirés du magot.

Il revint à la maison moins de dix minutes plus tard en affichant une meilleure humeur.

— Mon Dieu! Mais vous avez fait ça bien vite! s'exclama Corinne en les voyant retirer leurs bottes et leur manteau.

— Il avait presque fini quand je suis arrivé, se contenta de dire son mari avant de prendre un bol à main dans lequel il versa de l'eau chaude.

Il s'installa devant le miroir au-dessus de l'évier et, à la lueur d'une lampe à huile, entreprit de se raser soigneusement avant de se laver. Après le souper, il s'esquiva un court moment dans la chambre d'où il sortit tout endimanché.

— Va m'atteler Satan, ordonna-t-il à Rosaire en finissant de se préparer.

— Tu vas trouver ça pas mal plus commode quand ton père va ouvrir son hôtel au village, ne put s'empêcher de lui faire remarquer sa femme. Ça va te faire pas mal moins loin à aller.

— On verra ça, se contenta-t-il de dire en remplissant sa blague avec du tabac que grand-père Boucher avait haché durant l'après-midi.

— As-tu été payé par monsieur Lavigne?

— C'est pas lui qui me paye, c'est mon père, laissa-t-il tomber.

— Est-ce qu'il t'a donné ton salaire?

— Il va faire ça plus tard, dit-il, agacé. Il était pas là aujourd'hui.

— Bon.

— Il a dû passer la journée à faire le tour des rangs pour parler au monde. Les élections, c'est jeudi prochain. Il s'occupe de ses affaires.

Laurent ne dit pas un mot de sa surprise quand il avait appris de la bouche même d'Ernest Lavigne, à la fin de la journée, que ce n'était pas à lui à le payer, mais à son père, parce que c'était lui qui l'avait engagé. Par conséquent, il avait été le seul à ne pas toucher son salaire.

Corinne ne trouva rien à redire et regarda son mari allumer le fanal qu'il allait suspendre à l'avant de sa voiture avant de prendre la route.

— Il commence à neiger un peu, dit Rosaire en rentrant.

— Ça va faire du bien, dit Corinne en faisant un effort pour recouvrer sa bonne humeur. L'année passée, à ce temps-ci, on avait déjà un bon pied de neige. Là, on n'en a même pas un pouce.

—⁓—

La jeune mère de famille passa une très mauvaise nuit parce que Philippe ne cessa de la réveiller. Depuis quelques jours, ses premières dents faisaient souffrir l'enfant et elle devait souvent lui frictionner les gencives avec du clou de girofle pour atténuer ses douleurs.

Vers deux heures, elle dut se lever pour soigner son fils. Dans son lit, la place à côté d'elle était vide. Son mari n'était pas encore rentré.

— Qu'est-ce qu'il peut bien faire à traîner dehors à des heures pareilles? dit-elle à mi-voix en allant prendre Philippe dans ses bras pour faire cesser ses pleurs.

Elle sortit de la chambre et jeta une bûche dans le poêle avant de se mettre à bercer son enfant dans le noir pour le rendormir. Au moment où son bébé se rendormait, elle entendit passer la voiture près de la maison. Quelques instants plus tard, Laurent entra dans la cuisine d'un pas incertain en marmonnant. Il enleva son manteau et ses bottes et prit la direction de la chambre sans se rendre compte le moins du monde de la présence de sa femme dans le noir.

Elle entendit le lit gémir sous son poids quand il s'y laissa tomber. L'enfant se plaignit doucement dans ses bras et elle se remit à le bercer. Il lui fallut un long moment avant de parvenir à le rendormir. Philippe la réveilla à deux autres reprises durant la nuit.

Elle se leva péniblement à six heures, encore une fois en proie à ses nausées matinales. Après la visite habituelle aux toilettes, elle cria à Rosaire de se lever pour venir l'aider à faire le train parce qu'il était bien évident que son mari ne serait pas en état d'aller s'occuper des animaux après être rentré si tard. Elle ne voulait même pas penser à son humeur quand elle devrait le réveiller pour assister à la grand-messe. Sans attendre la réponse de l'adolescent, elle se rendit dans l'armoire d'où elle tira un petit paquet.

Rosaire vint la rejoindre, à moitié endormi, cherchant à remettre de l'ordre du bout des doigts dans sa chevelure. Dès qu'il posa le pied dans la cuisine, la jeune femme l'attira à elle pour déposer un baiser sonore sur chacune de ses joues en gardant une main derrière son dos.

— Bonne fête, Rosaire, lui souhaita-t-elle avec un entrain qu'elle était loin d'éprouver.

Elle lui tendit le paquet qu'elle dissimulait derrière son dos. Rouge de confusion, l'adolescent lui demanda :

— Comment ça se fait que tu te souviennes de la date de ma fête ?

— Aïe ! jeune homme, je suis peut-être vieille, mais j'ai encore de la mémoire, dit-elle en souriant.

L'orphelin déballa le porte-plume et la bouteille d'encre que Corinne lui avait achetés chez Duquette. Ému, il la remercia. Après un début difficile, Rosaire semblait s'être adapté aisément à Blandine Leclerc. La jeune institutrice était autrement plus patiente que ne l'était Mance Proulx qu'il n'avait pas particulièrement aimée l'année précédente.

— Va laver le bidon de lait. Je te rejoins dans cinq minutes, lui ordonna Corinne. Je vais réveiller grand-père pour qu'il ait le temps de se préparer pour la basse-messe. Tu sais comment il aime pas ça avoir à se dépêcher le matin.

Rosaire prit le fanal et sortit pendant que Corinne, tenant une lampe à huile, montait à l'étage pour réveiller Wilfrid Boucher.

— Grand-père, vous levez-vous ? demanda-t-elle après avoir frappé à la porte de la chambre du vieillard.

Il n'y eut pas de réponse.

— Grand-père ! Rosaire est déjà parti faire le train. Si vous vous levez pas, vous serez pas prêt à temps pour la messe, insista-t-elle.

Fait curieux, Wilfrid Boucher ne répondait pas, lui qui avait un sommeil si léger habituellement. Corinne se décida à pousser la porte et leva sa lampe pour mieux voir. Grand-père Boucher était couché sur le dos et semblait dormir paisiblement.

— Grand-père, vous levez-vous ? répéta-t-elle.

Le vieil homme ne bougea pas. Corinne prit peur et s'avança vers le grand-père de son mari. Par un effort extraordinaire de volonté, elle tendit la main et toucha le visage du dormeur. Il était aussi froid que du marbre.

— Grand-père ! Grand-père ! cria-t-elle en le secouant par une épaule, réveillez-vous !

Aucune réaction.

Affolée, Corinne sortit précipitamment de la pièce et descendit au rez-de-chaussée. Au moment où elle ouvrait la porte de sa chambre pour prévenir son mari, ce dernier, assis dans leur lit, s'écria, furieux :

— Veux-tu ben me dire ce que t'as à crier comme une maudite folle à matin ?

Ces éclats de voix avaient réveillé Philippe qui se mit à geindre dans son lit.

— Viens voir ! cria-t-elle, au bord de la panique, à son mari. Je pense que ton grand-père est mort ! Dépêche-toi.

— Whow, sacrement! répliqua Laurent sur le même ton, sans la moindre trace d'émotion. S'il est mort, il risque pas de partir tout seul. Tu vas me donner le temps de m'habiller. En attendant, arrange-toi donc pour empêcher le petit de crier comme un perdu. La tête me fend.

Pendant que son mari s'habillait avec une lenteur désespérante, Corinne alla installer Philippe dans sa chaise haute et lui donna un croûton à mordiller.

— Bon, où est-ce qu'il est? lui demanda son mari en sortant de la chambre, les bretelles battant sur ses cuisses.

— En haut, dans sa chambre, répondit-elle.

— Prends ton miroir, lui ordonna-t-il avant de se mettre à monter à l'étage.

Corinne le rejoignit sur le palier avec sa lampe. Son mari lui prit le miroir des mains et s'avança vers son grand-père.

— Il a l'air de dormir, chuchota-t-elle, en contrôlant du mieux qu'elle pouvait les tremblements de sa voix.

— Il va dormir longtemps, se contenta de dire Laurent en regardant le miroir qu'il venait de tendre devant la bouche de Wilfrid. Il est ben mort.

Corinne se mit à pleurer en posant une main sur la main noueuse et veinée du vieil homme.

— C'est pas possible qu'il soit parti si vite, dit-elle entre deux hoquets. Hier encore, il a joué aux cartes avec Rosaire une bonne partie de la veillée.

— On peut au moins dire qu'il a eu une belle mort, finit par déclarer Laurent. À voir son visage, on voit ben qu'il a pas souffert. Il est mort comme un poulet.

— Qu'est-ce qu'on va faire? lui demanda-t-elle.

— On va le laisser ici dedans pour tout de suite. Je vais atteler et aller voir mon père pour lui dire qu'il est mort et pour lui demander ce qu'on va faire avec lui.

— Ce qu'on va faire avec lui? demanda Corinne, intriguée. Comment ça?

— Voyons, réveille-toi un peu, la réprimanda son mari dont le front était barré par une ride profonde, comme lorsqu'il était en proie à une pénible migraine. As-tu pensé qu'on peut être poignés pour payer le docteur, l'entrepreneur de pompes funèbres, le cercueil et le service ? On n'a pas les moyens pantoute de payer tout ça. Ça fait que je vais demander à mon père s'il voudrait pas l'exposer chez eux. Après tout, c'est son beau-père. Il me semble qu'on a fait notre grosse part en le gardant presque un an.

— J'aurais mieux aimé qu'on l'expose dans notre salon. Après tout, c'est dans notre maison qu'il a fini sa vie, lui fit remarquer Corinne en se remettant à pleurer.

— Arrête de brailler comme un veau, lui ordonna Laurent, agacé. Sers-toi de ta tête, sacrement! Si tu t'étais pas mêlée d'aller le chercher à l'hospice l'hiver passé, on serait pas poignés avec tous ces troubles-là.

La jeune femme ne répliqua pas. Quand son mari se dirigea vers la porte, elle se borna à lui dire de ne pas annoncer la mauvaise nouvelle à Rosaire. Elle préférait s'en charger.

Pendant un bref moment, elle hésita entre rejoindre l'orphelin dans l'étable pour l'aider à faire le train ou demeurer à la maison. Puis elle se rendit compte que le départ du grand-père allait changer bien des choses. Le temps où elle lui confiait Philippe pour vaquer à certains travaux autour de la maison était définitivement terminé.

Elle s'essuya les yeux, alla chercher deux cierges dans l'un des tiroirs de sa table de chevet, les alluma et les disposa de chaque côté du lit où reposait le mort.

Le jour se levait timidement en ce dimanche de novembre. Elle écarta doucement les rideaux pour regarder le paysage couvert d'une mince pellicule de neige. Le toit de la maison et des bâtiments des Rocheleau étaient blanchis par le frimas. Il n'y avait qu'une barre à l'horizon. Le ciel était chargé de lourds nuages noirs. Ce temps sombre allait parfaitement avec les sentiments qui avaient envahi le cœur de la jeune femme.

Le bruit d'une porte claquant au rez-de-chaussée la tira de ses pensées chagrines. Elle se secoua et se rappela que Philippe était seul dans la cuisine depuis un bon moment. Elle descendit et vit Rosaire en train de retirer ses bottes.

— T'es pas venue ? lui demanda-t-il, sans la moindre nuance de reproche dans la voix.

L'adolescent n'attendit pas qu'elle lui ait répondu avant de poursuivre.

— Est-ce que monsieur Boisvert est déjà parti à la messe ?

— Non, finit par répondre Corinne après une courte hésitation. Écoute, Rosaire, j'ai une mauvaise nouvelle à t'annoncer, poursuivit-elle, la voix un peu tremblante.

— Quoi ? Qu'est-ce que j'ai fait de pas correct ? demanda Rosaire, soudainement inquiet.

— Rien, rien pantoute. La mauvaise nouvelle, c'est grand-père Boucher.

— Hein !

— Il est mort pendant la nuit sans que personne s'en rende compte. Il a pas souffert.

Les yeux de Rosaire se remplirent de larmes et il chercha à les dissimuler en détournant la tête. Wilfrid Boucher avait représenté pour lui le grand-père qu'il n'avait jamais connu. Corinne lui laissa quelques instants pour se reprendre et se faire à l'idée avant de l'entraîner à l'étage voir le disparu.

— On va dire une dizaine de chapelet pour lui, dit-elle en s'agenouillant au chevet du vieil homme.

Rosaire s'agenouilla à ses côtés et entreprit la récitation du chapelet en ne quittant pas des yeux le visage du vieil homme qui luisait dans la pénombre.

Laurent, de fort mauvaise humeur, ne rentra à la maison qu'au milieu de l'avant-midi, trop tard pour songer à aller à l'une ou l'autre des deux messes dominicales.

— Puis? lui demanda Corinne dès qu'il eut refermé la porte derrière lui.

— Tu vas d'abord me donner le temps d'ôter mon manteau, répondit-il. Prépare-moi quelque chose à manger, j'ai rien dans le corps depuis hier soir.

Sa femme lui servit deux œufs après avoir déposé une miche de pain sur la table. La mine sombre, son mari avala son déjeuner sans dire un mot.

— Où est l'autre? demanda-t-il finalement sur un ton rogue.

— À l'étable, il est parti nettoyer. Qu'est-ce que ton père a décidé?

— Mon père dit que ça le regarde pas pantoute. D'après lui, il doit rien au père de ma mère. Il dit qu'on a juste à se débrouiller avec lui et que c'est notre faute si on est poignés avec lui aujourd'hui.

— Ça, c'est bien ton père tout craché, fit Corinne, amère. Toujours là pour aider les autres, pas vrai?

— Il a pas tort, laissa tomber son mari.

— Bon, à ce que je vois, il va falloir s'organiser tout seuls, fit Corinne en se mettant à desservir la table. On n'a pas le choix. En attendant, j'ai fait la toilette de ton grand-père et j'ai sorti son habit du dimanche et sa meilleure chemise.

— Christ, qu'on n'est pas chanceux! jura Laurent en se levant. J'ai pas dételé. Je vais passer au presbytère avant d'avertir le nouveau petit docteur et aller à Yamaska chez Giroux pour le cercueil.

— C'est correct. En passant, est-ce que ça te tenterait pas d'arrêter chez Duquette pour téléphoner à ta sœur Juliette à Montréal? Elle aimait bien gros ton grand-père. En même temps, tu pourrais appeler ton frère Raymond à Sorel. Il pourrait se charger d'avertir tes cousins. Qu'est-ce que t'en penses?

— Ouais, accepta Laurent, c'est peut-être pas une mauvaise idée. S'il y a quelqu'un capable de nous aider à payer, c'est ben elle et Raymond. Juste payer le lot au cimetière nous donnerait un coup de main.

— Comment ça, le lot au cimetière ? lui demanda sa femme, surprise. Les Boisvert ont pas un lot ?

— Ben oui, on en a un, mais le père veut rien savoir que mon grand-père soit enterré dans notre lot. Il dit qu'il est déjà assez plein comme ça.

Corinne se retint de justesse pour ne pas laisser éclater sa colère contre son beau-père.

— Pendant que tu vas être parti, je vais préparer le salon avec Rosaire.

Au début de l'après-midi, le docteur Précourt arriva à la maison quelques minutes à peine avant l'abbé Nadon. Par une journée aussi froide, le médecin avait abandonné sa bicyclette pour un boghei. Il ne resta qu'un instant en présence de Wilfrid Boucher avant de descendre au rez-de-chaussée et de s'asseoir à table pour rédiger le certificat de décès.

Lorsqu'il offrit ses condoléances à Corinne, cette dernière fut aussi surprise par la petite voix de tête du praticien qu'elle l'avait été en apercevant les verres épais de ses lunettes. Avant de partir, Adrien Précourt regarda attentivement la jeune femme qui lui tendait son manteau.

— Est-ce que vous allez bien, madame ? lui demanda-t-il.

— Oui.

— Je vous trouve bien pâle.

— Je suis en famille, avoua-t-elle en baissant la voix pour ne pas être entendue par Rosaire en train de repousser les meubles du salon. J'ai eu mal au cœur tous les matins pendant le dernier mois, mais depuis deux jours, ça va pas mal mieux.

— Je vois, fit le médecin. Tenez, dit-il en lui tendant une bouteille qu'il venait de tirer de sa trousse. C'est un fortifiant. Ça va vous faire du bien.

— C'est que… commença à dire la jeune femme, embarrassée.

— Non, je vous le donne, se défendit Adrien Précourt. Vous allez voir que ça va vous faire vraiment du bien.

Sur ce, le médecin sortit. Il croisa le vicaire qui venait de descendre de voiture. Les deux hommes se saluèrent et le jeune prêtre pénétra dans la maison. Après l'avoir aidé à retirer son manteau, Corinne précéda Jérôme Nadon à l'étage et assista, à genoux au pied du lit, à l'imposition de l'extrême-onction donnée au vieillard. Ensuite, le prêtre retira son étole et rangea les huiles saintes avant de s'agenouiller à son tour et de prier pour la personne défunte.

Un peu après deux heures, Laurent revint en compagnie d'Onésime Giroux. Il l'aida à transporter un cercueil dans la maison et les deux hommes montèrent à l'étage. Le maître de la maison descendit un instant plus tard et alla chercher deux tréteaux et un drap noir dans la voiture de Giroux. Il alla installer le tout au fond du salon avant de revenir dans la cuisine où il se laissa tomber sur sa chaise berçante après avoir enlevé son manteau. Il avait l'air fatigué.

— Donne-moi une tasse de thé, demanda-t-il à sa femme après avoir jeté un regard dépourvu d'aménité à l'orphelin qui venait de déposer des bûches dans la boîte à bois placée près du poêle. Je suis venu à bout de joindre Juliette. Elle va arriver par le train après le souper. Il va falloir que j'aille la chercher.

— Ton frère Henri aurait bien pu le faire, lui fit remarquer sa femme.

Laurent ne releva pas la remarque.

— Ça répondait pas chez Raymond, et pour mes cousins de Sorel, je vois pas comment je peux les avertir, reprit

Laurent. J'ai pas le temps et j'ai pas le goût d'aller courir à Sorel.

— Qu'est-ce qui a été décidé pour les funérailles ?

— Le curé Bilodeau m'a dit qu'il était pour chanter le service mardi matin, à neuf heures. Pas nécessaire de te dire que j'ai été reçu comme un chien dans un jeu de quilles quand il s'est aperçu qu'il avait affaire à un Boisvert, précisa-t-il.

Sur ce, l'entrepreneur de pompes funèbres apparut sur la dernière marche de l'escalier pour prévenir qu'il avait fini d'habiller le défunt et qu'il était prêt à transporter la bière au salon. Un peu plus tard, les deux hommes descendirent avec difficulté le corps de Wilfrid Boucher étendu dans un humble cercueil de pin qu'ils déposèrent sur les tréteaux. Giroux retourna à l'étage chercher le couvercle qu'il glissa derrière le drap noir. Corinne n'en revenait pas de constater à quel point le vieil homme avait l'air petit dans son cercueil. Elle alla chercher les cierges dans la chambre et elle en profita pour rapporter un chapelet qu'elle enroula doucement autour des mains du défunt.

— Je reviendrai mardi matin, un peu après huit heures, dit Onésime Giroux après avoir renouvelé ses condoléances au jeune couple.

Après son départ, Corinne envoya Rosaire prévenir les Rocheleau et Jocelyn Jutras du décès du grand-père de son mari. L'obscurité s'installait déjà au moment où les premiers flocons de neige se mirent à tomber.

— Je vais aller coucher le petit dans son lit, dit Corinne à son mari après le retour de l'orphelin. Va t'étendre une heure pendant que Rosaire et moi, on va faire le train.

Laurent ne se fit pas prier. Après avoir allumé un fanal, sa femme endossa son manteau et quitta la maison en direction de l'étable où Rosaire la rejoignit quelques minutes plus tard. Quand tous les deux sortirent du bâtiment après avoir trait les vaches et les avoir nourries, le vent s'était levé et la neige s'était intensifiée au point qu'il était difficile de voir jusqu'à la route. Pendant que Corinne allait nourrir les poules, l'adolescent fit de même avec les porcs et le cheval. Aveuglés par les flocons de neige qui tombaient presque horizontalement, poussés par le vent, ils rentrèrent à la maison. Philippe pleurait dans son petit lit, mais, à première vue, il n'était pas parvenu à réveiller son père. La jeune mère s'empressa d'aller le chercher.

— Tiens, berce-le pendant que je fais réchauffer la soupe, dit-elle à Rosaire en lui tendant l'enfant.

Lorsque la table fut mise, elle alla réveiller son mari. On mangea en silence. Chacun était conscient de la vague lueur des cierges allumés dans le salon, aux deux extrémités du cercueil dans lequel reposait Wilfrid Boucher.

— J'ai bien peur que t'aies pas mal de misère à aller chercher ta sœur à la gare de Yamaska, dit Corinne en versant une tasse de thé bouillant à son mari. Il neige de plus en plus fort.

— Elle, j'aurais pu me passer d'avoir à aller la chercher, fit-il avec mauvaise humeur.

— En tout cas, j'ai l'impression que tu vas être obligé de sortir la *sleigh*, poursuivit sa femme en jetant un regard par l'une des fenêtres.

— Va m'atteler Satan à la *sleigh*, ordonna sèchement Laurent à Rosaire, et regarde ben s'il y a rien qui traîne qui empêcherait de la sortir de la remise.

L'adolescent quitta la table et sortit après s'être bien emmitouflé, sur les recommandations de Corinne.

— Pendant que tu vas être parti, je vais préparer un peu de manger pour la visite et je vais préparer une chambre pour Juliette, annonça-t-elle à son mari.

— Qu'est-ce qui te dit qu'elle aimera pas mieux aller coucher chez mon père ? lui demanda son mari en se levant de table.

— Je suis sûre qu'elle va aimer mieux rester ici dedans, répondit Corinne, pleine d'assurance.

Corinne demeura plantée devant la fenêtre aussi long-temps qu'elle ne vit pas la *sleigh* quitter la cour. Un instant plus tard, Rosaire pénétra dans la maison, couvert de neige et les bras chargés de bûches qu'il laissa tomber dans la boîte à bois.

— Pauvre Rosaire, le plaignit Corinne. Tu dois être gelé sans bon sens.

— Il neige encore plus fort que tout à l'heure, se borna à dire l'orphelin en retournant chercher d'autres bûches.

À son retour, Corinne avait entrepris de laver la vaisselle. Quand Rosaire lui demanda ce qu'elle désirait qu'il fasse, elle lui répondit :

— Là, t'en as assez fait pour aujourd'hui. Tu vas te repo-ser un peu. Tu peux monter à ta chambre comme tu peux aller prier pour grand-père dans le salon. J'ai allumé deux lampes tout à l'heure.

L'adolescent se glissa dans la pièce voisine et prit place sur l'une des chaises placées à faible distance du cercueil.

Un peu avant sept heures, on frappa à la porte. Corinne découvrit sur le seuil Marie-Claire Rocheleau et Madeleine, son aînée.

— Seigneur ! s'exclama la voisine. Il tombe de la neige comme si c'était la fin du monde. On voit même pas à dix pas en avant de nous autres.

— T'aurais pas dû prendre le chemin quand il fait aussi mauvais, lui dit Corinne, reconnaissante d'avoir de la compagnie dans les circonstances. Vous êtes bien fines de vous être dérangées.

La voisine et sa fille de quinze ans l'embrassèrent à tour de rôle pour lui exprimer leur sympathie. Chez les Rocheleau, on savait à quel point elle était attachée au vieil homme qui venait de mourir.

— Je suis venue avec Madeleine pour te donner un coup de main à préparer à manger, annonça Marie-Claire en retirant son manteau. Dans des circonstances comme ça, on sait plus trop où donner de la tête. Il faudrait être partout à la fois.

La mère et la fille vinrent réciter une courte prière près du corps avant de se retirer dans la cuisine.

— Pour moi, il y aura pas grand monde qui vont venir, fit Corinne. Le pauvre vieux avait presque pas de famille.

— Il y avait tout de même ton beau-père et les frères et la sœur de ton mari, lui fit remarquer la voisine en commençant à préparer un gâteau pendant que sa fille tranchait du pain.

— Ah! C'est une bien drôle de famille, se borna à dire la maîtresse de maison.

Un peu plus tard, Rosaire vint rejoindre les femmes dans la cuisine. Silencieux, il s'assit près du poêle en ne quittant guère des yeux Madeleine Rocheleau. Cependant, chaque fois que l'adolescente tournait la tête vers lui, il s'empressait de regarder ailleurs. Corinne se rendit compte du manège avec un léger sourire.

Les femmes venaient à peine de terminer de faire à manger que des pas se firent entendre sur la galerie.

— Va ouvrir, Rosaire, lui demanda Corinne.

L'orphelin alla ouvrir la porte à Jocelyn Jutras et à Conrad Rocheleau transformés en bonshommes de neige. Le vent s'engouffra dans la cuisine d'été en hurlant et en projetant de la neige.

— Mon Dieu! s'exclama Corinne, ça a pas l'air à se calmer dehors.

— Pantoute, laissa tomber Conrad en suspendant son manteau à l'un des crochets fixés au mur, derrière la porte. Je suis tombé sur Jocelyn par pur hasard. Il marchait dix pas en avant de moi et je l'ai jamais vu.

398

— On voit ni ciel ni terre, renchérit Jocelyn.

— Pauvre Laurent qui est sur le chemin, dit Corinne. J'espère qu'il aura pas trop de misère à revenir.

Les deux hommes s'empressèrent d'aller prier au corps. Jocelyn semblait particulièrement peiné par la disparition du vieil homme qu'il avait pris en affection dès son arrivée à Saint-Paul-des-Prés. Cet attachement s'était sensiblement renforcé durant les derniers mois parce que Wilfrid avait pris l'habitude d'aller passer quelques heures en sa compagnie à trois ou quatre reprises chaque semaine. Bref, le célibataire paraissait éprouver plus de chagrin que le propre petit-fils du disparu.

— Pour moi, on verra pas monsieur le curé ou le vicaire venir prier au corps à soir, il fait ben trop mauvais, déclara Conrad en quittant le salon pour aller allumer sa pipe dans la cuisine.

À peine venait-il de parler que des bruits de grelots se firent entendre à l'extérieur. Aussitôt, Rosaire se leva et alla voir qui étaient les visiteurs. Quand il se rendit compte qu'il s'agissait de Laurent et de sa sœur, il se précipita sur son manteau et ses bottes pour aller s'occuper du cheval.

— Amène la *sleigh* au ras de l'écurie, entendit-on le maître des lieux lui crier, et donne à manger à Satan après l'avoir dételé.

Corinne s'empressa d'aller ouvrir la porte de communication et elle arriva juste à temps pour voir entrer son mari et Juliette.

— Enfin ! s'écria-t-elle. Là, je commençais à être pas mal inquiète de pas vous voir arriver.

Juliette laissa tomber son maigre bagage pour serrer contre elle sa belle-sœur préférée.

— Mon Dieu que ça fait longtemps qu'on s'est vues ! s'exclama-t-elle, heureuse de revoir Corinne. C'était un peu avant ta fête, je pense bien.

La grande et forte femme enleva son manteau et ses bottes et suivit Corinne au salon où elle retrouva les Rocheleau et son ami, Jocelyn Jutras. À la vue de ce dernier, son visage s'éclaira et elle l'embrassa sur les deux joues. Ensuite, elle alla s'agenouiller devant le cercueil de son grand-père pour prier un court moment. Jocelyn et Conrad quittèrent silencieusement la pièce pour aller retrouver Laurent en train de se réchauffer les mains au-dessus du poêle.

L'hôte sortit une bouteille de caribou et offrit une tournée aux hommes.

— J'ai ben cru que j'arriverais jamais, dit-il en rebouchant la bouteille.

— C'est vrai qu'il doit y avoir encore personne qui a balisé son bout de chemin avec des branches de sapinage, déclara Conrad.

— Remarque que ça aurait pas fait une grosse différence, lui répondit son jeune voisin. Il neige tellement qu'on voit même pas les piquets de clôture. Je te le dis, ça a tout pris pour rester dans le chemin.

Lorsque Rosaire rentra dans la maison, il hésita un bref moment sur l'endroit où il devait se tenir. Devait-il demeurer avec les hommes dans la cuisine ou avec les femmes, au salon ? Finalement, il opta pour le salon. En l'apercevant, Juliette se dirigea vers lui et le serra contre elle avec effusion.

— Je suis bien contente que tu sois revenu, lui dit-elle. T'es en train de devenir un bel homme à part ça, ajouta-t-elle en l'éloignant d'elle pour mieux le regarder.

Rosaire devint tout rouge, ne sachant pas trop quoi faire de ses mains.

— Va pas t'imaginer que j'ai oublié ta fête, lui chuchota Juliette à l'oreille. Va chercher le paquet enveloppé de papier bleu, à côté de ma valise. C'est pour toi.

Gêné d'être encore le centre de l'attention générale, l'adolescent alla chercher le paquet demeuré près de la porte.

— Ouvre-le, lui ordonna Juliette.

Rosaire découvrit alors un beau livre à la couverture rouge et or.

— C'est *Robinson Crusoé*. Le libraire m'a dit que tous les garçons adorent ce livre-là. Je suis sûre que toi aussi, tu vas l'aimer.

— Merci beaucoup, fit l'orphelin dont le plaisir était évident.

À la fin de la soirée, les invités mangèrent en se racontant des souvenirs où grand-père Boucher jouait un rôle. Après leur départ, Corinne alla installer Juliette dans l'une des chambres, à l'étage. Durant un long moment, les deux femmes échangèrent à voix basse.

— Est-ce que Jocelyn t'a dit que j'avais l'air de lui en vouloir quand il a commencé à fréquenter Catherine Gariépy? demanda-t-elle à la restauratrice.

— Bien oui, quand il m'a écrit ça, j'ai trouvé ça bien drôle. Jocelyn, c'est un bon garçon, mais je suis pas sûre qu'il est prêt à se marier. J'espère que la Catherine dont tu parles est pas trop pressée de se caser. Moi, en tout cas, je lui en ai pas voulu une miette, expliqua Juliette.

— Est-ce que Laurent t'a expliqué comment ton père a réagi en apprenant la mort de grand-père? demanda l'hôtesse, curieuse.

— Bien oui et j'espère que t'as pas été trop surprise? Il me semble que tu devrais commencer à connaître assez mon père pour savoir qu'il dépensera jamais une cenne si on lui tord pas le bras. En plus, tu le sais, il a jamais bien aimé grand-père. Une raison de plus pour rien débourser pour son enterrement.

— On finira bien par se débrouiller, déclara Corinne, l'air sombre.

— Il est pas question que tu te débrouilles avec ça. Je veux bien croire que t'aimais bien gros mon grand-père, mais je vois pas pourquoi tu serais obligée de payer ses funérailles après l'avoir hébergé un an. Je l'ai dit à Laurent. C'est moi qui vais payer.

— Bien non, protesta faiblement Corinne.

— J'en ai les moyens. Laisse faire, je me donnerai même pas la peine d'aller supplier mon père ni mes frères.

— Je sais vraiment pas comment te remercier. T'es bien trop généreuse. Ça me gêne, dit Corinne, sérieusement soulagée.

— C'est nous autres, les Boisvert, qui devrions être gênés de pas nous être occupés mieux de grand-père. Toi, t'as fait plus que ta large part. Laisse faire les autres un peu.

Cette nuit-là, chacun veilla au corps à tour de rôle. Même Rosaire tint à le faire.

Le lendemain matin, la tempête avait pris fin. Tout était enseveli sous une épaisse couche de neige. Pendant que Laurent et Rosaire s'occupaient des animaux, Juliette laissa à sa belle-sœur le soin de préparer le déjeuner pour aller dégager les entrées de la maison ainsi que celle de la remise. Un peu plus tard, le soleil se leva dans un ciel entièrement dégagé de ses nuages. Le vent avait cessé de souffler et les rayons du soleil faisaient étinceler la neige comme si elle était recouverte d'une fine couche de diamants.

— J'irai pas au chantier aujourd'hui, déclara Laurent en se levant de table après le déjeuner. Les gars vont passer une bonne partie de la journée à dégager la neige. Nous autres, on va nettoyer la cour et notre bout de chemin.

— Nous autres, les femmes, on va dégager la galerie, proposa Juliette.

— C'est ça. Pendant que je passe la gratte, Rosaire, tu vas mettre des raquettes et aller me couper des branches de sapinage dans le bois. Prends le traîneau pour rapporter ça, lui ordonna Laurent.

À la fin de l'avant-midi, Juliette demanda à son frère d'atteler Satan à la *sleigh*.

— Il est pas mal fatigué après tout l'ouvrage que je viens de lui faire faire, dit Laurent.

— Je veux bien le croire, mais j'ai besoin d'aller chez p'pa. J'ai deux mots à leur dire, surtout à Henri et à Annette, répliqua-t-elle sur un ton décidé.

— Rosaire va aller atteler, mais j'y vais pas avec toi, déclara son frère sur un ton sans appel.

— C'est correct, j'ai pas besoin de toi. Rosaire va me conduire.

— Tu vas revenir dîner avec nous autres, j'espère? fit Corinne.

— C'est certain, la rassura sa belle-sœur. J'en aurai pas pour longtemps.

Lorsque la restauratrice de Montréal revint à la maison un peu avant le repas, il fallut attendre que Laurent se soit retiré pour une sieste pour qu'elle se décide à rapporter à Corinne ce qui s'était passé dans la maison paternelle du rang Saint-André.

— Maudite race de monde! jura la restauratrice entre ses dents.

— Qu'est-ce qu'il y a? lui demanda Corinne, intriguée.

— Mon père était pas là. Il paraît qu'il était sur son chantier, au village. Je me suis pas arrêtée pour aller le voir. Je suis certaine qu'Henri et sa femme vont lui rapporter tout ce que j'ai dit.

— Mais t'es allée là pourquoi exactement?

— Tu te doutes bien que je suis allée chez mon père pour leur rappeler que grand-père était mort et que le moins qu'ils pouvaient faire, c'était de venir veiller au corps.

— Puis?

— Tu les connais. Ils ont presque eu l'air soulagés que je leur parle pas d'argent. Mais le meilleur, c'est qu'Henri s'est mis à dire qu'il avait bien de l'ouvrage à faire et Annette, la pauvre, avait de la misère à se trouver une gardienne fiable.

— T'as raison, on dirait qu'ils ont pas de cœur, fit Corinne, incapable de comprendre la réaction du couple.

— Tu sais pas le pire, reprit Juliette avec un sourire sardonique.

— Non.

— Je leur ai dit que si on les voyait pas venir prier au corps aujourd'hui, demain matin, on leur laisserait le cercueil sur leur galerie…

— T'as pas dit ça ? lui demanda sa belle-sœur, horrifiée.

— Je leur ai dit ça juste pour leur faire peur, précisa Juliette. Tu sais bien qu'on ferait jamais une affaire comme ça à grand-père.

Durant l'après-midi, il ne vint que quelques voisines du rang Saint-Joseph qui ne firent acte de présence que par sympathie pour Corinne. La plupart d'entre elles ne connaissaient pas le disparu. Cependant, tout changea après le souper. C'était la dernière soirée d'exposition du corps.

Gonzague Boisvert, Henri et Annette furent les premiers à se présenter à la porte. Corinne fit un effort spécial pour leur faire bonne figure. Les manteaux furent déposés sur le lit de la chambre des maîtres et les visiteurs se dirigèrent immédiatement vers le salon. Annette fit une remarque sur l'air paisible du grand-père de son mari pendant que Gonzague jetait à peine un regard à son beau-père. Aucun des visiteurs ne daigna saluer l'orphelin quand ce dernier entra dans la pièce.

— J'espère que vous reconnaissez Rosaire ? fit Corinne à qui cette preuve de mépris n'avait pas échappé. Il vient d'aller allumer le poêle dans la cuisine d'été au cas où on aurait pas mal de monde, ajouta-t-elle en adressant un sourire chaleureux à l'adolescent.

Elle venait à peine de dire ces paroles qu'on frappa à la porte. Rosaire alla ouvrir à Jocelyn Jutras, accompagné par Catherine Gariépy et sa mère. Il y eut un moment de gêne quand Corinne reconnut son ancienne rivale et elle jeta un coup d'œil suspicieux à son mari qui s'était avancé, tout sourire, pour accueillir les nouveaux visiteurs. Honorine, toujours aussi imposante et hautaine, retira son manteau et entraîna sa fille et son cavalier vers le salon après avoir offert ses condoléances aux Boisvert. Au regard mauvais qu'elle jeta à Laurent, Corinne sut que la présidente des dames de Sainte-Anne ne lui avait pas pardonné sa conduite passée.

— Veux-tu bien me dire à quoi Jocelyn a pensé d'emmener les Gariépy ici dedans ? chuchota Juliette à l'oreille de sa jeune belle-sœur.

— Je le sais pas.

— Moi, je m'en doute. Pour moi, il a pas eu le choix. L'Honorine a dû exiger qu'il vienne les chercher au village pour les emmener nous offrir, supposément, leurs sympathies. La connaissant comme je la connais, c'était surtout pour venir fouiner et narguer Laurent.

Corinne ne dit rien, se contentant d'aller accueillir l'abbé Nadon, venu animer la veillée au corps, comme l'exigeait son ministère.

— Tiens ! Monsieur le curé pouvait pas venir ? lui demanda Gonzague sur un ton narquois.

— Il a un début de grippe, monsieur Boisvert, répondit le jeune prêtre sur un ton égal. Mais il y a pas à s'inquiéter, il va officier le service funèbre, demain matin.

Contre toute attente, la maison accueillit dans les minutes suivantes les deux cousins Beauchemin de Sorel ainsi que Raymond Boisvert et sa femme Amanda. Si le couple se montra chaleureux envers Corinne, Laurent et Juliette, il se montra particulièrement froid et distant à l'égard de Gonzague, Henri et Annette. Il était évident qu'il entretenait une hostilité pleine d'amertume tant à l'égard du patriarche de la famille que de l'aîné et de sa femme.

Un peu plus tard, ils furent suivis par quelques paroissiens âgés demeurant au village.

— Au fond, ta famille est presque complète, chuchota Corinne à son mari alors qu'il s'apprêtait à rejoindre les hommes rassemblés dans la cuisine d'été envahie par un nuage de fumée de pipe.

— C'est vrai, reconnut-il. Il manque juste mon frère Aimé et sa femme.

Réunies dans le salon et dans la cuisine, les femmes parlaient des enfants et de l'ouverture prochaine de l'église, cette église qu'on attendait depuis près de cinq ans. Dans la cuisine d'été, Gonzague menait sa campagne électorale et cherchait à convaincre deux retraités du village que l'hôtel allait être une bénédiction pour Saint-Paul-des-Prés. Henri, assis près de lui, ajoutait de temps à autre son grain de sel à la discussion.

Un peu à l'écart, Raymond Boisvert s'entretenait avec ses cousins des changements récents qu'avait connus Sorel. Il était évident qu'il se tenait volontairement loin de son frère Henri et de son père. Quand Laurent s'approcha du petit groupe pour offrir un peu de caribou, le débardeur de Sorel ne put s'empêcher de demander à voix basse à son jeune frère :

— Depuis quand le père s'est mis dans la tête de faire construire un hôtel ?

— Un bon bout de temps, je pense, répondit Laurent, évasif.

— Naturellement, il pense faire ben de l'argent avec ça…

— D'après toi ?

— Ouais, on sait ben, reprit Raymond, amer. À l'entendre, il avait pas une maudite cenne pour nous aider à nous établir, mais il en trouve toujours quand c'est pour lui.

Vers huit heures, tout le monde se réunit dans le salon surchauffé pour la récitation du chapelet dirigée par l'abbé Nadon. À la fin de la prière, Corinne se retira dans la cuisine en compagnie de Juliette pour disposer sur la table le gâteau, les biscuits au gingembre et les tartes cuisinés durant la journée.

— On pourrait bien sortir du pain et de la tête fromagée, proposa-t-elle à sa belle-sœur.

— Laisse donc faire, lui conseilla Juliette. Il y a personne qui a besoin de prendre un gros repas. Mis à part Raymond et les cousins, ils restent tous à Saint-Paul et ils risquent pas de mourir de faim en chemin.

— D'après toi, Raymond et tes cousins vont-ils coucher à Saint-Paul à soir pour venir aux funérailles demain matin ?

— Non, les cousins m'ont dit qu'ils travaillent demain. Pour Raymond, je dis pas qu'il serait pas resté à coucher chez mon père, mais comme tu peux le voir, c'est pas le grand amour entre les deux. C'est à peine s'ils se sont salués.

— Il aurait pu coucher ici avec Amanda. On se serait tassés.

— Je pense que t'es mieux de laisser faire. Il manquerait plus qu'on assiste à une chicane durant le service.

Les deux femmes changèrent de sujet de conversation quand Amanda vint leur prêter main-forte. Corinne appréciait le caractère jovial de cette belle-sœur qu'elle connaissait mal. Elle regrettait que son mari s'entête à se tenir loin de sa famille.

Quand Juliette se retrouva de nouveau seule avec Corinne, elle ne put s'empêcher de se faire sarcastique en lui montrant Laurent du menton.

— Je sais pas si je me trompe, lui dit-elle à voix basse, mais j'ai l'impression que notre Laurent fait la baboune à notre voisin. On dirait qu'il apprécie pas de le voir avec Catherine Gariépy.

Corinne regarda son mari et s'aperçut qu'il jetait de fréquents coups d'œil au couple en train de converser avec Bertrand Gagnon, venu faire acte de présence à titre de maire et de voisin du rang Saint-Joseph, au grand déplaisir de Gonzague.

Un peu après neuf heures trente, les visiteurs quittèrent la maison les uns après les autres. Malgré l'avertissement de Juliette, Corinne ne put s'empêcher de proposer à Raymond et Amanda Boisvert de passer la nuit sous son toit. Contre toute attente, le couple accepta l'invitation. Amanda aida Juliette et son hôtesse à remettre de l'ordre dans la maison. Avant de s'installer dans l'ancienne chambre occupée par Wilfrid Boucher, Raymond et sa femme tinrent à prendre leur tour de veille auprès du défunt durant la nuit.

— T'avais ben besoin d'offrir à coucher à mon frère et à sa femme! explosa Laurent quand il se retrouva avec elle dans leur chambre à coucher.

— Ils veulent venir au service demain matin, se contenta de répondre Corinne en commençant à se déshabiller.

— Puis, après? C'est pas une raison, sacrement! Je tiens pas une auberge. Ils auraient pu aller coucher à l'hôtel de Yamaska et revenir demain matin.

— Voyons donc! protesta sa femme. C'est ton frère et sa femme, ce sont pas des étrangers.

— Je veux ben le croire, mais c'est pas une raison pour que ce soit toujours chez nous que tout le monde se ramasse.

Corinne choisit de ne pas répliquer pour ne pas envenimer les choses.

Au petit matin, Rosaire alla aider Laurent et son frère à faire le train pendant que les femmes s'occupaient de préparer le déjeuner.

Vers huit heures, Onésime Giroux vint immobiliser son long traîneau noir devant la porte des Boisvert. Quelques instants plus tard, les *sleighs* de Jocelyn Jutras et de Conrad Rocheleau vinrent se ranger derrière. Madeleine Rocheleau entra dans la maison pour s'occuper de Philippe, pendant qu'au salon, l'entrepreneur de pompes funèbres laissait la famille se recueillir une dernière fois devant le disparu.

Quelques minutes plus tard, Onésime Giroux pria les gens de se retirer après avoir remis à Corinne le chapelet enroulé autour des mains de Wilfrid. Il éteignit ensuite les deux cierges disposés à chaque extrémité du cercueil avant de visser le couvercle de ce dernier.

Quand tout fut prêt, Laurent et Raymond l'aidèrent à transporter la dépouille sur le traîneau. On attendit quelques instants pour que les *sleighs* de Raymond et de Laurent prennent leur place dans le convoi qui se mit en branle lentement vers le village.

— Il me semble que ton père et ton frère Henri auraient pu se déranger pour venir voir ton grand-père une dernière fois à matin, dit Corinne, peinée de ce comportement.

— Ils l'ont vu hier, c'est déjà pas mal, laissa tomber Laurent. Encore ben chanceux s'ils sont à l'église à matin. Mais veux-tu ben me dire pourquoi t'as fait venir la fille du voisin pour garder le petit? Rosaire aurait pu le faire, ajouta-t-il, en ne tenant aucun compte de la présence de l'orphelin assis sur le siège arrière.

— C'était la moindre des choses qu'il ait la chance d'assister au service de grand-père, répondit-elle sèchement. Il l'aimait.

Laurent se contenta de hausser les épaules en signe de dérision.

Le petit convoi vint s'arrêter quelques minutes plus tard devant le couvent. Il n'y avait personne sur la galerie de l'institution pour accueillir la dépouille du vieil homme en cette froide matinée de novembre. Cependant, le curé Bilodeau, vêtu d'une lourde chape noire et coiffé de sa barrette, attendait son paroissien décédé à l'arrière du réfectoire converti en chapelle depuis quelques années. Les gens du convoi allèrent rejoindre la quinzaine de personnes déjà présentes dans les lieux.

Corinne fut heureuse de constater la présence de son beau-père ainsi que celle d'Henri. Elle salua d'un sourire Bernard Provencher assis un peu à l'écart de la famille. Il fut rejoint par Jocelyn Jutras et les Rocheleau. Deux religieuses se glissèrent silencieusement dans la chapelle au moment où le curé de la paroisse commença la célébration du service funèbre.

Corinne assista à la cérémonie la gorge serrée par l'émotion et les larmes aux yeux. Finalement, incapable de contenir son émotion, elle se mit à pleurer sans retenue. Son mari, debout à ses côtés, ne tourna pas une seule fois la tête dans sa direction. Son seul réconfort lui vint de Juliette, assise derrière elle. À un certain moment, elle lui tapa doucement dans le dos pour la soutenir. Corinne lui adressa un sourire reconnaissant. En tournant la tête, elle aperçut Rosaire, seul, assis à l'écart des Boisvert. Laurent lui avait fait signe de s'asseoir ailleurs qu'avec les membres de la famille. Pendant un instant, elle eut le cœur étreint par la pitié de le voir si solitaire et malheureux. Elle eut alors la nette impression de l'existence d'un lien très fort entre eux, comme s'ils étaient frère et sœur.

À la fin de la cérémonie, le curé Bilodeau invita l'assistance à le suivre au cimetière voisin. Le pauvre bedeau avait dû avoir beaucoup de mal à pelleter un sentier étroit jusqu'au vieux charnier en brique rouge situé sur le côté du cimetière.

Comme le sentier avait à peine trois pieds de largeur, les gens durent s'avancer en file indienne derrière le cercueil porté par Giroux aidé de Jocelyn Jutras, Laurent et Raymond. Le voisin avait attendu jusqu'au dernier moment pour s'offrir quand il s'était rendu compte que Gonzague et Henri Boisvert n'esquissaient pas le moindre mouvement pour porter la dépouille.

Après une brève prière, le cercueil fut déposé dans le charnier dont la porte métallique fut refermée. À la sortie du cimetière, le groupe se sépara. Gonzague et Henri prirent congé sur un bref salut de la tête. Raymond et Amanda remercièrent Corinne et Laurent pour leur hospitalité, mais refusèrent leur invitation à dîner. Bernard offrit ses condoléances aux Boisvert. Un menuisier travaillant à l'église l'avait informé le matin même de la mort subite de Wilfrid Boucher qu'il avait appris à apprécier lorsqu'il demeurait chez eux. Cependant, il refusa, lui aussi, l'invitation à dîner de Corinne en alléguant que sa présence était nécessaire à l'église ce jour-là.

Pendant ce temps, Juliette avait entraîné Onésime Giroux à l'écart pour lui recommander de lui envoyer sa facture. À son retour dans le groupe, elle demanda à Jocelyn s'il ne l'attendrait pas quelques instants, le temps qu'elle passe au presbytère. Ce dernier, toujours aussi serviable, accepta. La restauratrice prit alors le chemin du presbytère en promettant d'être à l'heure pour le dîner.

— Il me semble qu'elle aurait pu repartir avec Raymond et Amanda, dit Laurent avec humeur en montant dans la *sleigh*. Ça fait deux jours qu'elle nous encombre à la maison.

— Tu devrais avoir honte, lui reprocha sa femme, fâchée par une telle remarque. Elle est partie payer les funérailles et acheter un lot pour ton grand-père. En plus, elle va payer Giroux. Ta sœur a un cœur en or.

— C'est ben le moins. Elle a de l'argent, elle.

Corinne préféra ne rien répliquer.

Juliette tint parole et revint à la maison pour le repas du midi. Elle aida Corinne à replacer les meubles dans le salon avant de déclarer sur un ton enjoué :

— Bon, je pense bien que je vous ai assez embarrassés. Il est temps pour moi de retourner travailler.

— Voyons donc ! protesta Corinne. Tu peux bien rester un jour ou deux. On n'a presque pas eu le temps de parler.

— C'est vrai, reconnut sa belle-sœur, mais je te promets de revenir vous voir aux fêtes. C'est à peine si j'ai eu le temps de bercer un peu mon filleul. Si ça continue, cet enfant-là me reconnaîtra pas quand il va me voir.

— Ce sera ta faute si tu reviens pas assez vite, lui dit sa belle-sœur avec le sourire.

En entendant cette remarque, Laurent ne put s'empêcher de jeter un regard noir à sa femme.

— Laurent, si ça te dérange pas trop, j'aimerais que tu me conduises à la gare, reprit Juliette.

Pendant que Laurent allait atteler Satan avec l'aide de Rosaire, Corinne remercia encore la restauratrice pour toute l'aide apportée et surtout, pour sa générosité.

— Fais-moi plaisir, lui demanda cette dernière après l'avoir embrassée sur les deux joues, promets-moi de pas te laisser manger la laine sur le dos par personne. T'es souvent trop bonne. Laurent a pas d'affaire à te faire des misères, et encore moins mon père.

Sur ces mots, la veuve quitta la maison. Par la fenêtre, Corinne la vit serrer Rosaire contre elle et l'embrasser avant de monter dans la *sleigh*.

Lorsque Laurent revint à la fin de l'après-midi, il se borna à déclarer :

— Bon, une bonne affaire de faite !

Corinne ne chercha pas à savoir s'il parlait de la mort de grand-père Boucher ou du départ de sa sœur.

Chapitre 24

L'héritage

Il ne restait plus que dix jours avant l'élection municipale de Saint-Paul-des-Prés et les esprits commençaient à s'échauffer sérieusement. Si Bertrand Gagnon moussait sa candidature en mettant de l'avant que son moulin et sa seconde ferme procuraient de l'emploi à une demi-douzaine d'hommes de la paroisse, Gonzague Boisvert faisait miroiter une prospérité inégalée grâce à son hôtel. Par ailleurs, le maire ne se gênait pas pour rappeler aux électeurs que la nouvelle église était un peu son œuvre puisqu'il était allé jusque devant le tribunal pour empêcher Boisvert de continuer à faire obstacle à sa construction. Si l'un vantait ses réalisations durant ses deux mandats à titre de premier magistrat de la municipalité, l'autre jurait que l'appartenance du maire actuel au parti conservateur nuisait au développement de Saint-Paul-des-Prés.

Deux jours après les funérailles de Wilfrid Boucher, Corinne eut la surprise de voir son beau-père frapper à sa porte au moment où elle finissait de laver la vaisselle du souper. Elle suggéra à Rosaire de commencer ses devoirs avant d'aller lui ouvrir elle-même. Évidemment, Gonzague Boisvert venait pour affaire.

Corinne l'invita à s'asseoir et alla chercher son mari en train de réparer un attelage dans la remise.

— Vous auriez pu venir me parler sur le chantier aujourd'hui, p'pa, lui fit remarquer Laurent en lui offrant sa blague à tabac pour qu'il bourre sa pipe. Ça vous aurait évité d'avoir à atteler à soir.

— Ce que j'avais à te dire pouvait pas être dit devant les autres, dit mystérieusement Gonzague.

— Qu'est-ce qui se passe ?

— Je voulais d'abord tirer une affaire au clair, déclara le visiteur. Je me demandais qui héritait de ton grand-père. Après tout, il a ben dû laisser quelque chose, même s'il était pas ben riche.

En entendant ces paroles, Corinne réprima difficilement une grimace de dégoût. Cependant, elle se garda bien d'intervenir et vint se pencher au-dessus de Rosaire pour vérifier si son travail était bien fait.

— Je le sais pas, p'pa, reconnut son fils. Je sais même pas s'il a laissé un testament. D'après moi, grand-père a laissé juste quelques hardes que Corinne a rangées dans sa vieille valise. J'ai mis cette valise-là au grenier.

— S'il laisse une couple de piastres, ce serait normal que cet argent-là soit partagé également dans la parenté, reprit son père, tout à son sujet. En tout cas, entre nous autres, les Boisvert, parce qu'on l'a gardé jusqu'à la fin.

Sa bru ne put contenir plus longtemps sa rage.

— Ah ben saudit, j'aurai tout entendu ! s'exclama-t-elle. Vous avez bien dit que c'était les Boisvert qui avaient pris soin de grand-père ?

— C'est Laurent qui l'a gardé, répondit sèchement le cultivateur. Aux dernières nouvelles, c'est un Boisvert, non ?

— Sans vouloir vous offenser, monsieur Boisvert, je trouve que vous poussez le bouchon pas mal loin, rétorqua sèchement sa bru.

— Corinne ! intervint son mari, furieux.

— Laisse-moi me vider le cœur, répliqua-t-elle sur le même ton. Il y a tout de même des limites à rire du monde. Si ma mémoire est bonne, beau-père, vous avez refusé de garder grand-père quand Juliette vous l'a demandé après la mort de sa fille.

— Ça adonnait pas pantoute, se défendit Gonzague avec mauvaise foi.

— Je veux bien le croire, mais quand vous dites que ce serait juste que chacun des Boisvert hérite si grand-père a laissé quelque chose, c'est oublier que c'est Juliette qui a tout payé pour son enterrement parce que vous avez pas voulu le faire. Vous avez même pas accepté qu'il soit enterré dans votre lot au cimetière.

— Ma fille était pas obligée pantoute de payer, dit Gonzague avec hauteur. Si elle l'a fait, c'est que ça lui convenait. On sait dans la famille qu'elle fait de l'argent comme de l'eau avec son restaurant. Si jamais le père de ma femme nous a laissé quelque chose, ça me surprendrait pas mal qu'il lui ait donné une cenne. Il savait ben qu'elle en avait pas besoin.

— Bien sûr, je suppose que tous les autres Boisvert, eux autres, en ont besoin, fit Corinne, sarcastique.

— De toute manière, on parle pour rien, intervint Laurent sur un ton cassant. Grand-père a rien laissé. S'il avait de l'argent quelque part, il a dû laisser un testament, et on n'aura pas le choix de faire ce qui est écrit dans ce testament-là.

— C'est certain, reconnut son père, apparemment un peu à contrecœur. Moi, je disais ça comme ça.

Corinne, encore mal remise de sa colère, se réfugia à l'autre bout de la pièce et entreprit de tricoter tout en gardant un œil sur Philippe qui gigotait sur l'épaisse couverture posée sur le parquet. Elle était certaine que son beau-père avait dû longuement parler de cet héritage avec Henri et Annette depuis le décès de Wilfrid Boucher.

— De toute façon, je suis pas venu pour parler de ça, reprit Gonzague en s'adressant à son fils.

— Ah bon ! De quoi vouliez-vous me parler, p'pa ?

— Il y a que Gagnon fait circuler le bruit que monseigneur Gravel a promis au curé que j'aurai jamais mon permis de boisson.

— Puis ?

— Puis, c'est pas vrai ! affirma son père, en passant ses pouces derrière ses larges bretelles grises. Le permis, je l'ai déjà depuis presque un mois. Et tu sais la meilleure, il est signé par le premier ministre lui-même, en personne.

— Pas vrai ! fit son fils, épaté.

— En plein ça. Que le curé Bilodeau le veuille ou pas, mon hôtel va ouvrir pour les fêtes et je vais vendre de la boisson. Il y a pas un maudit chat qui va pouvoir me l'arracher, c'est une promesse qu'on m'a faite.

— En tout cas, c'est une bonne nouvelle, reconnut Laurent, admiratif. Est-ce que ça vous a coûté cher ? osa-t-il demandé.

— Ça a pas été donné, mais il faut ce qu'il faut ! se rengorgea le patriarche de la famille.

Corinne écoutait sans dire un mot.

— Je t'ai dit ça pour que tu le saches, reprit Gonzague. Je veux pas que t'en parles à personne. On va laisser Gagnon s'enferrer ben comme il faut… Je suis surtout passé pour te demander d'annoncer à tous ceux que tu vas rencontrer que j'ai l'intention de faire une sorte d'assemblée contradictoire devant le couvent dimanche prochain, après la grand-messe. Il est temps, d'après moi, que le monde de Saint-Paul nous entende tous les deux discuter des affaires de la paroisse. D'après moi, ça va être le bon temps.

— Pourquoi vous faites pas ça à l'école du village ?

— T'es pas fou, toi ! Des plans pour qu'on raconte partout que j'utilise mon titre de président de la commission scolaire pour me servir de l'école.

— Et vos deux hommes, est-ce qu'ils vont être là ?

— Inquiète-toi pas pour ça. Perreault et Laramée vont faire ce que je leur dis de faire, répondit Gonzague en affichant un air supérieur assez déplaisant.

Gonzague Boisvert n'avait dit à personne à quel point il avait eu du mal à dénicher deux candidats valables à l'échevinage à opposer aux échevins actuels du maire Gagnon. Il avait d'abord pressenti Racicot et Rajotte, les deux marguilliers qui l'avaient appuyé dans sa campagne pour faire construire l'église sur son terrain l'année précédente, mais l'un et l'autre s'étaient récusés. Tous les deux s'étaient sentis d'autant plus libres de refuser qu'ils avaient remboursé l'argent qu'il leur avait prêté. De toute évidence, ils ne tenaient pas à se mettre à dos une seconde fois Bertrand Gagnon, un homme influent dans la communauté.

C'était ce que Gonzague avait senti même si Camil Racicot, président de la fabrique, s'était excusé en disant ne pas vouloir se faire un ennemi du curé Bilodeau. Pour sa part, Rajotte avait prétexté son manque d'intérêt pour la politique municipale. Cependant, Gonzague Boisvert avait tout de même eu de la chance malgré tout. Les deux candidats qu'il avait finalement pressentis avaient accepté de se présenter avec enthousiasme. À ses yeux, ils avaient le mérite d'être très appréciés dans la communauté et, surtout, d'être très obéissants.

— Vous avez pas peur que les gens trouvent qu'il fait trop froid pour rester planter là, dehors, à vous écouter? demanda Laurent avec un certain bon sens.

— C'est possible, reconnut son père. Mais c'est pour ça que j'ai besoin de toi et d'Henri dimanche prochain, après la grand-messe. Je suis allé acheter deux petits barils de rhum à Sorel.

— Cré maudit! Vous vous êtes lancé dans les grandes dépenses! lui fit remarquer Laurent sans vouloir être sarcastique.

Gonzague se garda bien de lui révéler qu'il avait obligé Laramée et Perreault à assumer la plus grande partie du coût des deux barils de rhum, sous le prétexte qu'ils allaient les aider à se faire élire.

— Tu sauras qu'on n'attire pas les mouches avec du vinaigre, mon garçon, répliqua-t-il. Bon, je veux que vous payiez la traite à tout le monde. On va leur montrer que Gonzague Boisvert est pas un tout-nu et qu'il a les moyens.

— Vous avez pas peur que ce soit pas du goût du curé Bilodeau de voir du monde boire un dimanche matin, après la grand-messe? s'inquiéta son fils.

— Ça le regarde pas pantoute! déclara Gonzague sur un ton sans appel. On sera pas sur le parvis de son église, on va être devant le couvent. Il aura rien à redire là-dessus.

— Allez-vous au moins annoncer votre assemblée contradictoire à la porte du couvent ou chez Duquette, comme ça se fait d'habitude?

— Pantoute, je veux poigner le gros Gagnon les culottes à terre. Il va être tellement surpris de se faire apostropher devant tout le monde que ça va lui ôter une partie de ses moyens.

— En tout cas, p'pa, les gens de Saint-Paul doivent ben se rendre compte que vous faites pas des farces avec l'hôtel. Il avance vite en maudit, reprit Laurent.

— Les Lavigne sont de parole, se contenta de laisser tomber Gonzague en rallumant sa pipe.

— Il faut dire qu'on est tout de même dix hommes à travailler dix heures par jour, six jours par semaine.

En entendant ces paroles, Corinne se rappela brusquement que son mari n'avait toujours pas été payé pour son travail sur le chantier. Elle décida de s'immiscer une seconde fois dans la conversation entre les deux hommes.

— Dites donc, monsieur Boisvert, intervint-elle d'une voix douce. Est-ce que votre garçon vous a dit que les

Lavigne ont refusé de le payer comme un de leurs ouvriers, samedi passé ?

— Non ! dit Gonzague en feignant d'être surpris.

Laurent semblait mal à l'aise, mais il laissa sa femme parler.

— Ils lui ont dit que c'était à vous de le payer parce que c'était vous qui l'aviez engagé. J'espère qu'ils se trompent pas et qu'ils s'imaginent pas que Laurent va continuer à travailler pour rien. Nous autres, on n'est pas riches. On a besoin de ses gages pour vivre.

— Il va peut-être falloir que je leur en parle, dit son beau-père sans aucun entrain.

— Remarquez que ça nous fait rien qu'il soit payé par vous ou par Lavigne, reprit sa bru, mais il me semble que ce serait juste qu'on le paye, par exemple.

— Je vais y voir demain matin, déclara Gonzague en se levant, déjà prêt à partir.

Son père n'avait pas encore quitté la cour de la ferme à bord de sa *sleigh* que Laurent laissait éclater sa colère.

— Veux-tu ben me dire, sacrement, ce que t'as à soir ? s'emporta-t-il. As-tu juré de te faire haïr par le père ?

— Qu'est-ce qu'il y a ? lui demanda sa femme en prenant un air naïf.

— L'histoire de l'argent de grand-père, par exemple.

Corinne invita Rosaire à aller remplir de bûches le coffre aux deux tiers vide. Elle lui laissa le temps de sortir de la cuisine avant de répondre à son mari en baissant la voix.

— Je suppose que tu trouves que ton père a raison de vouloir hériter, dit-elle, sarcastique. Il a jamais voulu rien faire pour grand-père, mais il est le premier à tendre la main s'il y a quelque chose à prendre. Réveille-toi, Laurent Boisvert ! lui ordonna-t-elle en élevant la voix. Tu vois pas qu'il rit de nous autres en pleine face ! Il nous prend pour des nonos, ton père.

— Ça, c'est toi qui le dis, rétorqua Laurent en jetant une bûche d'érable dans le poêle.

— Je le dis parce que je le pense, répliqua-t-elle sur le même ton. Je serais même prête à te gager que tu verras jamais la couleur de ton argent si c'est ton père qui doit te payer des gages pour ton ouvrage sur le chantier.

— Tu parles encore une fois à travers ton chapeau. Là, j'aime autant te dire que je commence à en avoir assez de tes petites crises, fit-il sur un ton menaçant. Attends pas que je perde patience parce que tu vas le regretter.

Sur cette menace, il s'empara d'une lampe et disparut dans la chambre à coucher au moment où Rosaire rentrait dans la cuisine, les bras chargés de bûches. Corinne attendit qu'il ait placé le bois dans le coffre avant de l'inviter à s'agenouiller près d'elle pour la prière du soir. Quand l'adolescent eut monté à sa chambre, elle entreprit de faire la toilette du bébé avant d'aller le déposer dans son petit lit installé au pied du sien. À son entrée dans la pièce, son mari avait déjà éteint la lampe et il semblait dormir. Elle vint s'étendre à ses côtés quelques instants plus tard.

—∿∿—

Le lendemain avant-midi, la jeune femme finissait de sortir son pain du four quand elle vit son mari revenir du village. Il faisait froid, mais il ne neigeait pas. Pendant qu'il allait dételer Satan, elle se demanda, intriguée, quelle raison le poussait à rentrer à la maison au milieu de la journée. En se penchant par la fenêtre, elle le vit quitter l'écurie où il venait de faire entrer Satan et se diriger vers le poulailler. Encore une fois, il avait dû relever des pistes de renard autour du poulailler et était allé voir si le prédateur n'était pas parvenu à s'introduire dans les lieux. Quand il sortit du petit bâtiment deux minutes plus tard, elle était occupée à extirper les miches de pain croustillantes de leur moule et les déposait sur la table. La cuisine baignait dans une appétissante odeur de pain frais.

Laurent entra dans la cuisine d'été. Elle l'entendit secouer la neige collée à ses bottes avant de pénétrer dans la pièce. Devant son air des mauvais jours, elle préféra garder le silence. Il retira son manteau, alla jusqu'à l'armoire dont il ouvrit une porte. Il prit le pot vert et y déposa de l'argent qu'il venait de tirer de l'une de ses poches. Il se dirigea ensuite vers le poêle pour se réchauffer longuement les mains.

— J'ai mis l'argent de ma paye dans le pot, dit-il sur un ton brusque. J'espère que t'es contente.

Corinne ne dit rien.

— Je travaille plus à l'hôtel, déclara-t-il sur un ton définitif. Après le dîner, je vais aller parler à Jutras, à côté, pour savoir s'il est intéressé à bûcher avec moi à partir de demain.

— C'est correct, se borna-t-elle à dire. Tu pourras lui apporter son pain, si ça te dérange pas.

— Je vois pas pourquoi tu continues à lui faire son pain, sacrement! fit-il en profitant de l'occasion pour exhaler sa mauvaise humeur. Ça valait peut-être la peine quand il t'apportait une poche de farine de temps en temps, mais à cette heure, on a de la farine en masse pour l'hiver.

— Je fais ça tout simplement pour lui rendre service. En plus, au cas où tu t'en serais pas aperçu, le voisin nous a apporté un voyage de bûches avant-hier.

— Première nouvelle.

— C'est normal. C'est Rosaire et moi qui les avons cordées dans la remise. Aie pas peur, poursuivit-elle, acide, on y perdra pas avec lui.

Laurent se versa une tasse de thé bouillant et s'assit en silence dans la chaise berçante. Il ignora les bras tendus de son fils, qui désirait, de toute évidence, se faire bercer, pour songer à la matinée qu'il venait de vivre.

Son père était venu jeter un coup d'œil sur le chantier et il avait tenu parole en parlant à Ernest Lavigne. L'entretien s'était vite envenimé et le ton avait monté entre les deux hommes, pour le plus grand plaisir des ouvriers présents qui n'en perdaient pas une miette. L'entrepreneur jura qu'il ne paierait que son équipe et qu'il ne voyait pas pourquoi il mangerait ses maigres profits en engageant un homme de plus. Si son fils était venu travailler à la construction de l'hôtel, c'est parce que son père le lui avait demandé, pas lui. Évidemment, Gonzague Boisvert avait refusé de délier les cordons de sa bourse en disant que c'était Lavigne qui profitait du travail de Laurent. Finalement, Laurent en avait eu assez de ces chamailleries qui faisaient sourire ses compagnons de travail.

— Laissez faire tous les deux, avait-il dit. J'en veux pas de votre maudit argent.

Il avait quitté le chantier et était rentré chez lui. Pour éviter les récriminations de sa femme, il avait pris la décision d'aller retirer six dollars du magot de Mitaines et de lui faire croire que c'était le salaire qu'on lui avait versé pour son travail au chantier.

Durant le repas, Corinne lui demanda combien on lui avait donné.

— Six piastres, laissa-t-il tomber.

— Ça vient de ton père ou de Lavigne ? demanda-t-elle, curieuse.

— De mon père, mentit-il avec assurance.

— Six piastres ! On peut pas dire qu'il t'a trop payé, fit-elle remarquer.

— C'est sûr qu'il m'a pas payé pour lundi et mardi parce que j'ai pas travaillé à cause des funérailles, expliqua Laurent. Mais six piastres pour sept jours d'ouvrage, c'est pas à dédaigner non plus, affirma-t-il sur un ton définitif.

Cet après-midi-là, Laurent revint un bref moment à la maison pour prendre ses raquettes. Il apprit à sa femme que le voisin avait accepté de bûcher avec lui, un jour sur sa terre à bois et le lendemain sur la sienne. Ils avaient décidé de se partager également le bois à la fin de la saison. Il lui dit d'envoyer Rosaire faire le train dès son retour de l'école parce qu'il partait marquer les arbres à abattre.

À peine venait-il de disparaître derrière les bâtiments que Corinne entendit les grelots d'une *sleigh*. Elle aperçut par la fenêtre une catherine qui venait de s'immobiliser près de la maison. Immédiatement, elle devina que le visiteur ne pouvait être que le notaire Ménard, l'unique propriétaire de ce genre de traîneau élégant monté sur de hauts patins. Elle n'avait jamais parlé à l'homme de loi, mais elle le connaissait de vue. Elle se rappela cependant que son beau-père le trouvait prétentieux et «pas parlable». Il s'agissait là de remarques qui rendaient le petit homme âgé d'une cinquantaine d'années sympathique à ses yeux.

— Mon Dieu! s'exclama-t-elle à mi-voix. Qu'est-ce qui peut bien l'amener ici?

Elle le regarda descendre de son véhicule, y prendre un porte-document en cuir déposé sur le siège et se diriger vers la porte de la cuisine d'été. Elle s'empressa d'aller lui ouvrir, Philippe dans ses bras.

— Entrez, restez pas à geler dehors, dit-elle au visiteur en lui faisant signe de la suivre dans la cuisine d'hiver.

— Bonjour, madame Boisvert, la salua Aristide Ménard. Je suis le notaire Ménard.

— Bonjour, monsieur Ménard. Je vous ai reconnu, lui dit-elle avec le sourire. C'est de valeur que vous vous soyez dérangé pour rien, mon mari est pas là.

— C'est pas à lui que j'ai affaire, madame, mais à vous, déclara l'homme de loi en enlevant sa toque de fourrure.

— À moi? Vous en êtes sûr? s'étonna Corinne.

— Oui, madame.

— Bien, dans ce cas-là, donnez-moi votre manteau et venez vous réchauffer un peu, lui offrit-elle en installant l'enfant dans sa chaise haute.

Aristide Ménard retira son épais manteau de drap noir et le lui tendit avant d'enlever ses couvre-chaussures. Corinne alla déposer les effets du visiteur sur son lit et revint dans la cuisine.

— Assoyez-vous, monsieur le notaire, lui proposa-t-elle. Je vous sers une tasse de thé pour vous réchauffer.

Le notaire s'assit à un bout de la table et accepta son offre avec plaisir. Il était évident que la maîtresse de maison était pour le moins intriguée et qu'elle attendait avec impatience qu'il en vienne au but de sa visite. Le notaire prit son porte-document et l'ouvrit sans se presser pour en tirer une chemise cartonnée beige.

— Je vais pas vous faire languir plus longtemps, madame, déclara-t-il en plaçant sur son nez son pince-nez. Je dois d'abord vous dire que ma démarche est volontairement inhabituelle. D'habitude, je fais venir les gens à mon étude pour régler les affaires dont on m'a chargé. Dans votre cas, si je suis venu chez vous, c'est à la demande expresse de monsieur Wilfrid Boucher.

— De grand-père Boucher ? Mais il est mort ! s'exclama Corinne.

— Je sais, madame, répliqua le notaire sur un ton apaisant. Je dois d'abord vous expliquer que feu monsieur Boucher est passé à mon étude il y a quelques semaines pour rédiger son testament et il a formulé, en cette occasion, une demande spéciale que j'ai le devoir de respecter.

— Laquelle ? demanda Corinne, émue.

— Il m'a formellement demandé de faire en sorte de vous communiquer le contenu de son testament en l'absence de votre mari. Je dois reconnaître que je suis venu vous voir cet après-midi en croyant qu'il allait être en train de travailler à la construction de l'hôtel au village, comme on me l'avait dit.

— Il a arrêté de travailler là.

— Ça n'a pas d'importance, précisa le notaire. L'essentiel est qu'il soit absent de la maison au moment de ma visite.

— Mais pourquoi le grand-père de mon mari a demandé ça ? fit Corinne, de plus en plus intriguée.

— La lecture du testament va vous l'apprendre, madame, affirma Aristide Ménard avec componction en ouvrant la chemise cartonnée posée devant lui. Il déplia lentement un document à l'air officiel.

Corinne attendit la suite en silence, le cœur battant la chamade.

— Lecture du testament de monsieur Wilfrid Boucher fait devant nous, Aristide Ménard, notaire, le 26 octobre 1901, lut l'homme de loi.

Aristide Ménard regarda la jeune femme par-dessus son pince-nez, comme pour s'assurer qu'elle l'écoutait attentivement.

— « Moi, Wilfrid Boucher, sain de corps et d'esprit, lut-il lentement, je lègue tous mes avoirs, soit cent cinquante dollars, à madame Corinne Boisvert, épouse de Laurent Boisvert, pour la remercier d'avoir si bien pris soin de moi dans mes vieux jours. »

— Mais j'ai pas fait ça pour de l'argent, protesta Corinne, les larmes aux yeux.

— Je pense que monsieur Boucher le savait bien, madame, la rassura Aristide Ménard. L'argent qu'il vous laisse, c'est juste pour vous montrer sa reconnaissance. Bon, je n'ai pas fini la lecture, poursuivit-il en se penchant de nouveau sur le document ouvert devant lui.

Corinne s'essuya les yeux et se fit attentive.

— « Je lui demande, si possible, de garder secret ce petit héritage et de le consacrer à son bien-être et à celui de son enfant. » Et c'est signé Wilfrid Boucher. Le témoin est monsieur Jocelyn Jutras, de cette paroisse.

— Cent cinquante piastres, c'est une vraie fortune, ne put s'empêcher de murmurer Corinne, bouleversée autant par la lecture du testament que par l'ampleur de la somme dont elle venait d'hériter.

Le notaire lui laissa le temps de retrouver son calme avant de reprendre la parole.

— J'ai pas à connaître les raisons qui ont poussé monsieur Boucher à désirer que la lecture de son testament soit faite de manière à ce que personne de votre entourage se doute que vous êtes son héritière. Ça le regardait. Je dois aussi vous préciser que le fait que monsieur Jutras ait signé à titre de témoin ne signifie pas qu'il soit au courant du contenu du document. Enfin, j'ignore ce que vous avez l'intention de faire de la somme respectable que vous a léguée monsieur Boucher, mais je peux me charger de la faire fructifier à votre nom, si vous le désirez.

— Bien, mais...

— Bien sûr, j'oubliais que vous pouvez toujours faire affaire avec votre beau-père qui pourrait la placer pour vous et...

— Non, monsieur Ménard, s'empressa de le couper la jeune femme. J'aime mieux que ce soit vous qui vous en occupiez.

— Je suis honoré par votre confiance, madame. Soyez assurée que je vais placer votre argent avec prudence et qu'il va vous rapporter des intérêts intéressants.

Quelques minutes suffirent pour que les papiers soient signés et le notaire Ménard quitta la maison en arborant un sourire plein de satisfaction.

Dès que la porte de la maison fut refermée, Corinne ne put s'empêcher de réciter une courte prière pour remercier grand-père Boucher sa générosité. Il venait de la libérer de l'angoisse qu'elle éprouvait depuis le début de l'automne quand elle songeait aux maigres ressources de son ménage. Elle n'avait jamais possédé autant d'argent. C'était un véritable bonheur de ne plus avoir à s'inquiéter du lendemain. Étrangement, elle ne songeait pas à ce qu'elle pourrait s'offrir avec tout cet argent. Elle pensait plutôt qu'elle allait être à même de faire face aux imprévus, s'il s'en produisait.

Quand Laurent revint de son après-midi de marquage, elle lutta durant un court moment contre la tentation de lui révéler la visite du notaire et l'héritage qui venait de lui échoir. Puis elle se raisonna, se disant que son silence ne faisait que respecter les dernières volontés de grand-père Boucher. Il n'en resta toutefois pas moins que le jeune père de famille trouva sa femme d'excellente humeur ce soir-là, humeur qu'il attribua au fait qu'il n'irait plus travailler à la construction de l'hôtel.

Chapitre 25

Des bouleversements

Le lendemain, à l'heure du déjeuner, Corinne se décida à aborder un sujet important avec son mari. Les deux dernières semaines, elle avait attendu avec une impatience croissante une invitation de Jocelyn Jutras le jour où il ferait boucherie, comme l'année précédente. Elle était certaine, à ce moment-là, de persuader Laurent d'abattre l'une de leurs vaches qui ne donnait pratiquement plus de lait ainsi qu'un porc. Il aurait pu s'associer alors avec le voisin pour préparer la viande.

Tout le problème venait de ce que son mari se disait absolument incapable de dépecer correctement une bête alors qu'elle savait que Jocelyn était doué pour ce travail. Malheureusement, novembre avançait et elle n'avait plus de viande à servir. Il fallait prendre une décision.

— Il me reste plus un morceau de viande dans la maison, dit-elle à son mari en prenant place à table après avoir déposé une assiette d'œufs brouillés au centre de la table. Même plus un morceau de lard salé.

— On aura juste à aller en acheter à la boucherie samedi matin, dit Laurent en se servant.

— On peut pas faire ça tout l'hiver. Ça va nous revenir bien trop cher, lui fit remarquer sa femme. L'année passée, on a pu s'entendre avec Jocelyn Jutras, mais cette année, je sais pas ce qu'il brette, mais il a pas l'air de vouloir faire boucherie et...

— Il a fait boucherie la semaine passée, l'interrompit Laurent. Il m'en a justement parlé hier après-midi.

— Comment ça se fait qu'il m'en a pas parlé ? s'insurgea Corinne.

— Il y a rien qui l'obligeait, lui fit remarquer son mari.

— Bien, on aurait pu s'entendre et se mettre ensemble pour la viande.

— Il avait pas besoin pantoute de nous autres. Il m'a dit qu'il a partagé sa viande avec Amanda Brisebois, comme l'année passée. Ce qu'il avait en surplus, il l'a vendu à Honorine Gariépy. La connaissant comme je la connais, la grosse a pas dû le payer ben cher.

— J'aurais bien aimé que le voisin nous en parle quand il a fait boucherie, dit Corinne, l'air soucieux. Là, on n'a pas de viande et on n'a pas les moyens d'acheter notre viande chez Vigneault toutes les semaines. En plus, on a les bêtes. Je sais pas à qui on peut demander de venir nous tailler notre viande... C'est bien de valeur que tu saches pas faire ça, déplora-t-elle.

Laurent garda le silence un long moment avant de dire :

— Je vais en glisser un mot à Jutras pour voir s'il serait pas intéressé à venir découper une de nos vaches. Après tout, tu lui fais ben son pain chaque semaine. Ça doit ben valoir ça.

— Oublie pas qu'il nous a déjà apporté du bois, lui rappela Corinne.

— Ouais, en tout cas, toi, fit-il en s'adressant à Rosaire, il est pas question que t'ailles traîner ton fond de culotte à l'école aujourd'hui et demain. On va avoir de l'ouvrage en masse si le voisin accepte.

Ce midi-là, Laurent rentra à la maison en déclarant à sa femme :

— Jutras a pas rechigné. Après le dîner, il va venir m'aider à tuer notre vache et même un cochon, si on veut.

— Ça, c'est fin de sa part, fit Corinne, tout heureuse.

— Ça fait pas ben mon affaire de perdre une journée et demie d'ouvrage dans le bois pour m'occuper de ta viande, lui fit remarquer son mari, mais demain, il va nous aider à la préparer.

— Mais on va avoir de la bonne viande et tu vas pouvoir apprendre comment faire en le regardant, dit sa femme.

Une heure plus tard, Corinne habilla chaudement le bébé et le déposa sur le traîneau. Elle quitta la maison au moment même où Rosaire aidait son mari à sortir une vache récalcitrante de l'étable en tirant sur un licou. La bête résistait en meuglant et tous les deux avaient le plus grand mal à la faire avancer.

— Tiens-la ben, ordonna Laurent à l'orphelin au moment où ils venaient de la faire avancer enfin jusque devant la large porte de la grange.

Corinne vit son mari se pencher pour s'emparer d'une masse qu'il avait déposée près de la porte. Le cultivateur s'élança et en assena un violent coup en pleine tête à la vache. Les pattes de la bête plièrent sous elle. Elle roula sur le côté, tuée net.

— Va me chercher Satan, ordonna-t-il à Rosaire en passant une chaîne autour du cou de la bête.

Quand l'adolescent revint en tenant le cheval par la bride, Laurent passa la chaîne dans un gros œillet fixé à la poutre de l'entrée de la grange. En moins d'une minute le cheval tira la chaîne à laquelle était attachée la vache. Le cultivateur s'empressa de bloquer la chaîne, laissant ainsi sa bête suspendue à près de trois pieds du sol.

Rosaire venait à peine de ramener Satan à l'écurie que Jocelyn Jutras arriva chez les Boisvert, armé de ses meilleurs couteaux.

— Je pense qu'on est aussi ben de se débarrasser aussi de ton cochon tout de suite, proposa-t-il au maître des lieux. Qu'est-ce que t'en penses?

Les deux hommes durent unir leurs efforts pour venir à bout d'immobiliser le plus gros des quatre porcs appartenant aux Boisvert. Ils durent le poursuivre dans la porcherie, le cerner dans un coin et se jeter sur lui pour parvenir finalement à lui lier les pattes. Comme si elle devinait le triste sort qui l'attendait, la pauvre bête couinait à n'en plus pouvoir.

Pendant que Rosaire dressait une table de fortune sur des tréteaux, dans l'entrée de la grange, en suivant les directives de Corinne, Laurent et Jocelyn parvinrent à tirer le porc jusque sous le second œillet fixé à la poutre maîtresse de la grange. En poussant des « han » de bûcheron, les deux hommes suspendirent la bête par les pattes arrière à côté de la vache morte.

Corinne avait laissé Philippe sur le traîneau, dans la grange, pour aller chercher des plats, ses meilleurs couteaux et de la jute.

— Voulez-vous faire du boudin cette année, madame Boisvert? demanda le voisin.

— Bien sûr.

— Bon, je vais égorger votre cochon. Préparez-vous un grand plat pour pas perdre son sang.

Le porc, qui n'avait pas cessé de pousser des cris de plus en plus stridents, fut proprement égorgé et Corinne recueillit son sang.

— Brasse le sang et empêche-le de cailler, dit-elle à Rosaire, qui avait toutes les peines du monde à combattre une nausée. Si ça te donne mal au cœur, regarde-le pas, lui conseilla-t-elle en remarquant son dégoût.

Elle laissa là l'adolescent pour s'approcher des deux hommes, bien décidée à apprendre comment on dépeçait une bête. Si Laurent n'apprend pas, s'était-elle dit quelques minutes plus tôt, il faut que moi, je sache le faire. Elle regarda le voisin éviscérer le porc et faire de même avec la vache. Puis, il se mit en devoir d'enlever la peau des deux bêtes avec l'aide de Laurent.

— À cette heure, on peut s'occuper du cochon cet après-midi, proposa Jocelyn. Demain avant-midi, on aura tout le temps pour découper la vache. D'après moi, votre cochon va vous donner de la ben bonne viande. Il est gras à plein cuir.

Durant les deux heures suivantes, les Boisvert regardèrent leur voisin découper leur porc en gros quartiers. Sans perdre de temps, Corinne coupait et emballait dans de la jute des rôtis, des côtelettes, et des jambons. Elle prenait soin de garder des morceaux de lard qu'elle déposerait dans une barrique remplie de saumure pour en faire des grillades. Elle mit aussi à part quelques morceaux qu'elle se proposait de hacher pour confectionner des saucisses. Rosaire ne cessait de faire des allers-retours jusqu'au gros coffre placé dans la remise où la viande allait être entreposée durant la saison froide.

Ce soir-là, la cuisine fut envahie par d'étranges odeurs parce que la ménagère travailla très tard à préparer sa « viande à saucisse » et son boudin, selon les recettes données par sa mère.

— Il nous restera juste à laisser nos six jambons chez Vigneault pour les faire fumer, déclara-t-elle en se préparant à se mettre au lit.

— Encore une dépense, rétorqua son mari.

— Il paraît qu'il charge juste cinq cennes par jambon pour les fumer à l'érable, expliqua Corinne en soufflant la lampe. C'est pas trop cher pour avoir du bon jambon.

— L'année passée, on n'a pas payé ça, fit Laurent.

— L'année passée, Jocelyn a fumé nos jambons avec les siens dans son fumoir. Mais là, on peut tout de même pas lui demander de faire ça quand il a fini de faire boucherie depuis un bon bout de temps. Ce serait ambitionner sur le pain béni.

— Tu me les sortiras, je les laisserai demain après-midi, en allant au village, dit-il sur un ton excédé.

— En même temps, tu serais fin de penser à m'acheter du clou de girofle. J'en ai presque plus pour les gencives du petit.

Le lendemain midi, il ne restait plus rien de la vache. La bête avait, elle aussi, été dépecée, découpée et emballée avant l'heure du dîner.

Quand les Boisvert demandèrent au voisin ce qu'ils lui devaient pour tout le travail accompli, ce dernier refusa toute forme de rémunération. Ce ne fut que sur l'insistance de Corinne qu'il accepta finalement de partager leur dîner.

— Ça a pas d'allure de vous avoir fait travailler comme ça, dit Corinne au moment où le voisin s'apprêtait à les quitter.

— Ben non, c'est juste un échange de services entre voisins, se défendit Jocelyn.

Après son départ, Corinne se laissa tomber sur une chaise berçante près du poêle dans l'intention d'endormir Philippe qui souffrait encore d'une rage de dents.

— On dira ce qu'on voudra, dit-elle à son mari, mais on pourrait pas avoir un meilleur voisin.

— Il faut rien exagérer non plus, rétorqua Laurent. C'est tout de même pas la fin du monde le service qu'il vient de nous rendre.

Sa femme secoua la tête, comme si elle avait de la peine à le comprendre.

— En tout cas, reprit-elle un instant plus tard, je suis bien soulagée. Je vais arrêter de me demander ce que je vais pouvoir servir aux repas.

Laurent ne dit rien, occupé à allumer sa pipe avec l'allumette qu'il venait de gratter sur le poêle.

—◦◦◦—

Le lendemain, la jeune femme eut la surprise de voir son mari et Rosaire revenir très tôt de leur terre à bois en compagnie du voisin. Pourtant, il ne faisait pas particulièrement froid et il ne neigeait pas. Intriguée, elle vit les deux hommes se parler quelques instants, debout devant la porte de l'étable, pendant que Rosaire dételait Satan avant de le faire entrer dans l'écurie. Quand Jocelyn Jutras quitta la ferme pour rentrer chez lui, Laurent se dirigea vers la maison.

— Qu'est-ce qui se passe? lui demanda sa femme, curieuse. Il est juste trois heures.

— Travailles-tu pour la police, toi? lui demanda sèchement son mari.

— Non, mais je peux tout de même te le demander.

— Jutras voulait faire son train de bonne heure parce que, le samedi soir, il va veiller avec Catherine Gariépy, expliqua-t-il sur un ton agacé. Il veut avoir le temps de se préparer. Puis, si tu veux tout savoir, moi aussi, je veux faire mon train et souper de bonne heure parce que je sors.

Là-dessus, il se versa une tasse de thé et la but lentement, le temps de se réchauffer.

— Déshabille-toi pas tout de suite, ordonna-t-il à Rosaire qui venait d'entrer. On s'en va faire le train.

Corinne ne dit rien. On était samedi soir et c'était maintenant une tradition bien ancrée que son mari sorte ce soir-là. Pourquoi plus tôt ce samedi-là? Elle aurait été bien incapable de le dire. Elle n'était même pas certaine de vouloir le savoir.

Laurent et Rosaire rentrèrent au moment où le soleil commençait à se coucher. Corinne avait déjà dressé la table et était occupée à préparer le souper.

Après avoir enlevé son manteau, le jeune père de famille prit son fils étendu sur une couverture dans une sorte de parc et s'amusa quelques instants avec lui. Quand l'enfant se mit à rechigner, il le tendit à Rosaire.

— Occupe-toi de lui, je dois me raser.

Rosaire se mit à bercer Philippe pendant que Laurent s'installait devant l'unique miroir de la pièce après avoir rempli un bol à main d'eau chaude et sorti son blaireau et son rasoir. Sa femme le regarda faire sa toilette sans dire un mot.

Le repas se prit dans un silence presque total. Quand le chef de famille disparut dans la chambre à coucher pour changer de vêtements, Corinne rappela à Rosaire :

— Oublie pas de demander à ta maîtresse lundi les devoirs que t'aurais dû faire avant-hier et hier.

L'adolescent hocha la tête avant d'endosser son manteau pour aller atteler Satan, comme il devait le faire chaque fois que Laurent avait à sortir.

— Je reviendrai pas trop tard, dit Laurent à sa femme avant de quitter la maison.

Cette dernière ne dit rien. Elle savait qu'il ne rentrerait qu'aux petites heures, plus ou moins éméché. Son air du dimanche matin lui révélerait la quantité d'alcool ingurgitée la veille.

Elle occupa sa soirée à jouer aux cartes avec Rosaire et à tricoter. Quand elle se mit au lit sur le coup de dix heures, elle décida qu'elle irait exceptionnellement à la basse-messe le lendemain matin après s'être rappelé que son beau-père comptait sur Laurent pour servir de l'alcool après la grand-messe.

— C'est bien de lui, ça, murmura-t-elle pour elle-même. Il a pas pensé une miette à ce que moi, je deviendrais après la messe. Il s'imagine peut-être que je vais rester une heure ou deux dehors, à geler, en attendant que Laurent ait fini de travailler pour lui.

Il faisait encore nuit noire à son réveil. Laurent ronflait à ses côtés. Elle aurait été bien incapable de dire à quelle heure il était rentré, mais ce devait être largement passé minuit parce qu'il n'était pas là lorsqu'elle s'était levée pour alimenter le poêle à bois à cette heure-là. La maison était glaciale. Elle s'empressa d'envelopper ses épaules dans son épais châle de laine avant d'aller se pencher sur le petit lit de Philippe pour vérifier s'il était bien couvert. Ensuite, elle sortit de la pièce sans bruit pour aller allumer le poêle. Elle jeta un coup d'œil à l'extérieur : il ne semblait pas avoir neigé durant la nuit, mais, à voir le frimas dans les vitres, il faisait assez froid. Elle monta à l'étage réveiller Rosaire avant d'aller s'habiller pour faire le train en sa compagnie.

À leur retour à la maison, le jour était levé. Une épaisse couche de nuages dissimulait le soleil. Corinne demanda à l'adolescent d'aller s'endimancher avant d'atteler Satan à la *sleigh*. Puis elle entra dans la chambre à coucher. Le bébé se réveilla et elle le transporta dans la cuisine pour changer ses langes et lui donner à manger. Ensuite, elle retourna dans la chambre pour mettre ses vêtements du dimanche.

— Laurent, lève-toi, dit-elle à son mari en passant sa robe. Je m'en vais à la messe avec Rosaire. Tu dois garder Philippe.

Aucune réaction. La jeune femme dut s'approcher du lit et le secouer par une épaule pour le tirer de son sommeil.

— Quoi ? Qu'est-ce qu'il y a ? demanda-t-il d'une voix ensommeillée.

— Il y a que je viens de faire le train et que j'ai préparé le petit. Moi, je m'en vais à la basse-messe. Lève-toi pour le surveiller pendant que je vais être partie avec Rosaire.

— Sacrement ! jura-t-il. Qu'est-ce qui presse tant ? Depuis quand tu vas à la basse-messe ? T'as juste à attendre la grand-messe. J'ai encore le temps de dormir une heure.

— Pantoute, Laurent Boisvert. Me prends-tu pour une folle ? Tu penses quand même pas que je vais poireauter au moins une heure à geler dehors pendant que tu vas servir de la boisson au monde après la messe. Non, je vais à la basse-messe et toi, tu pourras prendre tout le temps que tu voudras après la grand-messe.

Son mari finit par se lever en rouspétant et en se plaignant encore une fois d'une atroce migraine. Corinne, que son comportement égoïste avait mise de mauvaise humeur, lui dit abruptement, au moment où elle endossait son manteau :

— T'as juste à moins boire si tu veux pas avoir mal à la tête le lendemain. Il me semble que t'es assez vieux pour savoir ça.

Elle quitta la maison avant qu'il ait le temps de lui répondre. Il la vit monter dans la *sleigh* en compagnie de Rosaire et tous les deux prirent la direction du village dans un bruit de grelots. Il se laissa tomber dans sa chaise berçante. Après une brève hésitation, il décida de se verser une tasse de thé et de manger quelque chose, même si on était un dimanche matin.

À son arrivée au couvent, Corinne se présenta à la porte de l'édifice en même temps que Bertrand Gagnon et sa femme. Le maire, avec toute la galanterie dont il était capable, lui tint la porte et la salua avant de suivre son épouse. La jeune femme lui sourit en retour.

Dès qu'elle eut pris place dans la chapelle, Corinne se rappela les paroles prononcées par son beau-père la semaine précédente et esquissa un mince sourire si ce qu'elle imaginait se réalisait. Si le maire était présent à la basse-messe, il y avait de fortes chances qu'il ne se représente pas à la grand-messe. Dans un tel cas, les plans de Gonzague Boisvert allaient tomber à l'eau.

— Bien bon pour lui, dit-elle à mi-voix.

— Quoi ? lui demanda Rosaire, assis à côté d'elle.

— Rien, chuchota Corinne. Je me parlais toute seule.

À leur retour à la ferme, Rosaire se contenta de jeter une couverture sur le dos de Satan après l'avoir entravé près de la galerie. Il suivit ensuite Corinne à l'intérieur pour découvrir que Philippe pleurait à fendre l'âme.

— Cet enfant-là est pas endurable, se plaignit Laurent, ouvertement soulagé de la voir enfin revenue. Il a pas arrêté de brailler tout le temps que t'as été partie. Je suis écœuré de l'entendre crier. Fais quelque chose, calvaire !

— C'est correct, je suis là, dit sa femme en se penchant pour prendre l'enfant dans ses bras. Qu'est-ce que tu veux qu'on fasse ? Il perce ses dents. D'après Marie-Claire, c'est normal qu'il pleure. Ça lui fait mal. Tout ce qu'on peut faire, c'est lui frotter les gencives avec de l'eau de Pâques ou du clou de girofle. L'as-tu fait ?

— Comment veux-tu que je sache ça, sacrement ! se contenta de pester Laurent en endossant son manteau.

Sans rien ajouter, il sortit. À son arrivée au village, il se rendit compte que l'air frais l'avait soulagé et que sa migraine était en train de disparaître. Au moment où il attachait Satan à l'un des pieux fixés en face du couvent, il vit arriver la grosse carriole de son père. Ce dernier était accompagné par Henri et sa femme.

— T'es tout seul ? lui demanda Henri en descendant de son véhicule.

— Oui, Corinne est allée à la basse-messe.

Annette salua son beau-frère et entra dans le couvent sans se soucier si son mari et son beau-père la suivaient.

— Regarde en arrière dans la carriole, suggéra Gonzague au cadet de ses fils.

Laurent souleva une épaisse couverture sous laquelle deux petits barils et une demi-douzaine de tasses en pierre avaient été déposés.

— Ça, c'est pour après la messe, déclara le candidat à la mairie de Saint-Paul-des-Prés. Vous autres, installez-vous dans la dernière rangée de chaises, au fond de la chapelle. Perdez pas de temps après la messe. Venez vous occuper de la boisson et servez-en à tout le monde, mais exagérez pas sur la quantité. Un fond de tasse devrait suffire. Pendant ce temps-là, je vais m'organiser pour coincer le gros Gagnon. Je vous garantis qu'il va se souvenir de cette assemblée contradictoire là. Je me suis préparé toute la semaine. C'est ce qui va lui faire perdre son élection.

Ensuite, plein d'assurance, l'homme décharné monta les marches conduisant à la chapelle du couvent et alla prendre place dans les premières rangées de chaises de manière à être bien visible autant des paroissiens que de l'officiant, le curé Bilodeau. Il était évident que Gonzague Boisvert cherchait l'affrontement et n'attendait qu'une occasion pour se manifester. Il n'y avait qu'à voir son air arrogant pour en être persuadé.

Charles Bilodeau était peut-être entêté et orgueilleux, mais il n'était pas stupide. En ce premier dimanche de novembre, il ne fit allusion ni à l'élection, qui aurait lieu dans deux jours, ni à l'hôtel en construction au cœur du village. Pour le plus grand dépit de Gonzague, le sermon du pasteur porta exclusivement sur la lettre de saint Paul aux Romains ainsi que sur l'importance de cette période de l'année liturgique marquée par l'attente de la naissance du Christ.

À la fin de la cérémonie religieuse, le père de Laurent Boisvert fit en sorte de sortir parmi les derniers de manière à ce que ses fils aient eu le temps de commencer à offrir du rhum aux hommes de la paroisse.

Dès qu'il posa les pieds sur la galerie du couvent, le candidat à la mairie chercha son adversaire des yeux, mais il ne le vit nulle part. Naturellement, il y avait un important attroupement près de sa carriole et il se félicita de son idée. Du regard, il examina quelques petits groupes rassemblés près des voitures, il n'aperçut pas Bertrand Gagnon. Un peu inquiet, il crut avoir trop tardé à sortir et accéléra le pas pour descendre sur la route. Pas de Gagnon.

Il s'approcha de ses fils en écartant sans trop de ménagement les assoiffés qui les cernaient de près pour avoir droit à une rasade de rhum.

— Avez-vous vu Gagnon quelque part? leur demanda-t-il à voix basse.

— Non, répondirent en même temps Henri et Laurent.

Il se dirigea ensuite vers ses deux candidats à l'échevinage qui l'attendaient, un peu à l'écart, sans trop savoir quoi faire.

— Où est passé le gros Gagnon? fit-il de mauvaise humeur.

— On l'a pas vu, répondit Perreault.

— Ça parle au diable! ragea Gonzague. On dirait qu'il est pas venu à la messe…

— Pour le rhum, qu'est-ce qu'on fait? demanda Laramée.

— Il y a plus rien à faire. Le monde est en train de tout le boire. Torrieu! J'ai dépensé du bel argent sans même avoir eu la chance de faire honte à Gagnon! À cette heure, tout ce qu'on peut faire, c'est de parler à ceux qui restent encore pour leur demander de voter pour nous autres mardi prochain. Arrivez! leur ordonna-t-il. Il manquerait plus qu'on ait dépensé notre argent pour rien.

Au moment où les trois hommes s'approchaient des gens encore sur place, le curé Bilodeau sortit du couvent. À la vue du petit attroupement sur le bord de la route, il s'arrêta un bref moment pour regarder ceux qui entouraient la carriole des Boisvert. Il vit clairement quelques-uns de ses paroissiens en train de boire. Un air de profond mécontentement se peignit sur son visage. Il descendit l'escalier en regardant droit devant lui et contourna les gens en affichant un air outragé. Il était si furieux qu'il refusa de répondre au salut poli que certains lui adressaient.

—⚭—

Pendant ce temps, l'atmosphère était au drame chez Laurent Boisvert. À son retour de la messe, Corinne avait déjeuné en compagnie de Rosaire avant de se décider à aller mettre un peu d'ordre dans sa chambre à coucher. Elle fit le lit et ramassa par terre la chemise portée la veille par son mari.

Au moment d'aller mettre le vêtement au lavage, elle remarqua qu'il dégageait un léger parfum. Alertée par cette odeur suspecte, la jeune femme fronça le nez et se mit à examiner de plus près la chemise blanche toute froissée. Elle releva immédiatement une trace de rouge à lèvres qui la fit blêmir.

À cette vue, elle fut la proie d'une telle rage qu'elle dut s'asseoir sur le lit. Les idées les plus folles se bousculèrent dans sa tête. Si son mari avait été devant elle à ce moment-là, elle se serait jetée sur lui pour le frapper, sans tenir compte de la disproportion de taille existant entre eux.

Elle demeura sur place durant de longues minutes, prostrée, à rabâcher sa rancœur et sa jalousie.

— Ça se passera pas comme ça! finit-elle par dire à haute voix sur un ton décidé. Je m'en vais, je retourne chez nous!

Passant de la parole aux actes, elle sortit une boîte cartonnée vide du placard de sa chambre et se mit à y jeter ses vêtements et ceux de Philippe. Quand la boîte fut pleine, elle la transporta près de la porte de la cuisine d'été sans tenir compte de Rosaire qui s'avançait vers elle pour la décharger de son fardeau.

À son retour dans la cuisine d'hiver, elle s'adressa à l'orphelin.

— Écoute, Rosaire. Quand mon mari va arriver, laisse-le entrer et sors comme pour aller dételer Satan. Mais une fois dehors, au lieu de t'occuper du cheval, tu prendras la boîte que je viens de mettre dans la cuisine d'été. Tu la placeras dans la *sleigh* et tu m'attendras dehors. Je serai pas longue. Tu vas venir me conduire à Saint-François, chez mes parents. Après, tu reviendras ici.

— Est-ce que tu pars pour longtemps ? demanda l'orphelin, subitement inquiet.

— Non, je pense pas, se borna à lui répondre celle qu'il considérait comme sa meilleure amie. Guette-le par la fenêtre. Quand tu le verras arriver, avertis-moi et va faire ce que je viens de te dire.

Corinne ne perdit pas de temps. Elle étala sur la table la chemise incriminante et se mit à préparer activement Philippe pour le trajet en *sleigh* entre Saint-Paul-des-Prés et Saint-François-du-Lac.

— Ton mari arrive, Corinne, lui annonça Rosaire, quelques minutes après qu'elle eut terminé ses préparatifs.

— C'est correct, va t'occuper de Satan.

Laurent entra dans la maison et enleva son manteau et ses bottes.

— Je te dis que le père était pas à prendre avec des pincettes, déclara-t-il, de fort bonne humeur.

— Pourquoi ? lui demanda sèchement sa femme qui sortait au même moment de la chambre à coucher en portant Philippe dans ses bras.

— Gagnon était pas à la grand-messe, ça lui a coûté plus que la moitié de son rhum pour rien.

— C'est normal, j'ai vu le maire à la basse-messe, dit-elle d'une voix neutre qu'elle s'appliquait à contrôler.

Elle déposa son enfant déjà habillé pour sortir à l'extérieur et se pencha pour chausser ses bottes.

— Sacrement, t'aurais pu me le dire en revenant de la messe !

— Je vois pas pourquoi, fit-elle en endossant son manteau.

— Qu'est-ce qu'on mange pour dîner ?

— Je le sais pas, laissa-t-elle tomber. Tu mangeras ce que tu voudras. Moi, je m'en vais à Saint-François, ajouta-t-elle en se dirigeant vers la porte après avoir pris l'enfant dans ses bras.

— C'est quoi, cette histoire de fou là ? demanda-t-il en haussant la voix.

— En plein le bon mot, rétorqua sa femme. T'as juste à regarder ta chemise avec le rouge à lèvres qui est dessus pour comprendre. Tu demanderas à celle qui a beurré ta chemise avec son rouge à lèvres de venir te faire à manger et de laver ton linge, un coup parti.

Sur ces mots, avant même qu'il soit revenu de sa surprise, sa femme ouvrit la porte, descendit l'escalier et se dirigea rapidement vers la *sleigh*. Elle montait dans le véhicule au moment où son mari apparaissait sur la galerie en lui criant :

— T'es malade, toi ! Qu'est-ce que t'inventes là ?

Corinne ne se donna pas la peine de lui répondre. Le visage fermé, elle ordonna à l'adolescent :

— Envoye, Rosaire, on part !

L'orphelin cria à Satan d'avancer. L'attelage se mit en branle et sortit de la cour dans un bruit de grelots.

Durant tout le trajet entre Saint-Paul-des-Prés et Saint-François-du-Lac, la jeune mère de famille ne cessa de pleurer sur son bonheur perdu. Depuis son mariage, quinze mois auparavant, son ménage avait traversé bien des crises, mais jamais comme celle-là. Elle avait passé l'éponge sur le fait que son mari avait fréquenté Catherine Gariépy jusqu'à la veille de leurs fiançailles. Elle avait accepté d'être laissée sans ressources durant tout l'hiver précédent. Elle lui avait pardonné son escapade de quelques mois avec un ami aux États-Unis alors qu'elle attendait son premier enfant. Depuis leur mariage, elle avait supporté tant bien que mal ses sorties hebdomadaires et ses beuveries du samedi soir.

Mais se faire tromper ouvertement, jamais ! Il y avait tout de même des limites à être ridiculisée !

Durant un court moment, elle s'inquiéta du genre d'accueil qu'elle allait recevoir de sa mère. Elle se rassura rapidement en se disant que rien ne l'obligeait à lui avouer qu'elle avait quitté définitivement son mari.

Leur arrivée à la maison paternelle du rang de la rivière, à Saint-François-du-Lac, fut saluée par des exclamations de joie de Lucienne et de Germaine. Il y eut de chaleureuses embrassades. Pendant que Germaine s'emparait de son neveu, Lucienne invitait Rosaire et Corinne à enlever leurs manteaux. Lucienne Joyal adressa un regard suspicieux à sa fille lorsqu'elle vit Rosaire se charger d'une boîte qu'il déposa près de la porte, mais elle ne dit rien.

— Où est passé Laurent ? demanda Germaine à sa sœur.

— Il est resté à Saint-Paul. Son père se présente comme maire et il doit travailler pour lui pendant les élections.

— J'espère que vous allez rester au moins à souper, dit Lucienne.

— Moi, oui, mais pas Rosaire. Il va se réchauffer un peu et retourner à Saint-Paul. Laurent a besoin de Satan et de la *sleigh*, mentit-elle.

— C'est de valeur qu'il ait pas pu venir, déplora Lucienne sans trop insister.

— Où sont les autres ? demanda Corinne avec un entrain si peu naturel que sa mère conçut immédiatement des soupçons.

— Ton père dort dans notre chambre, Anatole et Thérèse viennent de monter faire un somme, répondit-elle à voix basse. Surtout, réveille-la pas. C'est le seul temps de la semaine où elle est endurable.

— Voyons, m'man ! protesta Germaine en gloussant.

— Et toi, ma sœur, comment vont tes amours avec le beau Bernard ? reprit Corinne.

— Il y a rien à redire, fit l'institutrice dont la joie de vivre faisait plaisir à voir.

— Pourquoi tu penses qu'elle est ici en fin de semaine ? lui demanda sa mère. C'est pas pour voir ses vieux parents, en tout cas.

— Vous savez bien, m'man, que je viendrais pareil aussi souvent s'il y avait pas Bernard qui vient me voir et veiller au salon.

— C'est drôle, reprit Lucienne, mais je me souviens pas que tu descendais à Saint-François aussi souvent l'année passée pendant que t'enseignais... À moins que le chemin entre Saint-Bonaventure et Saint-François ait raccourci cette année.

Même si elle n'avait guère le cœur à rire, Corinne ne put s'empêcher de trouver la remarque maternelle amusante. À cet instant, Bernard Provencher vint frapper à la porte des Joyal et Germaine s'empressa d'aller ouvrir à son amoureux.

— Bonjour, madame Boisvert, dit-il en apercevant Corinne. Il me semblait ben avoir reconnu votre cheval à la porte.

On échangea des nouvelles, puis Germaine finit par conduire son cavalier au salon, laissant les invités seuls en compagnie de sa mère. Corinne en profita pour faire comprendre à Rosaire qu'il était temps pour lui de retourner à Saint-Paul-des-Prés. Avant son départ, Lucienne Joyal tint à lui donner plusieurs morceaux de sucre à la crème.

— Mange ça en chemin, mon garçon. En faisant ça, tu vas rendre service à la sœur de Corinne qui a un peu trop le bec sucré.

Après avoir installé un Philippe endormi dans une épaisse couverture étalée près du poêle, la mère et la fille s'assirent sur les chaises berçantes, dans la cuisine.

— Comment ça se passe cette fois-ci ? demanda Lucienne à sa cadette, en faisant nettement allusion à sa seconde grossesse.

— J'ai pas de problème, affirma Corinne. En tout cas, j'ai arrêté d'avoir mal au cœur depuis la mort de grand-père Boucher.

— C'est vrai ? Tant mieux. Le pauvre vieux ! s'apitoya Lucienne en se rappelant ensuite la disparition récente du grand-père de son gendre. Bernard nous a appris ça jeudi passé, quand il s'est arrêté quelques minutes pour laisser un outil à ton père. Ça nous a fait quelque chose. L'avoir su à temps, on serait allés prier au corps.

— Je le sais bien, m'man, mais il y avait pas moyen de vous le faire savoir. Il est mort dans la nuit de samedi à dimanche et il a été enterré mardi passé. En tout cas, tout ce que je peux vous dire, c'est que ça paraît qu'il est plus dans la maison, fit Corinne, la mine assombrie.

— Ça va bien avec ton mari ? lui demanda sa mère à brûle-pourpoint en guettant sa réaction.

— Pas trop mal, m'man.

— Pas trop mal, ça veut dire quoi ? s'enquit Lucienne, sur un ton à la fois inquiet et sévère.

Pendant un bref moment, la jeune femme eut l'intention de lui cacher la vérité. Puis, elle songea qu'elle n'aurait peut-être pas une autre occasion de lui parler seule à seule, à cœur ouvert, avec autant de gens qui vivaient dans la maison.

— Ça va pas bien, m'man, lui avoua-t-elle en se mettant à pleurer doucement.

— Bon, qu'est-ce qui se passe ? fit Lucienne, bouleversée de voir le chagrin de sa fille.

Alors, les vannes s'ouvrirent toutes grandes. Incapable de se retenir plus longtemps, la jeune mère de vingt ans raconta entre deux hoquets tout ce qu'elle avait enduré depuis le début de son union. Au fur et à mesure qu'elle se vidait le cœur, les traits du visage de sa mère se durcissaient et un pli amer était apparu aux commissures de ses lèvres. Ses yeux jetaient des éclairs de fureur quand sa fille finit par dire :

— À midi, je pouvais plus en endurer. Ça fait que j'ai décidé de revenir à la maison.

— T'as bien fait, se contenta de lui dire sa mère. Que je le savais, que je le savais donc que ce mariage-là aurait jamais dû se faire! explosa-t-elle à mi-voix, les dents serrées. Ton mari a toujours été une maudite tête folle!

Un bruit de pas se fit entendre à l'étage. Lucienne s'empressa de tirer son mouchoir de l'une des manches de sa robe et de le tendre à sa cadette.

— Essuie-toi les yeux! lui ordonna-t-elle. Il manquerait plus que la Thérèse à ton frère se mette à aller colporter dans la famille Rochon que tu viens pleurer dans mes jupes. À cette heure, écoute-moi bien. Pour tout le monde, t'es ici en visite, rien de plus. Raconte tes affaires à personne.

Thérèse et Anatole descendirent à ce moment-là et découvrirent avec surprise la visiteuse. Réveillé par les bruits de voix, Napoléon sortit de sa chambre à coucher, les yeux gonflés de sommeil et les bretelles battant sur ses cuisses.

— Batèche! Il y a ben du bruit ici dedans aujourd'hui, se plaignit-il, mal réveillé. Ah ben, dites-moi pas qu'on a de la visite de Saint-Paul! s'exclama-t-il en découvrant sa fille préférée assise près du poêle.

— Bonjour, p'pa, fit Corinne en allant l'embrasser sur une joue. C'est effrayant dormir comme vous. Vous allez bien finir par faire des plaies de lit, le taquina-t-elle en s'efforçant de prendre une mine joyeuse.

— Commence pas à m'étriver en arrivant, toi, la mit en garde Napoléon en riant.

Durant plusieurs minutes, on parla de la famille de Blanche qui était venue à Saint-François-du-Lac deux semaines auparavant et de Rosalie, qui avait annoncé, toute fière, à ses beaux-parents, quelques jours plus tôt, attendre son premier enfant.

— Je te dis que ce sera pas drôle, cet enfant-là, fit remarquer Lucienne. Bastien est fou comme un balai depuis que sa femme lui a appris la bonne nouvelle. Je pense même que les Cadieux sont encore plus énervés que lui.

Corinne ne put s'empêcher de comparer l'allégresse de son frère et de sa belle-famille devant l'arrivée prochaine d'un enfant avec l'indifférence de Laurent et des Boisvert quand elle avait annoncé la naissance prochaine de Philippe.

Quand l'heure du souper approcha, Corinne comprit pourquoi sa belle-sœur Thérèse tapait tant sur les nerfs de sa mère. La grande femme aux lèvres minces tentait de tout décider sans consulter sa belle-mère.

— À soir, on mange le reste du rôti de bœuf avec des patates, déclara-t-elle sur un ton sans appel au moment où les hommes quittaient la maison pour aller faire le train.

Corinne jeta un coup d'œil à sa mère qui lui tendait un tablier.

— Non, va chercher le rôti de porc dans la cuisine d'été, fit sa belle-mère, comme si elle ne l'avait pas entendue. C'est ce qu'on va manger avec des patates brunes.

Thérèse encaissa la rebuffade et se retint de faire une remarque. Durant tout le temps où les deux femmes furent côte à côte dans la cuisine, il fut évident à la visiteuse qu'elles se livraient une guerre ouverte pour le contrôle de la maison. À un certain moment, Lucienne se dirigea vers un vieux manteau suspendu à un crochet derrière la porte.

— Je vais au bâtiment une minute chercher de la crème, dit-elle à sa fille et à sa bru.

— Je peux bien y aller pour vous, offrit Corinne.

— Non, occupe-toi de ton petit plutôt. Il est en train de se réveiller, répliqua Lucienne avant de sortir.

Corinne devina que sa mère était allée parler à son père occupé à traire les vaches dans l'étable. Quand elle rentra, elle déposa le pot de crème sur la table et se remit à la préparation du souper sans dire un mot. Tôt après le repas, Bernard prit congé et Napoléon se chargea d'aller conduire sa fille Germaine à son école de Saint-Bonaventure. Pendant que Corinne et sa mère installaient Philippe du mieux qu'elles pouvaient dans la chambre à l'étage où Corinne dormirait, Anatole et sa femme, silencieux, jouaient aux cartes à une extrémité de la table de cuisine.

Peu après le retour du père de famille, Lucienne donna le signal de la prière commune, ce qui engendra un rictus de contrariété chez sa bru. Cependant, tous s'agenouillèrent au milieu de la pièce pour réciter la longue prière du soir que Corinne connaissait bien. Quand Napoléon entreprit de remonter le mécanisme de l'horloge murale, on se souhaita une bonne nuit et chacun se retira dans sa chambre à coucher.

Lorsque la porte de sa chambre se referma sur elle, Corinne se retrouva dans la pièce où elle avait couché jusqu'à son mariage. En se déshabillant sans faire de bruit pour ne pas réveiller le bébé, elle entendait les murmures échangés entre son frère et sa femme dans la chambre voisine. Elle était certaine qu'ils devaient s'interroger sur l'absence anormale de son mari et sur le fait qu'elle demeurait à coucher alors qu'elle ne l'avait jamais fait depuis le jour de son mariage.

Elle souffla la lampe et, avant de se mettre au lit, elle se planta longuement devant la fenêtre. Tout était noir. Les voisins devaient être couchés parce qu'aucune lumière n'éclairait leurs fenêtres. Un ciel sans étoiles semblait écraser le paysage. Même le mince ruban de la route disparaissait dans l'obscurité.

La jeune femme réprima difficilement un frisson. Elle vérifia si Philippe était bien couvert et se glissa sous les épaisses couvertures de laine. Le sommeil fut long à venir. Elle ne pouvait s'empêcher de penser à Laurent et à ce qu'il faisait au même moment. Avait-il autant de peine qu'elle ? Regrettait-il ce qu'il avait fait ? Puis, elle se demanda si elle avait bien agi en quittant son foyer… Elle pleura doucement dans le noir sur son mariage ruiné en s'interrogeant sur ce qu'elle avait bien pu faire pour ne pas avoir été en mesure de retenir son mari à la maison comme toutes les femmes mariées le font. L'horloge au pied de l'escalier venait de sonner deux heures dans la maison endormie depuis longtemps quand le sommeil l'entraîna enfin dans l'oubli.

—∞—

À son réveil, le lendemain matin, Corinne s'aperçut qu'il était tombé une fine couche de neige durant la nuit. Elle était si bouleversée de se réveiller sous le toit paternel qu'elle remarqua à peine que Philippe avait dormi toute la nuit sans se réveiller, ce qu'il n'avait pas fait depuis plusieurs semaines. Elle le prit dans ses bras et descendit au rez-de-chaussée où Thérèse et sa mère étaient déjà en train de préparer le repas du matin.

— Si tu veux du gruau, offrit Thérèse, il est prêt.

Corinne la remercia et, après avoir changé les langes de l'enfant, se mit en devoir de le nourrir. Après le déjeuner, la jeune femme participa aux corvées du lavage et du ménage avant d'aider à la préparation du dîner. Durant tout l'avant-midi, elle ne put s'empêcher de regarder de temps à autre par la fenêtre, comme si elle guettait l'arrivée de son mari. Lucienne s'en rendit compte, mais se garda bien de faire la moindre remarque.

La vaisselle du dîner lavée, Thérèse annonça qu'Anatole allait la conduire chez ses parents parce qu'elle avait l'intention de passer l'après-midi chez sa mère. Après son départ, Napoléon sortit réparer l'un des longerons de la carriole, laissant seules Corinne et sa femme en train d'assembler une courtepointe.

Après un long silence, la jeune femme se décida à poser à sa mère une question qui lui brûlait les lèvres depuis la veille.

— Qu'est-ce que p'pa a dit quand vous lui avez parlé?

— Qu'est-ce que tu veux qu'il dise? rétorqua sa mère après avoir enfilé une aiguille.

— Ça a pas dû lui faire plaisir de me voir arriver avec Philippe, avança la cadette de la famille Joyal.

— Dis donc pas de bêtises, la réprimanda sa mère. Tu sais bien qu'il aime mieux t'avoir ici dedans que de savoir que tu manges de la misère à Saint-Paul... Mais moi, voulut poursuivre la mère de famille.

— Quoi, vous? demanda sa fille.

— Moi, je dis que la place d'une femme mariée, c'est d'être avec son mari, à plus forte raison quand elle a un enfant et qu'un deuxième s'annonce.

— Mais, m'man... voulut protester la jeune femme.

— Laisse-moi finir, lui ordonna Lucienne, sévère. Oublie pas que tu t'es mariée pour le meilleur et pour le pire, ma fille! Là, tu manges ton pain noir, mais ça durera pas. Prie pour sauver ton ménage et pardonne. Un jour ou l'autre, il va bien falloir que tu retournes vivre avec ton mari. T'as pas le droit de laisser la place à une femme de mauvaise vie. Tes enfants vont avoir besoin de leur père, même si c'est une tête folle.

Corinne avait pâli en écoutant ce sermon. Elle se leva et fit quelques pas en direction de l'escalier conduisant à l'étage.

— Si c'est comme ça, dit-elle, la voix éteinte, je vais aller préparer le petit. Je vais demander à Anatole de me ramener chez nous quand il va revenir du village.

— Il en est pas question! déclara abruptement sa mère. Tu vas attendre que ton mari vienne te chercher, tu m'entends! S'il tarde trop, ton père va aller lui parler. Viens t'asseoir! Quand tu vas retourner chez vous, les affaires vont être claires. Il est pas question que Laurent Boisvert rie de toi plus longtemps.

Corinne se tut et obéit. Elle revint prendre place en face de sa mère.

—⁓—

S'il y avait eu une justice, Gonzague Boisvert n'aurait jamais été élu maire de Saint-Paul-des-Prés. C'est du moins ce que le curé de la paroisse se répétait le mardi soir, après que Camil Racicot fut venu lui annoncer que le décompte des votes avait pris fin et que le futur propriétaire de l'hôtel venait d'être élu avec une confortable majorité.

La mine sombre, Charles Bilodeau le remercia et le reconduisit à la porte du presbytère qu'il referma derrière lui.

— Nous voilà propres! déclara-t-il avec emportement au vicaire, assis dans le salon, en train de finir la lecture quotidienne de son bréviaire. Boisvert vient d'être élu. Ça, ça va nous faire tout un maire!

— Peut-être sera-t-il meilleur qu'on le pense, dit Jérôme Nadon pour apaiser son supérieur.

— Ah oui! fit le curé, sarcastique. Quand on va aller se plaindre qu'il y a trop d'ivrognes qui traînent autour de son hôtel, qu'est-ce que vous pensez qu'il va nous répondre, l'abbé?

L'abbé ne trouva rien à répliquer à cela.

Une heure plus tôt, l'atmosphère était passablement agitée à l'école du village, là où les habitants de Saint-Paul-des-Prés étaient allés voter toute la journée. Plusieurs dizaines d'électeurs avaient envahi l'endroit pour connaître les résultats du scrutin et manifestaient une certaine impatience devant la lenteur des scrutateurs qui s'étaient retirés dans l'appartement de l'institutrice, à l'étage, pour procéder au décompte des votes. Pendant ce temps, les Boisvert et leurs partisans occupaient le fond de la classe alors que Bertrand Gagnon et les siens se cantonnaient à l'avant, près de la tribune où était situé le bureau de l'enseignante.

Un peu après huit heures, le responsable annonça l'élection de Gonzague que ses deux fils s'empressèrent de jucher sur leurs épaules pour lui faire exécuter un tour d'honneur autour de la classe. Gagnon et ses partisans, la mine basse, endossèrent leurs manteaux et quittèrent les lieux sans féliciter l'heureux élu pour sa victoire. On sentait dans l'air une nette hostilité entre les deux clans.

Quelques instants plus tard, à la demande de son père, Laurent alla chercher à l'extérieur le petit baril de rhum encore à demi plein et il en distribua aux assoiffés. Quand l'école se vida un peu avant minuit, Gonzague et ses fils furent les derniers à partir.

— À cette heure, ça va changer à Saint-Paul! déclara le nouveau maire avant de prendre place dans sa carriole aux côtés de son fils Henri.

Laurent rentra seul chez lui. Rosaire avait laissé une lampe allumée et avait dû l'attendre assez longtemps avant de monter dans sa chambre parce qu'il restait des braises importantes dans le poêle. Le maître des lieux jeta deux rondins dans celui-ci avant d'aller se coucher sans se donner la peine de se déshabiller.

Le lendemain matin, le jeune cultivateur trouva Rosaire déjà prêt pour faire le train quand il se leva. Il ne dit rien et le rejoignit dans l'étable quelques minutes plus tard.

— Il reste plus de pain et il y a plus rien à manger, dit-il avec mauvaise humeur en examinant le garde-manger à leur retour de l'étable. Va me chercher des grillades de lard dans le coffre, ordonna-t-il à l'adolescent. On va se faire cuire des œufs avec ça.

Le repas se prit dans un silence pesant. Laurent jetait de temps à autre des coups d'œil autour de lui. En trois jours, l'état de la maison était devenu épouvantable. Rosaire avait bien lavé la vaisselle, mais le parquet était sale et il traînait des choses un peu partout. De plus, Laurent commençait à manquer de vêtements propres et la chambre à coucher était dans un désordre indescriptible avec un lit défait, des tiroirs de bureau ouverts et des vêtements sales dans tous les coins.

Après le déjeuner, Laurent prit une décision importante après y avoir longuement réfléchi.

— Mon père a gagné ses élections, annonça-t-il à Rosaire. Normalement, on devrait retourner bûcher aujourd'hui, mais tu vas plutôt atteler et aller chercher ma femme et Philippe chez son père, à Saint-François. Pendant que tu vas être parti, je vais remettre un peu d'ordre dans la maison. C'est devenu une vraie soue à cochons.

Rosaire, tout heureux, ne perdit pas de temps. Il alla atteler Satan et quitta la ferme en direction de Saint-François-du-Lac. Il faisait un froid mordant en cette troisième semaine de novembre, mais il ne neigeait pas. Il lui fallut plus d'une heure pour arriver à la ferme du rang de la rivière. Quand il descendit de la *sleigh*, l'adolescent était gelé et avait les doigts gourds.

Le bruit des grelots de l'attelage avait attiré Corinne à la fenêtre. À la vue de Rosaire descendant du véhicule, elle se précipita à la porte de la cuisine pour lui ouvrir.

— Dépêche-toi à entrer, Rosaire, lui ordonna-t-elle. Tu dois être gelé bien dur.

L'adolescent s'empressa d'obéir. Corinne l'embrassa sur les deux joues.

— Enlève ton manteau et tes bottes et viens te réchauffer, lui offrit Lucienne en s'approchant de l'orphelin.

Thérèse le salua, mais ne se donna pas la peine de quitter sa chaise berçante. Pendant que Corinne versait une tasse de thé chaud au jeune visiteur, sa mère alla chercher des biscuits à la mélasse cuisinés la veille.

— Qu'est-ce qu'il y a de neuf à Saint-Paul ? demanda Corinne avec un entrain qu'elle était loin d'éprouver.

— Monsieur Boisvert m'a dit que son père a été élu.

— Bon.

— T'es pas mal fin d'être venu rendre visite à ma fille, le félicita Lucienne.

— Monsieur Boisvert m'a demandé de venir la chercher avec Philippe, expliqua-t-il à la mère de Corinne.

— Ah oui ! fit Lucienne, sarcastique. Là, tu vas te réchauffer bien comme il faut et, après ça, tu vas retourner à Saint-Paul pour dire à Laurent Boisvert que c'est lui qui devra venir chercher sa femme et son petit. Dis-lui aussi qu'on a à lui parler. Est-ce que c'est clair, mon garçon ?

— Oui, madame, murmura l'orphelin, impressionné par le ton impérieux de la matrone.

Corinne jeta un coup d'œil à sa belle-sœur qui n'avait pas perdu un seul mot qui venait d'être prononcé. Elle allait dire quelque chose quand le regard noir que lui jeta sa belle-mère lui enleva toute envie d'intervenir.

Une heure plus tard, Rosaire quitta les lieux. À son retour à Saint-Paul, il se borna à livrer le message à Laurent. En réaction, celui-ci sortit un chapelet de blasphèmes qui eut fait trembler d'horreur le curé Bilodeau s'il l'avait entendu.

— Christ ! J'ai pas eu assez de faire du ménage pendant des heures que v'là que je suis obligé d'aller la courir. Il en est pas question !

Après avoir longuement hésité sur la conduite à tenir, le jeune cultivateur décida d'aller chercher sa femme et son enfant chez ses beaux-parents après le dîner, le jour même. Il but plusieurs rasades de caribou pour se donner du courage et se promit de faire payer au centuple à sa femme l'humiliation qui lui était imposée.

— Toi, salis rien pendant que je vais être parti, ordonna-t-il sur un ton menaçant à Rosaire avant de monter dans la *sleigh*. Elle, elle va le regretter, promit-il d'une voix un peu avinée en mettant son attelage en marche.

Heureusement, le long trajet pour se rendre à Saint-François-du-Lac le dégrisa. Au moment où il immobilisait son véhicule près de la maison des Joyal, il avait déjà pris sagement la résolution de faire montre d'humilité et de bonne volonté.

Lucienne fut la première à voir arriver la *sleigh* de son gendre dans la cour de la ferme. Aussitôt, les traits de son visage se durcirent et elle se félicita de l'absence de sa bru partie passer l'après-midi, encore une fois, chez ses parents. Corinne aperçut l'attelage qui venait de s'immobiliser près de la maison un instant plus tard.

— C'est Laurent qui vient me chercher, m'man, déclara-t-elle d'une voix anxieuse.

— Prends ton petit et va te reposer dans ta chambre, en haut.

— Mais, m'man... voulut protester la jeune femme.

— Fais ce que je te dis, la coupa sa mère d'une voix autoritaire. J'ai deux mots à dire à ton mari.

Pendant que la jeune mère montait à l'étage, Lucienne alla dans la cuisine d'été, ouvrit la porte communiquant avec la remise et cria à Napoléon qu'ils avaient un visiteur. Du même souffle, elle ordonna à Anatole et à Simon de continuer leur ouvrage. Elle retourna ensuite à la porte à laquelle son gendre venait de frapper.

— Entre, l'invita-t-elle, et viens te réchauffer.

Laurent pénétra dans la maison et retira son manteau et ses bottes.

— Vous êtes toute seule? demanda Laurent pour être poli.

— Non, mon mari s'en vient. Il réparait un attelage avec Anatole et Simon dans la remise.

— Je suis venu vous débarrasser de votre visite, reprit-il sur un ton plaisant en cachant mal sa surprise de ne pas apercevoir sa femme et son fils dans la grande cuisine d'hiver où il venait de pénétrer.

— Ah oui ! fit sèchement sa belle-mère. Assis-toi, lui commanda-t-elle, l'air mauvais. Mon mari et moi, on a deux mots à te dire avant que tu repartes pour Saint-Paul avec notre fille et ton petit.

Au même instant, Napoléon Joyal entra dans la pièce et retira son manteau sans manifester la cordialité dont il faisait preuve habituellement avec son gendre. Il alluma sa pipe sans offrir de tabac au visiteur et, le visage fermé, vint s'asseoir dans sa chaise berçante.

— Écoute-moi bien, Laurent Boisvert, l'apostropha sa belle-mère d'une voix hachée par la colère. Quand t'es venu faire ta grande demande, mon mari et moi, on trouvait que Corinne était trop jeune, mais t'as insisté. Tu voulais absolument la marier et tu nous a promis d'en prendre bien soin. Pas vrai ?

— Oui, madame Joyal, répondit le jeune fermier, qui avait pâli.

— On te l'a donnée et on t'a fait confiance, reprit Napoléon après avoir enlevé sa pipe de sa bouche. Si on avait imaginé que tu la traiterais comme tu le fais, je t'aurais dit non tout de suite.

— As-tu quelque chose à reprocher à notre fille ? lui demanda Lucienne sur un ton de défi.

— Non, madame Joyal. C'est une ben bonne femme.

— Si c'est une si bonne femme que ça, comment ça se fait que tu la traites comme un chien ? lui demanda Napoléon, le feu dans les yeux.

— Mais je la traite pas comme un chien, protesta son gendre.

— Aïe! Laurent Boisvert, viens pas rire de nous autres en pleine face! reprit sa belle-mère un ton plus haut. Traîner des mois à voir du pays sans donner de tes nouvelles, comme t'as fait l'hiver et le printemps passés, pas t'occuper de ta femme en famille, aller boire à l'hôtel tous les samedis et avoir le front de revenir à la maison avec du rouge à lèvres sur ton collet de chemise, t'appelles pas ça traiter ta femme comme un chien? s'emporta Lucienne dont le teint virait au rouge brique. Si j'étais ta femme, je t'assommerais avec ce qui me tomberait sous la main, le menaça la matrone, furieuse.

— Je suis pas si pire que ça, madame Joyal, et..., voulut se défendre le jeune père de famille.

— Viens pas nous raconter n'importe quoi! l'interrompit sa belle-mère. Mets-toi un peu de plomb dans la tête, tu m'entends? T'es plus garçon, t'es un homme marié et un père de famille.

— Là, t'es venu chercher notre fille et ton petit? lui demanda Napoléon en fixant durement son gendre.

— Ben oui, monsieur Joyal.

— Je vais être ben clair avec toi, encore une fois, mon garçon, reprit le cultivateur d'une voix égale. Si tu penses pas être capable de te conduire comme du monde avec ma fille, laisse-la ici dedans. Chez nous, elle mangera pas de misère.

— Je vous promets que je vais en prendre ben soin, monsieur Joyal, dit Laurent, apparemment repentant.

Lucienne, peu convaincue, se leva toutefois et se rendit au pied de l'escalier qui conduisait à l'étage.

— Corinne! C'est Laurent qui vient d'arriver, cria-t-elle à sa fille, comme si cette dernière avait ignoré l'arrivée de son mari.

Il y eut des bruits de pas à l'étage et la jeune femme blonde, le visage blême, apparut dans l'escalier, portant Philippe dans ses bras.

— Je suis venu te chercher, lui annonça Laurent en se levant à son tour au moment où elle arrivait au pied de l'escalier. On va faire ça vite si je veux arriver à temps pour faire le train.

Corinne avait tout entendu parce qu'elle avait laissé la porte de sa chambre ouverte. Elle était encore stupéfaite de la réaction respectueuse de son mari devant le véritable sermon qu'il venait de subir de la part de ses parents. Elle lui tendit le bébé en lui disant qu'elle montait chercher ses affaires.

À son retour au rez-de-chaussée quelques instants plus tard, elle s'empressa d'emmitoufler l'enfant. Pendant ce temps, Laurent s'était emparé de son mince bagage en lui signifiant qu'il allait enlever la couverture sur le dos de Satan. Après avoir fait ce qu'il avait annoncé, il se garda bien de rentrer dans la maison pour saluer ses beaux-parents. Il l'attendit dans la *sleigh*.

Napoléon et Lucienne ne dirent pas un mot. Ils embrassèrent leur fille et leur petit-fils.

— Oublie pas que c'est à toi de te faire respecter dans ta maison, lui recommanda sa mère, l'air sévère. Quand ce sera trop dur, pense à ton petit et prie, lui conseilla-t-elle.

— Tu peux revenir n'importe quand, reprit son père en lui ouvrant la porte. Ici dedans, t'es chez vous.

Corinne adressa à ses parents un sourire courageux et les embrassa à nouveau avant de se diriger vers la *sleigh* immobilisée près de la galerie. Elle avait compris à demi-mot le message de sa mère. La place d'une femme mariée et d'une mère de famille était dans son foyer, près de son mari, quel qu'il soit.

En montant dans le véhicule, elle jeta un regard craintif à Laurent qui ne tourna même pas la tête vers elle. Il garda le regard fixé droit devant lui. Elle s'efforça de sourire et de saluer de la main ses parents plantés devant la fenêtre.

L'attelage se mit en branle, sortit de la cour de la ferme et s'engagea sur le rang de la rivière.

Pendant un long moment, Laurent, la mine renfrognée, conserva un silence buté. Sa femme, assise à ses côtés, ne dit rien, occupée à protéger Philippe du froid.

— J'espère que t'es contente, là! lui dit durement son mari. T'es allée raconter n'importe quoi à ton père et à ta mère sur mon compte pour te faire prendre en pitié, c'est ça?

Elle continua à garder le silence. Elle sentait qu'elle devait lui laisser la chance d'exprimer toute sa mauvaise humeur et sa frustration d'avoir été grondé comme un enfant par ses parents.

— Ce qui se passe chez nous, ça les regarde pas une maudite miette! s'écria-t-il en colère. Ta mère pense tout de même pas qu'elle va venir faire la loi chez nous! Si j'ai envie d'aller boire un verre à Yamaska, il y a personne qui va m'en empêcher, tu m'entends?

Elle continua à se cantonner dans un silence obstiné.

— En tout cas, avant que je remette les pieds dans cette maison-là, il va faire chaud en sacrement! Ça, c'est moi qui te le dis. Ils auront pas la chance deux fois de me faire des sermons comme si j'étais un enfant!

Après cette sortie, il n'y eut plus que le bruit des grelots de l'attelage pour troubler le silence pesant qui tomba sur le couple. À leur arrivée à la maison, le jeune cultivateur ne se donna même pas la peine de descendre de la *sleigh*.

— Envoie-moi Rosaire aux bâtiments, ordonna-t-il à sa femme avant de poursuivre sa route jusqu'à l'écurie.

Corinne pénétra dans sa maison, embrassa Rosaire sur une joue et l'envoya rejoindre son mari à l'écurie. Pendant que les hommes soignaient les animaux, elle entreprit la préparation du souper et remit de l'ordre dans la maison.

Ce soir-là, même si on n'était que le mercredi, Laurent fit un bref arrêt dans le poulailler pour y prendre deux dollars. Après le souper, il ordonna à l'orphelin d'aller atteler Satan. Puis, il fit sa toilette et quitta la maison pour aller à Yamaska. C'était sa façon de faire comprendre à sa femme qu'elle ne lui dicterait pas sa conduite… encore moins ses parents.

Chapitre 26

Les inaugurations

Les semaines suivantes, Laurent Boisvert trouva mille et une façons de se venger de sa femme de l'humiliation subie à Saint-François-du-Lac. Il s'en prit d'abord à Rosaire en sachant à quel point cela la blessait.

— J'ai pas été te chercher à l'orphelinat pour que t'ailles traîner à rien faire à l'école, déclara-t-il le soir même où elle revint à la maison. À partir de demain, tu viens dans le bois avec moi et le voisin pour nous aider. Il est temps que tu gagnes un peu le pain que tu manges, ajouta-t-il avec méchanceté.

Corinne allait intervenir quand le regard mauvais et plein de défi de son mari la convainquit de s'en abstenir. Pour sa part, l'adolescent ne dit rien.

Dans un autre domaine, Laurent se mit à exercer ses droits conjugaux sans tenir aucun compte des désirs ou de la fatigue de sa femme. Il sembla même prendre un plaisir malsain à imposer sa loi de toutes les façons possibles. Par réaction, Corinne se fit de plus en plus passive dans ce domaine, ce qu'il ne sembla pas remarquer. Cependant, au fil des jours, la jeune femme sentit son amour pour son mari sérieusement ébranlé. Elle en vint même à se demander jusqu'à quand elle pourrait supporter ses mauvais traitements. Par ailleurs, elle était intimement persuadée qu'il serait sorti plus souvent que le samedi soir s'il ne rentrait pas si fatigué de ses journées à bûcher sur leur terre à bois et sur celle du voisin.

Évidemment, l'atmosphère du foyer était passablement perturbée par cette tension entre le mari et la femme. Le soir, Rosaire s'esquivait le plus souvent dans sa chambre dès qu'il avait rempli de bûches la boîte à bois, et cela, même si la pièce où il dormait était froide et humide. Pour sa part, Corinne s'empressait de faire la toilette du bébé avant de se réfugier dans le tressage d'une catalogne avec de vieux chiffons. Laurent, l'air absent, fumait sa pipe, assis à côté du poêle, souvent sans dire un mot de la soirée.

À la mi-décembre, Corinne se rendit compte que cela ne pouvait durer ainsi encore bien longtemps sans que son foyer éclate. Elle entreprit donc de sortir son mari du mutisme obstiné dans lequel il se cantonnait la plupart du temps en lui cuisinant les plats qu'il préférait et en se montrant un peu plus tendre. Laurent commença par ne répondre que par monosyllabes, mais finalement, il finit par céder. Il renonça progressivement à sa bouderie et dut retrouver, bon gré mal gré, son humeur habituelle.

Un soir, à son retour du village, il ne put s'empêcher de raconter à sa femme ce qui faisait l'objet de toutes les conversations au magasin général.

C'est ainsi que la cadette des Joyal apprit qu'une lutte ouverte s'était engagée entre le curé Bilodeau et son beau-père à savoir lequel des deux hommes inaugurerait le premier son nouvel édifice. Selon Laurent, son père harcelait les Lavigne pour que l'hôtel soit ouvert à la clientèle dès le 19 décembre. Le nouvel hôtelier était prêt à célébrer son inauguration officielle, même si la construction de l'écurie et de la longue remise, qui devaient flanquer le nouveau bâtiment, n'était pas achevée. De son côté, Charles Bilodeau avait déjà annoncé au début du mois que monseigneur

Gravel viendrait bénir la nouvelle église de Saint-Paul-des-Prés le troisième dimanche de décembre, soit le 20 décembre, avant d'y célébrer une grand-messe solennelle.

Quatre jours avant l'ouverture prévue de l'hôtel Boisvert, Gonzague vint frapper à la porte de son fils. Plus que jamais, le nouveau maire de la municipalité avait l'air d'un corbeau, engoncé dans son épais manteau de drap noir et coiffé de sa toque de la même couleur.

Corinne s'efforça de se montrer accueillante et hospitalière envers son beau-père parce qu'elle s'était mis en tête de persuader son mari d'aller visiter ses parents le dimanche suivant.

Gonzague lui tendit son manteau et sa toque et accepta le siège que lui proposait son fils.

— Je suis venu te voir pour deux raisons, annonça-t-il à son fils cadet. D'abord, j'ai besoin de toi demain et après-demain pour aller chercher avec Henri les meubles que j'ai achetés à Nicolet.

— Est-ce que c'est pour l'hôtel, p'pa?

— En plein ça. J'ai acheté à un nommé Bélisle de Nicolet des tables, des chaises et des *sets* de chambre.

— C'est neuf?

— Pantoute, s'empressa de répondre le futur hôtelier. Il m'a dit qu'il a acheté ça de seconde main à l'ancien propriétaire d'une auberge, en Beauce. Je suis allé voir ça la semaine passée. C'est en bon état. Ça va faire l'affaire.

— Ça a dû vous coûter pas mal cher, tout ça, intervint Corinne pour se montrer aimable.

— Pas trop, reconnut son beau-père, l'air finaud. Le bonhomme demandait deux cents piastres pour trente chaises, dix tables et ses huit *sets* de chambre. J'ai eu tout le lot pour cent cinquante piastres.

— Comme ça, ça veut dire que l'hôtel va être prêt pour le 19? demanda Laurent.

— J'ai pas l'habitude de parler à travers mon chapeau. J'ai dit le 19, ça va être le 19. Tu devrais voir la tête de Gagnon depuis que je l'ai battu, reprit son père, hors de propos, en plastronnant. Quand il passe devant l'hôtel, il tourne la tête pour pas le voir. Je peux te garantir tout de suite qu'il a pas fini de le voir.

— Comment allez-vous vous débrouiller pour trouver des employés? s'enquit Corinne, pratique, après avoir déposé une tasse de thé devant son beau-père.

— C'est la deuxième raison qui m'amène à soir, répondit Gonzague. J'ai déjà Madeleine Rousseau, qui a accepté de venir faire à manger et le ménage. Pour prendre soin des chevaux des clients et nettoyer l'écurie, j'avais pensé vous demander de me laisser votre Rosaire.

Corinne sentit que son mari allait accepter et elle s'empressa de prendre les devants.

— Il y a pas de problème, monsieur Boisvert, fit-elle en arborant un air aimable. Si Rosaire veut y aller, je pense pas que Laurent l'empêche, même s'il lui est pas mal utile dans le bois. Moi, j'y vois pas d'inconvénient si vous acceptez de lui donner un petit salaire de quatre piastres par semaine, de le nourrir et de l'habiller. Vous allez voir qu'en vieillissant, il est pas exigeant pantoute.

Un air calculateur se peignit immédiatement sur les traits du maire de Saint-Paul-des-Prés.

— À moins que vous aimiez mieux aller vous chercher un autre orphelin chez les sœurs, poursuivit Corinne. Là, c'est sûr que vous seriez pas obligé de le payer.

— Ouais, je vais y penser, se borna à dire Gonzague. Je voudrais aussi que toi, Laurent, tu sois le *barman* à l'hôtel, reprit-il. Tu connais ça.

— Oh oui! ne put s'empêcher d'intervenir sa bru.

Son mari lui jeta un regard noir qui l'incita à se taire.

— Moi, je peux pas me tenir à cœur de jour à l'hôtel, reprit son père, l'air important. Vous comprenez que je suis poigné par la commission scolaire, les affaires de la municipalité puis, il faut aussi que je m'occupe de la ferme. Je peux pas tout laisser sur le dos d'Henri.

— J'haïrais pas ça pantoute, reconnut son fils avec un plaisir évident.

— C'est toi qui louerais les chambres. Tu verrais aussi à ce que tout marche d'aplomb dans l'hôtel.

— Au fond, vous voulez que Laurent soit le gérant de votre hôtel, intervint Corinne. Je trouve que c'est une belle preuve de confiance que vous lui donnez, monsieur Boisvert, en lui laissant encaisser l'argent des clients, payer les employés et diriger votre hôtel tout neuf. Moi, je pense qu'il est bien capable de faire ça, ajouta-t-elle en feignant une fierté qu'elle était loin d'éprouver.

— C'est sûr, affirma Laurent. Cette *job*-là, je suis capable de la faire.

— Surtout qu'avec des responsabilités comme celles-là, tu vas avoir droit à un bon salaire, ce qui est pas à dédaigner avec le deuxième petit qui s'en vient, poursuivit Corinne, en apparence enthousiasmée par la perspective.

Laurent ne contredit pas sa femme et attendit la réponse de son père.

La dernière remarque de la jeune femme sembla plonger le futur hôtelier dans un abîme d'indécision. Pendant un court moment, un étrange silence tomba dans la cuisine d'hiver des Boisvert.

— De toute façon, ça sert à rien de s'énerver trop vite, finit-il par dire. Je vais d'abord voir comment ça marche avant de commencer à engager à gauche et à droite. On va s'en reparler en temps et lieu, temporisa-t-il d'une voix hésitante.

Sur ce, le vieil homme se leva et Corinne se dépêcha d'aller lui chercher son manteau et sa toque qu'elle avait déposés sur son lit.

Après le départ de son père, Laurent, songeur, alluma sa pipe, avant de demander à sa femme :

— Comme ça, tu penses que je serais capable d'être le gérant de l'hôtel ?

— Bien sûr, dit-elle sans trop y croire, mais j'ai bien peur que ton père essaye de te faire travailler pour presque rien. Regarde comme il a reculé quand j'ai parlé d'un salaire à payer à Rosaire. Il doit bien savoir que s'il veut un homme capable comme toi, il va falloir te payer comme du monde.

— C'est sûr, reconnut Laurent, en se rengorgeant.

Corinne retourna s'installer à table pour tresser sa catalogne. Elle n'était pas très fière du rôle qu'elle s'efforçait de jouer depuis plusieurs jours pour sauver son ménage. Faire semblant d'être heureuse et accepter sans rien dire les sautes d'humeur de son conjoint la minaient. Mais quoi faire d'autre si elle voulait reprendre le contrôle de son foyer ? Faire bonne figure à la famille Boisvert lui était aussi pénible que de continuer à accepter les sorties du samedi soir de son mari.

—⁓—

Le dimanche suivant, un incident pour le moins cocasse vint troubler la célébration de la dernière grand-messe officiée par le curé Bilodeau dans la chapelle du couvent.

Ce matin-là, les paroissiens de Saint-Paul-des-Prés avaient découvert au lever que la nuit avait laissé derrière elle quelques pouces supplémentaires d'une neige qui s'était ajoutée à toute celle déjà tombée depuis le début du mois de novembre.

— Si ça continue à ce train-là, avait déclaré l'abbé Nadon après avoir scruté le paysage par l'une des fenêtres du salon du presbytère, on verra même plus la tête des piquets de clôture à Noël.

— Changez de fenêtre, l'abbé, et regardez plutôt la belle église qu'on va étrenner la semaine prochaine, lui conseilla son supérieur, d'excellente humeur. Ça, ça remonterait le moral de n'importe qui. Pensez à toutes ces années où il a fallu se battre et économiser la moindre cenne pour y arriver.

— C'est vrai, reconnut le petit vicaire. En plus, on a été pas mal chanceux que l'avocat Parenteau ait fait un aussi gros don à la paroisse.

— Il y a juste une affaire qui vient gâter mon plaisir, reprit le curé Bilodeau, le visage soudainement assombri, en déposant son bréviaire sur la petite table placée près de son fauteuil.

— L'hôtel ?

— Oui, l'hôtel. J'ai envoyé Camil Racicot expliquer à Boisvert que le moins qu'il pouvait faire, c'était d'attendre après la bénédiction de l'église pour ouvrir son antre du vice. Il a rien voulu entendre. S'il venait se confesser à moi, je vous certifie, l'abbé, que je lui aurais dit ses quatre vérités. Mais je l'ai pas entendu en confession depuis l'été passé.

— Au fond, monsieur le curé, entre nous, c'est pas bien important qu'il inaugure son hôtel la veille de la bénédiction de notre église.

— Peut-être pas, reconnut Charles Bilodeau, mais j'aurais aimé entendre monseigneur annoncer en pleine chaire que l'hôtel de Saint-Paul-des-Prés ne vendrait pas d'alcool grâce à son intervention auprès des autorités. Il me semble que ça m'aurait fait un petit velours d'entendre ça.

— Gonzague Boisvert apprendra cette mauvaise nouvelle-là bien assez vite, dit Jérôme Nadon pour réconforter son curé.

— J'attends tout de même encore des nouvelles de monseigneur, reprit Charles Bilodeau. Il m'a bien promis de faire bloquer le permis de vente d'alcool quand je lui ai écrit à ce sujet cet automne, mais j'en ai pas eu de nouvelles.

— Je suppose, monsieur le curé, que vous allez en entendre parler la semaine prochaine, quand il va venir à Saint-Paul.

— Je l'espère bien, conclut le pasteur de Saint-Paul-des-Prés en s'approchant de la patère à laquelle était suspendu son manteau. Bon, il faut y aller, reprit-il.

Comme tous les dimanches matin à la grand-messe, la chapelle du couvent était pleine à craquer et il y faisait une chaleur à la limite du supportable. Dos à la foule des fidèles, la directrice de la chorale s'assit majestueusement à son harmonium en faisant signe aux chantres de s'asseoir également en attendant le début de la messe.

— Dire qu'on en a au moins pour deux heures, se plaignit Gonzague Boisvert à sa bru en prenant place dans la première rangée de chaises, moins pour narguer le curé Bilodeau que parce qu'il estimait que le maire de la municipalité se devait d'être vu par tous ses concitoyens le plus souvent possible.

Un peu plus loin, à sa gauche, Corinne et son mari trouvèrent deux chaises libres derrière un Jocelyn Jutras si préoccupé par Catherine Gariépy qu'il ne remarqua pas leur présence dans son dos.

Les fidèles se levèrent d'un seul élan pour saluer l'entrée du curé Bilodeau encadré par deux servants de messe. Le prêtre s'immobilisa au pied de l'autel, vêtu de sa chasuble violette en ce troisième dimanche de l'avent. La chorale, dirigée par Honorine Gariépy, entonna un premier cantique pendant que l'officiant montait les trois marches menant à l'hôtel pour y déposer son calice.

La messe fut célébrée avec la piété habituelle et la foule, stoïque, supporta le long sermon de son pasteur sans trop manifester d'impatience. Ce dernier conclut son homélie en annonçant que la grand-messe de la semaine suivante aurait lieu exceptionnellement à dix heures et, enfin, dans leur nouvelle église.

— Et cela, malgré les embûches que certaines personnes mal intentionnées ont semées sur notre chemin pour en empêcher la construction, ajouta-t-il, perfide.

Plusieurs têtes se tournèrent vers Gonzague Boisvert qui ne daigna pas détourner le regard du point qu'il fixait devant lui.

Charles Bilodeau conclut sa prédication en encourageant tous les paroissiens à venir accueillir monseigneur Gravel en se massant sur le bord de la route, devant l'église, dès neuf heures trente, le dimanche suivant. Des murmures et des hochements de tête saluèrent cette invitation.

Quand arriva le moment de la communion, une religieuse quitta sa chaise et vint étaler sur la sainte table l'étroite nappe amidonnée d'environ deux pieds de largeur sous laquelle les communiants devaient dissimuler leurs mains pendant la communion au cas où une parcelle de l'hostie consacrée viendrait à tomber.

Dès que la religieuse eut regagné sa place, les premiers fidèles vinrent s'agenouiller à la sainte table et enfouirent leurs mains jointes sous cette nappe pendant que d'autres attendaient debout dans l'allée pour prendre leur place dès que le prêtre aurait déposé une hostie sur la langue des premiers.

Après le chant de la communion, le prêtre ouvrit le tabernacle et en tira le ciboire rempli d'hosties consacrées. Suivi par l'un de ses servants armé d'une patène, il descendit les marches conduisant à l'autel et s'approcha de la sainte table pour distribuer la communion. À chacun, il posait une hostie sur la langue en disant: *Corpus Christi*, à quoi le communiant répondait: *Amen*. Au moment où il donnait la communion au quatrième ou au cinquième fidèle agenouillé devant lui, Charles Bilodeau fut victime d'une irrépressible envie d'éternuer. Comme il tenait d'une main le ciboire et de l'autre une hostie qu'il se préparait à déposer sur la langue d'Alexina Duquette, il fut incapable de retenir sa prothèse dentaire que son éternuement propulsa hors de sa bouche sous le regard ébahi des gens autour de lui.

L'incident aurait été somme toute assez mineur si le pauvre homme, obéissant à un réflexe, n'avait pas allongé le bras pour recueillir avec le ciboire la prothèse fugueuse. Ce geste fut suivi par un «Ah!» stupéfait dans la foule. Avant même que l'officiant fût lui-même revenu de sa surprise, les murmures se généralisèrent et furent remplacés, peu à peu, par un rire communicatif qui secoua pratiquement toute l'assistance.

Pour sa part, lorsque le servant de messe, éberlué, aperçut le dentier de son curé bien posé sur le dessus des hosties dans le vase sacré, il quitta précipitamment le chœur, aux prises avec une nausée incoercible.

Charles Bilodeau fut tellement consterné par son geste qu'il mit un bon moment avant de réagir. Il regarda sans vraiment les voir les fidèles agenouillés devant lui se lever un à un et quitter la sainte table sans communier. Alors, il se décida à tourner le dos au public et à retourner à l'autel sur lequel il déposa le ciboire. Il retira de ce dernier sa prothèse qu'il enfourna d'un geste vif dans sa bouche. Les rires et les murmures cessèrent.

L'officiant fit un énorme effort pour oublier ce qui venait de se produire et entreprit la récitation de la prière de la postcommunion. Quelques minutes plus tard, quand il se tourna vers l'assistance pour la bénir en prononçant le *Ite missa est*, le prêtre, le visage rouge de honte, n'avait pas encore retrouvé tout son aplomb.

Revenu dans la minuscule sacristie située derrière l'autel, Charles Bilodeau retira ses vêtements sacerdotaux, non sans avoir jeté au passage un regard furibond au jeune servant de messe qui avait quitté précipitamment le chœur lors de sa mésaventure. Il attendit que tous les fidèles aient quitté la chapelle avant de retourner à l'autel y prendre le ciboire. Il se devait maintenant de manger toutes les hosties que sa prothèse avait pu toucher.

—∽∾—

L'incident cocasse défraya la chronique dans Saint-Paul-des-Prés durant plusieurs jours et faillit faire oublier l'inauguration de l'hôtel Boisvert, le samedi suivant.

La veille de ce jour important, Gonzague Boisvert avait exigé de ses constructeurs qu'ils rangent tout ce qui traînait autour du nouvel édifice à un étage. En retrait de la route, l'immeuble de belle dimension avait fière allure avec sa double rangée de fenêtres et sa large galerie qui le ceinturait. Le bois était encore à nu à l'extérieur, mais à l'intérieur, toutes les pièces avaient été peintes et une odeur entêtante de peinture flottait dans l'air, même si on avait largement aéré les lieux. Lorsque la construction de l'écurie et de la remise serait achevée, l'ensemble serait tout de même assez imposant.

— Avez-vous invité le député, p'pa? demanda Laurent à son père quand il vint visiter l'hôtel, la veille de son ouverture officielle.

— Es-tu malade, toi, torrieu? rétorqua Gonzague. Qu'est-ce qu'un député bleu viendrait faire ici dedans? Il sera pas dit nulle part que j'aurai bourré ce monde-là. À part ça, qu'est-ce que ça me rapporterait? Il a rien fait pour moi et il fera jamais rien parce que ce sont les rouges qui sont au pouvoir et ils vont le rester un maudit bon bout de temps, si tu veux le savoir. Et c'est tant mieux pour nous autres.

— Qui est-ce que vous avez invité, en fin de compte? fit son fils cadet, curieux, en regardant le permis de vente d'alcool qu'on avait fixé au mur, derrière l'imposant bar placé entre la petite salle à manger et la taverne proprement dite.

— J'ai invité Chapdelaine et le ministre qui m'a aidé à avoir mon permis, mais ils m'ont fait répondre qu'ils sont poignés tous les deux à Québec demain.

— Avez-vous invité les maires des villages autour?

— Pourquoi j'aurais fait ça? demanda l'hôtelier. Ils peuvent pas m'être utiles en rien. À part ça, je suis sûr qu'il y en a pas un qui serait venu. Ils ont ben trop peur de se mettre leur curé à dos.

— Au fond, c'est peut-être aussi ben que vous invitiez seulement le monde d'ici à venir boire un coup gratis pour fêter ça, conclut Laurent.

Le visage de son père se figea lorsqu'il entendit ces mots.

— J'ai ben peur, mon garçon, que tu finisses tes jours le cul sur la paille si tu continues à penser comme ça. As-tu pensé une minute à ce que cet hôtel-là me coûte? En plus, il va falloir que je paye mon monde. Juste acheter la boisson pour le bar et le manger pour la cuisine, ça m'a déjà coûté un bras. Depuis trois mois, j'ai dépensé une grosse partie de mon vieux gagné. Non, pour demain, j'ai fait préparer une grosse banderole qu'on va accrocher sur le balcon, en avant, et on va se contenter d'ouvrir les portes. Il y aura rien de gratis. Ceux qui veulent boire vont payer leur boisson. J'ai pas envie pantoute de soûler tous les ivrognes du comté à mes frais.

— C'est vos affaires, p'pa, finit par dire un Laurent passablement dépité par la décision paternelle.

— Comme tu dis, conclut son père. Ah! pendant que j'y pense, tu diras à ta femme que son idée était pas bête. Je suis allé chercher un jeune à l'orphelinat il y a deux jours. Il a quatorze ans et il m'a l'air solide. Il va s'occuper de l'écurie et faire du ménage ici dedans et ça me coûtera pas une cenne.

— J'espère que vous allez avoir ben des clients, lui souhaita son fils en boutonnant son manteau, prêt à retourner à la maison.

— Je suis pas inquiet, affirma son père. Tu vas voir que ce sera pas long que la plupart de ceux qui traînent chez Duquette vont venir se réchauffer ici dedans et boire ma bière.

On ne sut pas trop comment, mais l'information voulant que le propriétaire du nouvel hôtel n'entendait pas régaler ses clients à ses frais lors de l'inauguration circula rapidement dans Saint-Paul-des-Prés. Dans ces conditions, comme il était prévisible, l'événement ne suscita pas grand intérêt dans la population.

Laurent fut l'un des rares clients à franchir les portes de l'établissement ce soir-là. Il n'y avait sur les lieux que deux clients en train de boire une bouteille de bière sans grand entrain. Gonzague Boisvert, en manches de chemise, officiait, l'air important, derrière le bar.

— Dites-moi pas que vous avez pas encore trouvé un barman ? fit son fils en prenant place sur l'un des quatre hauts tabourets placés devant le bar.

Il espérait encore que son père l'engage à un salaire raisonnable pour occuper ce poste qu'il jugeait taillé sur mesure pour lui.

— C'est pas pressant pantoute, dit le sexagénaire en décapsulant une bouteille de bière avant de la lui tendre avec un verre.

Un peu plus tard, le jeune cultivateur ne fut guère surpris que son père exige qu'il paie ses consommations au prix affiché derrière le bar, même s'il aurait pu s'attendre à un traitement de faveur en signe de reconnaissance pour tout le travail accompli gratuitement pour lui ces dernières semaines.

— Calvaire de gratteux ! dit-il en montant dans sa *sleigh*. Avec lui derrière le bar, cet hôtel-là va être ennuyant comme la mort. S'il s'imagine que je vais y remettre les pieds, il se trompe.

Durant le peu de temps qu'il avait passé au nouvel hôtel Boisvert, il avait réalisé qu'il ne pourrait jamais boire à son goût ou s'amuser un peu avec une fille sous l'œil de son père ou de l'un de ses employés. Par conséquent, il prit la ferme résolution de retourner à l'hôtel de Yamaska dès la semaine suivante. C'était un endroit où il avait ses amis et ses habitudes.

Ce soir-là, peu après dix heures, Camil Racicot vint frapper à la porte du presbytère avec des mines de conspirateur. C'est le curé Bilodeau lui-même qui vint lui ouvrir. Le président de la fabrique venait lui faire un rapport sur ce qui se passait à l'hôtel de Gonzague Boisvert, comme le prêtre le lui avait demandé.

Malgré la fatigue d'une longue journée occupée à peaufiner la cérémonie de la bénédiction de son église, qui devait avoir lieu le lendemain, Charles Bilodeau avait retardé l'heure de son coucher pour savoir comment s'était déroulée l'inauguration de l'hôtel, une inauguration qui avait dû se faire sans vente d'alcool, selon lui, puisque son propriétaire n'avait certainement pas obtenu son permis de vente.

— Puis? Comment c'était, monsieur Racicot? demanda le prêtre au cultivateur en l'arrêtant dans le couloir, après avoir refermé la porte d'entrée derrière lui.

— C'est pas mal mort, monsieur le curé, lui apprit Camil avec un large sourire.

— Ça veut dire quoi?

— Ça veut dire qu'il y a pratiquement pas un chat dans la place, monsieur le curé. Quand je suis passé tout à l'heure, il y avait juste deux *sleighs* dans la cour.

— Il y a peut-être eu plus de monde que ça au début de la soirée, avança Charles Bilodeau qui avait du mal à croire la nouvelle.

— Ça me surprendrait pas mal, affirma le président du conseil. Je suis passé vers sept heures et il y avait juste deux ou trois *sleighs*.

— Tant mieux ! Tant mieux ! fit le prêtre en se frottant les mains de satisfaction. Je le savais bien que nos prières finiraient par être entendues.

Le curé de Saint-Paul-des-Prés remercia Camil Racicot et s'empressa de se retirer dans sa chambre, le cœur en fête.

———∽∽∼———

Le lendemain matin, un peu après six heures, le curé Bilodeau fut accueilli par un courant d'air froid lorsqu'il poussa la porte de la cuisine du presbytère. Pierre-Paul Langevin, le vieux bedeau, venait d'entrer dans la pièce, les bras chargés de bûches qu'il laissa tomber bruyamment dans le coffre à bois placé près du gros poêle à deux ponts.

— On gèle tout rond dans votre cuisine, dit le prêtre à Géraldine Lemieux, qui venait de refermer la porte derrière le bedeau.

— C'est que c'est pas chaud pantoute dehors à matin, monsieur le curé, répondit la servante avec bonne humeur.

— Il faut dire que je passe mon temps à entrer et à sortir, monsieur le curé, expliqua le bedeau. Madame Lemieux veut pas prendre le risque de manquer de bois pour préparer le dîner de monseigneur. Dehors, on se croirait en plein cœur du mois de janvier, ajouta le vieil homme, l'air fatigué.

— On dirait que vous êtes au bout de votre rouleau, lui fit remarquer le prêtre en regardant son bedeau aux yeux rougis. Avez-vous couché sur la corde à linge ?

— Ben, il faut comprendre, monsieur le curé, que j'ai passé la nuit à chauffer l'église. Camil Racicot m'avait promis de venir me remplacer vers une heure du matin, mais je lui ai pas vu le bout de l'oreille.

Jérôme Nadon, attiré par les bruits de voix, venait d'entendre la dernière réplique de Pierre-Paul Langevin.

— Si vous le permettez, monsieur le curé, je vais remplacer monsieur Langevin. Je peux continuer à chauffer l'église en lisant mon bréviaire pendant qu'il va aller dormir une heure ou deux.

Charles Bilodeau accepta la proposition de son vicaire et il se retira après que sa cuisinière lui eut promis que monseigneur Gravel allait apprécier le dîner qu'elle allait lui servir ce midi-là.

Le pasteur de Saint-Paul-des-Prés se rendit dans son bureau pour revoir une dernière fois le texte qu'il lirait lors de la bénédiction de son église quelques heures plus tard. La cérémonie était importante et cela le rendait nerveux et tendu. Il réalisait bien qu'il n'était pas donné à tous les curés d'«étrenner une nouvelle église», comme il l'avait dit et répété à son vicaire.

Il était si préoccupé par la cérémonie qu'il ne songea même pas à informer son vicaire de l'échec, la veille, de l'ouverture officielle de l'hôtel Boisvert. D'ailleurs, monseigneur allait sûrement lui apprendre que Gonzague Boisvert n'obtiendrait pas son permis de vente d'alcool et que ses activités se limiteraient à louer des chambres et à servir des repas.

Il ne restait plus maintenant qu'à faire en sorte que le prélat reçoive un accueil chaleureux de la part de ses paroissiens et que tout se déroule sans anicroche.

Charles Bilodeau avait été un peu déçu que son évêque repousse son invitation à venir dormir dans son presbytère la veille de la bénédiction. Il aurait aimé jouer les hôtes auprès de son supérieur et ils auraient eu tout le temps de s'entretenir de divers sujets qui lui tenaient à cœur. Malheureusement, le secrétaire de l'évêque lui avait répondu dans une courte lettre que monseigneur n'arriverait que le dimanche matin, quelques minutes avant dix heures, et qu'il regagnerait rapidement Nicolet après le dîner.

Un peu avant neuf heures trente, le curé s'approcha de l'une des fenêtres de son bureau et jeta un coup d'œil à l'extérieur. À sa grande surprise, il ne vit que deux personnes debout sur le parvis de la nouvelle église, en train de battre la semelle.

— Voyons donc! s'exclama-t-il. Où est le monde? Monseigneur est à la veille d'arriver.

Sans perdre un instant, il endossa son manteau et quitta précipitamment son presbytère. Un véritable froid sibérien l'accueillit à sa sortie. Il devait faire près de – 25 °F et le vent du nord qui faisait rage lui coupa pratiquement le souffle. Il s'empressa d'aller rejoindre son vicaire et ses marguilliers qui devaient déjà attendre l'arrivée du prélat, à l'abri, dans l'église. En ouvrant la porte, le curé de Saint-Paul-des-Prés se rendit compte qu'il ne s'était pas trompé. Plus d'une centaine de fidèles s'étaient réunis à cet endroit et attendaient, entassés à l'arrière du temple, l'arrivée de l'important visiteur. On était loin de l'accueil triomphal réservé à l'évêque, tel qu'il s'était plu à l'imaginer depuis quelques semaines.

Mécontent, il attira Camil Racicot à l'écart pour lui parler.

— Vous étiez pas supposé remplacer le bedeau la nuit passée pour chauffer l'église? lui demanda-t-il sèchement.

— C'est ce qui avait été entendu, monsieur le curé, mais je me suis endormi en rentrant à la maison après vous avoir fait mon rapport et je me suis réveillé juste à matin, précisa-t-il, l'air contrit.

— À cette heure, les gens peuvent pas rester bien au chaud dans l'église pour attendre monseigneur. Ça se fait pas. Lui, même s'il fait froid, il est parti de Nicolet pour venir bénir notre église.

Pendant qu'il parlait, plusieurs autres paroissiens se glissèrent dans l'édifice en se frottant les mains pour les réchauffer.

— C'est ce que j'ai dit au monde tout à l'heure, affirma le président de la fabrique. Inquiétez-vous pas pour ça, monsieur le curé. On se remplace sur le bord de la route. Là, c'est Rajotte qui est devant le couvent à côté. Aussitôt qu'il va apercevoir la *sleigh* de monseigneur, il va venir nous avertir en courant. On va tous sortir de l'église pour le recevoir.

Un peu rassuré, Charles Bilodeau alla rejoindre son vicaire en grande conversation avec Bertrand Gagnon et le notaire Ménard. L'église continuait à se remplir.

Quelques minutes plus tard, Paul-André Rajotte, les oreilles rougies par le froid, accourut pour alerter les gens. Monseigneur arrivait. Tout le monde se précipita à l'extérieur et les marguilliers durent écarter la foule pour ménager un passage au curé et à son vicaire s'avançant pour aller accueillir monseigneur Gravel sur le bord de la route. La *sleigh* de l'évêque s'immobilisa devant eux et les gens applaudirent Elphège Gravel et son secrétaire à leur descente du véhicule. Le prélat, engoncé dans un épais manteau de chat sauvage, salua la foule de la main et se dirigea vers le parvis, apparemment très pressé d'entrer dans l'église pour se réchauffer après ce long trajet. Le curé Bilodeau, suivi par le secrétaire de l'évêque et son vicaire, lui emboîta le pas. Les fidèles suivirent à leur tour les trois ecclésiastiques et prirent place dans les bancs.

Pendant que l'évêque de Nicolet se retirait dans la sacristie pour revêtir ses vêtements sacerdotaux en compagnie du curé Bilodeau, de Raoul Tousignant et de l'abbé Nadon, les gens admiraient enfin l'intérieur de leur nouvelle église où ils mettaient les pieds pour la première fois.

L'édifice avait les mêmes dimensions que l'église incendiée quelques années auparavant. Le dôme avait été peint en bleu ciel et les murs étaient beiges. Bien peu de dorures venaient rehausser une église où les boiseries en chêne abondaient cependant. D'ailleurs, une forte odeur de vernis flottait encore dans les lieux. À l'avant, dans le chœur, le maître-autel en marbre reposait au haut de cinq larges marches du même matériau. À gauche, un petit autel dédié à saint Paul correspondait en tout point à un autre, à droite, dédié à la Vierge. Tout cela était séparé de la foule des fidèles par une sainte table en chêne.

Évidemment, Gonzague Boisvert avait tenu à assister à cette bénédiction en compagnie de son fils Henri. Sa bru était demeurée à la maison pour prendre soin des enfants. Pendant un bref moment, ce matin-là, le premier magistrat de Saint-Paul-des-Prés avait été tenté d'assister à la dernière basse-messe célébrée au couvent voisin. Puis, il s'était dit que sa place, à titre de maire de la municipalité, était d'être présent lors de cet événement, que le curé Bilodeau l'aime ou pas.

Gonzague et Henri venaient à peine de prendre place dans l'un des premiers bancs à l'avant que Laurent et Corinne se glissèrent dans celui situé derrière eux. Gonzague se tourna à demi vers son fils cadet pour lui faire remarquer d'une voix acide :

— T'as vu ? La fabrique peut ben manquer d'argent. Les marguilliers se sont fait rembourrer et recouvrir leurs bancs avec du cuir, baptême !

— En tout cas, chuchota Laurent, ce qui est sûr, c'est qu'il va falloir payer notre banc au plus sacrant si on veut en avoir un bon pour l'année. Là, ça fait ben des années que le monde en payait pas parce qu'il y en avait pas au couvent. À cette heure, c'est une autre paire de manches.

Son père allait répliquer quand monseigneur Gravel, revêtu d'une lourde chape surchargée de dorures et coiffé de sa mitre, apparut dans la nef, précédé par six enfants de chœur et encadré par l'abbé Nadon et le curé Bilodeau, portant bénitier et goupillon. Immédiatement, l'assistance se leva et un pieux silence tomba sur les lieux.

Le portillon de la sainte table fut ouvert. Avec majesté, l'évêque entreprit de faire lentement le tour de l'église, s'arrêtant de temps à autre pour l'asperger et réciter une prière en latin. Dans le jubé, Honorine Gariépy plaqua les premiers accords sur le nouvel harmonium pendant que la chorale entonnait un cantique.

De retour dans le chœur, l'évêque fit face à l'assistance et lui parla durant quelques minutes de l'importance pour chaque communauté de posséder une église pour y honorer Dieu. Il ne manqua pas de mentionner qu'il était du devoir des gens de Saint-Paul-des-Prés de rembourser le plus rapidement possible la dette engendrée par la construction de son nouveau temple.

Ensuite, le prélat célébra une messe solennelle, diacre sous diacre, et il laissa au curé de la paroisse le soin de prononcer une homélie de circonstance. Ce dernier conclut son sermon en rappelant à ses ouailles que la guignolée annuelle aurait lieu l'après-midi même. Il insista beaucoup sur le fait qu'il comptait sur la charité chrétienne de chacun pour donner aux moins bien nantis de la paroisse.

Les paroissiens ne quittèrent l'endroit qu'un peu avant midi. Ils avaient toutefois l'impression d'avoir vécu un moment historique en cette froide matinée de décembre. La foule s'écoula doucement sur le parvis. Beaucoup de gens auraient aimé pouvoir échanger avec des voisins et des connaissances sur ce qu'ils avaient éprouvé en pénétrant pour la première fois dans leur église toute neuve, mais le froid et la faim les en dissuadèrent. En quelques minutes, toutes les voitures qui encombraient les alentours avaient disparu et le curé Bilodeau et son vicaire conduisirent leurs invités au presbytère voisin pour qu'ils puissent se restaurer.

Géraldine Lemieux vint saluer l'évêque et Raoul Tousignant, son secrétaire, à leur entrée. Elle retourna rapidement dans sa cuisine quand Charles Bilodeau invita tout le monde à passer au salon pour boire un apéritif.

— Si ça vous fait rien, monsieur le curé, on va sauter l'apéritif et dîner le plus tôt possible, fit le prélat. Je dois être à l'évêché à trois heures pour un rendez-vous. Les odeurs qui viennent de la cuisine sont tellement appétissantes qu'elles me donnent faim.

L'hôte s'empressa de conduire tout le monde à la salle à manger et, un instant plus tard, la cuisinière déposa au centre de la grande table en noyer une soupière remplie d'un potage de légumes. Monseigneur Gravel récita le bénédicité et chacun se servit un bol de soupe. Avant que Géraldine ne revienne dans la pièce avec un rôti de veau et des pommes de terre en purée, le curé Bilodeau avait eu le temps de demander à son supérieur ce qu'il pensait de la nouvelle église de Saint-Paul-des-Prés.

— Une bien belle église, et pas trop chargée de fioritures, affirma l'ecclésiastique aux traits ascétiques. Vos paroissiens, monsieur Bilodeau, n'ont pas à regretter de s'être endettés pour une si belle maison de Dieu.

— Quand le chemin de croix sera installé, elle va être encore plus belle, déclara Charles Bilodeau avec conviction.

— Quel chemin de croix? demanda l'évêque.

— Celui que la fabrique va commander après les fêtes, monseigneur, répondit le pasteur de la paroisse.

Un air de profond mécontentement se peignit immédiatement sur les traits du premier évêque du diocèse de Nicolet. Il ne dit rien pendant qu'il déposait dans son assiette une tranche de rôti et des pommes de terre. Il prit même le temps de manger deux ou trois bouchées avant de reprendre la parole.

— Vous avez l'argent pour payer ce chemin de croix là, monsieur Bilodeau?

— Non, mais mes marguilliers ont pensé qu'on pourrait faire une ou deux quêtes spéciales pour le payer.

Le petit secrétaire de l'évêque regarda son supérieur un bref instant avant de se concentrer sur le contenu de son assiette, comme s'il se doutait de ce qui allait suivre.

— Il en est pas question, monsieur le curé ! fit sèchement Elphège Gravel sur un ton autoritaire. Je vous rappelle que le diocèse a garanti le prêt important que votre paroisse a contracté pour bâtir votre nouvelle église. S'il y a des quêtes spéciales dans mon diocèse, ce sera pour nous aider à payer la nouvelle cathédrale, pas pour d'autres raisons, vous m'avez compris ?

Sous l'algarade, le visage du curé Bilodeau avait pâli.

— Oui, monseigneur, mais un chemin de croix…

— Un chemin de croix, monsieur le curé, n'est pas une nécessité dans une église. C'est une œuvre pieuse, tout au plus. Votre chemin de croix attendra que votre dette soit éteinte, à moins que certains de vos paroissiens jugent bon de vous faire des dons importants pour vous en offrir un.

Un silence pesant tomba sur la salle à manger. Pendant un long moment, il ne fut troublé que par le bruit des ustensiles effleurant la vaisselle. Finalement, le curé Bilodeau dut faire un réel effort pour reprendre la parole.

— Vous êtes arrivé à Saint-Paul par l'autre bout du village, monseigneur, dit-il. De cette façon-là, vous êtes pas passé devant le nouvel hôtel qui a ouvert ses portes hier soir.

— Mon Dieu ! On dirait qu'on a beaucoup bâti dans votre village cette année, fit l'évêque sur un ton neutre.

— Le propriétaire a déjà commencé à vendre de l'alcool, poursuivit Charles Bilodeau en déposant dans son assiette un peu de ketchup vert.

— Ah oui ! C'est vrai, dit Elphège Gravel. Mon secrétaire devait vous envoyer une lettre la semaine passée, mais je lui ai dit de laisser faire, que j'allais vous apprendre la mauvaise nouvelle de vive voix aujourd'hui.

— Quelle mauvaise nouvelle, monseigneur ? demanda le curé, soudainement inquiet.

— Il semblerait que votre nouveau maire va garder son permis aussi longtemps que les libéraux vont être au pouvoir.

— C'est pas vrai ! s'exclama Charles Bilodeau, catastrophé. Vous voulez dire qu'il va avoir le droit de vendre de la boisson à tout un chacun tant qu'il va vouloir ?

— On le dirait bien, fit abruptement Elphège Gravel. Je suis allé le plus haut possible pour empêcher ça, mais on a fini par me dire qu'il n'y avait rien à faire.

— J'en reviens pas, dit le curé, la voix éteinte.

— Il vous reste la prière et la vigilance, monsieur le curé, reprit l'évêque, sur un ton compatissant. Vous avez un mouvement pour la tempérance dans votre paroisse. Je vous recommande d'insister sans relâche pour que vos paroissiens appartiennent à ce mouvement. À mon avis, ce serait le meilleur moyen de contrer les effets pernicieux de cet hôtel chez vous. Adressez-vous aux mères et aux épouses pour arriver à vos fins. Vous savez comme moi qu'elles connaissent cent moyens de se faire écouter.

Le reste du repas se déroula dans un silence un peu contraint. Quand monseigneur Gravel et l'abbé Tousignant prirent congé au début de l'après-midi, Charles Bilodeau et son vicaire les virent partir avec un certain soulagement.

— Batèche ! jura le curé au moment où la *sleigh* des visiteurs quittait l'allée sur le côté du presbytère. Toute une journée réussie ! Nous voilà pris avec un hôtel en plein milieu du village. On va avoir des ivrognes qui vont traîner autour toute la sainte journée. Ça va être beau à voir, ça ! Un bel exemple pour les jeunes !

— Voyons, monsieur le curé, tenta de le raisonner Jérôme Nadon. Ce sera pas pire qu'à Pierreville ou Yamaska. Ils ont des hôtels depuis des années et les curés de ces paroisses-là se sont habitués.

— À part ça, l'abbé, voulez-vous bien me dire de quoi va avoir l'air notre église sans chemin de croix ? reprit Charles Bilodeau en changeant subitement de sujet.

— C'est sûr qu'elle va avoir l'air un peu chenue, reconnut le jeune prêtre.

— C'est le moins qu'on puisse dire ! fit le curé en laissant éclater sa mauvaise humeur.

— À moins que…

— À moins que quoi ? lui demanda son supérieur sur un ton rogue.

— À moins qu'on emprunte le chemin de croix de la chapelle du couvent, monsieur le curé.

— Vous êtes pas sérieux, l'abbé, le rembarra Charles Bilodeau. La supérieure aurait bien une attaque si j'osais lui demander ça. C'est la seule décoration de sa chapelle.

— Dans ce cas-là, je pense qu'il y a juste à attendre qu'un de nos paroissiens nous fasse un gros don.

— *Amen*, fit son curé avant de disparaître dans son bureau.

Chapitre 27

L'accident

Après l'inauguration de l'hôtel Boisvert et au lendemain de la bénédiction de l'église, la vie reprit son cours normal à Saint-Paul-des-Prés. L'agitation engendrée par ces nouveautés et par les récentes élections municipales se calma progressivement. Les gens retournèrent à leur routine quotidienne et, surtout, à la préparation des fêtes.

À trois jours de Noël, la plupart des ménagères se mirent à cuisiner la nourriture qui allait être servie durant les fêtes pendant que les hommes profitaient d'un certain redoux pour aller bûcher sur leur terre à bois.

La semaine précédente, Corinne avait demandé à son mari, à plusieurs reprises, d'abattre une épinette ou un sapin qu'elle voulait transformer en arbre de Noël. Elle avait d'ailleurs entrepris de confectionner des cocottes de pin vernissées, un ange en tissu et même des guirlandes en papier coloré pour orner cet arbre.

— Achale-moi pas avec ces niaiseries-là, avait-il répondu chaque fois. J'ai pas de temps à perdre avec ça.

— C'est correct, avait-elle répliqué. Comme d'habitude, je vais m'arranger toute seule.

Ce jour-là, Corinne profita d'une brève absence de Laurent pour demander à Rosaire de l'accompagner dans le bois au bout de la terre des Boisvert pour se procurer un arbre de Noël. La jeune femme déposa un Philippe chaudement emmitouflé sur le traîneau et ils allèrent abattre un petit sapin d'environ six pieds de hauteur qu'ils rapportèrent à la maison. À leur retour, elle chargea l'adolescent d'aller remplir un seau avec de la terre prélevée au fond de la grange. Après avoir planté l'arbre dans le seau, dans un coin de la cuisine d'hiver, elle le décora avec l'aide de l'orphelin sous le regard ravi de Philippe.

— Ça fait plus gai, non? demanda-t-elle à Rosaire, une fois le travail terminé.

— C'est pas mal beau, reconnut l'adolescent dont les yeux brillaient de joie.

De fait, l'arbre donnait à la maison un petit air de fête des plus agréables.

Quand son mari rentra à la maison à la fin de l'avant-midi, elle ne se donna même pas la peine de le lui faire admirer. Laurent le vit, mais ne fit aucun commentaire.

La jeune mère de famille passa le reste de la journée et une partie de la soirée à cuisiner des pâtés à la viande, des tartes à la mélasse, aux raisins et aux dattes, réservant la confection du ragoût de boulettes traditionnel pour le lendemain avant-midi.

Assis dans sa chaise berçante, près du poêle, son mari semblait passablement agacé par tous ces préparatifs qu'il jugeait inutiles et coûteux. Les odeurs appétissantes qui venaient du fourneau ne le mettaient même pas de bonne humeur.

— Veux-tu ben me dire, sacrement, pourquoi tu gaspilles autant de manger? finit-il par demander à Corinne.

— Parce que c'est Noël dans deux jours. Et après ça, ça va être le jour de l'An et les Rois, répondit la jeune femme en repoussant une mèche de cheveux blonds qui s'était détachée de son chignon. T'aimes pas ça manger bon?

— Oui, mais…

— Bien, pour faire du bon manger, il faut ce qu'il faut.

— Je le sais ben, fit son mari avec humeur. Mais à quoi ça rime de dépenser autant ?

— Aïe, Laurent Boisvert ! Tu me feras pas croire que ta mère faisait pas ça de son vivant, répliqua Corinne, agacée.

— Ben non, répliqua Laurent avec assurance. T'imagines tout de même pas que le père l'aurait laissée faire autant de dépenses pour des niaiseries pareilles.

— Eh bien ! Ici, je peux te dire que ce sera pas comme chez vous, dans ce cas-là, affirma la jeune femme d'une voix décidée. Chez nous, on a toujours fêté et je vois pas pourquoi, nous autres, on le ferait pas. Je sais que les années passées, t'étais au chantier et que tu pouvais pas. Mais cette année, c'est différent.

— En tout cas, viens surtout pas te plaindre cet hiver que tu manques de manger, rétorqua son mari sur un ton menaçant. Si ça a de l'allure…

Corinne haussa les épaules et poursuivit sa tâche. Depuis quelques jours, elle était surtout préoccupée par l'avenir de Rosaire. Elle n'était pas parvenue à convaincre son mari de laisser l'adolescent retourner à l'école, ne serait-ce que deux ou trois jours par semaine.

— Je sais pas lire ni écrire ! avait-il fini par s'écrier, à bout de patience. Ça m'empêche pas de vivre. Je vois pas pourquoi je laisserais vivre à mes crochets un pur étranger pendant que je me crève à travailler. Si tu m'achales encore avec ça, je le ramène à l'orphelinat.

Cette dernière menace avait mis fin aux tentatives de la jeune femme de le raisonner. Rosaire était présent lorsque le maître de la maison avait formulé cette menace et, du regard, il avait supplié Corinne de cesser.

—∞—

La veille de Noël, le ciel se couvrit dès le début de l'avant-midi et la température baissa sensiblement. Après le repas du midi, Laurent annonça qu'il n'avait pas l'intention de retourner bûcher ce jour-là parce que Jocelyn Jutras lui avait dit avoir affaire à Pierreville durant l'après-midi.

— Tu vas corder dans la remise tout le bois qu'on a ramené cet avant-midi, ordonna-t-il à Rosaire. Quand t'auras fini, t'iras nettoyer les cages des poules. C'est sale à lever le cœur. À cette heure, va m'atteler Satan.

— Toi, qu'est-ce que tu vas faire ? lui demanda sa femme dès que l'orphelin eut quitté la maison.

— Moi, j'ai promis à mon père de passer à l'hôtel, répondit-il sans donner plus de précisions.

Après le départ de Rosaire et de son mari, Corinne rangea la maison et décida ensuite de cuisiner deux gâteaux dans l'intention d'en apporter au moins un à ses parents le lendemain. Sa mère lui avait écrit la veille pour l'inviter, elle et sa petite famille, à souper le soir de Noël. Tous les Joyal allaient être là ainsi que Bernard Provencher, l'amoureux de Germaine. Dans sa courte missive, Corinne avait senti le désir de ses parents d'enterrer la hache de guerre avec leur gendre. Ils avaient apparemment compris que si leur fille et leur petit-fils n'étaient pas retournés chez eux depuis la mi-novembre, c'était parce qu'il leur gardait rancune.

La jeune femme avait hâte de les revoir. Elle était aussi impatiente de revoir Bastien, Rosalie, Blanche, Amédée et leurs enfants qu'elle n'avait pas vus depuis presque trois mois. Tout le problème allait être de persuader son mari d'aller à Saint-François-du-Lac. Jusqu'à présent, elle n'avait pas encore osé lui parler de l'invitation. Elle guettait avec anxiété le bon moment pour le faire.

Par ailleurs, la veille, Juliette lui avait écrit pour lui annoncer qu'elle ne pourrait pas venir à Saint-Paul-des-Prés durant les fêtes parce que son associée venait de tomber malade et qu'elle n'était pas en état de se charger du restaurant, comme l'année précédente. Cette nouvelle peinait beaucoup Corinne. La période des fêtes n'allait sûrement pas être aussi agréable sans la présence de sa belle-sœur.

Philippe, un peu enrhumé, dormait dans son petit lit qu'elle avait installé près du poêle. Lorsqu'elle entreprit de préparer ses gâteaux, elle se rendit compte qu'elle allait manquer d'œufs. Elle s'empressa d'endosser son manteau et se rendit dans la cuisine d'été pour y prendre le vieux panier dans lequel elle transportait les œufs chaque jour. Lorsqu'elle prit ce dernier, l'anse se détacha. Elle l'abandonna sur la table de cuisine sans s'inquiéter, certaine d'en trouver un autre moins abîmé dans le poulailler.

Elle sortit de la maison et se dirigea vers le petit bâtiment où Rosaire venait d'entrer en poussant difficilement la vieille brouette en bois dans laquelle il avait l'intention de déposer le fumier de poule.

— Pauvre toi ! le plaignit-elle en entrant. C'est vrai que ça sent pas mal mauvais. Il me semble qu'avant de commencer ici, t'aurais pu venir te réchauffer un peu dans la maison.

— C'est correct, je suis pas gelé, dit-il pour la rassurer en jetant le contenu de sa première pelletée dans la brouette.

— Moi, je monte en haut me chercher un nouveau panier pour les œufs.

Corinne le laissa à son travail et monta au grenier dans l'intention d'y prendre un nouveau panier. Au moment où elle se penchait pour s'emparer d'un vieux panier, près des poches de jute vides, cinq ou six mulots, dérangés par son intrusion dans leur domaine, se mirent à fuir dans toutes les directions. Deux d'entre eux passèrent même entre ses jambes.

— Saudite vermine ! s'écria-t-elle, incapable de réprimer son dégoût. C'est rendu qu'il y en a partout !

— Qu'est-ce qu'il y a ? lui demanda Rosaire en s'avançant au pied de l'escalier.

— Il y a des mulots partout. Ça a pas d'allure.

L'adolescent vint la rejoindre à l'étage, toujours armé de sa pelle.

— Je pense qu'ils ont fait leur nid dans cette grosse pile de poches de jute, affirma Corinne avec répugnance en lui montrant les poches empilées dans un coin. C'est bien simple, ces bêtes-là me donnent mal au cœur. On va régler ça tout de suite. Ça va prendre cinq minutes et on va être débarrassés. Prends ta pelle et garroche-moi ces poches-là en bas de l'escalier. On va brûler ça dans le four, dehors.

— Il y a peut-être des poches encore bonnes là-dedans, lui fit remarquer Rosaire.

— Laisse faire, répliqua-t-elle, on n'est pas pour commencer à trier ça si les mulots ont fait leur nid là-dedans. Lance-moi ça au pied de l'escalier. Je vais venir te donner un coup de main à tout brûler dans une minute, le temps de rapporter les œufs à la maison et de voir si Philippe dort encore. Je vais apporter des allumettes. Laisse-moi le temps de partir avant de te mettre à faire ça. Je veux pas voir les mulots courir partout pendant que je vais être ici dedans.

L'adolescent venait à peine de projeter au bas de l'escalier le tas de sacs de jute que Corinne était de retour.

— Ouach, que ça pue cette affaire-là ! ne put-elle s'empêcher de s'écrier en empoignant une pile de sacs poussiéreux et malodorants.

Elle transporta le tout quelques dizaines de pieds plus loin, dans le four situé à l'arrière de la maison. Dès qu'elle eut jeté une allumette enflammée sur ce qu'elle venait de déposer dans le four, le tout se mit à brûler. Rosaire la suivit de près avec le reste des sacs qu'il lança à son tour dans les flammes.

— Il reste plus rien en haut, lui annonça-t-il. Il y a juste des casseaux vides et des paniers.

— C'est parfait. À cette heure, viens te réchauffer un peu dans la maison, lui ordonna-t-elle en s'éloignant du four qu'elle n'utilisait plus depuis le début de la saison froide.

Un peu avant l'heure du train, Laurent revint du village, passablement éméché. Il ne s'arrêta à la maison que le temps de crier à Rosaire de venir dételer Satan. Il abandonna son attelage sur place et alla directement à la remise pour vérifier si le bois avait été cordé. Au moment où l'orphelin immobilisait la *sleigh* près de l'écurie et entreprenait de dételer le cheval, il vit Laurent se diriger vers le poulailler. Il en déduisit qu'il voulait aussi s'assurer qu'il avait bien nettoyé les cages des poules.

Laurent Boisvert, un peu vacillant, jeta un regard rapide sur le travail de Rosaire avant de monter à l'étage dans l'intention de retirer deux ou trois dollars du magot dissimulé dans les poches de jute. Depuis une semaine, il ne songeait plus qu'à la soirée qu'il allait s'offrir à l'hôtel de Yamaska le soir même.

Dès qu'il posa le pied dans le grenier du poulailler, il se crut victime d'une illusion d'optique et se frotta vigoureusement les yeux pour s'assurer qu'ils ne le trompaient pas.

— Voyons donc, sacrement! Ça se peut pas! s'écria-t-il, à moitié dégrisé, en se précipitant vers le fond de la pièce pour s'assurer qu'il avait bien vu.

Son cœur eut un raté. Il fit deux ou trois fois le tour du grenier pour s'assurer ne pas avoir la berlue.

— Christ de Christ! jura-t-il, c'est pas vrai. Mon argent est disparu! Qui est le maudit voleur qui est parti avec? Sacrement! Il restait au moins six cents piastres. Cet argent-là s'est pas envolé comme ça!

Refusant de reconnaître la possibilité que son magot ait disparu, il fit une dernière fois le tour du grenier avant de descendre au rez-de-chaussée pour inspecter les lieux, au cas où les sacs auraient été déplacés. Mais aucune trace des sacs de jute.

Fou de rage, il s'élança hors du poulailler.

— Toi, quand t'en auras fini avec le cheval, occupe-toi de ramasser le fumier dans l'étable, ordonna-t-il durement à Rosaire en train de faire entrer Satan dans l'écurie.

Il se précipita ensuite vers la maison où il pénétra avec fracas.

— Qu'est-ce qui est arrivé avec les poches de jute du poulailler? cria-t-il à sa femme avant même de déboutonner son manteau.

Corinne sursauta violemment et le petit Philippe se mit à pleurer.

— Voyons! Qu'est-ce qui te prend? lui demanda-t-elle à son tour. T'as fait peur au petit.

Elle se leva et donna un biscuit à l'enfant qui cessa immédiatement de pleurer. Elle le déposa dans son lit avant de se diriger vers le poêle.

— Laisse faire le petit, lui ordonna-t-il d'une voix dure. Je t'ai demandé ce que t'avais fait des poches de jute du poulailler.

— Je les ai brûlées, répondit-elle en plaçant dans le fourneau les deux moules à gâteau dans lesquels elle venait de verser son mélange.

— Comment ça, brûlées? fit son mari qui n'osait pas croire ce qu'il venait d'entendre.

— Les mulots avaient fait leur nid là-dedans et ça puait. J'ai tout pris et j'ai brûlé ça dans le foyer, dehors.

— C'est pas vrai, sacrement! T'as pas fait ça? hurla Laurent, fou de rage.

— C'est pas si grave que ça, voulut le calmer sa femme. J'ai vu qu'il y en avait d'autres dans la grange. Si t'en as besoin, t'as juste à en prendre là.

— Maudite niaiseuse! hurla-t-il, incapable de contrôler sa colère.

— Aïe! Laurent Boisvert, calme-toi, lui cria à son tour Corinne, excédée. Je suppose que t'as encore bu comme un cochon et que tu sais plus ce que tu dis.

Ces dernières paroles furent de trop pour le mari, assommé par la catastrophe qui venait de ruiner tous ses plans. Il fit deux pas vers sa femme et la frappa durement au visage à deux ou trois reprises. Corinne s'effondra par terre et, dans sa rage, il lui décocha même un coup de pied avant de tourner les talons et de quitter la maison.

Philippe se remit à pleurer.

Corinne venait à peine de se remettre sur pied quand elle vit passer la *sleigh* près de la maison. Elle se traîna péniblement jusqu'au lavabo, morte d'inquiétude pour l'enfant qu'elle portait. Elle prit une serviette et s'apprêtait à éponger le sang qui coulait de son nez quand Rosaire rentra dans la maison.

À la vue de son amie au visage ensanglanté, l'adolescent pâlit et se précipita vers elle.

— Qu'est-ce qui est arrivé? lui demanda-t-il, fou d'inquiétude.

— Rien.

— Mais tu saignes!

— C'est pas grave. Occupe-toi de Philippe pendant que j'arrange ça, lui demanda-t-elle d'une voix suppliante.

L'adolescent alla prendre l'enfant et se mit à le bercer doucement pour faire cesser ses pleurs. Corinne se retira un long moment dans sa chambre à coucher. Elle se laissa tomber sur son lit, secouée par de violents sanglots convulsifs. Elle avait l'impression de venir de toucher le fond du désespoir et ne voyait pas comment elle pourrait être heureuse à nouveau.

Elle ne comprenait absolument rien à la colère de son mari. Elle ne pouvait que la mettre sur le compte de l'alcool. S'il l'avait battue un mois auparavant, elle l'aurait quitté sans la moindre hésitation pour retourner chez ses parents. Mais en cette veille de Noël, elle n'avait nulle part où se réfugier. Si elle retournait à Saint-François-du-Lac dans l'état où elle était, son père et ses frères s'en mêleraient... Elle était tout de même assez lucide dans son désespoir pour comprendre que, si tel était le cas, sa mère finirait par l'inciter à revenir vivre avec son mari après quelques jours et, si cela était, ce dernier refuserait à tout jamais de renouer avec sa belle-famille.

À l'extérieur, l'obscurité commençait à tomber. Elle se secoua et sécha ses yeux avec un coin de son tablier. Elle se releva en boitillant, alluma la lampe à huile déposée sur sa table de nuit. Pendant un long moment, elle examina d'abord son visage. Son œil gauche avait déjà pris une teinte violacée. L'une de ses joues et ses lèvres étaient enflées. Elle souleva sa jupe et son jupon pour regarder le grand bleu qu'il lui avait fait sur une cuisse en lui décochant un coup de pied. Elle prit une grande inspiration pour s'empêcher de se remettre à pleurer et remit de l'ordre dans son chignon.

— C'est la dernière fois qu'il me traite comme un chien! dit-elle à voix basse, les dents serrées. La prochaine fois qu'il lève la main sur moi, je le frappe avec ce qui va me tomber sous la main.

Après avoir dit cela, la jeune mère de famille réalisa que les dernières traces de son amour pour son mari venaient de disparaître à jamais. Maintenant, elle le haïssait à en trembler. Elle quitta finalement sa chambre à la pensée de ses gâteaux dans le fourneau. Elle revint dans la cuisine où Rosaire avait fini par endormir le bébé en le berçant. Elle déposa sa lampe au centre de la table et s'empressa de s'avancer vers le poêle.

— Si c'est à tes gâteaux que tu penses, je les ai sortis du fourneau tout à l'heure, fit l'adolescent. Mais je suis pas sûr s'ils sont corrects, par exemple.

— T'es bien fin de t'être occupé de Philippe, lui dit-elle. Couche-le dans son lit. On va aller faire le train pendant qu'il dort, ajouta-t-elle.

Rosaire déposa l'enfant dans son petit lit et étendit une couverture sur lui pendant que Corinne endossait son manteau après avoir jeté un coup d'œil aux deux gâteaux un peu brûlés déposés sur le comptoir. L'orphelin s'habilla à son tour et, au moment de quitter la maison en sa compagnie, lui dit à mi-voix :

— Je vais le tuer pour t'avoir fait ça !

— Dis pas ça, lui ordonna son amie. Il en vaut pas la peine.

Après le train, ils revinrent tous les deux dans la maison. La neige venait de se mettre à tomber doucement en cette veille de Noël. Corinne fit réchauffer un reste de fricassée pour le souper. Ils mangèrent en silence. De temps à autre, Rosaire ne pouvait s'empêcher d'examiner le visage tuméfié de la jeune femme et son cœur se serrait de pitié. Lorsque vint le temps de ranger la cuisine, Corinne lui dit :

— Je pense que je pourrai pas aller à la messe de minuit à soir, même si mon mari revient à temps avec la *sleigh*. Je serai même pas capable d'aller à la basse-messe demain matin, arrangée comme je suis là. Le bon Dieu va comprendre, ajouta-t-elle, un ton plus bas, comme si elle cherchait à se convaincre.

Rosaire ne dit rien, se bornant à secouer la tête pour signifier qu'il avait compris.

— Toi, si ça te tente, tu pourrais toujours aller demander aux Rocheleau s'ils te feraient pas une petite place pour t'emmener à l'église. T'aurais juste à leur dire que je suis malade et que je peux pas y aller avec toi.

— Laisse faire, je vais rester avec toi, déclara l'adolescent.

— Dans ce cas-là, on se laissera pas mourir de faim, reprit Corinne en s'efforçant de montrer du courage. J'ai préparé un réveillon, on va le manger à minuit même si on va pas à la messe.

Vers neuf heures, la jeune femme et l'orphelin décidèrent, d'un commun accord, d'aller dormir un peu. La maîtresse de maison promit à l'adolescent de le réveiller un peu avant minuit pour réveillonner, que son mari soit rentré ou pas. Elle jeta une grosse bûche d'érable dans le poêle après avoir fait la toilette du bébé et elle se retira dans sa chambre à coucher.

Elle s'étendit dans le noir, tout habillée, le corps et le cœur meurtris. Pas un seul instant elle ne se demanda où pouvait bien être son mari et ce qu'il faisait. Elle ne songeait qu'à la messe de minuit ratée, la première depuis l'année de sa première communion, et au souper familial auquel elle n'oserait jamais assister le lendemain soir, à Saint-François-du-Lac. Épuisée par les émotions, elle finit par s'endormir après avoir récité une courte prière pour que l'enfant qu'elle portait n'ait pas souffert du coup de pied reçu quelques heures plus tôt.

Elle se réveilla en sursaut deux heures plus tard. Pendant un moment, elle crut que c'était le bruit d'une porte qui venait de la réveiller. Elle se leva, alluma une lampe et sortit de sa chambre. Philippe dormait comme un bienheureux dans son petit lit. La maison était silencieuse et l'horloge marquait onze heures quinze. Elle se rendit à l'une des fenêtres pour regarder à l'extérieur. La neige tombait doucement et aucune trace d'un récent passage n'était visible dans la cour. De l'autre côté de la route, un peu plus loin, elle crut voir un fanal. Les Rocheleau devaient s'apprêter à partir pour le village à bord de leur grosse carriole.

Corinne remit du bois dans le poêle et déposa un pâté à la viande dans le fourneau et son ragoût de boulettes sur le poêle avant de dresser le couvert. Elle prit soin de placer au centre de la table une tarte à la mélasse, la sorte préférée de Rosaire.

Quelques minutes plus tard, elle monta à l'étage réveiller ce dernier.

— Viens manger, Rosaire, lui ordonna-t-elle à mi-voix pour ne pas réveiller le bébé. C'est prêt.

Tous les deux s'attablèrent et mangèrent avec un meilleur appétit que celui dont ils avaient fait preuve au souper. Pour donner un petit air de fête à l'événement, Corinne fit un effort pour se montrer joyeuse et se plut à rappeler à l'adolescent ce qu'ils avaient fait avec Juliette et Jocelyn Jutras l'année précédente, la veille de Noël.

Un peu avant une heure, la jeune femme et Rosaire allèrent se coucher après avoir lavé la vaisselle et rangé la nourriture.

———

Le lendemain matin, Corinne se réveilla un peu plus tard qu'à l'accoutumée. Le jour était déjà levé. La place à ses côtés était demeurée vide et elle s'en félicita. Un frisson la parcourut au moment où elle rejeta les couvertures.

— Seigneur! On gèle ici dedans, dit-elle en s'emparant du châle déposé au pied de son lit.

La maison était froide parce qu'elle ne s'était pas levée durant la nuit pour alimenter le poêle. Inquiète, elle vérifia d'abord si Philippe était bien couvert avant de quitter la pièce pour rallumer le poêle. Pendant un instant, elle balança entre aller réveiller Rosaire ou le laisser dormir. Finalement, elle décida de le laisser dormir. Elle s'habilla et sortit pour aller faire le train.

Durant la nuit, il n'était tombé que quelques pouces de neige. Cependant, le froid était vif et le vent faisait tourbillonner la neige. Au moment où la jeune femme prenait la direction de l'étable, elle entendit les meuglements des vaches, impatientes de se faire traire en ce matin de Noël. Après avoir soigné les animaux, elle rentra à la maison et prépara un peu de crème de blé pour le déjeuner.

— Aïe, la marmotte! As-tu l'intention de passer la journée de Noël couché? cria-t-elle, debout au pied de l'escalier, à l'intention de Rosaire.

— J'arrive, répondit ce dernier en entrouvrant la porte de sa chambre.

— Presse-toi pas, le train est fait, lui précisa-t-elle avant d'aller chercher Philippe pour changer ses langes et lui donner à manger.

Un moment plus tard, l'orphelin descendit dans la cuisine.

— Pourquoi tu m'as pas réveillé pour le train? lui demanda-t-il, la voix chargée de reproche. J'aurais été capable de le faire tout seul.

— Comme tu peux le voir, moi aussi, je suis capable, répliqua-t-elle avec bonne humeur. Tu peux te servir un bol de crème de blé. C'est prêt, lui annonça-t-elle en commençant à faire manger Philippe, assis sur ses genoux.

L'adolescent s'assit en face d'elle et se mit à l'examiner à la dérobée. L'œil gauche de la jeune femme avait viré au noir et l'ecchymose sur sa joue était nettement visible, comme l'enflure de ses lèvres. Corinne se rendit compte de son manège, mais ne dit rien.

La journée de Noël passa avec une lenteur désespérante dans la maison de Laurent Boisvert. À tout moment, Corinne craignait de voir revenir son mari, ivre et violent. Sans le dire, Rosaire semblait redouter la même chose.

Pourtant, la journée se passa sans que le maître des lieux donne le moindre signe de vie.

Après le souper, Corinne tenta bien de distraire l'adolescent en jouant une partie de cartes avec lui, mais le cœur n'y était pas. Ses pensées revenaient toujours à ce qui était en train de se passer chez ses parents. Chez les Joyal, on devait s'amuser, chanter, évoquer les Noëls passés et raconter des histoires. On devait faire montre d'autant plus de bonne humeur et de joie que la fête de l'année précédente avait été annulée à cause du décès du bébé de Blanche. La jeune femme se sentait misérable, seule, chez elle, en cette soirée où tous s'amusaient.

— Ils vont bien se demander pourquoi je suis pas allée au souper, finit-elle par dire au moment où ils renonçaient à jouer aux cartes.

Rosaire ne dit rien, mais sembla comprendre à qui elle faisait allusion.

— Même si mon mari avait été ici dedans, j'aurais pas voulu y aller. Je suis pas montrable, arrangée comme ça, ajouta-t-elle, la voix un peu tremblante et la larme à l'œil.

D'un commun accord, même s'il était relativement tôt, ils décidèrent d'aller se coucher.

———✺———

Laurent Boisvert ne rentra à la maison que le lendemain après-midi. Corinne fut alertée par le bruit des grelots de l'attelage au moment où il passait près de la maison.

— Rosaire, va l'aider à dételer le cheval, dit-elle à l'adolescent qui venait de remplir le coffre à bois. Si tu sens qu'il est en boisson, presse-toi pas pour rentrer, ajouta-t-elle sans lui donner de plus amples explications.

Elle vit l'orphelin traverser la cour et rencontrer son mari à mi-chemin entre la maison et l'écurie. Laurent lui dit quelque chose au passage et poursuivit son chemin jusqu'à la porte de la cuisine d'été.

Malgré la stature imposante du fils cadet de Gonzague Boisvert, la jeune femme n'avait pas peur quand il pénétra dans la cuisine d'hiver. Sans dire un mot, le jeune cultivateur retira son manteau et ses bottes et s'approcha du poêle pour se réchauffer.

Corinne ne dit rien et lui présenta un visage de marbre. À son grand étonnement, il n'avait pas l'air ivre. Il est vrai, songea-t-elle, qu'il avait eu largement le temps de cuver tout ce qu'il avait bu en trois jours. Elle sentit qu'il la regardait fixement, mais elle fit comme si elle ne s'en rendait pas compte, comme s'il n'était pas là.

— J'ai faim, finit-il par dire.

— Il y a du manger sur le poêle, fit-elle d'une voix neutre. T'as juste à te servir.

Sans dire un mot, il alla se chercher une assiette en pierre dans l'armoire et se servit une bonne portion de ragoût. Pendant ce temps, elle avait pris Philippe dans ses bras et s'était réfugiée dans sa chambre à coucher en laissant la porte ouverte.

— Tu me prépareras mon linge, je pars tout à l'heure pour le chantier, lui dit-il d'une voix forte pour qu'elle l'entende du fond de la chambre.

Elle ne dit rien. Elle se contenta de déposer le bébé dans son lit avant de sortir le grand sac de toile dans lequel son mari transportait ses effets personnels quand il montait au chantier. Elle entreprit de faire le tour de ses tiroirs pour en tirer les vêtements dont il aurait besoin. Elle finit par jeter dans le sac les chemises et les pantalons suspendus dans la garde-robe.

Sans qu'elle l'ait entendu venir, elle le vit soudain debout dans l'embrasure de la porte.

— Le frère de Lupien, un gars de Yamaska, monte avec moi dans un chantier en haut de Lachute. Il paraît qu'il y a trois gars qui sont tombés malades là-bas et le *foreman* est descendu chercher des hommes.

Elle prit le sac de toile aux trois quarts remplis et le lui tendit. Il s'écarta pour la laisser sortir de la pièce. Elle s'approcha de la table et se mit en devoir de ramasser la vaisselle sale, toujours sans ouvrir la bouche.

— Sacrement! Tu pourrais au moins dire quelque chose, lui dit-il en élevant la voix.

— J'ai rien à te dire! fit-elle d'une voix dure qu'il ne lui connaissait pas.

Elle lui tourna le dos pour aller jeter un rondin dans le poêle. Désarçonné par la réaction de sa femme et peut-être également honteux de l'avoir aussi sauvagement battue, il se dirigea vers le crochet auquel était suspendu son manteau. Il l'endossa et chaussa ses bottes. Il prit son sac, ouvrit la porte et sortit.

Corinne s'aperçut alors que Rosaire avait approché la *sleigh* de la maison et qu'il demeurait dans la voiture pendant que son mari lançait son sac à l'arrière et s'emparait des rênes. L'attelage quitta la cour et Corinne se retrouva seule dans sa maison.

— Bon débarras! dit-elle à mi-voix, réellement soulagée.

Le soleil descendait déjà à l'horizon, donnant à la neige une teinte écarlate. Un long hiver attendait la jeune femme enceinte de son second enfant. En cet instant précis, elle était incapable de dire à quoi ressemblerait son avenir.

À suivre

Sainte-Brigitte-des-Saults
janvier 2010

Table des matières

GARANT DES FORÊTS
INTACTES

Achevé d'imprimer en février 2010
sur les presses de Transcontinental-Gagné,
Louiseville, Québec.